Laisa Wen

Laisa
Wendler

Heller
Sand

Roman

Die Bibliografische Information der Deutschen Bibliothek

Die Deutsche Bibliothek verzeichnet diese Publikation in der Deutschen
Nationalbibliografie; detaillierte bibliografische Daten sind im Internet
unter www.d-nb.de abrufbar.

Einbandabbildung: © Laisa Wendler
Herstellung und Verlag: BoD- Books on Demand, Norderstedt
© 2018 Laisa Wendler
ISBN 978-3-7528-2349-3

Der Morgen erwacht, stetig tropft das Regenwasser an der dunklen, schon etwas mit Rost besetzten Dachrinne hinunter. Tau säumt noch das Gras vor dem Haus, und von den Tannen schräg gegenüber der Eingangstür weht der Wind leise die Nadeln und den letzten Rest der Dunkelheit davon. Der Wecker klingelt. Samara tastet zur Seite. Ein kurzer Hieb, und Stille kehrt wieder ein. Samara dreht sich noch einmal um und murrt:»Ich will noch schlafen!« Doch dann setzt sie sich widerwillig auf und reibt sich die Augen. Gähnend schlurft sie ins Bad.

Während Samara ihre Pyjamahose herunterstreift und diese unbeachtet zu Boden gleitet, greift sie zum Schalter des kleinen Radios, das in der Ecke steht. Eine lebhafte Stimme ertönt:»Einen wunderschönen guten Morgen, wir haben drei Grad unter Null und der Nebel hängt noch in der untersten Schiene.«

»Haha, zu witzig«, antwortet Samara missmutig und steigt in die Duschwanne. Was für ein beschissenes Wetter hier in Deutschland. Allein die Vorstellung, dass ihr schon morgen die Sonne auf den Rücken scheinen wird und sie an endlos langen Stränden spazieren geht, hebt ihre Stimmung schon wieder um einiges. Sie spürt bereits, wie sich das Salzwasser um ihre Waden schlängelt, und stellt sich vor, wie sie die Sonne beim Untergehen über dem Meer beobachtet. Samara wirft den Kopf in den Nacken und hält ihr Gesicht unter den warmen Wasserstrahl. Danach steigt sie aus der Wanne, zieht ein frisches Handtuch aus der Kommode und fühlt sich wie neu geboren.

In dem kleinen Badezimmer muss man höllisch aufpassen, nirgendwo anzustoßen. Samara und Marcel hatten damals die Wände mit hellen Kacheln überzogen und die eine Seite mit breiten Spiegeln besetzt, was dem schmalen Raum optisch mehr Größe gibt. Alle Zimmer im Haus, außer das Wohnzimmer, waren damals klein. Frisch verheiratet, hatten sie dieses alte Haus am Stadtrand gekauft und mit viel Eigenarbeit vollständig renoviert.

Seit Samara mit ihren Kindern allein darin wohnt, hat sie es noch einmal völlig umgestaltet. Die hellblaue Küche hat sie in einem leuchtenderen Blau gestrichen, nur um sich bewusst zu machen, dass das Haus jetzt ihr allein gehört. Das große Wohnzimmer hat sie komplett neu eingerichtet, und tatsächlich, es wirkt ganz anders als in der Zeit mit Marcel.

Während sie sich eincremt, fällt ihr Blick in den Spiegel und sie beäugt sich kritisch. An diesem Morgen ungeschminkt, wirkt sie wie ein junges Mädchen. Dass sie schon auf die vierzig zugeht, sieht man ihr nicht an und es erfüllt sie mit Stolz, dass sie sich so gut gehalten hat. Dann beginnt sie ihr langes, lockiges Haar durchzukämmen, steckt es sich mit einem kurzen Handgriff und ein paar Haarnadeln nach oben und zupft noch ein paar Strähnen ins Gesicht. Sie schminkt sich die Lippen und überprüft noch einmal ihr Spiegelbild. Das muss reichen. Sie schlüpft in ihre Jeans und überlegt, ob sie den dunklen, eng anliegenden oder den hellen Pullover anziehen soll. Samara entscheidet sich für den dunkelblauen. Dieser zügelt wenigstens optisch ihr Temperament. Während sie die Wendeltreppe hinunterläuft, ist sie in Gedanken bereits weit weg. In zwei Stunden geht ihr Flieger. Der Rucksack ist gepackt, die Fotoausrüstung, der Schminkkoffer und ihr Laptop. Einen Schlafsack für alle Fälle hat sie sich von Edda geborgt, natürlich in der Hoffnung, ihn nicht brauchen zu müssen. All diese Dinge liegen griffbereit im Flur. Samara schaut noch einmal in den Spiegel, der an der Garderobe hängt, und wartet auf Edda, die jeden Moment kommen müsste. Edda und Sandra sind die Einzigen, die den wirklichen Grund für ihre waghalsige Reise kennen.

In diesem Augenblick klingelt es an der Haustür.

»Hallo, guten Morgen«, kommt ihr Edda gut gelaunt entgegen. Sie umarmen sich herzlich und Edda fragt:»Na, bist du nervös?«

»Und wie. Als würde eine Achterbahn in meinem Magen rauf und runter fahren. Meine Knie sind wie Pudding und ich hab noch keinen Bissen hinuntergebracht.«

»Ach, du Arme. Mir würde es wahrscheinlich genauso gehen, wenn ich an deiner Stelle wäre. Aber du willst es ja so!« Edda schaut ihr dabei fragend in die Augen. Doch sie weiß: Wenn sich Samara etwas in den Kopf gesetzt hat, gibt sie eh keine Ruhe, bis sie ihr Ziel erreicht hat.

»Bist du fertig? Hast du auch alles?«, fragt sie noch einmal nach.

»Ja, ich glaub schon.« Samara läuft noch einmal durch die Wohnung, schaut in jedes Zimmer und verschließt dann sorgfältig gleich zweimal die Eingangstür. Sie schaut nochmals zurück und denkt: ›Wie wird Rainer reagieren, werde ich ihn überhaupt finden, oder muss ich womöglich doch noch in Eddas Schlafsack übernachten? Vielleicht ist er gar nicht geflogen, oder er ist krank geworden.‹ Könnte es sein, dass er diese Reise aus irgendwelchen Gründen in letzter Minute storniert hat? Seit dem letzten Treffen sind ja schon Wochen vergangen. Falls Rainer die Reise tatsächlich nicht angetreten hat, wäre sie mutterseelenallein. Auf einem anderen Kontinent, fern der Heimat und auch fern von ihrem Traummann.

Sie versucht sich zu beruhigen. Sie hat ja für den Notfall ihren Schminkkoffer und die Fotoausrüstung bei sich. Alle Utensilien, die sie braucht, um in dieser einen Woche doch noch ihrer Arbeit als Visagistin und Fotografin nachgehen zu können. Falls alles schiefgehen sollte, würde sie eben die hübschen Mädchen von Venezuela noch ein wenig schöner machen und sie in einer Fotoserie verewigen. Abends könnte sie dann an ihrem Buch weiterschreiben. Nein, langweilig würde es ihr bestimmt nicht werden, auch wenn sie Rainer in Venezuela nicht finden sollte. Doch dann wäre ihr Traum, mit ihm zusammen an endlosen Sandstränden spazieren zu gehen, vorbei und er würde niemals merken, dass er sie genauso liebt wie sie ihn.

Sie schmunzelt und wird schon wieder ein wenig zuversichtlicher. ›Jetzt, wo du so viel auf dich genommen hast, um diese Reise zu unternehmen, wirst du doch nicht schlapp machen‹, sagt sie zu sich selbst. Sie denkt an die Wochen, die hinter ihr liegen.

*

Zuerst hatte Samara im Reisebüro diesen Flug reservieren lassen. Vorsorglich mit Reiserücktrittsversicherung, für den Fall, dass ihre Bemühungen, die Kinder gut zu versorgen, gescheitert wären. Der Besuch bei ihrer Hausärztin und die nötigen Impfungen, die sie über sich ergehen lassen musste, waren anstrengend. Alles Übrige ließ die Zeit jetzt doch wie im Flug vergehen. Danach hatte sie tief Luft geholt und ihren Exmann Marcel angerufen. Ihm erklärte Samara, dass beim Playboyteam eine Visagistin erkrankt sei und sie einspringen könnte. Für sie sei dies eine einmalige Chance, einmal in Venezuela arbeiten zu können.

Bevor Samara ein kleines Kosmetik-Studio eröffnet hatte, in dem sie Kosmetikbehandlungen, fernöstliche Massagen, Tiefenentspannung und Schmerztransformation anbot, war sie nach ihrer Profiausbildung als Visagistin und Stylistin für verschiedene Zeitschriften tätig gewesen. Um ihre Reise zu rechtfertigen, schien ihr diese Erklärung die glaubwürdigste, da sie auch jetzt zeitweise noch in diesem Bereich Aufträge annahm. Sie versuchte Marcel klarzumachen, dass es nun in seiner Verantwortung läge, in ihrer Abwesenheit die Kinder zu betreuen. Auf ein Donnerwetter machte sie sich gefasst, doch sie hatte sich fest vorgenommen, sich dadurch nicht beeindrucken zu lassen. Als Marcel jedoch losbrüllte, ob sie nun von allen guten Geistern verlassen sei, und ihr in einem Atemzug aufzählte, was alles gegen ihren Vorschlag spreche, zuckte sie doch zusammen.

»Also, ich will dir eines sagen«, und nun hatte er sie wieder ›Samara‹ genannt. Immer wenn es um etwas Unangenehmes ging, nannte er sie so und nicht ›Sami‹. »Das geht auf gar keinen Fall, das kannst du dir abschminken! Wie soll ich das denn machen, während der Arbeit die Kinder betreuen und meine Wohnung ist noch nicht einmal komplett eingerichtet!«, maulte er.

»Du könntest doch auch deine Eltern fragen«, konterte sie.

»Ach, jetzt sind meine Eltern wieder recht«, schrie er zurück.

»Was soll denn das nun wieder heißen?«, fiel ihm Samara am anderen Ende der Leitung ins Wort. »Du weißt genau, dass ich deine Eltern sehr schätze. Auch wenn ich ihnen bezüglich der Kinder in der Vergangenheit nicht jeden Wunsch erfüllen konnte. Es geht doch nicht darum, dass ich Urlaub machen will, sondern beruflich weg muss!«

Lügner, Lügner, klang es in ihren Ohren.

›Verdammte Scheiße‹, dachte sie. ›Es muss jetzt eben mal sein!‹ Es war ja selten genug, dass sie zu solchen Mitteln griff. Sollte sie Marcel etwa jetzt die Wahrheit sagen? Womöglich würde diese Reise zu einer großen Enttäuschung werden. Was sollte sie ihm und erst seinen Eltern, die immer aufopfernd eingesprungen waren, erzählen, wenn Not am Mann war? Was würden sie von ihr denken? Restlos enttäuscht wären die beiden. Doch wenn ihr Plan gelingen sollte und sie ihren Schwiegereltern später die ganze Geschichte erzählen würde, wären sie bestimmt bereit, ihr zu verzeihen. Das hoffte Samara einfach. Denn tief in ihrem Herzen, mochte es auch äußerliche Differenzen gegeben haben, glaubte Samara an deren Loyalität. Mit diesen Gedanken hatte sich Samara getröstet.

Während der Trennungsphase von ihrem Mann war es zwischen ihr und Marcels Eltern zu heftigen Auseinandersetzungen gekommen. Samara hatte sich mit Marcel und ihnen darüber entzweit, wie die Kinder von nun an betreut werden sollten. Vor Leonis Geburt hatten ihre Schwiegereltern auf die Zwillinge Tim und Stina aufgepasst. So konnte sie stundenweise in ihrem Kosmetikstudio arbeiten, während Marcel an der Uni war. Marcel verließ Samara in einer Zeit, als sie ihn am nötigsten brauchte. Sie so kurz vor Leonis Geburt zu verlassen! Sich in eine andere zu verlieben, während sie sein Kind unter dem Herzen trug, hatte sie als schändlich empfunden und zutiefst getroffen. Marcel war nach seinem Auszug im Kreißsaal dabei gewesen und Samara hoffte inständig, dass dieses gemeinsame Erlebnis sie wieder verbinden könnte. Doch zu begreifen, wie weit er schon entfernt war, hatte die Wunden nur noch weiter aufgerissen. Zu vieles war geschehen, das einen tiefen Riss in ihrem Herzen hinterlassen hatte. Da sie wenige Wochen nach der Entbindung wieder arbeiten musste, brachte sie Stina, Tim und Leoni zu ihren Schwiegereltern. Sobald sie seine Eltern sah, kamen die Erinnerungen an die gemeinsame Zeit mit Marcel zurück. Der Schmerz bohrte sich heftig in ihre Brust und es fühlte sich an, als würde es ihr das Herz zerreißen. Für seine Eltern war Marcels Auszug genauso schockierend wie für Samara und sie litten sehr unter dem Scheitern seiner Ehe. Doch sie waren *Marcels* Eltern und es blieb nicht aus, dass es immer wieder heftige Diskussionen gab. Unbewusst nahmen die Kinder diese Spannungen auf. Besonders Tim hatte andauernde Albträume und schlief keine Nacht mehr durch. Irgendwann hielt Samara es nicht mehr aus. Immer wieder neue Konfrontationen, neuer Schmerz. Sie musste für sich eine Entscheidung treffen und übertrug die Betreuung der Kinder ihrer Freundin. Es war schwierig für alle Beteiligten in dieser Zeit. Für Samara war es trotz der Schuldgefühle ihren Schwiegereltern gegenüber eine große Erleichterung festzustellen, dass sich ebenso eine Stabilisierung in der Psyche ihrer Kinder wie in ihrer eigenen einstellte, als sie diesen Schritt vollzogen hatte. Für ihre Schwiegereltern war es ein schwerer Schlag, der zu einem Bruch zwischen Samara und ihnen führte. Samara liebte sie und es schmerzte sie sehr, dass sie nicht verstanden wurde und sie ihnen auch nicht begreiflich machen konnte, wie sie sich damals fühlte. Die Trauer um ihren Mann und um den Verlust der gemeinsamen Zeit war so groß gewesen, dass sie einfach nicht reden konnte und sie sich ebenfalls hinter einer Mauer der Unnahbarkeit verschanzte.

Nachdem eine gewisse Zeit vergangen war, konnten sich Samara und ihre Schwiegereltern einander wieder annähern. Umso mehr hatte sie diesen guten Neubeginn nicht durch diese Reise strapazieren wollen. Es war ein absoluter Notfall und würde auch bestimmt nicht mehr vorkommen, bestärkte sie sich damals. Sie besann sich wieder auf Marcel, der am anderen Ende der Leitung auf eine Antwort wartete. Sie gab ihrer Stimme mehr Festigkeit, obwohl sie innerlich vor Angst bebte. Sie atmete noch einmal kräftig durch und sagte dann:

»Also gut, es ist deine Entscheidung. Ich kann die Kinder auch zu Manuela bringen, ich habe bereits mit ihr geredet. Diesen Auftrag werde ich auf jeden Fall annehmen!« Und ein wenig freundlicher fügte sie hinzu:»Es gäbe ja auch die Möglichkeit, dass die drei tagsüber von Manuela betreut würden und du sie abends abholst. Oder du, deine Eltern und Manuela sich die Betreuung der Kinder teilen. Überlege es dir bitte, ich wäre dir sehr dankbar.«

Mit diesen Worten hatte sie sich verabschiedet. Doch als sie den Hörer auflegte, war sie so richtig in sich zusammengesackt. Sie hätte es nicht für möglich gehalten, dass diese Notlüge sie so belasten würde. Samara war es einfach nicht gewohnt, solche Geschichten zu erfinden.

Um sich zu entspannen, ging sie wie immer in die Meditation und stellte sich Schwere und Wärme vor. Mittels ihrer Gedanken transportierte sie Licht in ihre Zellen. Sie stellte sich vor, wie alle unangenehmen Dinge aus ihrem Körper entschwanden, und dann betete sie einfach. Es war immer wieder ein Erlebnis für sie, in der Meditation zu verweilen. Sie war danach wesentlich entspannter und konnte sich dann auch von unangenehmen Gedanken besser lösen.

Sie dachte an ihre Kunden. Frau Meier war dreißig Jahre lang glücklich verheiratet, als ihr Mann ganz plötzlich von einem Auto erfasst wurde und sie von einem Tag auf den anderen allein im Leben stand. Sie konnte diesen Schock nicht überwinden und fühlte sich, als bestände sie nur noch aus einer Hälfte. Wie ein Messer, das sich immerzu in ihr Herz bohrte, trug sie die Erinnerung an ihn in ihrem Inneren. Sie haderte so sehr, dass es ihr schwerfiel, ihr Leben ohne ihn zu gestalten, und konnte dieser Macht nicht entrinnen. Wenn Frau Meier von ihrem Mann erzählte, fühlte Samara diese unbändige Trauer. In diesem Augenblick spürte sie den Wunsch, ganz nah bei ihr sein zu können und für sie da zu sein. Es erfasste sie ein unbändiges Sehnen, dienen zu können. Mit ihrem ganzen Herzen, mit ihrer ganzen Liebe und Anteilnahme, die sie in diesem Moment in sich trug. Ihr zu sagen, dass Liebe überall ist und gerade oft von dort kommt, wo sie am wenigsten erwartet wird. Dass sie so gut verstehen konnte, wie schwer es für sie war. Dass sie mit ihr fühle und sie in ihrer tiefen Trauer, in ihrer Einsamkeit und ihrem großen Leid begreifen könne. Und sie signalisierte ihr, dass sie sich in der Unbarmherzigkeit des Lebens um sie sorgte. Und dann legte sie ihre Hände auf ihre Wangen, bedeckte mit ihren Fingern behutsam ihre Augen, begann zu massieren und betete zu Gott und wünschte für sie.

Samara glaubte an die Macht der Engel, sie glaubte an ein Leben nach dem Tod. Denn sie hatte viele Male Nahtoderlebnisse gehabt. Einige hielten sie für verrückt, besonders Marcel, weil er sich nicht vorstellen konnte, dass man mit Engeln reden kann. Samara wusste, dass sie das, was sie erlebte, nur wenigen Menschen berichten konnte.

Einigen Kunden erzählte Samara manchmal von dem Licht. Von der Gewissheit, schon mehrere Male gelebt zu haben und gestorben zu sein. Von der Erinnerung an viele Leben und an die immer wieder gleiche Erfahrung im Sterben, im Angesicht des Todes wieder mit all ihren Lichtwesen, ihren hellen Freunden verbunden worden zu sein. Tod als etwas Glückbringendes, Volles, Ganzes erlebt zu haben. Tod war die Krone des Lebens. Nachdem der Lebenskampf zu Ende gekämpft war, konnte das manchmal sehr grausam sein. Das Nicht-gehen-Wollen, das sich mit aller Macht Wehren. Doch kurz vor dem Hinübergehen auf die andere Seite warteten die Engel. Mit der Hilfe dieser Lichtgestalten konnte sie vollenden, was aufgelöst werden musste, ihre Angehörigen, die sie liebte, die an ihrem Bett saßen und um sie weinten, zurücklassen. Ohne Trauer, ohne Schmerz, einfach nur in einem tiefen Verständnis für die ganze Ordnung, in die alle Menschen eingebunden waren. Sie wurde hinaufgeleitet und erfuhr sich selbst in diesem Prozess als überaus geliebt. Diese Gesetzmäßigkeiten in ihrem Bewusstsein waren so einfach, so klar, und hatten ein völlig neues Bild von Leben und Sterben in ihr geformt. Vielleicht war sie ja verrückt, sie war sich da selber nicht sicher. Allzu ungewöhnlich war ihr Leben. Doch die Begegnung mit ihren Engeln, das war ihre elementare Energiequelle. Und woher wusste man, was real war und was nicht? Vielleicht war ja das ganze Leben eine Illusion?

Nachdem sich Frau Meier wieder angezogen hatte, sie noch einiges für ihre Haut besprochen hatten, kam die Zeit des Abschieds. Sie bedankte sich noch einmal bei Samara für ihre Anteilnahme und musste dabei schon wieder weinen. Es war Frau Meier sichtlich schwergefallen, an diesem Vormittag das Studio zu verlassen. Und auch das konnte Samara allzu gut verstehen. In den fünf Minuten Pause wiederholte sie im Schnelldurchgang ihre Meditation und war wieder bereit für die nächste Kundin. Und schon klingelte es erneut an der Tür. Es war Heike.

Sie war eine junge Frau, tadellos gekleidet, hübsch frisiert und perfekt geschminkt. Wenn man sie an ihrem Schreibtisch gesehen hätte, würde man nicht glauben, dass sie nach ihrer Arbeit jeden Abend zu ihren zwei alten Tanten fuhr. Sie machte ihnen den Haushalt, die Wäsche und war bei allem Möglichen behilflich. Immer wieder nahm sie sich vor, es heute kurz zu halten und dann kam sie doch immer erst spät in der Nacht nach Haus, um erschöpft in ihr Bett zu fallen. Sie kümmerte sich so aufopfernd um ihre Verwandten und vergaß sich selbst dabei. Sie entwickelte alle möglichen körperlichen Symptome, die sie quälten. Sie sehnte sich nach mehr eigenem Freiraum und erfand doch alle erdenklichen Ausreden. Nur um sich nicht einzugestehen, dass sie Angst hatte, nein zu sagen. Sie buchte bei Samara regelmäßig Shiatsu, um ihre körperlichen Beschwerden zu mildern und Spannung abzubauen. Shiazu war eine Form der Akupressur. Die längs gerichteten Energiebahnen, die einzelnen Organen zugeordnet waren, wurden akupressiert, und so floss die Energie wieder besser in diesem Meridian, auch Energiebahn genannt. Dies hatte zur Folge, dass ein erhöhter Sauerstofftransport zu den Zellen stattfand und Schlackenstoffe sich lösten, die den Organismus behinderten, was zu einem besseren Wohlbefinden führte. Spannungen konnten abgebaut werden. Die Energie zirkulierte besser im Körper. Diese Methode hatte auch eine sehr angenehme Wirkung auf die Psyche. Man konnte sagen, dass man mit Shiazu oder Fußreflexzonentherapie vorbeugend gegen Krankheiten wirken konnte. Und war schon einiges im Argen, half es ein besseres körperliches Gleichgewicht wieder herzustellen.

Für Samara bildete der Mensch eine Einheit von Körper Geist und Seele. Sie gehörten unabänderlich zusammen. Deshalb war das Reden zu gleichen Teilen wichtig. Denn immer stand hinter einem körperlichen Symptom auch eine psychische Information.

Auf diesem Gebiet war Samara ein echter Profi. Sie konnte die Füße ihrer Patienten zwischen ihre Finger nehmen und ihnen vorher schon sagen, wo sie Spannungen hatten. Sie fühlte so detailliert, was der andere fühlte, dass ihre Kunden immer wieder erstaunt waren, wenn sie aussprach, wie er oder sie diesen Druck nun empfand. Manchmal war es ein mühseliger Weg, körperlich wie psychisch Fortschritte zu erzielen. Und doch bewegte es sich Stück für Stück. Es war nicht ihre Aufgabe, die Probleme anderer zu lösen. Sie begriff ihre Tätigkeit vor allem im »da sein.« Hilfestellung geben, zuhören, verwöhnen. Das fand sie das Allerwichtigste. Fachliche Kompetenz für Haut und Körper und einen Raum schaffen, in dem man sich erholen, Ballast abwerfen, sich fallen lassen, auftanken konnte. So begrüßte Samara oftmals ihre Kunden schon mit dieser Aufforderung. Genießen, fließen lassen und Raum für Neues schaffen.

Frau Heine, die letzte Kundin heute, war mit einem Alkoholiker verheiratet und litt fürchterlich unter seinen Eskapaden. Wenn er morgens röchelnd auf dem Fußboden lag und sie ihn immer wieder ins Krankenhaus bringen musste, war es schwer für sie. Sie verachtete ihn und sich und beklagte ihr Dasein. Die Sehnsucht war groß, ihn zu verlassen, um endlich ein eigenes, glücklicheres Leben zu führen. Doch bei dem Gedanken, diesen Schritt zu wagen, erfüllte sie eine solche Ausweglosigkeit. Sie hätte sich lieber umgebracht, um nicht mehr ertragen zu müssen, als ihren Mann zu verlassen. Irgendwann hatten ihr die Kinder einen Gutschein für eine Kosmetikbehandlung geschenkt. Frau Heine hatte es so sehr genossen, einmal selbst verwöhnt zu werden, dass sie nun jeden Monat heimlich zu Samara ins Studio kam.

Samara begann mit der Gesichtsmassage, der wichtigste Teil einer Kosmetikbehandlung. Sie berührte behutsam die Wangen ihrer Kundin. Sie ließ ihre Hände kreisen, begann zu kneten und zu klopfen und ihre Finger berührten jeden Muskel in ihrem Gesicht. Sie reihten sich aneinander als ein gleichmäßiges Schwingen, ein Sich-Vereinen mit der Haut des anderen. Als würde sie selbst eingehüllt, wie in Watte in einem Rausch versinken, massierte sie mit ihrer ganzen Hingabe. Als fiele sie in einen Trancezustand, empfand sie auf einmal nur noch Liebe in ihrem Tun. Sie liebte dann einfach den, der unter ihren Händen lag. Egal wie gut sie diesen Menschen kannte, egal wer er war. Sie hatte in diesem Augenblick alles für ihn.

Wenn man Lichtenergie transportieren wollte, war es wichtig, sich und den anderen in einen Lichtschutz zu setzen. Sie wusste aus ihrer Lehrzeit bei Alma, dass dieser Lichtschutz notwendig war. Wenn man das Licht rufen wollte, musste man genau definieren, was einströmen durfte. Sie meinte mit Licht die göttliche Energie. Manches in der Zwischenebene konnte angezogen werden: Geister, unerwünschte Seelen, Kreaturen niederen Ursprungs, die gerne eine Seele besetzen würden. Deshalb bildete sie diesen Schutz mit ihrer Formel um sich und anschließend um ihre Kundin, während sie massierte, damit das Gute und Helle durch sie hindurch zum anderen fließen konnte. Dann rief sie im Geiste nach ihren Engeln. Als wäre ein Fenster aufgegangen an ihrer Schädeldecke und der warme Sommerwind brächte den Duft von Blumen mit, so war es ihr. Als würde Gott in ihren Körper fließen, mit seinem wachen Geist, mit seiner ganzen Kraft und Freude. Sie ließ dieses Licht über ihre Schädeldecke einströmen, und es suchte sich seinen Weg entlang ihrer Wirbelsäule, strömte von hinten über ihre Schulterblätter zu ihren Händen und dann über ihre Fingerspitzen zu ihrer Kundin. Sie bat um Fülle, um Schutz und Güte für diesen Menschen, den sie massierte.

Nach einer Weile kam sie zum Ende ihrer Gesichtsmassage und ließ den anderen wieder sanft und behutsam zurückkommen. Sie legte ihre Hände auf dessen Ohren und ließ sie dort ruhen, und die Wärme ihrer Handflächen konnte noch bis in den Hals hinein strömen.

Manch eine Kundin öffnete die Augen und sagte ihr, als wie schön sie das empfunden hatte. Wie außerordentlich kraftvoll und gut sie sich fühlte. Samara war immer wieder erstaunt, wenn ihre Kundin sie als die Gebende empfand, und antwortete:»Ich erhalte von Ihnen nicht weniger, als ich gebe.« Natürlich hatte es sich herumgesprochen, dass sich Samaras Studio von den anderen abhob. Doch auch das gab sie nach oben ab. Gott sorgte für sie. Sie war ausgebucht seit eh und je, und sagte jemand ab, füllte diese Lücke ein neuer Kunde.

Samara liebte ihre Arbeit und empfand es als eine Berufung, Menschen zu verwöhnen. Ab und zu war sie sogar mutig genug, ihre Zwiegespräche mit ihren Engeln, die sie unentwegt führte, auszusprechen. Dann war sie erstaunt, dass man ihr einfach nur zuhörte. Es war komisch, davon zu erzählen, weil es so gar nicht der Norm entsprach. Doch es war, als würden ihre Engel hinter ihr stehen und sagen:»Jetzt musst du ihr von uns erzählen! Ob sie es glaubt oder nicht. Du hast die Aufgabe und die Pflicht, ihr von uns zu berichten! Sag ihr, dass auch sie ihre Schutzwesen hat. Sag ihr, dass wir in großer Liebe bei ihr sind und immer um sie herum sein werden. Sag ihr das, sag ihr das!« Samara hatte Angst, nicht ernst genommen zu werden. Die Gefahr, zurückgestoßen zu werden, empfand sie dann auf einmal als übermächtig. Und gleichzeitig dem Druck nicht ausweichen zu können, der in ihren Gedanken von ihren Engeln auf sie ausgeübt wurde. Doch als könnte sie gar nicht anders, als müsste sie ihre Aufgabe erfüllen, erzählte sie. Von diesen wunderbaren Erlebnissen trotz der größten Not wie damals, als ihr Bruder sich vom Dach gestürzt hatte. Monatelang wäre sie ihm am liebsten nachgesprungen. Sie fühlte sich so einsam und unendlich verlassen von ihm zu dieser Zeit. In diesem Ausnahmezustand hatten sich für Samara ungewöhnliche Dinge ereignet.

Da waren diese Geschehnisse nach Jonas Tod. Als sie nicht einmal mehr schreien konnte. Als sie der Schmerz so sehr verzehrt hatte und sie nach langem Ringen mit ihm sich in ihn hineinfallen lassen musste, weil sie nicht mehr gegen ihn ankämpfen konnte. Denn so sehr war ihre Lebenskraft geschwunden, als das Unfassbare geschah. Auch für sie war früher Sterben etwas Schreckliches gewesen. Sie wollte nicht viel darüber nachdenken, verdrängte diese Gewissheit eher, um nicht zu sagen, es ängstigte sie, darüber nachzudenken. Allzu ungewiss war da etwas in der Ferne, das sie nicht ändern konnte und das sie eher als unangenehm und lästig empfand. Als ihr Vater starb und sich kurz darauf Jona umbrachte, traf sie das so hart, dass sie glaubte, ihr ganzes Dasein sei mit einem Mal ins Wanken geraten. Wie Mauern, die unmerklich schon zuvor zu bröckeln begonnen hatten. Als sei ein tosender Sturm durch die Steppe gezogen und habe alle Grundfeste auf einmal in Samara eingerissen, brach alles in ihr zusammen. Sie erlebte sich schwimmend in einem reißenden Strom. Je mehr sie um ihr Überleben kämpfte, umso höher tobten die Wellen. Zogen sie nur noch tiefer hinein in diese unbarmherzige Ungewissheit. Der Schmerz über Jonas Tod bohrte sich so heftig in ihr Herz, dass sie meinte, daran zu Grunde zu gehen. Monatelang plagte sie sich mit Schuldgefühlen. Andauernd überlegte sie, ob sie es nicht doch hätte verhindern können. Viel lieber wäre sie mit ihm in den Tod gegangen, als dieser Grausamkeit standhalten zu müssen. Sie weinte in dieser Zeit der Trauer so viel, dass sie glaubte, ihre Augenlider würden überhaupt nicht mehr abschwellen. Oft lag sie auf ihrer Matratze und war unfähig, irgendetwas anzupacken. Eines Abends, nachdem sie wieder keinen Schlaf fand und sich völlig aufgelöst in ihrem Bett hin und her wälzte, war die Angst vor dem eigenen Sich-nicht-aushalten-Können so groß, dass sie meinte, dieser Zustand würde sie in tausend Stücke reißen. Sie kämpfte den Kampf gegen sich selbst, und als würden Welten aufeinanderprallen, hatte sie sich auf einmal in diesem tiefen schwarzen Tunnel vorgefunden. Sie fühlte sich eingeschlossen und ausgeliefert. Es war kalt und nass und dazu noch finster. Sie versuchte sich an den glatten Wänden abzustützen, doch sie gaben keinen Halt und immer wieder rutschte sie ab. Sie versuchte sich vorwärts zu tasten, Boden zu gewinnen, um irgendwie dort wieder herauszukommen. Stück für Stück rutschte sie suchend immer tiefer hinein, bis sie sich am Ende nur noch auf allen Vieren bewegte und dieser Tunnel einfach nicht enden wollte. Der kalte Schweiß tropfte von ihrer Stirn und sie hörte ihren eigenen Herzschlag bis zu ihrem Hals pulsieren. Sie versuchte diesem schwarzen Tunnel zu entrinnen, doch musste sie erkennen, dass sie nur noch tiefer in ihn hineinfiel. – Auf einmal war es hell! Zuerst schien es ihr, als sehe sie einen kleinen Schimmer. Gleich einem Punkt in der Ferne, hinter dem Horizont und doch wahrnehmbar, sah sie das Licht auf sich zukommen. Sie begriff noch, dass ihr Körper vor Erleichterung schwerelos wurde, und es war ihr, als würde sie ohne körperliche Hülle treiben. Das Licht kam näher. Auf einmal begriff sie, dass sie es war, die ihm entgegentrieb. Samara schwebte kontinuierlich, unaufhaltsam, langsam, in einem gleichmäßigen Schwingen dieser Kraft entgegen. Je intensiver sie in ihren Wirkungsbereich gezogen wurde, umso mehr wich ihre Trauer, ihre Angst, ihre Not. Ja, es kehrte sich um in ein inniges Gefühl der Freude, die größer wurde und zu einem Zustand der Fülle und Glückseligkeit heranwuchs. Samara ließ alles hinter sich. Alle Enttäuschung, die ihr das Leben schon zugefügt hatte, allen Schmerz und alle Hoffnungslosigkeit. Sie fühlte sich auf einmal so sehr eingebunden in dieses Licht. Es umfasste sie, umgarnte sie, drang in sie ein, vertiefte sich. Es floss in jeden Winkel ihres Seins.

Lange lag Samara auf ihrem Bett und das Licht war ganz langsam schwächer geworden und hatte sich ins Nichts verloren. So, wie es zuvor gekommen war, so war es gegangen, ganz langsam, ganz zärtlich und behutsam. Es hatte ihr Zeit gelassen, sich zu verabschieden, in Liebe und in tiefer Verbundenheit mit ihm. Alles schien so, wie es vorher war. Sie lag noch immer auf dem Bett und die Bilder hingen dort, wo sie schon vorher gehangen hatten. Und doch hatte sich etwas in ihr verändert. Sie nahm die Dämmerung des Abends wieder wahr, den großen Schreibtisch und die Kerzen, die brannten. Und sie wusste auf einmal wieder, dass ihr Bruder gestorben war. Doch es war von nun an ein anderer Schmerz. Als hätte sich ein offener Kreis in ihrem Inneren geschlossen und würde im Kern einen großen feurigen kraftvollen Schatz beherbergen, der sie wärmte und gelassener werden ließ.

Von nun an trug sie etwas in sich, noch klein und zart, gleich einem Samen, der aufgegangen war. Und es sollte ihr ganzes zukünftiges Leben und alles, woran sie zuvor geglaubt hatte, verändern.

Jahre lag diese erste Erfahrung zurück und es folgten ihr wichtige, weitere Erlebnisse auf der Ebene des schönen violetten Lichtes.

Einmal war sie sich sicher, dass alles, was sie fühlte und gesehen hatte, Gültigkeit besaß. Dann konnte Samara Bäume ausreißen. Sie verspürte das Bedürfnis, allen um sich herum etwas davon geben zu wollen, und glaubte über sich selbst hinauszuwachsen. Doch es überkamen sie wieder die Zweifel an ihrer Zurechnungsfähigkeit. Ob sie sich vielleicht doch nur alles eingebildet hatte und die Einbildungskraft einem das Geschehene so real erscheinen ließ. Auch fiel es Samara immer wieder schwer, ihrer inneren Stimme zu vertrauen. Wenn die Zweifel in ihr zu groß wurden und sie zu plagen begannen, warf sie alles Gedachte, all das, was sie erfahren hatte, über Bord. Erlaubte sich nichts zu wissen, dumm zu sein, vielleicht sogar verrückt. Gar nichts begreifen zu können und zu wollen gestand sie sich zu. Es war eine große Erleichterung in diesem Augenblick, denn sie konnte wieder als ganz normaler Mensch weitergehen.

Sie dachte an Eddas Worte in einem ihrer vielen Gespräche, wenn sie auf ihrer Terrasse saßen in diesen vielen lauen Sommernächten und kein Ende fanden: »Weißt du, Sami, ich glaube, bevor wir in diese Erde eintreten, haben wir uns unsere Aufgabe schon ausgesucht. Vielleicht tragen wir unbewusst dieses Erbgut und die Erinnerung an unseren Ursprung gleich einer guten Saat in uns und es geht nur darum, im Leben zu Gott zu finden.«

Samara hatte noch ein großes Stück Weg vor sich. Sie musste ihre Ängste und Widerstände aufräumen. Sie musste es einfach schaffen und sie wusste, sie würde ihre ganze Kraft und Energie darauf verwenden.

Samara dachte an ihr Gespräch mit Marcel zurück. An die Fragen, mit denen sie sich geplagt hatte, als sie sich entschloss, diese Reise anzutreten. Was, wenn Marcel auf ihren Vorschlag nicht einginge? Konnte sie Manuela, zusätzlich zu den eigenen, ihre Kinder auch noch Tag und Nacht zumuten? Leoni war gerade in einem anstrengenden Alter, ständig musste man auf der Hut sein und aufpassen, was sie nun wieder in ihrem Forscherdrang anstellte. Sie leerte volle Blumenvasen aus, nur um zu schauen, was auf dem Grund war. Alles musste mit den Lippen getestet werden und rennen konnte sie so schnell, dass man meinte, sie würde die Ecken mitnehmen. Freilich war sie unendlich süß mit ihrem Lächeln. Doch wenn sie begreifen musste, dass sie sich von diesem aufregenden Spielzeug in Form einer Steckdose trennen musste oder von dem Spülmittel, das kurz zuvor hinter der verschlossenen Schranktür gesichtet wurde, konnte sie ein Geschrei machen, dass man sich die Ohren zuhalten musste. Leoni gehorchte Manuela aufs Wort und sie erzog alle drei Kinder mit Ruhe und Geradlinigkeit in den Stunden, in denen sie bei ihr waren. Doch das befreite Samara nicht von ihren Schuldgefühlen. ›Lass es los, es wird sich alles zu deinem Besten entwickeln, versuche zu vertrauen und deine Aufmerksamkeit umzulenken‹, bestärkte sie sich dann wieder. Begab sich noch kontinuierlicher als sonst an ihre Meditationsübungen und betete um Unterstützung. Es war eigenartig, in manchen Bereichen stand sie mit beiden Beinen fest auf dem Boden der Realität, wenn es um ihre Arbeit, ihre Kinder, ihre Übungen, ihren Körper und die Organisation von Abläufen ging. Da hatte sie eine Geradlinigkeit und ein Vertrauen, eine Stärke und ein Durchhaltevermögen, um die sie all ihre Freundinnen beneideten. Samara empfand sich selbst als einen extremen Menschen, zwischen der Sicherheit im einen und der Unsicherheit im anderen hin und her schwankend. Sie wusste, dass es kein Problem für sie war, ihre Kunden auf einen anderen Termin umzulegen. Samara wünschte sich dieses Vertrauen ebenso in Bezug auf Männer. Von ihren Eltern bekam sie vorgelebt, dass man mit Tatkraft und mit Willen viel erreichen konnte. Ihre Stiefmutter hatte die vielfältigen

Aufgaben scheinbar spielend miteinander verbinden können. Die Selbstständigkeit, das Haus, die Kinder und das Büro unter einen Hut gebracht. Samara empfand ihren beruflichen Bereich als unbelastet von Traumata, in Bezug auf das männliche Geschlecht sah das ganz anders aus. Sie dachte erneut an Marcel, die Kinder und an ihre Reise. Als ihr bewusst wurde, dass sie ihre Kinder noch mehr abgeben musste, um ihrem Traum nachzugehen, bekam sie heftige Schuldgefühle. »Die Mama geht auf eine weite Reise, um ihrer großen Liebe nachzufliegen.« In der Hoffnung, dass er, wenn er erst einmal zwangsweise mit ihr zusammen sein müsste, endlich seinen Gefühlen nachgeben und einsehen würde, dass auch er nicht mehr ohne sie leben wollte.

War es nicht eine ganz schöne Gewalt an jemandem, ihn so zu überrumpeln und ihn zu seinem Glück zwingen zu wollen? Machte sie Rainer damit nicht unmündig? Was würde sein, wenn er zu ihr sagen würde: »Was willst du denn hier!«? Wenn er ihr genervt den Rücken zudrehte und davonginge? Wäre es möglich, dass er so etwas tun würde? Und sie überlegte erneut, ob es nicht besser wäre, alles abzublasen und hierzubleiben. Auf welches Abenteuer würde sie sich da überhaupt einlassen? Konnte es sein, dass eine Geliebte in Venezuela wartete, wie sie Sandra gewarnt hatte? Konnte es sein, dass er sich sogar Liebe kaufte, wie sie damals kritisch zu bedenken gab? Samara konnte es sich einfach nicht vorstellen. War sie naiv, weltfremd, völlig übergeschnappt? Oder ging sie nur unbeirrt ihren Weg, in dem Glauben, aus Liebe richtig zu handeln? Samara musste abwarten, wer nun ihre Kinder betreute, und entschied das Nachdenken über einen möglichen Rückzug aufzuschieben.

Schon zwei Tage später klingelte das Telefon und Marcel meldete sich. Samara spürte, wie es ihr die Kehle zuschnürte, und sie konnte vor lauter Aufregung nur ein klägliches »Hallo« ins Telefon krächzen.

»Ich habe mit meinen Eltern gesprochen und wir haben vereinbart, uns die Betreuung von Tim, Stina und Leoni zu teilen«, erklärte er knapp.

»Das ist ja wunderbar!«, unterbrach sie ihn sofort. »Ich danke dir. Darüber bin ich jetzt aber sehr froh.«

»Da musst du dich bei meinen Eltern bedanken«, meinte er trocken.

»Ja das werde ich gleich tun. Später können wir ja die Einzelheiten besprechen, vielen Dank noch mal.«

Als sich Sami verabschiedet hatte und der Hörer wieder auf der Gabel lag, schrie sie vor Begeisterung:»Juhu, jippi!«, hüpfte in ihrem Wohnzimmer umher, klatschte in die Hände und freute sich:»Wer sagt es denn! Das ist ja echt toll! Läuft doch alles wie geschmiert. Das hätte ich nicht von ihm gedacht.«Aber schon einen Augenblick später war ihr Blick finster geworden und sie ging erneut mit Marcel um. Darüber, dass er ebenso etwas für seine Kinder tun konnte und er ja schließlich ihr Vater war. Sie erinnerte sich, dass sie die letzten zwei Jahre die Kinder die meiste Zeit allein hatte betreuen müssen. Und wenn sie daran dachte, wie schändlich Marcel sie bei der Geburt von Leoni und in der Zeit danach behandelt hatte, fiel es ihr leicht, sich auf die Reise zu freuen.

Dann war alles Schlag auf Schlag gegangen. Samara informierte Manuela. Buchte fest ihren Flug, verlegte ihre Kundentermine und erledigte alle sonst noch anfallenden Arbeiten. Das Schwierigste, es ihren Kindern beizubringen, hatte Samara lange aufgeschoben. Denn ihr war klar, dass sie sich zuerst wirklich sicher werden musste, diese Reise für sich haben zu dürfen. Intensiv war sie in die Meditation gegangen, um sich mit Licht zu füllen und ihr Zutrauen zu stärken, dass sie auch in dieser Hinsicht wachsen konnte. Nachdem Samara wieder einmal über den Mittag ihre Übungen beendet hatte – in der Zeit, wo sie dafür am meisten Ruhe fand, wenn Leoni schlief und Stina und Tim ihre Hausaufgaben erledigten –, war sie zuerst zu ihrer großen Tochter ins Zimmer gegangen. Sie hatte einige Minuten vor Timi das Licht der Welt erblickt und betrachtete sich tatsächlich als die»große Schwester«. Stina war eifrig damit beschäftigt, eine Kette aus vielen kleinen Perlen zu basteln. Sie drehte sich um, als sie Samara hörte.

»Mutti, guck mal.« Freudestrahlend hob sie ein Band mit bunten funkelnden Perlen in die Höhe.

»Die ist aber schön, da hast du dir aber große Mühe gegeben, Stina. Die Kette können wir ja wieder in meinem Geschäft verkaufen, wenn sie fertig ist«, antwortete Samara.

Als hätte ihre Mutter sie auf eine großartige Idee gebracht und als würde sie bereits überlegen, wie sie das verdiente Geld ausgeben konnte, antwortete Stina:»Au ja, Mutti, aber die kostet mindestens fünf Mark!«

»Ach Schatz, das ist zu viel, machen wir drei Mark fünfzig daraus, wie bei den anderen auch, denn für diesen Preis haben sie sich doch gut verkaufen lassen, es sind immerhin Kinderketten.«

»Nein, Mutti, die ist viel schöner als die anderen und ich hab so lange dafür gebraucht!« Enttäuscht und beleidigt schaute Stina zu Boden, als wäre das jetzt furchtbar schlimm und nicht mehr zu ändern, was ihre Mutter vorgeschlagen hatte.

»Also gut, wir machen einen Kompromiss. Ich versuche es für vier.«

»Danke, Mami, danke«, kam Stina freudestrahlend auf ihre Mutter zugerannt und drückte sich fest an sie.

»Du, Stina«, begann Samara vorsichtig,»die Mami, hat einen ganz tollen Auftrag bekommen und darf mit dem Flugzeug nach Venezuela fliegen und dort Frauen schminken, die dann für eine Zeitschrift abgelichtet werden.«

»Wo ist Venzula?«, unterbrach Stina sie interessiert.

»Venezuela heißt das Land und es ist ganz weit weg. Viele Stunden mit dem Flugzeug, es überfliegt dabei einige Länder und das Meer.«

»Ist es weiter wie da, wo wir schon mal im Urlaub waren?«

»Viel, viel weiter.«

»Au ja, da komm ich mit«, meinte Stina und umarmte sie schon wieder. Samara musste unweigerlich lachen.

»Nein, mein Schatz, da kannst du nicht mitkommen, ich muss doch dort arbeiten«, erklärte sie Stina.

»Dann schau ich dir eben zu, oder ich helf dir, ich kann ja auch ganz gut malen«, schlug Stina vor und dabei legte sie einen Blick auf, der voll von Stolz und Selbstvertrauen war darüber, dass sie wusste, wie oft man sie schon wegen ihrer kreativen Ader gelobt hatte.

Samara musste schmunzeln und antwortete ihr ernst:»Nein, Stina, das geht nicht, wirklich nicht.«

»Wieso denn nicht?« Stinas Augenbrauen zogen sich zusammen, als wolle sie gleich losschnauben, und das tat sie dann auch. »Du sagst doch auch immer, dass ich ganz gut malen kann!« Sie stand da, die Arme in die Hüften gestemmt, um dem Gesagten noch mehr Ausdruck zu verleihen, und schaute sie voller Erwartung an. Samara wusste, dass sie nun verletzt war.

»Sicherlich, Stina, kannst du außerordentlich gut malen, aber weißt du, die Firma, für die ich arbeite, bezahlt nur meinen Flug und die möchten auch nicht, dass da Kinder dabei sind.«

Eine kurze Pause hatte Samara ertragen müssen und wusste, dass es Stina sicherlich weh tat.

»Och!«, gab sie ein enttäuschtes Klagegeräusch von sich und senkte ihren Kopf so tief auf den Brustkorb, als wolle sie ihr Gesicht verstecken. ›Gleich fließen die Tränen‹, dachte Samara bekümmert, doch Stina richtete sich ruckartig auf und protestierte: »Ja und was soll ich dann so lange machen, während du weg bist?«

»Du darfst zum Papa.«

»Was, zum Papi?« In Stinas Gesicht wurde es augenblicklich hell und beim Aufschlag ihrer Wimpern blitzte ein kleiner Funken auf. »Au ja, das ist ja toll, dann kann ich ganz lange Computerspiele machen, die ganze Zeit.«

Erleichtert hatte Samara einen tiefen Atemzug genommen, denn sie wusste, die größte Hürde war geschafft. Sie schaute Stina noch eine Weile über die Schulter zu, wie sie eine Perle nach der anderen über den durchsichtigen Nylonfaden stülpte, und ging dann hinaus.

Samara hatte gerade einige Seiten in ihrem Buch korrigiert und dachte über den Titelnamen nach. ›Die Lichtbringerin‹, schoss es ihr in den Kopf. ›Ja genau, die Lichtbringerin, was für ein Titel‹, dachte sie begeistert.

Stina kam ins Zimmer.

»Oh Stina, das ist ja prima, dass du da bist. Was hältst du von ›Die Lichtbringerin‹?«

»Schön«, antwortete Stina. »Du, Mami«, sagte sie kleinlaut.

»Was ist denn?« Samara blickte auf und erhob sich von ihrem Schreibtischstuhl, weil sie spürte, dass sie irgendetwas bedrückte. Sie schaute ihr ermunternd in die Augen.

»Du, Mami, ich möchte aber nicht zum Papi, ich möchte lieber bei dir bleiben«, sprudelte es aus Stina heraus.

Innerlich schmerzte es Samara. Sie konnte Stina so gut nachfühlen. Sie zog ihre Tochter ein wenig zu sich her, sodass sie auf ihrem Schoß Platz nahm, und sagte:

»Du bist mein guter Schatz, mein allerbestes Kind, du, Tim und die Leoni. Ich würde am liebsten auch bei dir bleiben, oder euch drei mitnehmen, aber das geht eben nicht. Und weißt du«, nun wurde Samara ernster, »weißt du, Stina, für die Mami ist diese Reise ganz wichtig!«

»Sehr wichtig?«, fragte Stina erneut.

»Sehr wichtig!«, antwortete Samara ruhig und schaute ihr dabei tief in die Augen. »Aber ich werde euch etwas Wunderschönes mitbringen, das verspreche ich dir.«

Bei diesem Satz huschte ein Strahlen über Stinas Gesicht. »Vielleicht eine Puppe, oder ein Flugzeug aus Plastik, ein großes, oder vielleicht einen Hund, oder ein Pferd?«

»Nein, Stina, ein Pferd und ein Hund bestimmt nicht, aber vielleicht eine Puppe oder ein Flugzeug aus Plastik, oder einfach etwas Schönes, Aufregendes, das euch Spaß machen wird.«

»Mami, Mami, das wäre toll und ich geh auch zum Papi und freue mich, bis du wiederkommst.« Jetzt war es das Allergrößte für Stina, über diese Überraschung nachzudenken, und Samara war erleichtert. Stina rannte zu Tim ins Zimmer und berichtete ihm euphorisch, dass Mama ein Pferd oder einen Hund mitbringen würde. Worauf Tim trocken erwiderte: »Das hättest du wohl gerne.«

Natürlich hatten sie in den Tagen danach immer wieder etwas über ihre Reise wissen müssen. Und Samara wusste, dass es ihren Kindern nicht leicht fiel, sie gehen zu lassen. Aber wenn sie spürten, dass etwas sehr wichtig für Samara war, konnten sie großzügig und einsichtig sein. Es war geschafft. Die beiden Großen hatten es sichtlich gut verdaut. Samara erzählte Leoni beiläufig, dass sie bald eine Reise machen würde und sie in dieser Zeit mit ihren Geschwistern bei ihrem Vater sei. Erst kurz vor der Reise sagte sie Leoni, dass die Mami fortging, aber auf jeden Fall wieder zurückkomme. Alleine wenn Leoni das Wort »Papa« hörte, plapperte sie begeistert nach: »Papa, Papa.« Wie gut, dass sie nicht wusste, dass Marcel sie gar nicht gewollt hatte. Sie liebte Marcel über alles, und seit sie das Licht der Welt erblickte, gab er ihr seine ganze Liebe, die er zu geben fähig war. Leoni war so weise in ihrer kleinen Seele, sie hatte die Fähigkeit, alles und jeden zu verbinden. Sie erfüllte den Raum mit ihrem Strahlen und oft stand Samara da und dachte: ›Mein Gott, was sind das für wunderbare Kinder, die mir auf meinen Weg mitgegeben sind.‹ Freilich konnte sie ein anderes Mal auch wieder alle auf den Mond schießen. Wenn Stina mal wieder ihre Eifersuchtsattacken an den Tag legte und glaubte, sie würde in allem den Kürzeren ziehen, und sie ihr in einem fort aufzählte, was sie Leoni alles Gutes tue. Wenn Timi in seiner Tollpatschigkeit immer noch die Schuhe falsch herum anzog oder einfach langsamer begriff als Stina, konnte sie das ab und an zur Weißglut bringen. Wenn sie alle durcheinanderschrien, alle zur gleichen Zeit ihre Mutter ganz für sich alleine haben wollten und zischten und fauchten wie wild gewordene Katzen. Samara stellte dann mit Bedauern fest, dass sie sich nicht teilen konnte, um ihnen zur gleichen Zeit gerecht zu werden. Dann wäre sie manchmal gern aus ihrer Haut gefahren. Geflüchtet auf eine Insel mit Strand und blauem Meer. Sah sich dann faul in der Sonne liegen und nichts tun, schlafen, endlich mal ein Buch lesen oder lange Spaziergänge in die Einsamkeit unternehmen. Denn diese Insel beherbergte keine Kinder. Hatte nur sie diesen Wunsch, immer allen gerecht zu werden? Den Widerstand gegen den Augenblick? Natürlich, wenn sie länger nachdachte, wünschte sie sich auch ihre Kinder auf diese Insel, denn spätestens nach ein paar Stunden hätte sie ihre Rasselbande schrecklich vermisst. Aber am liebsten noch mit ein, zwei Babysittern im Schlepptau, die alle beschäftigten und sie in ihrem Ruhebedürfnis nicht störten. Dann bekam sie wieder ein schlechtes Gewissen, weil sie solche Gedanken, wenn sie unter Belastung stand, am liebsten gar nicht gehabt hätte.

Manuela wäre nicht gerade begeistert gewesen, ihre drei Tag und Nacht zusätzlich zu betreuen, doch als ihre Freundin hätte sie Sami diesen Wunsch erfüllt. Umso erleichterter teilte ihr Samara mit, dass Marcel doch noch einsprang. Obwohl Manuela zu ihren besten Freundinnen gehörte, blieb Samara bei ihrer Version. Hätte sie ihr die Wahrheit sagen können? Hätte sie Manuela erzählen sollen, dass sie unbedingt nach Venezuela musste, weil ihre Zukunft, ja ihr ganzes weiteres Leben davon abhängen würde? Wo sie doch wusste, wie Rainer sie behandelt hatte? Nein, auch Manuela hätte es nicht verstanden. Wahrscheinlich wäre sie ordentlich mit ihr zu Gericht gezogen und hätte ihr klar gemacht, dass sie nicht die Kohlen aus dem Feuer zieht, während sie einem Beziehungsuntauglichen hinterherreist, in der Hoffnung, dass er, wenn er einmal aus seinem Alltag losgelöst an Stränden schlenderte, seine wahren Gefühle erkennen würde. Niemand wäre in der Lage, es zu verstehen, nicht einmal sie selbst konnte genau sagen, warum sie so getrieben wurde. Samara hatte beschlossen, es ihr hinterher zu beichten und darauf zu hoffen, dass Manuela ihr verzeihen würde.

Sami kam sich wahrlich schäbig vor. Doch immer, wenn sie unsicher wurde, wenn sie zweifelte und ihr Verhalten kritisch betrachtete, wenn sie sich anklagte, dass sie nicht stark genug war, allen den wirklichen Grund ihrer Reise zu nennen, wenn ihre Zweifel und die Angst, verurteilt zu werden, größer waren als das Vertrauen auf ihre innere Stimme und sie es nicht mehr aushielt, dann fragte sie in ihren Meditationen, auf der Ebene des schönen violetten Lichts, ihre Engel: »Kann ich unter solchen Umständen diese Reise antreten?«

»Geh den Weg der Liebe! Geh ihn unbeirrt, folge dem Ruf deines Herzens, egal welche Widerstände sich dir in den Weg stellen. Es ist in Ordnung, was du tust und wie du es tust. Zu gegebener Zeit werden sie es verstehen!«

Schritt für Schritt hatte sie dann ihre Reise weiter organisiert und gedacht: ›Irgendwann werde ich es allen sagen, vorausgesetzt, mein Plan gelingt, Rainer endgültig für mich zu gewinnen. Aber was, wenn nicht? Wenn mein Vorhaben kläglich scheitert, werden meine Fotoarbeiten mit braungebrannten Badenixen von einer zarten südländischen Erotik mit einem Hauch von Verwegenheit, Sehnsucht und Sinnlichkeit im Blick bei irgendeiner Zeitschrift auf dem Tisch landen. Wer weiß, vielleicht wird sogar der Playboy sie kaufen. Und unsere Männer hätten etwas mehr, wovon sie träumen können. Meine Pleite würde dann für immer ein Geheimnis bleiben. Nebenbei könnte ich an meinem Buch weiterschreiben und es womöglich dort unten beenden‹, überlegte sie.

Vor Edda brauchte sich Sami nicht zu schämen, denn die kalkulierte dieses Risiko sowieso ein. Sie verurteilte Samara nicht. Edda nahm sie ernst, weil sie eine tiefe Achtung und Liebe miteinander verband. Ob in unbekümmerten oder schweren Zeiten, Edda hatte immer hinter ihr gestanden, mit Verständnis und Güte. Nicht umsonst war sie eine ihrer Herzdamen. Edda fand es sogar außerordentlich mutig, als sie Samara damals spontan anrief und ihr euphorisch von ihrem Plan erzählte. Sie fing an zu lachen und sagte: »Auf so etwas Verrücktes kannst ja nur du kommen. Ich würde keinem Mann tausende von Kilometern hinterherreisen, nur um festzustellen, ob er mich wirklich liebt!«

»Ich ja auch nicht. Doch das ist eine ganz große Ausnahme. Ich hab das Gefühl, als würde mich etwas ziehen, treiben, ja fast stoßen, dass ich diese Reise mache. Ich muss meinem Herzen folgen. Es brennt, es plagt mich und ich muss es einfach tun!«

»Wenn du meinst und dieser Herzenswunsch so groß ist, du dir ganz sicher bist, dann mach, was für dich wichtig ist«, meinte Edda.

»Ich bin mir ja eben nicht ganz sicher, das ist es ja. Doch ich spüre eine große Sehnsucht und ich hab das Gefühl, dass diese Erfahrung ganz elementar in meinem Leben sein wird. So lange hab ich um unser Glück gerungen. Mich unentwegt um meine Freiheit bemüht. Mich endlich von ihm lösen zu können war mein größtes Ziel. Wie viele Kämpfe hab ich gekämpft! Mich enthalten, ihm wieder nah gewesen. Mich abgelenkt und selbst verleugnet. Egal was ich anstelle, Rainer geht mir einfach nicht aus dem Kopf. Ich muss es einfach tun!« Sie machte einen tiefen Atemzug. »Ich danke dir jedenfalls, dass ich mich dir anvertrauen konnte. Ich wusste, dass du mich verstehen würdest.«

»Ich kann nicht gerade sagen, dass ich es verstehe, aber ich akzeptiere deinen Wunsch und werde dir helfen, wenn ich dir helfen kann«, erwiderte Edda damals.

Früher war es so einfach mit Männern. Besser gesagt, mit jungen Männern. Samara verliebte sich und kurze Zeit später waren sie ein Paar. Sie hatte lange Beziehungen und immer war sie es, die sie wieder löste. Das war so, bis sie Marcel traf. ›Kann es sein, dass es doch eine Vorherbestimmung gibt? Wir uns vorher aussuchen, wem wir begegnen wollen und wer eine entscheidende Rolle in unserem Leben spielt?‹ Als hätte eine unbekannte Macht Fesseln um ihre Handgelenke geschlungen und zöge sie hin zu dieser Reise. Als würde ein undefinierbares Etwas ihr endlich Segen versprechen, wenn sie dies nur tun würde. Sie konnte einfach nicht lockerlassen, was Rainer betraf. Es war wie ein Zwang. Dass sie einmal zu solchen Mitteln greifen würde, ihre besten Freunde, ja ihre Kinder zu belügen, gab ihr doch zu denken. Aber in Bezug auf Marcel brauchte sie doch gewiss kein schlechtes Gewissen zu haben.

So hatte sie nun wieder einmal ihren inneren Fight ausgefochten. Und während sich die einen Gedanken verflüchtigten, schlichen sich die nächsten schon an und riefen die Erinnerungen wieder wach.

Erinnerungen daran, wie viele Nächte sie damals wach lag. Als sie psychisch und physisch total am Ende war, noch geschwächt von ihrer Niederkunft mit Leoni, und alles vor Verletztheit in ihr brannte. Darüber, dass sie Marcel drei Wochen vor der Geburt von Leoni verließ. Wie vieles sich danach aneinanderreihte, all das ähnlich Schmerzhafte, was sie in den letzten Jahren durchgestanden hatte, kam ihr erneut ins Gedächtnis.

Nach der Trennung von Marcel fiel sie in einen tiefen Abgrund. Sie wusste damals nicht, wie sie es allein mit ihren Kindern, dem Studio und ihrer körperlichen und psychischen Angeschlagenheit schaffen sollte. Zu tief war sie gefallen, zu tief aus einer scheinbar heilen Welt gestürzt auf den harten Asphalt der Tatsachen. Die Schwangerschaft mit Leoni war nicht leicht gewesen. Samara kotzte laufend und fühlte sich schrecklich allein gelassen von ihrem Mann. Sie heulte so viel darüber, dass er immer häufiger ausging und ihr seine Liebe entzog. Sie heulte, weil er anderen Frauen auf einmal mehr Beachtung schenkte als zuvor und es schwierig für ihn war, ihren Bauch zu berühren. Als er dann auch noch die Nacht mit einer anderen verbrachte, lief das Fass über. Auch wenn er beteuerte, sie hätten nicht miteinander geschlafen, so spürte sie doch, sein Herz war bei ihr. Doch eigentlich war das nur noch der letzte Tropfen auf den heißen Stein gewesen und machte ihr die Entfernung voneinander nur noch deutlicher. Dass seine Liebe nicht so tief ging wie die ihre und er durch die Schwangerschaft mit Leoni so weit von ihr weggedriftet war, begriff sie erst langsam, doch unbewusst hatte sie einfach genug von diesem ewigen Hoffen auf seine tiefe Zugehörigkeit zu ihr. Sie hatte sich später gewundert, dass sie bei diesen tiefen Depressionen so ein freundliches, gesundes Baby zur Welt brachte.

Obwohl Marcel kurz vor der Geburt schon ausgezogen war und sich mit dieser Frau traf, war er bei der Geburt dabei und Samara hoffte, es könnte sie noch einmal aufs Neue verbinden. So wie damals bei Stina und Tim. Doch es war mehr als grausam, seine Nähe, die nicht ihr galt, zu fühlen. Er war so kalt. Äußerlich freundlich und bemüht, ihr bei der Geburt zu helfen, aber doch so, als hätte sie ihm etwas getan. Als Leoni das Licht der Welt erblickt hatte, war er kurz darauf gegangen. Er besuchte sie, doch er war wie abgekühlt, nahm das Kind auf den Arm und war freundlich zu Leoni. Doch zu ihr kein Blick. Sie war so schwach, sie hätte seine Zuneigung so gebraucht. Sie fühlte sich so elend und doch so voll mit Wut und Enttäuschung. Und sie wusste, während sie im Wochenbett lag, war er verliebt.

Als sie aus der Klinik entlassen wurde, fuhr Marcel Samara nach Hause. Er begleitete sie ins Wohnzimmer und Samara stand mit Leoni da und begann auf einmal herzhaft zu schluchzen. Jäh wurde ihr bewusst, dass er sie nur abgeliefert hatte. Die beiden Großen waren noch bei der Oma und sie war ganz allein im Haus. Sie sah ihn mit flehenden Augen an: Geh jetzt nicht! Lass mich nicht so hilflos stehen mit unserem Kind im Arm. Bleib noch, steh das mit mir durch, dass ich dich langsam gehen lassen kann. Es war ein Hilfeschrei. Doch er ging einfach, obwohl sie schluchzte wie ein Kind. Es war seine größte Rache. Sie hätte ihn so gebraucht in diesem Augenblick ohne Boden. Er ging hinaus und es sackten ihr die Beine weg, als hätte jemand ein Beil geschwungen und sie einfach abgehackt. Sie krachte zu Boden und landete auf ihren Knien. So große Not! So groß! Sie heulte inniglich und hielt doch das Bündel Leben fest an ihrer Brust. Sie konnte es nicht fassen. Dass er so sein konnte! So ohne Herz! So ohne Gefühl! Wo war seine Liebe? Wo war seine Wertschätzung dem Menschen gegenüber, der vor ihm stand? Der doch auch ihn getragen hatte. Was war geschehen? Was hatte sie getan, dass er so handelte? Wie sehr musste es ihn getrieben haben, wegzukommen. Es hatte gesessen wie ein Keulenschlag. Nicht, dass er ging. Nein, es war diese radikale Abwendung. Doch diese unsichtbare Wand hatte sich schon zu Beginn ihrer Schwangerschaft zwischen sie geschoben und sie konnte nicht hindurch. Und sie sah sich noch einmal mit dem Mädchen auf dem Arm in die Knie gehen und sich fast nicht mehr fangen können über den unsagbaren Schmerz in ihrer Brust. Über die Liebe, die sie empfand und doch verhallte und nicht zu dem gelangen konnte, dem sie galt.

Doch da war das friedliche Gesicht dieser kleinen Seele, die sie keinen Augenblick aus ihren Augen ließ, während sie auf das harte Parkett fiel, und sie fühlte damals schon, dass Leoni es war, die sie halten würde. Wochen folgten, in denen sie immer noch glaubte, er würde zurückkommen. Er hatte noch einen Schlüssel und er kam, wie es ihm passte, kurz vorbei, holte dies und jenes. Einmal war es schon spät und Samara wollte gerade ins Bett, als sich der Schlüssel im Schloss umdrehte und Marcel hereinkam. »Hallo Sami, ich habe mein Brot vergessen.« Er ging in die Küche und holte sich das Brot aus der Box, »Du hast ja auch noch eine Hälfte«, lächelte er ihr zu und verschwand wieder. Sie stand da. Es war halb elf. Sie brachte ihren Mund nicht mehr zu, und auf einmal brüllte sie. In ihrem Schlafanzug so gegen die Haustür. Es war ein Aufschrei. Er war nur gekommen, um sich ein Brot zu holen?!

Es hatte ein paar solcher Begebenheiten gegeben und es wurde ihr jäh bewusst, dass sie »dafür« gut war. Für alles, was angenehm war, doch seine Freiheit, die wollte er. Sie forderte seinen Schlüssel von ihm, doch er reagierte mit völligem Unverständnis. Eigentlich war es laufend so in dieser Zeit. Er machte irgendwas und Sami reagierte dann und vollzog die Trennung dadurch noch mehr und erntete Unverständnis und Schuldzuweisungen. Das war so, als sie den Anwalt einschaltete, als er nicht einmal das Mindeste für seine Kinder bezahlen wollte und als es darum ging, dass er von allem haben wollte. Je mehr sich solche Vorfälle häuften, umso mehr verspürte sie den Wunsch, in sich die Tür, hinter der keine wirkliche Liebe zu finden war, schließen zu wollen. Als ihr Baby, das kleine Leben, nach hoher Temperatur noch einen Fiebersturz bekam und Samara glaubte: ›Jetzt stirbt sie mir unter meinen Händen weg‹, fühlte sie sich wie ein Häufchen Elend. Schuldig an ihren Kindern, dass sie, die Erwachsenen, ihr Leben nicht auf die Reihe bekamen und ihre Kinder es büßen müssten. Samara betete Tag und Nacht. Um Kraft, um Mut und um Hilfe.

Sie hatte sie erhalten!

›Nein, ich laste Marcel nicht zu viel auf seine Schultern. Ganz im Gegenteil, es ist für ihn eine erneute Chance, sich noch mehr in seine Verantwortung den Kindern gegenüber hineinzubegeben und mich zu entlasten. Schließlich bedeutet gemeinsames Sorgerecht ja auch die Übernahme der gemeinsamen Sorgepflicht.‹

Seither war kein Tag vergangen, an dem Samara nicht um Unterstützung betete. In ihren Meditationen bearbeitete sie ihre Ängste und räumte ihre Widerstände auf. Wahrlich, sie hatte für diese Reise an sich gearbeitet.

*

Edda unterbricht ihre Gedanken.

»Hast du deinen Pass? Hast du dein Flugticket dabei?«

Sami blickt noch einmal in ihre Handtasche, sucht, findet beides und nickt. Draußen beginnt es zu nieseln und sie ist erstaunt, dass um diese Zeit schon so viel Verkehr auf den Straßen ist. Sie lehnt sich zurück und versinkt erneut in Gedanken.

›Ich habe es tatsächlich geschafft! Es ist wie ein Mosaik, das sich langsam, Stück für Stück, zusammenfügt. Vor drei Jahren haben sich die Ereignisse in meinem Leben noch überschlagen und nun sitze ich hier neben Edda und wir steuern dem Flughafen entgegen.‹

Begonnen hatte alles mit ihrer Schwangerschaft. In dem Augenblick, als sie Marcel mitteilte, dass sie ein weiteres Baby bekam, spürte sie unbewusst an seiner Reaktion, dass sie ihn nun endgültig verlieren würde. So begann ihr Absturz.

»Konntest du denn nicht aufpassen?«, schmetterte ihr Marcel entgegen. Schockiert rang sie um Luft und musste diesen Satz erst einmal verdauen. Samara konnte sich nicht erinnern, dass er sie je einmal so grob behandelt hatte. Waren sie doch beide für die Zeugung dieses Kindes verantwortlich, zumal sie seit den Zwillingen keine Pille mehr nahm. War er ihr zuvor schon einmal so entgegengetreten? Immer öfter in der Zeit davor hatten sie über ein weiteres Kind gesprochen. Schließlich verwarfen sie den Gedanken und sprachen zu einem späteren Zeitpunkt doch wieder darüber. Eigentlich wollten sie beide nicht unbedingt noch ein drittes Kind. Sie führten ein schönes Leben, konnten schon wieder einiges unternehmen und außerdem studierte Marcel noch. Doch Samara hatte immer wieder das starke Gefühl, dass da ein kleines Wesen wartete, sie bedrängte und flehte, sie solle es doch zu ihnen lassen. Eine ungewöhnlich intensive Verbindung nahm sie zu diesem noch Ungeborenen wahr, immer dann, wenn sie meditierte. Es ließ sie einfach nicht los. Als hätte sie die Aufgabe zu erfüllen, dieses Kind zur Welt kommen zu lassen, hörte sie in ihrem Inneren immer wieder dieselbe Stimme. Samara sträubte sich dagegen, denn es machte ihr Angst. Ihr Verstand mahnte zur Vernunft und zählte im Gegenzug alle Umstände auf, die gegen das Ungeborene sprachen. Manchmal erzählte sie Marcel in dieser Zeit von den Begegnungen mit diesem Kind und von dem, was ihr gesagt wurde: »Dieses Kind wird euch Segen bringen. Es kommt mit einer Kraft in diese Welt, mit einer großen Dynamik und es wird Altes zerstören und Neues bringen. Gute Saat. Für jeden von euch.« Sie erzählte Marcel, dass es einfach nicht lockerlassen würde und sie immerzu bearbeitete, in ihre Welt kommen zu dürfen. Ihr Mann konnte mit ihren Gedanken nicht viel anfangen und reagierte eher genervt. Sie hatte ja ebenso ihre Probleme damit, wenn ihr dieses Kind in ihren Meditationen begegnete. Sie musste sich danach richtig schütteln. Doch sie setzte sich damit auseinander und schob das, was sie erlebte, nicht völlig von sich. Es konnte genauso gut sein, wie es *nicht* sein konnte. Sie wog das Für und Wider aufs Neue ab und entschied sich immer wieder gegen dieses Kind. Doch sie hatte in ihrem Leben schon öfter die Erfahrung gemacht: Wenn ihr Gefühl sie so unnachgiebig zu etwas zog, mochte sie sich zuvor auch noch so gewehrt haben, sie unterlag ihrem Ringen und empfand es dann als einen Segen. Wie unterschiedlich sie doch in vielen Dingen waren. Und dann wieder so ähnlich, so gleich und so verbündet. Sie sah Marcel noch einmal vor sich, damals, als sie an ihrem Auto herumgebastelt hatte, und erinnerte sich an diesen Sonntag. Es war ein warmer Sommertag mit einer hellen Sonne, die Hitze in die Täler und auf die Hügel brachte. Der Platz vor dem Haus, in dem sie wohnte, war richtig aufgeladen und sie schwitzte in ihrem grünen Overall, den sie trug, wenn sie schmutzige Arbeiten verrichtete. Sie lag gerade unter ihrem Auto und reparierte etwas. Der TÜV war fällig und es mussten noch dringend kleinere Nachbesserungen vorgenommen werden.

»Hallo«, hörte sie von oben eine fröhliche Stimme durch ihren Kofferraum. Mit dem Rutschbrett, das sie benutzte, um mühelos an alle Stellen ihres Vehikels heranzukommen, glitt sie nach vorn.

Die hellen Strahlen der Mittagssonne zwangen sie, ihre Augen ein wenig zusammenzukneifen. Doch sie sah immer noch so viel, dass sie erkannte, wie sie ein junger Mann von oben musterte. Sie hatte ihre langen Haare zu einem Knoten zusammengebunden, wahrscheinlich ragten einige Büschel an den Seiten heraus. Auch ihre Freunde meinten, dass sie zuweilen ganz schön wild aussehen konnte. Doch das war ihr egal, wenn sie arbeitete, dann tat sie das, und wenn sie ausging, ging sie aus. Er schaute auf sie herunter und lachte, bückte sich und wischte mit einer kurzen Bewegung etwas von ihrer Nase.

»Reparierst du immer sonntags dein Auto?«, fragte er und grinste schelmisch, als hätte er sich sonst noch andere Gedanken gemacht.

›Ganz schön dreist, dieser Kerl‹, stellte Samara fest. Sein Lächeln jedoch war so umwerfend, dass sie ihm irgendwie nicht böse sein konnte. Sie lag noch mit dem Oberkörper unter ihrem Wagen und überlegte, ob sie sich erheben sollte. Sie beschloss aufzustehen und drückte sich mit der rechten Fußsohle vom Asphalt ein wenig ab, sodass das Rutschbrett, auf dem sie mit dem Rücken lag, in Bewegung kam und sie vor ihr Auto trug. Geschickt bremste sie es wieder ab und erhob sich dann. Ein wenig kompliziert sah es aus, nicht ganz so geschmeidig, wie ihr das sonst gelang. Marcel wollte ihr seinen Arm anbieten, doch sie wehrte ab. Nun stand sie vor ihm und blickte in sein Gesicht. Noch immer grinste er so unverschämt.

»Wieso? Was ist daran so ungewöhnlich? Heute hab ich Zeit und der liebe Gott wird es mir bestimmt nicht übel nehmen«, entgegnete sie ebenfalls ein wenig spitz, ging um den vorderen Kotflügel herum und machte sich daran, dessen Innenseite mit dem Rest ihrer Unterbodenschutzfarbe einzupinseln. »Du bist doch mein Nachbar, nicht wahr?«, fragte sie mit entschlossener Sicherheit.

»Jawohl, der bin ich. Und du bist das Mädchen, das ab und zu ihre Kotflügel auf dem Balkon mit der Flex bearbeitet, stimmt's?«

»Ja, das stimmt, die bin ich. Stört dich das?«, fragte sie, und das Lächeln um ihren Mund wurde ein wenig breiter.

»Nein, überhaupt nicht, ich finde es eher ungewöhnlich«, hatte Marcel geantwortet.

»Aha, ungewöhnlich findest du das.«

Er trat neben sie und musterte sie erneut und ohne Scheu ganz direkt von oben bis unten. Marcel war groß gewachsen und hatte die Arme ganz lässig in seinen Hosentaschen verborgen. Eine schwarze Strähne fiel ihm über die Stirn und er wischte sie mit einer zackigen Handbewegung von seinen Augen.

›Sehr leidenschaftlich, seine Handbewegung‹, registrierte Samara und musterte ihn ebenso aus dem Augenwinkel, während sie weiter ihre Farbe auftrug. Er hatte große, dunkle Augen, die jede ihrer Bewegungen messerscharf verfolgten. Als wollte er ausloten, was sie wohl für ein Wesen in ihrer Hülle verbarg. Er sah gut aus, war groß und kräftig. Er hatte schwarze lange Haare, die ihm ein wenig gewellt über die Schultern fielen. Er wirkte ein wenig wie ein Italiener und doch nicht. ›Noch etwas jung‹, dachte Samara, ›aber knackig.‹

»Vielleicht bin ich ein ungewöhnlicher Mensch«, antwortete sie erneut auf seine Äußerung und lief mit ihrer Unterbodenschutzpaste zu ihrem Kofferraum zurück. Dort spachtelte sie einige undichte Stellen mit der grauen Farbe aus.

»Schmierst du immer die rostigen Stellen zu?«, fragte Marcel.

»Nein, ganz selten!«, fuhr sie herum. Zischte ihn mit ihren Augen an und fügte hinzu: »Ich hab sie erst vorhin entdeckt und morgen ist der TÜV.« Sie drehte sich wütend zu ihm hin und fauchte: »Aber was geht dich das eigentlich an?«

Sie stellte ihre Arme in die Hüften und es musste wohl wirklich komisch ausgesehen haben, denn er nahm sie an den Schultern und hielt sie einfach fest. So wie man ein Kind, das zürnt und stampft, zu beruhigen versucht, hatte er sie einfach gehoben. Für einen kurzen Augenblick konnte sie sich wirklich nicht bewegen. Marcel lachte herzhaft. Auch Samara konnte auf einmal nicht anders und lachte mit. Als er sie wieder losließ, stellte sie erstaunt fest, dass es sich gut angefühlt hatte. Auch wenn es nur für ein paar Sekunden gewesen war, war ihr das nicht entgangen.

›Er ist viel zu jung für dich‹, ratterte es in ihrem Kopf. Sie wich ihm aus und ging einen Schritt zurück. Marcel verabschiedete sich mit einem »Toi-toi-toi« für ihren TÜV-Termin und ging einfach. Er hatte sie stehen lassen ohne ein weiteres Wort und verschwand um die Ecke, sodass sie ihn nicht mehr sehen konnte.

»So jung und so frech, das ist ja unglaublich!«, schimpfte sie vor sich hin und wandte sich wieder ihrem Auto zu.

Ein paar Tage später sah sie ihn auf der anderen Seite der Straße. Als er sie gesehen hatte, schrie er ihr, schon während er die Straße überquerte, entgegen: »Ach übrigens, wie heißt du eigentlich?« Er kam auf sie zu und streckte ihr seine Hand entgegen. »Ich heiße Marcel und du?«

»Ich bin Samara, aber meine Freunde nennen mich Sami.«

Kurz standen sie sich stumm gegenüber.

»Sag mal, was machst du eigentlich, wenn du nicht gerade auf deinem Balkon dein Auto zerlegst oder Löcher mit Unterbodenschutz zu schmierst?«, fragte er dann.

Sie überhörte seine ironische Frage einfach.

»Ach, ein Motorrad hast du ja auch noch, nicht wahr?«

›Ganz schön hartnäckig‹, dachte Samara. Aber es gefiel ihr, wenn ein Mann Interesse zeigte, den sie auch nicht schlecht fand.

»Wie du gesehen hast, fahre ich gerne Motorrad. Ich liebe jegliche Art von Bewegung und mache alle möglichen Sportarten. Ich verreise gern, male und bastle viel, treffe mich mit Freunden und geh gern auf Partys. Und du, was machst du so?«, forderte ihn Samara auf, etwas von sich zu erzählen.

»Ach, das wird dich sicher nicht interessieren.«

»Wieso, was machst du denn?« Jetzt hatte er sie aber neugierig gemacht und sie fragte noch einmal nach. Er druckste herum und wollte es erst gar nicht sagen. Was konnte es sein, dass er es so spannend machte? War es gefährlich oder gar verboten? Samara kam nicht umhin, ihn noch ein weiteres Mal zu fragen.

»Was ist es denn, sag's doch einfach.« Sie schaute ihm in die Augen und dachte ihm Mut zu und wartete erneut auf eine Antwort. Er kratzte sich verlegen am Nacken und musterte sie kritisch. Doch als sie keine Anstalten unternahm, das Gespräch in eine andere Richtung zu lenken, und einfach nur geduldig dastand, sagte er: »Ich gehe gerne fliegen und Standard tanzen.«

»Was? Du gehst gerne Standard tanzen? Das ist ja toll, das mach ich nämlich auch unheimlich gern.«

Sichtlich erleichtert, als sei ihm ein Stein vom Herzen gefallen, atmete er durch. Sie hatte noch kurz darüber nachgedacht, warum er es ihr nicht sagen wollte. Ob er vielleicht der Auffassung war, sie würde sein Hobby als uncool empfinden, und es ihm wichtig war, was sie über ihn dachte.

Er stupste sie an ihrem kleinen Finger an und sagte: »Wir können ja mal zusammen tanzen gehen, wenn du willst.«

»Das wäre super«, antwortete Samara begeistert.

»Kennst du das Tanzcafé *Zauberfee*?«

»Nein, aber das macht ja nichts.«

Sogleich schlug Marcel vor, den kommenden Samstag gemeinsam dort hinzugehen. Er gab ihr zum Abschied noch einmal die Hand und seine Augen lächelten froh. »Ich hol dich um acht ab, wenn's dir recht ist!«, rief er ihr beim Davonlaufen zu.

»Ist okay«, winkte sie ihm hinterher und ging zu ihrem Auto.

Am darauffolgenden Samstag klingelte es pünktlich an ihrer Tür. Es fiel ihr leicht, sich zurechtzumachen, denn sie freute sich wirklich auf diesen Abend. Ein knielanges, eng anliegendes Kleid mit einem großen roten Blumenmuster auf schwarzem Grund wählte sie aus. Es betonte ihre Formen und war ihr wie auf den Leib geschneidert. Sie entschied sich, ihre Haare offen zu lassen und ihre blonden Locken noch ein wenig mit dem Lockenstab zu verstärken. Wieder einmal war sie selbst überrascht, in welch kurzer Zeit sie dieses Wunderwerk vollbracht hatte. »Eben ein echter Profi«, sagte sie zu ihrem Spiegelbild, nickte ihm wohlwollend zu, ging zur Eingangstür und öffnete.

Marcel stand da und blickte ihr erstaunt entgegen. Etwas unbeholfen zog er einen kleinen Strauß hinter seinem Rücken hervor.

»Oh, das ist aber nett, komm doch herein«, empfing sie ihn und nahm die Blumen entgegen.

»Du siehst wirklich toll aus in diesem Kleid«, sagte er. »Ich hätte gar nicht gedacht, dass dir Kleider so gut stehen.«

»So, hättest du nicht gedacht.« Samara lachte. Sie stellte die Blumen auf den Wohnzimmertisch, löschte das Licht und hängte sich bei Marcel ein, den sie im Flur hatte warten lassen.

So war sie das erste Mal im Tanzcafé *Zauberfee* gewesen.

Marcel wohnte noch bei seinen Eltern. Nach außen hin war er strebsam, ordnungsliebend und angepasst, doch in seinem Herzen brodelte ein Vulkan an Wissensdurst und Widerwillen gegen die Ordnung, die er selbst bis zu diesem Zeitpunkt vorgelebt bekommen hatte und die er für richtig hielt und die ihm Halt gab. So vieles wollte er noch erleben. So vieles schrie nach Auflösung alter Strukturen und festgefahrener Muster in seinem Inneren. Er spürte ein starkes Verlangen, selbst über sein Leben entscheiden zu können, und doch war die Sicherheit, das geborgene Nest im Hintergrund, etwas, das ihn abhielt und begrenzte. Samara kannte die Geborgenheit einer intakten Familie nicht und war schon früh ihre eigenen Wege gegangen. Sie verdiente schon als Teenager ihr eigenes Geld und begann bereits mit fünfzehn allein zu verreisen. Sie machte sich keine Gedanken darüber, wie ihr Leben in der Zukunft aussehen sollte. Marcel hingegen hatte davon genaue Vorstellungen. Er wollte eine Familie gründen, einen sicheren Job anstreben und ein Haus bauen. Marcel war geradeheraus und hatte etwas sehr Bodenständiges. Vieles an ihm war ihr fremd, doch vielleicht war es gerade das, was ihr an ihm gefiel. All ihre Freunde waren ein wenig ausgeflippt und chaotisch. Marcel unterschied sich deutlich von ihrem bisherigen Bekanntenkreis. Er war so klar in seinen Ansichten, wusste immer sofort, was er von der einen oder anderen Sache hielt, und sie fand es faszinierend, wie sicher er über etwas argumentieren konnte und mit welcher Lebendigkeit das nach außen drang. Seine Familie wirkte außerordentlich liebenswürdig und alles schien in geregelten Bahnen zu verlaufen. Diese heile familiäre Umgebung, das Einstehen für den anderen, die Harmonie, die alle miteinander verband, war neu für Samara, und zu Beginn ihrer Beziehung glaubte sie gar nicht, dass so ein Zusammenhalt in einer Familie echt sein konnte. Marcel brachte Ordnung in ihr Leben und gab ihr den Halt, den sie seit ihrer Kindheit vermisste. Er formte sie zu einem großen Teil und zügelte ihr Temperament und er hatte die Fähigkeit, sie auf dem Boden zu halten. Gerade diese Unterschiede in ihren Wesen, in ihrer Vergangenheit und Gegenwart machten sie interessant füreinander.

Da waren die vielen Gespräche bis tief in die Nacht. Oft voller Streit über die unterschiedlichen Meinungen, die sie hatten. Darüber, woran sie glaubten und was sie in ihrem Leben erreichen wollten. Sami hatte eine intensive Wahrnehmung für das, was hinter den Dingen steckte. Sie wollte alles ergründen, begreifen und verstehen. Sie löste vieles aus ihrem Bauch heraus und hatte sich früh entschieden, auf ihre innere Stimme zu hören. Marcel versuchte ihr diese Feinfühligkeit immer wieder streitig zu machen und warf ihr vor, alles zu sehr zu analysieren. Das, was er sah, hatte für ihn Bestand, nicht das, was sein konnte. Doch sie fanden immer wieder eine Ebene, auf der sie Kompromisses schließen konnten.

Als Samara auf einmal schwanger wurde, wussten sie nicht, wie sie die neue Situation meistern sollten. Samara war gerade frisch in die Selbstständigkeit eingestiegen, Marcel noch in der Ausbildung. Ihr Studio lief vorzüglich, sie hatte reichlich Aufträge im Fotosektor und Kundschaft im Bereich Kosmetik und Tiefenentspannung. Sie war stolz, schon zwei Mitarbeiterinnen zu beschäftigen, und steckte mitten im Aufbau. Als der Arzt dann auch noch feststellte, dass es Zwillinge waren, wussten sie nicht mehr ein noch aus. Marcel gab zu bedenken, ob nicht eine Abtreibung sinnvoll sei. Doch für Samara war das unvorstellbar. Schon damals hätte sie bei diesem Satz hellhörig werden sollen. Doch als seine Eltern anboten, die Kinder zu betreuen, damit sie weiterhin stundenweise arbeiten konnte, freuten sie sich auf den Nachwuchs.

Wenige Monate später hatte Marcel um ihre Hand angehalten und das so rührend arrangiert, dass sie völlig überrascht und überwältigt auf seinen Antrag einging. Nie hätte sie geglaubt, dass sie einmal heiraten würde. Nie, nie, hatte sie immer beteuert und das auch nach außen kräftig vertreten. Denn so gar nicht war das mit ihrer Auffassung von Leben zu vereinbaren. Kurz zuvor spürte sie noch einmal richtig Angst, doch sie musste sich eingestehen, dass die Enttäuschung, dass ihre Eltern es nicht geschafft hatten und sich scheiden ließen, tiefer saß, als sie es wahrhaben wollte. Doch sie war entschlossen, das Wagnis einzugehen.

Ein rauschendes Fest hatte ihre Ehe besiegelt. In ihrer Schwangerschaft kümmerten sich Marcel und seine Eltern und Geschwister rührend um sie. Samara empfand sich eingebettet in ihre neue Familie.

Als sie im Sommer darauf ein gesundes Mädchen und einen kräftigen Jungen zur Welt brachte, glaubte sich Samara angekommen in ihrem Leben. Insgeheim hatte sie sich das alles gewünscht. Insgeheim sehnte sie sich nach dieser heilen Welt, in der alles seinen festen Platz und seine Ordnung hatte. Sie liebte ihren Mann und ihre Kinder, die ihre Liebe krönten. Sie hätte nicht für möglich gehalten, dass Ehe so schön sein konnte. Nein, sie hätte wirklich nicht geglaubt, dass man alles haben durfte.

Doch mit dem Alltag kamen auch die Schwierigkeiten. Marcel wollte umsorgt werden wie früher von seiner Mutter. »Könntest du mir einen Kaffee machen, könntest du nicht dies und das … Ist das Essen schon fertig? Kannst du nicht ordentlicher sein? Schau doch, es ist besser, wenn du das so machst. Du würdest weniger Zeit darauf verwenden, wenn du es anders anpacken würdest.« Sie gab sich die größte Mühe, alles unter einen Hut zu bringen. Doch sie erbat sich auch, neben ihrer Berufstätigkeit in ihre Rolle als Mutter und Hausfrau hineinwachsen zu dürfen. Immer wieder gab es Streit. Samara war bemüht, alles so perfekt wie möglich zu machen, doch so, wie er es wollte, wehrte sich etwas tief in ihr. Sie bemühte sich in der Küche und im Haushalt und auch überall sonst. Natürlich ging auch einiges daneben. Das Essen schmeckte manchmal nicht so recht, und sie ging auch manchmal lieber zum Sport, als ständig aufzuräumen. Aber schön sein sollte sie ja auch. Es war Marcel wichtig, eine hübsche Frau an seiner Seite zu haben, immer adrett gerichtet und nach Möglichkeit kein Gramm zu viel auf den Rippen. Samara war abhängig davon, ihm zu gefallen, und doch spürte sie, dass sie sein hochgestecktes Ziel nicht erreichen konnte. Egal was sie anstellte, sie wollte es ihm einfach zu viel recht machen und scheiterte ständig daran. Etwas in ihr wehrte sich von Anfang an. So kämpften die beiden Pole in ihrem Innern: die Sehnsucht, sich entwickeln zu dürfen, sich in dieser Partnerschaft selbst zu finden, und der Anspruch, ihm zu gefallen.

Marcel fing an zu studieren und war die meiste Zeit zu Hause. Sie arbeitete mehr als zuvor und seine Eltern sprangen noch intensiver in die Betreuung der Kinder ein. Doch Marcel tat sich schwer. Sosehr er dieses Studium wollte, so sehr plagte ihn diese neue Rolle. Samara wurde erfolgreicher denn je in ihrer Arbeit und so blieben die Spannungen nicht aus. Marcel nörgelte noch mehr, und Samara reagierte angespannt unter der Doppelbelastung, die Kinder, das Berufliche und den Haushalt unter einen Hut zu bekommen. Marcel suchte Ausflüchte, um sich nicht stellen zu müssen. Einmal war es ihm zu laut, dann hatte er keine Lust und es fehlte ihm an Motivation, und eigentlich ging er viel lieber seinen Hobbys nach: Fußball spielen, sich mit Kumpels treffen, Motorrad fahren. Dann hatte er das Haus renoviert und das Studium wieder hinausgeschoben und schob immer wieder neue Gründe vor, warum er es nicht zu Ende brachte. Sie war immer da für seine Probleme und konnte verstehen, wenn es ihm zu viel war und er Stress hatte. Viel zu wenig nahm sie ihre eigenen Schwierigkeiten wahr, den anstrengenden Spagat zwischen Arbeit, Kunden, Geldverdienen und ihren Kindern. Sie wollte beidem gerecht werden, dem Haushalt und dem Ehemann. Doch sie rächte sich für seine Nörgelei auf ihre Weise, war dann wieder bockig oder zynisch.

Aber waren da nicht ebenso viele schöne Elemente in ihrer Ehe? So viele schöne Momente. So viele reiche Bilder. Marcel mit Stina auf dem Arm, lachend in der Badewanne, und Timi an ihrer Hand, wie er freudig durch das Haus rannte, zurück in seinen Arm, da war es warm. Zu reisen und das Glück zu genießen, allein zu sein. Die Kinder versorgt zu wissen bei seinen Eltern. Der Sport, der sie verbunden hatte, das gemeinsame Tanzen, das so reich war. Wie sie es genießen konnten, wenn seine Eltern auf die Kleinen aufpassten und sie loszogen. Dann konnten sie herumalbern wie die Kinder, verliebt schmusen und endlos miteinander lachen. Marcel konnte tanzen und sie herumwirbeln und sie dann mit seinen großen braunen Augen ansehen, und dann schwebte sie. Ja, sie liebte ihn inniglich! Auch wenn er oft an ihr herumnörgelte und sie ihm manchmal so gar nichts recht machen konnte. Auch wenn sie seine Sehnsüchte nach einem Leben ohne Familie kannte und wusste, dass sie ihn zuweilen heftig plagten. Das Gefühl in sich zu tragen, der Deckel sei endgültig drauf, und das, was man ein Junggesellenleben nennt, nie erlebt zu haben. So vieles in ihm brannte, er wollte erleben, doch er hatte Familie. Samara kannte diese Gefühle von früheren Beziehungen, doch sie war für ihn die erste. Sie hoffte immer wieder, er würde das überwinden, denn sie waren fähig, sich gegenseitig Freiräume zu schaffen. Sie gingen alleine in den Urlaub und zusammen. Sie konnte mit ihren Freundinnen tanzen gehen und mit ihm. Er hinderte sie nicht, ihren Wissensdrang zu stillen, Kurse zu buchen im Kartenlegen oder anderen mystischen Dingen, die sie brennend interessierten. Er akzeptierte ihre Meditationen und Rituale. Gebete, die sie aussprach für ihre kleine und große Familie, tolerierte er ebenso wie Jesusbilder im Kinderzimmer. Marcel glaubte nicht an Gott, doch er ließ sie gewähren. Und er konnte Stunden Motorrad fahren, Fußball spielen oder mit Freunden ausgehen. Wenn sie zurückblickte, dann war da vieles, was man eine gute Ehe hätte nennen können. Doch immer wieder vermisste sie das tiefe Verständnis, die Akzeptanz und Annahme ihrer Persönlichkeit. Marcel wollte sie immer formen und biegen zu etwas, was sie nicht war und nicht sein wollte. Zu diesem perfekten Menschen, der all seine Wünsche erfüllte. Das widerstrebte ihrem Verständnis von Menschsein zutiefst. Samara vermisste das Wissen, in Marcel etwas ganz Besonderes gefunden zu haben. So gerne hätte sie ihm geholfen, diesen Diamanten in ihm zum Vorschein zu bringen. Doch sie schaffte es nicht.

Mit der Zeit war eine tiefe Enttäuschung in ihr Herz geschlichen. Darüber, dass sie so viel gab und er es nicht sah. Darüber, dass er sie nicht so lieben konnte, wie sie war. Dass er mehr Aufmerksamkeit darauf verwendete, Fehler an ihr zu suchen, und ihre Unvollkommenheit betonte. Sie wollte nicht so sein wie er und sie wusste, er würde sie nie dort hinbiegen, wo er sie hinhaben wollte. Sie hatte den Wunsch nach einem sinnlichen, verständnisvollen Partner nach oben geschickt. Nach einem, der sie abgöttisch liebte und aus dieser Liebe heraus wahrnehmen konnte, wie einzigartig und liebenswert sie war. Tief in ihrem Herzen, jedoch nur unbewusst, wurde die Ohnmacht größer, dass Marcel nicht fähig zu sein schien, sie anzunehmen als das, was sie sein konnte. Ein eigenständiger Mensch, anders, frei und einzigartig in seiner Persönlichkeit. Wenn er manchmal nackt um ihr Bett herumging, um sich etwas überzuziehen, konnte sie ihm zuschauen und denken: ›Mein Gott, wie liebe ich dich, wie schön du doch bist, du, Marcel, mein Mann.‹ Manchmal hatte sie ihm von ihren Gedanken erzählt und davon, was sie empfand, wenn sie ihn so sah. Er konnte traurig darauf antworten, dass es bei ihm einfach nicht so war. Dass er dieses ganz innige und einige Gefühl zu ihr eben nur sehr selten in sich spürte. Aber dass er sie auf seine Art bestimmt auch irgendwie liebte. Aber da sei noch so vieles. So viele Wünsche, so viel Verlangen nach anderem, nicht nach nur einem Menschen. Ob das nun sein Leben sei, ob es das gewesen war, Familie? Das hatte er sie fragen können in diesen tiefen Momenten voller Vertrauen, das er doch zu ihr hatte, wenn er all seine Geheimnisse offenbarte. Sie konnte ihn verstehen, sie konnte fühlen, was ihm fehlte – vermisste sie es doch auch!

Sie waren einfach zu jung. Doch wenn sie heute ihre Fehler betrachtete, ihre Abhängigkeit, ihren Wunsch, ihm alles recht zu machen, das Vermögen, das sie ausgab, damit er studieren konnte, dann wurde ihr klar, dass sie seine Liebe einfach hatte kaufen wollen. Dabei wusste sie doch, egal wie sie sich verhielt, seine Liebesfähigkeit hätte sie nicht ändern können. Es war ein Irrtum zu glauben, dass sie es mit ihrer Liebe schon schaffen würden.

Bei der Geburt ihres dritten Kindes Leoni waren sie schon getrennt. Als Marcel in ihrer Schwangerschaft den Druck verspürte auszubrechen, konnte und wollte sie ihn nicht länger halten. Zu viele Jahre hatte sie gehofft, dass er zu ihr finden würde. Sie wurde es leid, länger um seine Liebe zu kämpfen. Marcel versuchte zu entkommen, vor ihr, vor noch mehr Ehe und Familie. Er hatte seine eigene Anspannung nicht mehr ausgehalten. Irgendwie war er sich nicht wirklich bewusst, als er den Wunsch äußerte auszuziehen, was er in Gang setzte und dann nicht mehr zu stoppen war. Das Mädchen, das er kennen gelernt hatte vor der Zeit ihrer Niederkunft, half ihm, den Sprung zu wagen und auszubrechen in ein neues Leben. Ohne sie und ohne Kinder. Er musste gehen! Samara verschloss die Tür, die ihm eine Rückkehr ermöglicht hätte. Möglich, dass er zurückgekommen wäre, um nicht aus dem warmen Nest in das kalte Nass zu fallen. Vielleicht hätten sie einen Neuanfang gewagt, um doch nur Monate später vor der gleichen Wand zu stehen. Samara wollte nichts anderes mehr, als irgendwann einen Menschen zu finden, der sie so liebte, wie sie ihn lieben konnte. »Das ist das Fundament, die Liebe!«, schrie sie damals in ihrem Schmerz heraus. Sie spürte es tief in ihrem Herzen, dass da noch etwas kommen musste, das sie ganz und gar erfüllte. Doch wo sollte sie hin mit ihrer Liebe zu Marcel? Selbst Leonis Geburt hatte es nicht ändern können. Die Enttäuschung, nicht geschafft zu haben, was so verheißungsvoll begann, konnte sie schier nicht verwinden. Einerseits war sie froh, dass sie nun nicht mehr zu hoffen brauchte auf etwas, was Marcel ihr eh nicht geben konnte, andererseits vermisste sie die vielen Jahre mit ihm. Sein Lachen und seine lieben Augen. Ihm nicht mehr über den Kopf zu streicheln und ihre Hand in seinen Nacken zu legen, wenn es ihm schlecht ging, empfand sie als grausam und als die größte Strafe überhaupt. Nicht mehr daran teilhaben zu können, wenn er den Raum betrat und sprühend vor Begeisterung erzählen konnte, was er erlebt hatte. Nicht mehr in seine Augen zu schauen, wenn er traurig war und sein Lachen verhallte, schmerzte unendlich. Gleich einem lauten, lang anhaltenden Schrei in der Nacht, den niemand hörte und der nicht widerhallte am Du. An dem, den sie liebte und doch von sich stoßen musste, weil er nicht lieben konnte und weil es sie zerreißen würde, länger diese Gewissheit in seinen Armen zu erleben, nicht geliebt zu sein. Samara konnte ihn nicht mehr greifen und ihn auch nicht von sich schieben.

Marcel spürte in ihrer Trennungsphase nicht, wie sie sich fühlte. Wie sie mit Stina, Tim und Leoni in den Fluten ertrank. Die vielen Tränen, die Stina weinte, weil sie nicht fassen konnte, dass heute nichts mehr so war wie gestern und sie sich einer neuen Welt, einer anfänglich kalten Welt, gegenübergestellt sah. Eine Mauer vor den Augen und eine Mutter, die in Tränen schwamm. Ein kleiner Tim, der ruhiger wurde und überhaupt nicht mehr sprechen wollte, und ein Baby, das noch nicht begreifen konnte, in welche Not es hineingeboren wurde.

Marcel kämpfte wie Samara um ein neues Leben. Doch damals konnte sie nicht ahnen, welche Veränderung für sie beide eingeläutet wurde.

Auch Samara hatte manchmal zuvor über eine Trennung von Marcel nachgedacht. Doch sie hatte festgehalten und bis zum Schluss gehofft, er würde zu ihr finden. Als habe sich das Schicksal gefügt und sie hätten diese Kinder in die Welt gesetzt und sich dann verabschiedet, musste ihr Leben weitergehen.

Unter ihrem häufigen Fehlen in ihrer Schwangerschaft hatte ihr Studio sehr gelitten. Wegen ihrer Brechanfälle musste sie monatelang ihrer Arbeit fernbleiben und ihren Mitarbeitern die volle Verantwortung übertragen. Doch viele ihrer Kunden verlangten nach ihr und blieben in dieser Zeit aus. Samara war nichts anderes übrig geblieben, als kurz nach der Geburt wieder zu arbeiten. Ihr Vermögen war aufgebraucht und die Aussicht auf einen Mitverdiener ausgeschieden. Sie fühlte sich elend und schwach, doch sie wusste, wenn sie ihr Studio auch noch verlor, was könnte sie dann noch halten? Sie riss sich zusammen und versuchte sich vor ihren Kunden nichts anmerken zu lassen. Doch die meisten merkten sofort, dass da etwas nicht in Ordnung war. Sie kümmerten sich rührend in dieser Zeit, versuchten sie aufzubauen und zu unterstützen. Manche schimpften über ihren Mann und nannten ihn alles Mögliche. Wie man so etwas machen könne, eine hochschwangere Frau sitzen zu lassen, das sei ja wohl das Allerletzte.

Doch Samara wollte das nicht hören und nahm Marcel in Schutz wie eine Mutter, die um alles in der Welt ihren Sohn verteidigt. Erst mit der Zeit kamen die ohnmächtige Wut und die Wahrnehmung, dass er sie in dieser Situation verlassen hatte. Samara glaubte in ihren Depressionen zu ersticken. Tief enttäuscht und verletzt, sich ihrer eigenen Fehler jedoch bewusst, empfand sie es als eine große

Schmach, versagt zu haben.

Leoni war ein süßes und liebes Baby, pflegeleicht und unkompliziert. Schon nach wenigen Wochen begann sie durchzuschlafen, und so war es Samara kurze Zeit später schon wieder möglich, ab und zu auszugehen. Natürlich ging sie tanzen, denn das war schon von jeher eine ihrer liebsten Freizeitbeschäftigungen gewesen, und Tanzen gab ihr Kraft.

Ihre Freundinnen waren in dieser Zeit eine wichtige Stütze. Die Hilfe, die ihr von allen Seiten zuteil wurde, nahm sie dankbar an.

Zur gleichen Zeit verliebte sich ihre Freundin Regine in Oliver. Er schenkte ihr die Aufmerksamkeit und Beachtung, nach der sich Regine schon lange gesehnt hatte. Er verwöhnte sie über alle Maßen und stand ihr mit jeglicher Hilfe zur Seite. Darüber hinaus kümmerte er sich rührend um ihre Kinder und war ihr ein wundervoller Partner. Eigentlich war Samaras Verbindung zu Regine gerade während ihrer Trennungszeit besonders stark. Regine hatte sich schon Jahre zuvor scheiden lassen. Ihre Kinder waren noch nicht mal aus den Windeln, als ihr Mann heroinsüchtig wurde. In kürzester Zeit hatte er durch seine Sucht und die immensen Summen, die diese verschlang, ihr gemeinsames Geschäft in den Ruin getrieben. Er veräußerte den halben Fuhrpark und fuhr die andere Hälfte zu Schrott. Bis sie bemerkte, dass er alles an Kapital in Stoff umsetzte, war es schon zu spät. Regine trennte sich und musste Sozialhilfe beantragen. Oft saß sie in dieser Zeit in der Ecke und wusste nicht mehr ein noch aus. Es dauerte Jahre, bis sie sich von diesem Schock erholt hatte. Sie konnte Samara bestens nachfühlen und half ihr, wo es nur ging. Sie putzte das Haus und verdiente sich so was dazu und war Samara nebenbei noch Seelentrösterin und Beraterin.

Schon immer hat Samara ganz intensive Frauenfreundschaften gehabt. Sie tut sich leicht mit dem weiblichen Geschlecht und ist ihren Freundinnen im Herzen sehr ergeben. Sie bewundert sie für ihre Eigenschaften und liebt jede auf ihre Art. Keinesfalls empfindet sie deren Zuneigung als selbstverständlich. Sie schätzt sie und bedankt sich und sie pflegt ihre Beziehungen.

Samara erinnert sich, wie sie ein Jahr nach ihrer Trennung von

Marcel mit Regine auf ihrer Veranda saß. Die Sonne war am Horizont verschwunden und die Dämmerung brach langsam herein. Die Kinder schliefen schon und Regine war spontan auf ein Glas Wein vorbeigekommen. Eigentlich war es ein schöner, lauer Sommerabend. Einer, an dem man ins Träumen kommt, wenn die Bäume leicht im Wind rascheln und ihre Geschichten erzählen. Doch gerade diese Stimmung empfand Samara als erdrückend. Sie dachte an die Zeit mit Marcel. Wieder überfiel sie eine solche Trauer.

Daniel, den sie Monate danach kennenlernte und mit dem sie eine wundervolle Zeit erleben durfte, der ihr Herz im Sturm erobert hatte und sie so sehr in Flammen setzte, ließ sie erahnen, was möglich war, wenn man sich innig liebte. Doch war sie auch aus dieser Verbindung mit großer Trauer herausgegangen. Die äußeren Umstände machten ein Zusammensein unmöglich. Zu vieles hätte zerstört, zu vieles gesprengt werden müssen, und sie waren nicht allein. So entschlossen sie sich nach langem Ringen für den Verzicht auf ihre Liebe.

Wehmut lag in ihrem Herzen. Sie empfand Enttäuschung darüber, dass sie nicht zur Ruhe kommen konnte. Samara freute sich mit Regine über ihr gefundenes Glück und doch sehnte sie sich selbst so sehr danach, dass sie noch trauriger wurde. Regine schenkte wieder Wein nach und wirkte so glücklich. Samara strich ihr liebevoll über das Haar und sah sie an. Regine erwiderte ihren Blick und in diesem Augenblick nahm sie Samaras Schmerz wahr.

»Ach Sami, sei nicht so traurig.« Regine tätschelte ihr aufmunternd die Schulter und lächelte so liebevoll, dass sich Samara einfach nicht mehr beherrschen konnte und hemmungslos losschluchzte. Doch relativ schnell fing sie sich wieder.

»Regine, sag, glaubst du, auch für mich gibt es noch einmal Glück? Gibt es die ganz große Liebe auch für mich?« Die Tränen flossen schon wieder wie Bäche an ihren Wangen hinunter.

Regine schaute ihr in die Augen. Sie empfand Mitgefühl für ihre Freundin, kannte sie doch allzu gut diese Zweifel und die Angst, es könnte nie aufhören mit dem Schmerz. Regine sagte kein Wort, sie schaute sie einfach nur lange an. Dann stand sie auf und zog Samara von ihrem Stuhl. Sie nahm sie an die Hand und ging mit ihr ein Stück die Wiese hinunter. Der Mond schien hell und klar und es war ein wenig kühl geworden. Samara wollte sich ihre Jacke anziehen, und dabei fiel sie hinunter. Nahezu gleichzeitig bückten sie sich danach, knieten am Boden, griffen im selben Augenblick nach der Jacke und lachten auf einmal schallend los. Es war ein Lachen und Weinen zugleich. Sie fielen sich in die Arme und das Gefühl zwischen ihnen war unendlich warm. Regine hielt auf einmal inne, drückte Samara ein wenig weg, sodass sie ihr ins Gesicht sehen konnte, wurde ernst und sagte: »Samara, für dich kommt der helle Sand auch noch! Ich sehe dich schon darin laufen, hab Geduld und verzweifle nicht. Er wird kommen, da bin ich mir ganz sicher! So wie der Tag zur Nacht wird und die Sonne aufgeht und am Abend wieder sinkt, bin ich gewiss, dass es nicht immer so sein wird, wie du es jetzt gerade empfindest.«

Samara war ihr dankbar für die tröstenden Worte und sie gingen noch lange schweigend nebeneinander her. Als Samara spät in der Nacht, die Augen noch immer mit Wimperntusche verschmiert, endlich schlafen ging, lag sie noch lange wach. Wie in einem Nebel, einer Vision gleich, sah sie sich auf einmal im hellen Sand mit jemandem an ihrer Hand. Es war ein so inniges und vertrautes Gefühl, ein Gefühl von unsagbarem Glück. Von einer Zufriedenheit ganz tief in ihrem Herzen. Sie sah die Gestalt, diesen Menschen, diesen Mann an ihrer Seite, diese Hälfte ihres Ichs, nur verschwommen neben ihr hergehen.

Monate später, als das zwischen ihr und Rainer begann, fragte sie in einer innigen Minute, auf der geistigen Ebene des schönen violetten Lichtes, ihre Begleiter und Lichtwesen: »Ist er das, ist er der, auf den ich warte?« Wie in einem Film sah sie sich Hand in Hand mit ihm in diesem hellen Sand. Ihre Blicke trafen sich, da war diese Verbundenheit wieder, dieses unendliche Gefühl der Liebe. Das Wissen um den anderen und um die Verbindung zueinander. Diese große Sehnsucht, die sie verband, der steinige Weg, den sie hinter sich hatten. Da war diese Dankbarkeit in seinen Augen, dass sie nicht aufgegeben hatte, um ihn zu kämpfen, obwohl er sie doch so viele Male zurückgestoßen hatte.

Samara begann zu lachen und zu weinen über diese Offenbarung und dankte Umaniel, ihrem Schutzengel und Begleiter, und schlief zufrieden ein.

Dass sie einmal eine solche Reise unternehmen würde, hätte Samara sich zu diesem Zeitpunkt noch nicht vorstellen können.

*

»Wir sind gleich da«, hört sie eine Stimme wie aus der Ferne.

»He, Sami, wir sind gleich da«, hört sie Edda sagen.

»Ach ja?« Samara räuspert sich.

»Wo warst du denn jetzt mit deinen Gedanken?«

»Weit, weit weg.«

Edda sucht einen Parkplatz. »Da, ganz vorne ist einer, super dann müssen wir nicht so weit laufen!« Sie zeigt auf eine Lücke direkt neben dem Flughafeneingang.

Nervosität steigt in Samara hoch und sie sagt: »Ob auch alles gut gehen wird? Hoffentlich gibt es keine Schwierigkeiten beim Flug, ich bin noch nie allein eine so weite Strecke geflogen.«

»Du wirst das schon machen.«

Gemeinsam laden sie das Gepäck aus. Unruhig überprüft Samara noch einmal, ob sie ihr Laptop und ihre Fotoausrüstung bei sich hat. Sie sucht aufgeregt nach ihren Handschuhen in der Jacke.

»Für Dezember ist es viel zu kalt«, bemerkt sie.

»Du bist ja bald in wärmeren Gefilden, darum beneide ich dich echt«, erwidert Edda.

»Ja, bei diesem Gedanken wird mir auch gleich ein wenig wohler ums Herz. Aber bis dahin habe ich noch einiges vor mir.«

Sie packen die Sachen auf einen Wagen und können nun mühelos neben ihm her schlendern. Mit jedem Schritt wird Samara ruhiger und sagt zu Edda: »Ich komme mir vor, als würde ich das jeden Tag machen.«

Edda hakt sich bei Sami ein und sie lachen herzhaft.

»Komm her, du Wagemutige, du!« Liebevoll, fast wehmütig schaut ihr Edda in die Augen. Sie nehmen sich in den Arm und Sami schluchzt kurz auf. Der Abschied ist da.

»Mach's gut, ich wünsche dir alles Glück dieser Welt, pass auf dich auf!«, flüstert ihre Freundin.

»Ach Edda, ich habe Angst, Angst vor meiner eigenen Entscheidung! Angst, dass er mich zurückstoßen könnte.«

»Dann weißt du es wenigstens. Vielleicht kannst du ihn dann endgültig loslassen«, erwidert Edda energisch.

»Ja, du hast recht, vielleicht kann ich dann endlich weitergehen.«
Edda wischt Sami eine Träne von der Wange und Samaras alte Standhaftigkeit kehrt wieder zurück.

Edda reicht ihr zum Abschied die Hand. Samara hält sie ganz fest und drückt sie noch einmal.

Während Edda hinter der großen Glastür verschwindet, reiht sich Sami in die lange Schlange vor dem Schalter ihrer Fluggesellschaft ein und denkt: ›Ich habe Rainer schon so viele Male losgelassen!‹ Doch immer, wenn ihre Anspannung und ihre Wut auf ihn, darüber, dass er sie nicht haben wollte, ihren Gipfel erreichte und sich diese Spannung dann entladen hatte und sie wieder dachte: ›Nun habe ich ihn wirklich losgelassen‹, empfand sie eigenartigerweise hinterher immer ein Gefühl der Einigkeit mit ihm und eine große Ruhe in sich. Und sie wusste wieder: Es geht ums Zulassen! Um das Zulassen aller Lebensgefühle …

»Guten Tag«, reißt sie wieder eine Stimme aus ihren Gedanken. »Ihr Ticket bitte, möchten Sie Raucher oder Nichtraucher sitzen?«

»Nichtraucher, bitte.« Samara verstaut ihr Gepäck auf dem Rollband und begibt sich zur Passkontrolle. Freundliche Herren in Uniform lächeln ihr entgegen. »Guten Morgen, Madame, bitte legen Sie Ihre Sachen auf das Laufband.« Kurz darauf wird sie mit einer Sonde abgetastet und durchgewunken.

Durch die Glasfront hindurch, ganz hinten am Horizont, sieht man die Sonne aufgehen, gleich einem bunten, sanften Farbenspiel. Sie hüllt das Flughafengelände ein und lässt die Maschinen wie große Vögel wirken. Samara freut sich über ihre Freiheit in diesem Moment. Sie genießt es in diesem Augenblick in vollen Zügen, hier zu sein. Welch ein Geschenk, dass sie den Mut besitzt, so etwas zu tun! Welch ein Glück, dass sie fähig ist, ihre Träume zu verwirklichen!

Aber trotzdem, da gibt es so viele Fragen, so vieles, was sie wissen will. Da ist etwas in ihr, das sich sehnt nach einer tieferen Wahrheit. Nach dem Grund des menschlichen Daseins. Da ist diese große Hoffnung, die sie nährt weiterzusuchen, sich nicht zufriedenzugeben mit dem, was sie kennt.

*

So lernte sie über ihre Freundin Hanna eines Tages die Weißmagierin Alma kennen. Alma war eine interessante, schon etwas ältere Dame. Sie führte Samara in die Kunst des Kartenlegens ein und zeigte ihr alte Rituale. Alma sprach von Lichtwesen, mit denen sie kommunizierte, und erzählte Samara Erstaunliches. Samara hatte damals noch keine Erfahrung in diesen Dingen und stand ihnen am Anfang kritisch gegenüber, mit Respekt, aber erheblichem Zweifel. Als Samara Alma kennenlernte, kamen ihr die Lichtwesen-Begegnungen, von denen sie redete, doch ein wenig abgehoben und fern der Realität vor.

Aber irgendetwas in Almas Stimme und der Glanz in ihren Augen, wenn sie Samara davon erzählte, hatte zunehmend ihr Interesse geweckt. Mit der Zeit zeigte ihr Alma Meditationen. Wege hinab in die eigene Tiefe.

»In den Reichtum unserer Seele. In die Fülle unseres Herzens. Verborgen, doch lodernd hell, wie ein Feuer, wenn es gefunden wird, tief in unserem Innern. Die Quelle unserer Kraft und die Verbindung zu unserer Schöpfung. *Den Heiligen Gral.* Es ist ein Zustand und ein Ort in uns, klar wie das Innere einer Höhle, heilig und hell. Ein Raum voller Glanz, unbeeinflusst von dem Geschehen im Außen. Egal welcher Sturm um uns tobt, egal wie hoch die See im Augenblick ihre Wellen peitscht, wir können hinabsteigen wie in den Keller unseres Hauses, in das Fundament, auf dem es steht, und uns dort reinigen und uns ganz bewusst füllen lassen mit dem göttlichen Licht. Mit Ruhe und Gelassenheit. Dort können wir in unseren reinen Ist-Zustand eintauchen. In Nichts-Wollen. Atmen, in das Leben selbst einströmen – *sein*. Uns treiben lassen wie im Auf und Ab sanfter, warmer Wellen. Wir können dort auftanken und wieder gestärkt in unser Leben hinausgehen«, konnte Alma feurig erzählen.

Samara empfand diesen Zustand in der Meditation als einen sehr erfüllenden, bereichernden, der sie spüren ließ, was da alles im Verborgenen lag. Auf dieser Bewusstseinsebene war sie fähig, sich selbst zu beruhigen, ihre Spannungen zu lösen und sich zu verbinden mit dem göttlichen Prinzip in sich.

Viel später lernte Samara Menschen kennen, die mit einer anderen Methode genau auf die gleiche Ebene gelangten und ihr von denselben Gegebenheiten dort erzählten. Oft gingen sie und Alma gemeinsam in diesen Trancezustand, um sich gegenseitig zu unterstützen. Samara wusste aus ihrer langjährigen Psychotherapie, dass man Ebenen erreichen konnte, in denen man Teile seines Unterbewusstseins, Erlebnisse, die verschüttet waren, leichter wieder zurück ins Bewusstsein holen konnte. Als Samara ihre Psychoanalyse begann, konnte sie sich ab ihrem zwölften Lebensjahr an nichts mehr erinnern. An alles vor dieser Zeit war ihr Erinnerungsvermögen nahezu ausgelöscht. Sosehr sie es sich wünschte, es war einfach weg. Durch intensive Arbeit über Träume, Malen und Gespräche konnte sie mit ihrer Therapeutin das Verschüttete in ihrer Vergangenheit wieder nach oben holen, um damit die tatsächlichen Umstände noch einmal zu durchleuchten. Um begreiflich zu machen, was damals passiert war. Als sie das Geschehene verstanden hatte, fiel es ihr leichter, ihr eigenes Fehlverhalten zu begreifen, ihre Ängste und Nöte, die sie in ihrer Therapiezeit noch massiv gehabt hatte. Als sie ihre Wut und ihre Angst verstand, die im Nachhinein betrachtet immer berechtigt waren, erlöste sie das von ihrem Gefühl der Schuld. Als sie den Schmerz über das Geschehene zulassen konnte, wurde es danach friedlicher in ihr und sie erlebte, wie diese Arbeit an ihrer Psyche eine gewaltige Energie in ihr freisetzte.

Sie erinnerte sich an eine Hausaufgabe, die ihre Therapeutin ihr gestellt hatte. Ihre Ärztin bat sie, ein Erlebnis mit ihrem Vater aufzuschreiben, das sie als wichtig erachtete. Samara nahm damals einen heftigen Widerstand gegen diese Aufgabe wahr, doch sie zwang sich zum Schreiben. Während sie schrieb, musste sie plötzlich innehalten, denn sie sah sich auf einmal wie von außen. Sie stockte und saß einfach da mit dem Kuli an ihrem Mundwinkel. Als ginge ein Vorhang auf, schaute sie ihrer Seele zu, wie sie in einer weichen, aber dunklen, engen Umgebung steckte.

Es war nicht so, dass sie es sah, wie wenn man in einen Raum geht und direkt auf ein Möbelstück zusteuert, das man genau vor sich sieht. Es war eher ein Gefühl und doch mit ihrem inneren Auge zu sehen, ihrem Dritten Auge, das nicht sichtbar war, dem sogenannten Stirnchakra genau zwischen den Augenbrauen. Sie konnte zuerst nicht ausmachen, wo sie sich befand. Doch in einem gleichmäßigen Rhythmus hörte sie ein lautes Geräusch ganz in ihrer Nähe. Es war ihr, als läge sie unter einer Maschine. Dumpf und immer wiederkehrend nahm sie die Töne und ihre Schwingungen wahr. Es beunruhigte sie aber nicht, im Gegenteil, es war ihr irgendwie vertraut. Sie fühlte sich geborgen und weilte gelassen in dieser Umgebung, satt und zufrieden in jeder Hinsicht. So hätte sie dieses Gefühl beschreiben können. Doch auf einmal begann sie etwas von oben, dann auch von der Seite her einzuschränken. Wie eine weiche Wand presste sich etwas gegen sie. Zuerst ganz zart, dann zunehmend heftiger, rhythmisch. Langsam, aber kontinuierlich steigerte sich der Druck um sie herum. Es wurde zunehmend unangenehmer und immer enger in ihrer Hülle und sie wusste gar nicht mehr, wie ihr geschah. Sie hatte keinen Einfluss auf das Geschehen, das sie nun doch als Gewalt empfand, die sie immer mehr bedrängte. Sie begann sich zu wehren, aber es nützte nichts. Sosehr sie sich dagegenstemmte, es half nicht. Sie geriet in Panik und fühlte Wärme und Kälte gleichzeitig. Auf einmal drückte sich diese Gummiwand heftig gegen ihr Gesäß und schob sie dabei nach unten. Erst in gleichmäßigem Abstand immer wiederkehrend, dann sich steigernd in der Geschwindigkeit, wurde sie wieder und wieder nach unten geschoben. Es gab keine Möglichkeit auszuweichen. Sie wurde durch etwas Enges ähnlich einem Kanal hindurchgedrückt und sauste wie auf einer Rutsche nach unten und erschrak fürchterlich. Es war auf einmal kalt und grell und unglaublich laut um sie herum. Es tat ihr in den Ohren weh und sie dachte noch: ›Oh mein Gott, wo bin ich denn jetzt?‹ Sie spürte Angst und ein Gefühl des Ausgeliefertseins. Alles war so fremd!

Sie war herausgefallen aus dem Ort des Schutzes, den sie kannte und der sie so geborgen eingebettet hatte. Sie schrie aus Leibeskräften und spürte fremde Hände auf ihrem Körper, die sie rundherum begrapschten. An ihren Beinen zerrten, sie drehten und zwickten. Sie schrie noch lauter, aber es half nichts. Dann hörte sie eine Stimme, die ihr vertraut war und die Samara als die ihrer Mutter erkannte. Das beruhigte sie etwas, aber nur ein wenig. Sie fühlte sich verloren und schutzlos. Doch dann legte man sie auf warme Haut und sie vernahm wieder das dumpfe, ihr bekannte Geräusch. Der Herzschlag ihrer Mutter ließ sie, nun vor Erschöpfung wieder ein wenig entspannter, einschlafen. Sie war wieder in Sicherheit, zwar nicht vergleichbar mit der zuvor gekannten, aber doch als eine Verbindung, mit der sie sich erst einmal zufriedengab …

Auf einmal erkannte Samara, dass sie ihre Geburt wiedererlebt hatte.

Nach diesem Erlebnis befragte Samara ihre Mutter über ihre Geburt.

»Du bist in fünf Minuten zur Welt gekommen. Dein Vater und ich waren kaum im Krankenhaus, da wolltest du schon raus. Kurz nachdem dein Papa mich ins Krankenhaus gebracht hatte, waren die Wehen so heftig, und schon warst du da. Er hatte noch nicht einmal das Formular ausgefüllt, als ihm die Krankenschwester berichtete, dass er soeben Vater eines gesunden Mädchens geworden sei. Er konnte es gar nicht fassen: ›Das kann nicht sein, Schwester, meine Frau ist erst gerade eingeliefert worden.‹

›Doch, doch‹, beteuerte die Krankenschwester immer wieder. Sie musste ihm richtig zureden und brachte ihn dann zu mir. Als er dich sah, dieses kleine schlafende Würmchen auf meinem Brustkorb, war er voller Stolz und überglücklich. Unsere Freude, dass du ein Mädchen bist, war riesengroß«, erzählte die Mutter mit Tränen in den Augen. Immer wieder musste sie Samara diese Geschichte erzählen.

Samara empfand ihre Geburt wirklich nicht als traumatisch und war begeistert, mit welcher Dynamik sie in ihr Leben gekommen war.

Samara war davon überzeugt, dass man alles, was man in seinem Dasein erfahren hatte, speicherte, ja, wie in Ordner ablegte. Ganz schlimme Ereignisse, die nicht verarbeitet werden konnten, schockhaft Erlebtes, traumatisches Geschehen wurden in dicke Panzerschränke eingeschlossen. Und es war möglich, dass man das, was man an Erinnerung weggeschlossen hatte, nicht mehr wusste. Dass man sogar mit Entschiedenheit erklären konnte, dass man es nie erlebt hatte. Samara behauptete felsenfest zehn Jahre lang in ihrer Therapie, dass ihr Vater sie nur zwischen den Beinen gestreichelt hatte, denn dieses Erlebnis schilderte sie später ihrer Mutter, damit sie Samara endlich aus ihrer Not befreite. Obwohl ihre Therapeutin immer wieder die gleiche Frage stellte und den Missbrauch ahnte, hatte sie diesen jahrelang energisch verneint. Doch kein Panzerschrank war so dicht, dass er verhindern konnte, dass sich das im Innern, die schlechte Energie, mit der Zeit in Fäulnis umwandelte und den physischen und psychischen Körper vergiftete. Meistens jedoch setzte die körperliche Hülle durch Krankheit oder Depressionen Signale nach außen und machte darauf aufmerksam, dass mit der Seele etwas nicht in Ordnung war.

Früher hatte Samara Krankheit irgendwie als Bestrafung empfunden. Dieses Bild veränderte sich mit der Zeit grundlegend. Wenn sie einen Schnupfen bekam oder ihr verstärkt der Rücken schmerzte, sich Zeichen von physischem Unbehagen in ihr breitmachten und sie ihr Körper hinderte, in dem Tempo, das sie sich auferlegte, weiterzugehen, begann sie mit ihm in einen Dialog zu treten. Samara stellte auf einmal Fragen. Sie ging nicht mehr weiter wie bisher, sondern begann ihren Körper zu beachten. Und sie stellte erstaunt fest, dass viele Beschwerden mit ihrer psychischen Verfassung in Verbindung standen, um nicht zu sagen von ihr ausgelöst wurden. Sie entwickelte ein Bewusstsein dafür, dass ihr Körper und ihre Seele eine Einheit bildeten. Sie erfuhr, dass ihre Hülle wie ein guter Freund war, der sie auf die Defizite in ihrer Psyche aufmerksam machte. Einer, der Bremsen setzte, wo sie einfach nicht hören wollte, erst kleine, dann größere, und sie schließlich zum Anhalten zwang. Wenn sie früher einen Schnupfen gehabt hatte, war sie zum Arzt gegangen und hatte sich ein Medikament verschreiben lassen, meist plagte sie sich dennoch ziemlich lange damit herum. Oder sie musste die Nachwehen starker Medikamente verdauen. Mit der Zeit veränderte sich etwas in ihrer Wahrnehmung. Sie begann ihrem Körper zuzuhören, bis sie schon die frühen Anzeichen einer Krankheit bemerkte und sich dann ganz intensiv auf die Suche begab. Sie versuchte die Missstände in sich oder in ihrem Umfeld aufzudecken. Stellte oft fest, dass sich ihre Beschwerden, bevor sie richtig ausbrechen konnten, ganz plötzlich auflösten. »*Die Nase voll haben* könnte man einen Schnupfen ebenso nennen«, sagte Samara, wenn ihre Kundin sich auf ihren Hocker zur Nackenmassage setzte und darüber klagte, wie sehr sie ihre Nase plagte. Und dann konnte sie ihre Kundin ganz diskret fragen, wovon sie denn *die Nase voll* hatte. Oft war die erste Gegenreaktion ein Abwiegeln. »Es ist eigentlich alles in Ordnung.« Doch schon das »eigentlich« war ein Signal, dass es eigentlich doch nicht so okay sein konnte und da mehr in der Tiefe zu liegen schien. Durfte sie ihre Kundin noch weiterfragen, an ihrem Schnupfen bohren und rütteln, drang sie dann doch immer tiefer zu dem eigentlichen Kern vor und konnte etwas freilegen. Sichtbar für die Kundin, wenn sie aufmerksam mitging, wenn ein Aha-Effekt entstanden war und ein Begreifen, wie sehr sich ihre Nase doch mit dem Geschehen um sie herum im Augenblick verband. Konnte ihre Kundin dann ihren Unmut, den Zorn, die Wut oder die Angst und den Schmerz über eine ihr nahegehende Angelegenheit zulassen, war vieles gewonnen. Wenn sie dann weiter gingen und sogar nach Problemlösungen suchten und welche fanden. Oder Samara half eine Entscheidung in dieser Sache bei ihrer Kundin zu bewirken, sei es auch nur, um etwas, das nicht zu ändern war, beim Namen zu nennen. Nicht selten veränderten sich dann die körperlichen Symptome. Dann war Samara sehr zufrieden. Wenn der Andere feststellen durfte, dass er den Schmerz, die Angst oder die Wut, die er vielleicht nur einen Augenblick wahrgenommen hatte, als störend einfach wieder zur Seite geschoben hatte. Diesen Schmerz als unangenehm und harmoniekillend entsorgt hatte.

»In unserer westlichen Welt besteht ein so starker Wunsch nach Harmonie. Danach, alles unter den Teppich zu kehren und zu verleugnen, dass wir dabei vergessen, aus welchem Stoff wir Menschen sind.« Samara glaubte, dass diese Harmonie erst stattfinden konnte oder vielleicht auch immer nur zum Teil ins Leben integriert werden konnte, wenn man sich selbst ernst nahm. Es gehörte zum Leben, sich aneinander zu reiben. Grenzen zu setzen und achtsam zu sein der eigenen Person gegenüber. Dann die Erleichterung erleben zu dürfen, die nach dem Zulassen der zuerst negativ besetzten Gefühle folgte. Schmerz, Angst, Wut, die nach oben wollten. Waren diese zutiefst empfunden und ausgelebt, konnten sie ein Verzeihen bringen. Versuchte man auch sein Gegenüber gütig zu durchleuchten und stellte dabei fest, dass auch der andere seine Gründe für sein Verhalten hatte, veränderte sich etwas in einem selbst. »Wir sollten diesen Gefühlen, diesen Ebenen, aus denen wir bestehen, dem Schmerz, der Angst und der Wut, in unserem Bewusstsein wieder mehr Raum geben. So wie das Kinder noch ganz natürlich tun, bevor sie in ihren Gefühlsäußerungen beschnitten werden. Es ist überaus gesund, Wut zu spüren. Das heißt noch lange nicht, dass wir sie nach außen bringen müssen. Aber in dem Moment, in dem wir sie in uns anerkennen, richten wir nicht mehr die Schuld nach innen und bestrafen uns selbst.« So konnte Samara eine temperamentvolle Rede halten, wenn sie bei einer Behandlung über die Akupressur oder die Reflexzonen auf ein körperliches Problem bei ihrer Kundin stieß. Während sie am Körper ihrer Kundin arbeitete, konnte sie ihr Fragen stellen und auch an ihrer Psyche mitwirken. Viele Kunden kamen vor allem deshalb zu ihr zur Kosmetik, weil es sich herumgesprochen hatte, welche Fähigkeiten Samara besaß.

So vieles, was sie an anderen spürte, konnte Samara auch an sich selbst feststellen. Wie sehr ihr körperliches Wohlergehen mit ihrem Unterbewusstsein in Verbindung stand, erstaunte sie immer wieder. »Seele drängt nach Wahrheit, nach Auflösung und nach Wachstum«, erklärte sie ihren Kunden dann. Doch allzu gut erlebte auch sie die Diskrepanz zwischen Wissen und Umsetzenkönnen. Alte Strukturen, Unbewusstes, Verschlüsseltes schwelten, solange sie im Unbewussten blieben, immer mit. »Selbst wenn es ins Bewusstsein transformiert werden kann, in den Verstand, braucht es oft noch lange, bis es auf allen Ebenen umgewandelt wird, um dann endlich gehen zu dürfen.« Und an dieser Stelle empfand sie ihren Körper, ihre materielle Hülle als einen wichtigen Bestandteil, als ein Bindeglied zwischen dem Herzen, ihrem Gefühl und dem Verstand.

Samara hatte an sich erfahren, wie schwer es sein konnte, aufzubrechen auf dem Weg nach innen. Wie viele Hindernisse hatte sie ausräumen müssen! Mühsam Stück für Stück in den Schacht zu kriechen, zu Beginn ihrer Therapie, empfand sie als endloses Unterfangen. Doch allmählich entschlüsselte sie immer mehr ihre eigenen Muster. Vorgelebtes, das sie als Wahrheit verinnerlicht hatte, geriet ins Wanken und sie begriff immer wieder aufs Neue, dass die Realität dann doch eine ganz andere war. Es gab so viele veränderte Blickwinkel, sie waren wie eine Säule, um die man herumging und die einem doch jedes Mal wieder neu erschien. Sie hatte früher an nur einer Wahrheit festgehalten, dabei gab es so viele. Doch auch diese waren wiederum in Frage zu stellen.

Als Samara erkannte, dass ihre Eltern nicht lernen durften, sich anzunehmen und liebevoll mit sich umzugehen, war sie durch den Verlust an diesem Vorbild mit vielem an sich unzufrieden gewesen. Sie erzählte, dass es Zeiten gab, in denen sie richtig gemein, manchmal grausam und sehr strafend mit sich umgegangen war. Wenn sie Verhaltensweisen an sich entdeckte, die sie nicht gutheißen konnte, war sie damals unglaublich hart und böse mit sich gewesen. Durch Disziplin und harte Arbeit kam sie jedoch immer tiefer an ihr wirkliches Fundament. Und durfte erstaunt feststellen, wie viel Kraft, Stolz und Mut und wie viel Liebe in ihr zum Vorschein kamen. Samara lernte, sich mehr Wertschätzung und Respekt entgegenzubringen, und konnte mit der Zeit wesentlich liebevoller mit sich umgehen. Ja, sogar lachen darüber, wenn sie etwas entdeckt hatte und sie alte Strukturen einholen wollten, sie dann einfach Stopp sagte und wie neben sich stand. Ihr Urteil fiel dann meist milder aus. Samara konnte von sich sagen, dass sie schon einiges an Wegstrecke hinter sich gelassen hatte. »Dass wir um unserer selbst willen, so, wie wir es uns gewünscht hätten, ernst genommen wurden, haben doch die Wenigsten erlebt. Es gibt so viele Menschen, die sich als nicht beachtenswert empfinden. Geschweige denn von sich glauben, sie seien wertvoll, großartig und überaus liebenswert. Oder sie müssen sich zur Schau stellen, herumprotzen, um Gehör zu finden, in Wirklichkeit aber nur, um das eigene Gefühl der Minderwertigkeit zu überspielen. So viele Möglichkeiten, sich selbst etwas vorzumachen, um ja nicht gehen zu wollen. So bleibt es vielen verwehrt, etwas in sich zu finden, das sie erfüllen könnte. Der Grund dafür, sich nicht begegnen zu können, liegt oft in der Tiefe unserer Seele. Wenn etwas noch so schmerzt, ganz unten auf dem Grund liegt und so traumatisch erlebt wurde, dass man nicht danach graben kann oder will, ist es oft ein Teufelskreis. Diesen Menschen bleibt jedoch auch die Erfahrung verwehrt, die hinter dem Berg liegt. Das helle Land, das sich endlos ergießt in die Weite des Tales. Klar und doch geheimnisvoll. Spannend und voller Nahrung.«

Samara konnte so vieles berichten, was sie entschlüsseln durfte, aus der eigenen inneren Not geboren, im Körperlichen sichtbar geworden. Je mehr sie ihre Vergangenheit durchleuchtete, desto gesünder wurde sie, und einiges hatte sich gewandelt.

Früher hatte sie in Gedanken noch mal draufgehauen, wenn etwas weh tat. Doch sie lernte eigene Gewalt in Liebe umzuwandeln. Sie legte ihre Hände auf, schickte Licht und gute, kraftvolle Energie in Gedanken zu dieser Stelle. So wie sie es auch in ihrem Studio mit ihren Kunden und deren Beschwerden tat. Wenn sie einen unangenehmen Zustand bewusst durchlebt hatte, sie ihrem Begreifen und Heilungsprozess zuschauen konnte, den sie aktiv gestaltete, kam sie sich näher als zuvor. Samara lernte sich ernst zu nehmen und sich einzulassen, auch auf Unangenehmes, und sich selbst dabei zu begegnen.

»Am Ende geht es doch immer wieder um das Gleiche: um unsere ureigenen menschlichen Bedürfnisse nach Anerkennung, Zuwendung und Liebe.«

Bei Frau Dr. Hailer hatte Samara gelernt, mit ihrem Verstand zu arbeiten. Die Weißmagierin Alma lehrte sie, noch mehr mit dem Gefühl zu verarbeiten. Sie lehrte sie, auf ihre innere Stimme zu hören und ihrer eigenen Kraft zu vertrauen. Alma bestärkte Samara, ihre Engel zu rufen und ihre Intuition zu beachten. So lernte Sami Rituale, die sie täglich zu den gleichen Zeiten vollzog, und Alma zeigte ihr, wie sie mit gleichlautenden Formeln tiefer in sich hineinkam, um den gewünschten Kontakt zu bekommen. Samara betete wochenlang zu ihren Engeln. Sie bat um Führung, um Schutz und Verinnerlichung des Geübten und darum, sich ihr zu offenbaren. Allmählich spürte sie ihre Bereitschaft, sich zu öffnen und sich als Werkzeug zur Verfügung zu stellen. Dienen zu wollen, da zu sein, sich zu stellen.

Nach mehreren Monaten veränderte sich auf einmal etwas in ihren Meditationen. Wenn sie sich zuvor mit dem Autogenen Training von ihrem Alltag löste, Schwere und Wärme in ihren Körper projizierte, ihre Zellen anfingen zu schwingen und sie Altes loslassen konnte, gelang es ihr, sich mit neuer Energie aufzufüllen. Samara trat in ihren Schutzkreis aus Licht und stieg hinunter in ihr Innerstes. In ihren *Heiligen Gral*.

Auf einmal hatte sie ein Surren in ihrem Kopf. Wie ein Taumeln im Geiste nahm sie dieses Gefühl wahr. Wäre sie auf ihren Füßen gegangen, sie hätte keinen Boden unter ihren Sohlen gespürt. Wie schwebend trug es sie in die Lüfte. Heraus aus ihrem eigenen Ich, in die Arme derer, die sie so sehr begehrte!

Es war ein eigenartiger Zustand, doch er war überaus angenehm. Ja, wie befreiend, sogar erlösend. Ein lang anhaltendes herzliches Lachen. Voll der Freude, voll des Glücks. So einfach! Alles vereint! Grenzenlos! Mit der Zeit verlor sie ihre Angst und begab sich Schritt für Schritt tiefer hinein in diesen Nebel. Sie wurde in diese Landschaft aus Rauch und Schwingung hineingetragen und ihr Geist begann sich zu erheben, als könnte er fliegen, wurde fortgetragen ohne irgendeinen Aufwand an Kraft und Bewegung. Sie flog behutsam in diesem Schwingungszustand. Flog tiefer und tiefer hinein. Manchmal glaubte Samara eine zarte Berührung wahrzunehmen, menschlich und doch nicht. Warm und weich, über alle Maßen sanft und doch körperlos. Sie ahnte und hoffte am Anfang, dass sie es waren, und wurde irgendwann bestätigt. Auf einmal sah Samara sie! Würdevoll, ohne Aufwand, wie Schwingen. Flügel, die nicht schlagen. Keine Flügel, einfach nur Glanz, hell und rein. Große Energie. Wie ein Feuerball, doch ohne diese zerstörerische Kraft. Sanfte Flammen. So liebevoll und leicht fühlte sie sich umgarnt von ihrer Wesensart, zart und behutsam waren ihre ersten Begegnungen. Voll der Liebe, reich an inniger Freude und Verbundenheit. Wie Geschwister, die sich aus den Augen verloren hatten und nun endlich wieder zusammenkamen, so begegneten sie sich. Sie als Mensch, der sich manchmal so klein fühlte mit seinen Fehlern und Unzulänglichkeiten, und diese Lichtwesen, die so hell waren, so klar, so rein und gütig. Voller Energie, voller Kraft und Bejahung für ihr Leben, für sie, Samara!

Es war nicht einfach für Sami, in diesen ersten Begegnungen begreifen zu dürfen, dass sie ihr Liebe zollten und sie so freudig und herzlich begrüßten auf der Ebene des schönen violetten Lichtes. Es war ihr nicht möglich, sie in materieller Gestalt wahrzunehmen, und doch hatte jeder von ihren Engeln eine ganz eigene, persönliche Schwingung. Von Begegnung zu Begegnung wurde sie sicherer und mutiger und begann mit ihnen zu kommunizieren. Sie umkreisten sich, berührten sich gegenseitig, eine Berührung nur wie mit den Fingerspitzen, und schwangen im selben Takt miteinander.

Alma war Samara nach ihrer Therapiezeit bei Frau Dr. Hailer eine wunderbare Wegbegleiterin und Meisterin. Sie sprachen über ihre Erlebnisse und Alma bestärkte sie immer wieder darin, weiter zu gehen.

Als sie eines Abends wieder zusammen in diese Tiefenentspannung gingen, noch einmal zwölf Stufen in den Heiligen Gral hinuntergestiegen waren, um über diese Verbindung in ihrem Inneren hinauszugehen, durch das »goldene Tor« hindurch, dort, wo sie die Engel treffen konnten, geschah auf einmal etwas Eigenartiges. Samara hörte ihren eigenen Atem lauter, intensiver und schwerer als je zuvor. Sie lauschte ihrem eigenen Luftstrom, als sich etwas in ihrer Aura veränderte und eine wunderschöne Schwingung den Raum erfüllte.

Ihr Körper begann zu vibrieren und sie fühlte, wie sie von einem Lichtnebel umgeben wurde. Auf einmal hörte sie Alma reden, doch es war nicht ihre Stimme. Diese Laute aus ihrem Mund waren männlich und viel tiefer als Almas eigene Stimme. Samara öffnete erschrocken die Augen und schaute zu Alma hinüber. Alma schien weit weg zu sein. Ihre Lider waren geschlossen und flackerten ein wenig. Ihr Mund schien sich nicht zu bewegen, nur beim genaueren Hinsehen stellte Samara fest, dass sich ihre Lippen doch ein ganz klein wenig öffneten und sich wieder schlossen, während eine tiefe männliche Stimme zu ihnen sprach:

»Wir begrüßen euch von Herzen. Wir freuen uns, euch hier antreffen zu dürfen, und wir möchten dir, unserem Kind Samara, gerne einiges ans Herz legen.«

Die Stimme, die aus Almas Mund kam, war so überaus gütig und beruhigte Samara sogleich. Sie erinnerte sich daran, dass ihr Alma früher einmal erzählt hatte, dass sie sich schon öfters als Medium zur Verfügung gestellt hatte, und so schloss sie ihre Augen wieder und entschied sich, einfach zuzuhören.

»Mein Name ist Umaniel, mein Kind. Dein Beschützer, dein Begleiter, der dich schon seit zwei Jahren auf einen Weg führt, auf den Weg in das Licht und in die allumfassende Liebe. Sei gewiss, mein Kind, du wirst noch viele freudige Stunden in deinem Leben haben. Darum gehe den Weg des Vertrauens und des Glaubens. Geh mit deiner Familie gemeinsam in das Licht. Dennoch wartet eine kleine Seele darauf, bei dir inkarnieren zu dürfen.

Unser Kind, wir möchten dir mitteilen, dass wir uns sehr freuen, dass du dein Vertrauen wiedergefunden hast und zu deinem Glauben zurückkehrst. Auf deine Fragen zu deiner Partnerschaft möchten wir dir sagen, dass noch viele Ängste in dir verborgen sind, Ängste, zurückgestoßen zu werden. Du hast dir einen Partner ausgesucht, der für dich nicht immer leicht zu durchschauen ist. Er hat dich schon durch viele Leben begleitet, doch du hast ihn immer wieder verloren. Dieses Leben suchtest du dir nun aus, um ihn und dich endlich auf die Ebene des schönen violetten Lichtes zu bringen. Darum vertraue! Geh auf in deinem Alltag, in deiner Liebe zu den Menschen, zu deinem Mann und zu deinen Kindern. Ihr seid eine Familie, ihr habt es euch so ausgesucht, und darum geht den Weg des Vertrauens. Versuche dich nicht ständig zu kontrollieren und zu beherrschen, sondern lebe im Hier und im Jetzt, mein Kind. Bezüglich deines Geschäftes möchten wir dir sagen, dass nun eine Zeit auf dich zukommen wird, in der du sehr viel Freude haben wirst. Geld fließt in dein Haus, ohne dass du große Anstrengungen dazu unternehmen musst. Wir werden dir dabei behilflich sein. Wir werden unsere Engel vor deine Tür stellen und dir gute und liebe Leute ins Haus bringen. Bleib auf diesem Weg der Menschlichkeit und des Vertrauens. Wir sind sehr froh darüber, dass du mit uns diesen Weg gemeinsam gehst. Wir begleiten dich in großer Liebe. Wir werden dein Herz weit machen und wir werden dir kleine Zeichen setzen. Wir werden dich etwas kitzeln. Du wirst uns spüren. Du brauchst nur unsere Energien bei deiner Arbeit zu rufen und wir werden dir behilflich sein. Sei nicht traurig, wenn noch manche Menschen in deinem Umfeld sind, die nicht deinen Weg gehen möchten. Gib ihnen Zeit, las dir selbst die Zeit, um zu wachsen und zu vertrauen. Denke daran, dein Urvertrauen wiederzufinden in deiner eigenen Mitte. Mach dich nicht abhängig von dieser schnellen Zeit. Mach dich nicht abhängig von Machthabern und Manipulationen. Geh den Weg der Liebe!

Denke an die Natur, die vieles für dich bereithält. Versuche dich bewusst zu ernähren und versuche die Wege zu gehen, die zielführend sind. Versuche allen Lebewesen auf dieser Erde Liebe entgegenzubringen, denn das hat die Menschheit vergessen. Sie fangen an, Tiere in Massen zu halten und sie ohne Liebe großzuziehen. Wie kann eine Kreatur ohne Liebe dir noch Energie geben? Es ist nicht möglich, mein Kind. Achte darauf, dass ihr immer Energien in Liebe zu euch nehmt und diese euch auch ebenso liebevoll zubereitet. Versuche die Hektik in deinem Leben zu streichen und alles bewusst anzugehen und bewusst zu leben. So wirst du noch viel Erfolg haben. Denke daran, Zeit ist immer relativ, mein Kind – es ist deine eigene Zeit. Versuche dich immer in der Zukunft zu sehen und die Antworten werden dir wie von selbst gegeben. Du wirst immer Kontakt mit uns haben, wenn du es wünschst. Rufe uns herbei, die Engel des Vertrauens und der Harmonie. Wir sind bei dir! Wir möchten dich begleiten und dir dein Urvertrauen zurückgeben. Das ist die Arbeit in der nächsten Zeit und wir begleiten dich in großer Liebe. Vertraue! Versuche in der Meditation auf die Ebene des schönen violetten Lichtes zu gehen. Rufe die Engel des Vertrauens und sie werden dich führen und dich begleiten. Hole dir Kraft aus dem Heiligen Gral des Vertrauens und gehe hinaus in den Alltag, in das Leben mit einem Herzen voller Liebe. Wir melden uns noch einmal, mein Kind, sprecht darüber, in großer Liebe für dich, Umaniel.«

Samara war zutiefst bewegt. Sie presste ihre Arme fest an ihren Körper und atmete noch einmal tief ein und aus und dann war sie wieder da. Sie blickte zu Alma hinüber, die noch immer tief in sich versunken schien. Sie fasste sie am Ärmel und zog heftig daran.

»Alma, Alma, bist du da?«

Alma öffnete die Augen und räusperte sich, schluckte noch einmal, als müsse sie sich besinnen, wieder hier zu sein. »Ja, ich bin da. Ich war so weit fort.«

Samara erzählte Alma alles, auch dass sie sich darüber unterhalten sollten, was der Engel ihr gesagt hatte. Alma berichtete wiederum, dass sie auf einmal ein Surren in ihrem Kopf vernommen habe und wie weggetreten war. Sie erzählte Sami, dass sie ebenso wie sie zu Beginn ihrer Meditation eine ganz hohe Energie, eine intensive Schwingung im Raum wahrgenommen und in diesem Augenblick gewusst habe, dass sie da waren, und sich fallen gelassen habe.

Nachdem Alma Kaffee eingeschenkt hatte und sie noch eine Weile darüber geredet hatten, sie auch von ähnlichen Erlebnissen erzählte, entschlossen sie sich, noch einmal in die Meditation zu gehen. Sie hofften so sehr, noch eine Meldung zu erhalten, wie sie versprochen hatten. Samara hörte wieder diese dunkle Stimme aus Almas Mund:

»In großer Liebe, auf der Ebene des schönen violetten Lichtes. Ich, Umaniel, begrüße euch in großer Freude und ich möchte dir, mein Kind, mitteilen, dass es viele Situationen gibt, wo wir euch keine Entscheidungen abnehmen dürfen, denn dies ist euer eigener Erfahrungsweg. Wir dürfen euch begleiten, wir dürfen euch eine Stütze sein, aber entscheiden müsst ihr letztendlich immer selbst. Ihr seid auf der Erde inkarniert, der Erde des freien Willens. Wir dürfen euch nur sagen, dass ihr euch immer und immer wieder treffen werdet auf der Ebene des schönen violetten Lichtes. Auf dieser Ebene der Liebe werdet ihr alle wieder zusammenkommen und euch finden. Ihr werdet euch austauschen über eure Erfahrungswerte und ihr werdet entweder gemeinsam oder getrennt weitergehen.

Ihr Lieben, seid gewiss, wir werden euch beistehen in jeder Situation und wenn ihr der Meinung seid, ihr wollt es nun in unsere Hände übergeben, werden wir bemüht sein, euch auf diesem Weg behilflich zu sein.

Ich werde dich begleiten noch fünf Jahre, mein Kind. Begleiten in eine Ebene, die für dich im Moment noch unvorstellbar ist. Es wird ein hohes Wesen zu dir kommen und ich werde es übergeben in einer Liebe, und wir hoffen sehr, dass du dich dann auf dieser

Bewusstseinsstufe befindest.

Wir wissen, dass du dir sehr viel Mühe gibst. Sehr viel Mühe, dein Herz rein zu halten, um den Weg des Glaubens und Vertrauens zu gehen. Dafür danken wir dir sehr, denn auch uns hilfst du damit. Wir lieben dich und wir begleiten dich in großer Freude, mein Kind. Eine schöne Zeit wird nun anbrechen und der Tanz der Liebe darf anfangen. Wir danken dir in großer Liebe, dein Umaniel.«

Tränen schossen ihr ins Gesicht. Tränen der Demut über diese Botschaft. Dass sich die Engel bei ihr bedankten, bei ihr, einem Menschen! Samara kniete nieder und betete: »Vater unser im Himmel, geheiligt werde dein Name, dein Reich komme, dein Wille geschehe. Dort wie hier und überall. Vergib uns unsere Schuld, unsere Zweifel und Missgunst anderen gegenüber. Denn sie resultieren aus einem Nicht-Vertrauen in deine Kraft, in dein Licht, in das Göttliche in einem jeden von uns. Führe uns hinein in uns selbst, auf dass wir unser Licht, dein Licht, finden. Gib uns die Kraft, dich in allen Dingen zu suchen, und gib uns die Hingabe, dich zu erkennen und uns erlösen zu lassen. Denn dein ist das Reich und die Kraft und die Herrlichkeit in alle Ewigkeit.

Bestärke uns, auf unsere innere Führung, auf deine Worte zu hören, und gib uns die Kraft, der Wahrheit in uns zu glauben. Oh Licht der Welt, dir will ich dienen mit allem, was ich habe, mit meinem ganzen Sein! Ein Leben lang will ich der Liebe dienen und mein Gelübde ablegen, sie allen Lebewesen entgegenzubringen. Amen.«

*

Eine junge Frau rempelt Samara von der Seite an und entschuldigt sich. Es reißt sie aus ihren Gedanken und sie räuspert sich.

Inzwischen herrscht auf dem Flughafen ein ständiges Kommen und Gehen. Samara betrachtet die Menschen um sich herum. Ein Mann beschimpft seine Frau und sie ist ganz hilflos. Hinter der Säule zieht ein kleiner Junge unablässig am Ärmel seines Großvaters und versucht ihn davon zu überzeugen, ihm noch mehr Süßigkeiten zu kaufen. Eine Mutter versucht ihre durcheinanderplappernden Kinder zu bändigen, und bei diesem Anblick schießt es Samara durch den Kopf, dass sie froh ist, allein hier zu sitzen und nicht auf ihre Quecksilberpakete aufpassen zu müssen. Sie kommt jedoch nicht darum herum, immer wieder einen Blick auf die süßen Kleinen zu werfen. Mit Stolz denkt Samara an ihre Rabauken zu Hause. Sie freut sich, dass sie drei gesunde, lebendige und so hübsche Kinder hat. Stina mit ihren hellbraunen, glänzenden Haaren, ihrer zierlichen Figur und den großen braunen Augen. Mit ihrem frechen Blick, wenn sie die Stupsnase nach oben reckt, und Leoni mit ihrem blonden, sich wild kringelnden Lockenköpfchen. Ihrem umwerfenden Lachen, mit dem sie allen, denen sie begegnet, den Kopf verdreht. Sie strahlt die Menschen einfach an, sie macht keine Unterschiede. Ob es ein Obdachloser ist oder alte Dame, die, mühsam auf ihren Stock gestützt, langsam auf dem Gehweg entlang geht, sie entwickelt für jeden sichtbar eine innige Zuneigung. Die Leute bleiben stehen und schauen ihr ganz entzückt nach, wenn sie verschmitzt aus ihrem Buggy lehnt. Tim, der mit Argusaugen auf seine kleine Schwester aufpasst, dass sie ihm ja keiner wegschnappt, Samis kleiner Mann im Haus.

Samara schließt die Augen. Nur für einen kurzen Moment und die Erinnerung kommt zurück, daran, wie alles begann. Bilder häufen sich wie auf einen großen Stapel zusammen, sammeln sich, schieben sich untereinander, ordnen sich wie von selbst und kommen dann so schnell, als wollten sie alle gleichzeitig vor ihr inneres Auge treten, zum Vorschein. Liebe, Liebe, inniges Begehren. Rainers Augen, seine Stimme, seine Haut. Die Art, wie er sich bewegt, die Weise, wie er in eine Richtung deuten kann. Seine Schultern, sein Geruch. Sein Blick und die Art, die Augenbrauen nach oben zu ziehen, wenn ihn etwas wundert. So viele Kleinigkeiten, doch so überaus wichtig für sie. Die Sehnsucht in ihrem Herzen ist grenzenlos!

Eigentlich kannte sie Rainer vom Sehen schon lange. Schon vor Jahren war er ihr im Tanzcafé *Zauberfee* aufgefallen. Er stand immer an eine der Säulen gelehnt, die in regelmäßigen Abständen die Decke stützten und eine Bar von der anderen abgrenzten. Er wirkte kühl und unnahbar, immer ein wenig in sich versunken, und beobachtete das Geschehen auf der Tanzfläche. Meist die Hände in den Hosentaschen, wirkte er fast der Wirklichkeit entrückt. Gerade diese

Unnahbarkeit und seine stolze Haltung unterschieden ihn von den anderen Männern. Aber das Gleiche hatte Sami auch von Daniel gedacht, mit dem sie kurz nach der Trennung von Marcel eine innige Liebesbeziehung erlebte. Beide waren ihr schon früher hier aufgefallen, lange Zeit zuvor. Ab und zu war sie mit Marcel und manchmal auch mit ihren Freundinnen zum Tanzen hier. Damals ahnte sie nicht, dass sie sich einmal so heftig in diese beiden Männer verlieben und sich mit ihnen so vieles in ihrem Leben verändern würde.

Sie war gerade eine Woche geschieden, als sie mit Edda beim Italiener essen war. Danach waren sie, wie so oft, in ihr Stammlokal zum Tanzen gegangen. Doch an diesem Tag war weit und breit kein bekanntes Gesicht zu sehen. Dabei hatte sie solche Lust zum Tanzen. »Ein eigenartiger Abend, keiner meiner bekannten Tänzer ist da, nicht einmal ein Fremder, der mich auffordern will«, ärgerte sich Sami. Edda wurde meist lange vor ihr geholt und so war es auch an diesem Abend. Sie drehte schon vergnügt ihre Runden und schien sich dabei prächtig zu amüsieren. Seit ihrer Trennung von Marcel, die nun fast schon ein Jahr zurücklag, waren sie fast jedes zweite Wochenende hier. Immer wenn er die Kinder betreute, war das die schönste Abwechslung, die es zu dieser schwierigen Zeit für sie gab. Die ganzen Tage davor freute sie sich immer schon auf diesen einen Abend, der wie ein Stern am Himmel glänzte und an dem sie vergessen konnte. Sie ließ ihre Augen über die Tanzfläche schweifen und hatte noch einmal zu dieser einen Säule hinsehen müssen. Da stand er, dieser gutaussehende Mann. Bestimmt ging er schon auf die fünfzig zu. Doch seit ihrem Absturz mit Marcel wollte sie sowieso nichts mehr von den jungen Typen wissen. Samara wusste, dass er ein guter Tänzer war. ›Soll ich eine Ausnahme machen und ihn auffordern?‹, überlegte sie, drehte sich wieder in die andere Richtung und beobachtete wieder die anderen Tanzpaare. ›Lieber nicht, er könnte mir einen Korb geben.‹ Doch es ließ sie nicht los. Samara lehnte sich zurück, nippte an ihrer Cola und beobachtete das Geschehen auf der Tanzfläche. Als einige Lieder gelaufen waren, sie schon gar nicht mehr daran dachte, ertönte auf einmal der Anfang eines brandheißen Songs. Dieses Lied gefiel ihr wirklich ziemlich und sie spürte ein Kribbeln in ihren Beinen. ›Was wäre denn schon dabei, wenn er dir einen Korb gibt? Und wenn nicht, dann hast du einen guten Tänzer. Du willst doch nichts von ihm. Der DJ fordert doch immer wieder dazu auf, als Frau aktiv zu werden. Es kann doch nicht so schwierig sein‹, bestärkte sie sich erneut und gab sich einen Ruck.

Samara erhob sich und ging auf ihn zu.

»Entschuldigen Sie. Hätten Sie Lust, mit mir zu tanzen?«, fragte sie ihn freundlich.

Er ging wortlos mit ihr auf die Tanzfläche, gab ihr ein Zeichen und eröffnete den Tanz. Sami war irritiert, wenigstens ein »Gerne« oder sonst irgendwas wäre nett gewesen. Doch als sie tanzten, war Samara erstaunt, ja sehr erstaunt, wie gut er sich anfühlte. Sie begegnete nicht oft jemandem, bei dem sie gleich ein so angenehmes Gefühl verspürte. Besser gesagt, sie konnte sich nicht erinnern, gleich bei der ersten Berührung jemals so empfunden zu haben. Seine Haut duftete zart, ganz unaufdringlich, mild und angenehm. Er wirkte so hart, so männlich, und sie hätte deshalb diesen weichen Duft so ganz und gar nicht an ihm vermutet. Dieser Widerspruch verblüffte sie. Sie fügte sich angetan in seine Arme. Er wirbelte sie über die Tanzfläche, dass sie fast Mühe hatte, ihm zu folgen. Wahrhaftig, er war ein guter Tänzer. Sie tanzten schon eine ganze Weile miteinander, ohne ein Wort zu wechseln. Doch sie fühlte sich sicher in seinen Armen und es war ihr, als würden sie schon eine Ewigkeit miteinander tanzen. Nach einer Weile machte er eine Drehung mit ihr. Er ging dabei leicht in die Knie und wieder nach oben und wiederholte seinen Schritt.

»Oh«, entfuhr es ihr überrascht. Es war ein Gefühl ähnlich wie Karussellfahren. Sie musste spontan herzhaft lachen, denn sie hatte sich auf einmal, nur für einen kurzen Moment, als kleines Mädchen auf einem Holzpferd sitzen sehen. Es drehte sich unentwegt und ihr Vater stand ein wenig entfernt von ihr, lachte ihr zu und sie strahlte ihn an und war glücklich.

»Das ist schön, das ist wie Karussellfahren«, sagte sie lachend zu diesem fremden Mann.

Seine stahlblauen Augen blitzten auf, für eine Sekunde nur, als wollte er sie mit seinem Blick durchdringen. Sie konnte diesen Blick nicht deuten und entschloss sich, ruhig zu sein. Ein neues, noch schnelleres Lied wurde angespielt und sie tanzten weiter. Zu einem späteren Zeitpunkt wiederholte er diese eine Tanzbewegung, die ihr so gänzlich unbekannt war. Runter in die leicht gebeugten Knie und hoch, runter und hoch.

»Oh«, entfuhr es ihr wieder. »Das ist schön. Es ist wirklich schön, mit Ihnen zu tanzen.«

Ruckartig drehte er seinen Kopf zu ihr. »Jetzt ist's aber gut!«, zischte er und wandte sein Gesicht sofort wieder ab. Sie zuckte zusammen, damit hatte sie nun wirklich nicht gerechnet. ›Was ist denn das für ein Idiot‹, dachte sie sauer und blickte in die entgegengesetzte Richtung, weg von ihm. Da ihr die meisten Menschen Freundlichkeit entgegenbrachten, war sie diese Art und Weise nicht gewohnt. Sie hatte in diesem Augenblick doch einfach nur Freude empfunden. Sie hegte wirklich keine Hintergedanken, sie war nicht der Mensch, der jemandem einfach nur schmeichelte, um ihn für sich zu gewinnen. ›Das ist unter meiner Würde‹, dachte sie wütend. ›Warum sollte ich so etwas tun? Ich würde mich ja selbst verleugnen!‹ Das sagte sie ihm dann auch, in einem ebenso scharfen Ton, denn sie fühlte sich gekränkt.

Gott sei Dank ging die Tanzrunde gerade zu Ende und er brachte Samara wortlos an ihren Platz zurück. Edda unterhielt sich mit ihrem Nachbarn und drehte sich zu ihr um. Sie lächelte ihr zustimmend entgegen, hob aber doch fragend die Augenbrauen, als sie Samara sah.

»War das gerade ein komischer Kerl«, erzählte ihr Sami aufgebracht. »Er war mir wirklich sympathisch und ich sagte ihm, dass es schön sei, mit ihm zu tanzen. Statt sich über mein Kompliment zu freuen, fegt der mich an: ›Jetzt ist's aber gut!‹ Stell dir das vor, Edda, ich glaub, ich spinne! So ein Arsch, hast du so etwas schon einmal erlebt?«

»Es gibt halt bekloppte Leute, wahrscheinlich kann er es nicht haben, wenn jemand einfach nur nett zu ihm ist. Manche vertragen das nicht, mach dir nichts draus.«

Eine ganze Weile empfand Samara Zorn darüber, so abgewiesen und missverstanden worden zu sein. Doch so unvermittelt, wie sie sich ab und zu heftig ärgern konnte, so schnell war es dann auch wieder vorbei. Edda hatte sie ein wenig hergezogen und einer Gruppe von Leuten vorgestellt. Mit denen kam dann ein nettes Gespräch zustande und sie amüsierte sich doch noch prächtig an jenem Abend. Als sie nach Hause fuhren, hatte sie den Vorfall längst verdaut. Doch er blieb in ihrem Gedächtnis als etwas, das sie nicht jeden Tag erlebte.

Einige Wochen später gingen Edda und Samara wieder ins Tanzcafé *Zauberfee*. Sie steuerten schnurstracks auf eine der vorderen Theken zu. Rund um die Tanzfläche waren sie angeordnet und man konnte bequem von den Barhockern aus in die gesamte Tanzfläche überschauen. In der *Zauberfee* gab es genügend Platz, sich auszutoben. Es gab kein anderes Tanzlokal mit einer vergleichbar großen Tanzfläche im ganzen Umkreis und so freuten sie sich, einen freien Barhocker ergattert zu haben. Wenn sie früher, als sie noch verheiratet war, ab und zu mit ihren Freundinnen hier war, was viel seltener der Fall gewesen war als nun mit Edda, kamen sie meistens spät nach Haus. Sie nutzten es richtig aus, tobten herum und oft waren sie mehrere Mädels und es gab immer viel zu lachen. Wenn sie in den frühen Morgenstunden heimkam, sich zu Marcel unter die warme Bettdecke kuschelte und sich an ihn schmiegte, dann war das schon was. In diesen Momenten fehlte ihr nichts. Sie war stolz, einen solchen Schatz zu Hause zu haben, und es waren kostbare Augenblicke.

Doch das war vorbei! Es musste einfach vorbei sein. Sie hatte ein neues Leben, eine neue Chance.

Da stand er nun wieder, dieser Fremde. Stolz, unnahbar, mit erhobenem Haupt, aufrecht den Rücken durchgedrückt und seine Hände in den Hosentaschen vergraben, den Blick gerade auf die Tanzfläche gerichtet, als wollte er sich nichts entgehen lassen. Er wirkte erhaben und geheimnisvoll und übte erneut eine große Anziehungskraft auf Samara aus. Sie schaute zu ihm hinüber und dachte versöhnlich: ›Na, vielleicht hatte er letztes Mal einfach einen schlechten Tag.‹ Ihr Kampfgeist wollte sich nicht so einfach geschlagen geben. Schließlich war sie ein echter Löwe, zwar mit eingezogenen Krallen, aber eben doch einer. Sie ging auf ihn zu und bat ihn erneut um einen Tanz. Zugegeben, er hatte etwas, das ihr gefiel. Etwas Unbekanntes, Undurchschaubares. Wie ein Ritter ohne Rüstung. Ein Fremder aus einer anderen Welt. Dass sein Haar schon an manchen Stellen nicht mehr dort zu finden war, wo es hätte sein sollen, störte sie wenig. Er strahlte etwas sehr Männliches und Erotisches aus und sie hatte ihn unauffällig betrachten müssen, als sie auf ihn zuging.

Mit einem Lächeln auf den Lippen forderte sie ihn wortlos auf und ebenso wortlos ging er mit ihr auf die Tanzfläche. Als sie nun wieder miteinander tanzten, versuchte Samara mit ihm ins Gespräch zu kommen. Aber das glich eher einem kurzen Schlagabtausch wie in einem Tennismatch. Auf jeden Satz von ihr konterte er auf eine zynische, abwertende Art. ›Der ist aber blockiert. Total verkorkst und menschenfeindlich‹, ratterte es in ihrem Kopf. Um ihn zu provozieren, startete sie einen letzten Versuch.

»Das war das letzte Mal, dass ich dich aufgefordert habe, das nächste Mal bist du an der Reihe.«

»Wer nun wen holt, ergibt sich doch ganz von selbst, wenn die Chemie stimmt«, erwiderte Rainer.

Doch als diese Tanzrunde zu Ende war und eine neue Discorunde begann, brachte Rainer sie wieder an ihren Platz zurück. Samara hoffte den ganzen Abend, dass er sie holen würde. Doch sie wartete vergebens. Das war eine deutliche Abfuhr und sie nahm sich vor, ihren alten Vorsätzen, dem Mann den aktiven Part zu überlassen, wieder treu zu bleiben. Zugegeben, ihr Ego war gekränkt. Normalerweise war sie es, die Männer auf Distanz hielt.

Die Wochen vergingen. Samara widmete sich ihren Kindern und der Arbeit und sie dachte weiß Gott nicht mehr an die *Zauberfee*.

Als Samara mit ihrer Freundin im darauffolgenden Monat wieder dort war, saßen sie ein wenig zurückversetzt an der linken Bar.

›Er hat mich nicht gesehen‹, überlegte Samara, als Rainer erhobenen Hauptes entlang der Tanzfläche an ihr vorüberging. ›Dich fordere ich bestimmt nicht mehr auf‹, dachte sie beleidigt.

Ein paar Minuten später stand er vor ihr und reichte ihr wortlos die Hand.

Als würde er gar nicht darüber nachdenken, dass sie widersprechen könnte, ärgerte sich Sami über ihn. Doch sie folgte ihm genauso wortlos auf die Tanzfläche.

An diesem Abend hatten sie bis spät in die Nacht hinein getanzt. Er war charmant und freundlich, zuvorkommend und so, als wäre überhaupt nichts geschehen. Sie unterhielten sich sogar angeregt, und als die jeweilige Tanzrunde geendet hatte, stand er immer noch neben ihr. Ihre Gespräche reichten weit hinein in sehr persönliche Erfahrungen. Ja, sogar über den Tod sprachen sie und über Dinge, die man normalerweise nicht mit jedem besprach. Als die Musik zu später Stunde langsamer wurde, zog er sie auf einmal sanft näher zu sich her. Samara erstarrte. Sie war darauf überhaupt nicht vorbereitet. Seine Nähe und seine plötzliche zärtliche Geste irritierten sie. Wie ein erschrockenes Reh wich sie zurück. Er sah ihr ruhig in die Augen und sagte:»Was bist du denn so steif, ich tu dir nichts.« Sie fühlte keine Angst und sie sagte ihm das auch. Er hatte das völlig missverstanden. In diesem Moment spürte sie tiefe Erregung, doch das behielt sie natürlich für sich und registrierte diese Anwandlung erschrocken.

Daraufhin brauchte Samara ganze vier Tage, um wieder normal zu werden, sei es bei der Hausarbeit oder bei anderen Dingen, die sie zu erledigen hatte. Die ganze Zeit kribbelte es in ihrem Körper und sie musste erstaunt feststellen, dass ihr das noch nie passiert war. Ausgelöst nur durch eine leichte Berührung beim Tanzen. Das hatte noch keiner fertiggebracht, sie so aus der Fassung zu bringen. Trotz alledem versuchte sie sich Rainer aus dem Kopf zu schlagen. Er wirkte viel zu pessimistisch und zynisch. Vor allem seine Einstellung anderen Menschen gegenüber konnte sie nicht teilen. Er vermittelte ihr den Eindruck, als würde er hinter jedem freundlich gesagten Wort nur Falschheit vermuten. Sie war ein ehrlicher Mensch und sie glaubte an das Gute in einem jeden.

Samara wünschte sich einen Partner, der mit offenem Herzen durch die Welt ging. Der ihr seine Zuneigung zeigen konnte und sie spüren ließ, was er fühlte. Keinen, der jedes Wort auf die Goldwaage legte und es überkritisch auseinanderklaubte. Sie wünschte sich jemand, der sie bestätigte, nicht einen, der insgeheim gegen sie war. ›Seine Art ist so ganz anders als die meine, wir passen einfach nicht zusammen‹, hatte sie sich dann wieder zugeredet, um ihn zu vergessen.

Trotzdem verband sie auch vieles. Er hatte ein offenes Ohr für alles Sinnliche und Übersinnliche. Für alles Spirituelle und Mystische. Rainer kannte sich in diesen Themenbereichen aus, er war belesen und wirkte klug und nachdenklich, wenn es um die tieferen »Seins-Zustände« in ihren Diskussionen ging. Er dachte wie sie über den Sinn des Lebens nach, ihn interessierten nicht nur die Dinge, die man mit den Augen sehen konnte. Er kannte Bücher über Lichtwesen, Reinkarnationen und Außerirdische, über Esoterik und Magie. Er war der Kopf und sie das Herz. Samara zählte sich zu den Praktikern, ihr Wissen aus Büchern war eher spärlich. Doch sie konnte mitreden, weil sie es aus dem Bauch heraus wusste. Erst viel später berichteten ihr andere Menschen, denen sie begegnete, dass dies und jenes in Büchern stand, was sie schon lange, bevor sie mit ihnen darüber sprach, erlebt hatte. Samara war dann erstaunt über die Parallelen zwischen ihren Erfahrungen und dem, was darüber publiziert worden war.

So konnte sie sich wunderbar mit Rainer austauschen. Er berichtete von dem, was er gelesen hatte, und sie beschrieb, wie sie das Geschriebene erlebte. Freilich waren es oft Streitgespräche, denn sie fühlte, er glaubte ihr kein Wort. Nichts von dem, was sie erlebte, konnte er zulassen. Wenn sie von ihrer Geburt berichtete oder von Erfahrungen sprach, die sie mit ihren Engeln machte. Wenn sie über das Leben nach dem Tod, erzählte spürte Samara ständig, dass er schwankte, was seine Einschätzung ihre Person betreffend anging. Zum anderen konnte er inbrünstig zuhören, wenn sie so richtig in Fahrt kam und wie ein feuriger Prediger berichtete von dem Reich in der menschlichen Seele, von dem Licht, das der Mensch in sich trug. Von dem erhabenen Gefühl, Gott zu begegnen in jedem Stein, an jedem Ort, in jedem Atemzug. Von der Verneigung in ihrem Herzen. Von der großen Liebe tief in ihrer Mitte. Von dem Freudentaumel, diesem uneingeschränkten »Ja, ich will! Mit allem, was ich bin, mit meinem ganzen Sein dir dienen, Herr!«. Wenn sie von ihrer Überzeugung erzählte, dass sie wusste, dass alle auf einer höheren Ebene miteinander verbunden waren. Sich begegneten, sich wieder trennten. Sich suchten, bis sie sich wieder gefunden hatten. Aneinander wuchsen und sich schliffen an ihrem Gegenüber. Sich vervollkommneten, um schließlich noch tiefer in das göttliche Prinzip hineinzureifen. Und wenn er sich dann an seinem kahlen Haupt kratzte und einen grimmigen Blick auflegte, wusste Samara, dass es nun in seinem Kopf zu rattern begann, bis er auf einmal eigenartig lächelte. Und ein anderes Mal konnte er wieder heftig in Rage geraten und sie beschimpfen, dass sie doch nicht ganz richtig ticken würde. Von wegen mit Engeln kommunizieren und das Leben nach dem Tode kennen. Dann wurde sie ruhig und konnte die Aggressivität in seiner Stimme geradezu überhören und zu ihm sagen: »Du musst mir nicht glauben, das ist deine Entscheidung. Dies ist immer dein eigener Erfahrungsbereich. Ich kann dir mein Erlebtes nicht übertragen. Aber ich kann es dir erzählen, so wie ich es erlebt habe, und ich belüge dich nicht!« Wenn Rainer dann versuchte, sie weiter zu beschimpfen, und sie einfach still und fest in sich war, konnte ihn das zur Weißglut bringen.

Ein anderes Mal erinnerte sie sich, dass er erstaunt in einer Drehung auf sie blickte, wenn sie sein Gedachtes aussprach, sich umdrehte, sobald er beim Tanzen mit seinen Gedanken von ihr abschweifte, und ganz automatisch den Kopf hob und suchend und findend in die Richtung blickte, wohin er gerade schaute. Dann schien er zu überlegen, wen er da wohl vor sich hatte. Und sie spürte, dass er zu keiner klaren Entscheidung kam, wie er sie nun einschätzen sollte.

Rainers Bodenständigkeit und seine deutliche Wahrnehmung der Dinge des weltlichen Geschehens beeindruckten Samara. Ganz klar und ohne Umschweife konnte er schnell und präzise seinen Standpunkt zu einer Sache erläutern. Samara musste erst alles im Detail auseinanderpflücken und von mehreren Seiten beleuchten, bis sie ihren Standpunkt gefunden hatte. Durch ihren starken Kontakt nach oben zum Himmel, durch die Beschäftigung mit Gott und seinen himmlischen Gesetzmäßigkeiten hatte sie sich manchmal dem weltlichen Geschehen verschlossen und sich auf das konzentriert, was ihr wichtig war. Um den Bodenkontakt musste sie ab und zu kämpfen. Darum, zu begreifen, wie die Menschen sein konnten, wenn es um ihren eigenen Vorteil ging, und wie sie ohne mit der Wimper zu zucken andere ganz bewusst schädigten. Wo andere staunten, dass sie das bisher nicht wahrgenommen hatte, stellte sie fest, dass sie doch relativ unbescholten um solche unangenehmen Erfahrungen mit anderen Menschen herumgekommen war. Freilich, ihre Kindheit war durch viele schlimme Ereignisse geprägt. Doch sie arbeitete hart und löste viele ihrer Traumata auf. Sie hatte ihre Kinder, mit denen sie ihr Leben teilte. Sie neben sich aufwachsen zu sehen und mit ihnen zu reifen war das größte weltliche Geschenk für Samara. Sie hatte eine Arbeit, in der sie wunderschöne Erlebnisse mit Menschen teilte. Ihre Kunden waren freundlich, liebenswürdig und ihr überaus zugetan. Sie liebte ihren Job und war stolz auf ihr Können. Auf ihre fachliche Kompetenz ebenso wie auf ihr Einfühlungsvermögen. Ihre Freundinnen, ihre Herzdamen unterstützten sie und sie genoss es, mit ihnen etwas zu erleben, sich auszutauschen und in ihrer Freundschaft Geborgenheit, Ehrlichkeit und wahrhaftige Anteilnahme zu erfahren.

Die Trennung von Marcel war ein Schlag gewesen und es hatte einiges an Unschönem gegeben. Aber selbst das brachte sie mit der Zeit auf die Reihe. Sie fanden einen Weg, die Kinder gemeinsam zu erziehen. Und Marcel sprang jedes zweite Wochenende ein. Jeden Tag hätte sie Rainer von schönen Ereignissen mit unbekannten Menschen erzählen können, doch vielleicht lag es auch daran, dass sie dieses Gefühl der Distanz und der Fremde nicht kannte. Es war ihr, als könne sie in jeden hineinschauen. Seine Ängste und Nöte sehen und verstehen. Sie fühlte des anderen Stärken und Schwächen hinter der äußeren Fassade. Wenn ihr jemand mächtig oder unnahbar vorkam, stellte sie sich einfach vor, wie sie sich hinter ihn stellte und ihm ihre Hand in den Nacken legte. Innerlich sprach sie dabei liebevolle Worte, wie man das mit einem ängstlichen Hund tut, gütige Worte, die ihn ermutigten, und begrüßte ihn in seiner Einzigartigkeit.

Rainer unterstellte ihr Naivität und Realitätsferne. Ihre Einstellung zu Menschen bezeichnete er als weltfremd und nicht zu verwirklichen, und das, was sie ihm über das Himmelreich erzählte, klang allzu kitschig und unglaublich für ihn. Sie ließ sich nicht beirren, sie glaubte einfach an das Gute. Schließlich bewies ihr das Leben jeden Tag, dass ihr Gedankengut die Welt um ihre Welt veränderte. Rainer ärgerte sich darüber, dass sie für alles eine Entschuldigung hatte und jeden in Schutz nahm. Sie mache es sich einfach zu leicht mit ihrer positiven Sichtweise, pflegte er dann zu sagen.

»Ich mache es mir nicht einfach. Natürlich hat jeder seine Entscheidung und ist voll verantwortlich, doch wer, wenn nicht wir, sind es, die unsere Welt formen mit dem Herzen und dem Verstand?«, konterte sie dann hartnäckig.

Und schon entgegnete Rainer wütend: »Du musst auch immer das letzte Wort haben, nicht wahr?«

Dann wurde sie still, weil er allzu oft recht hatte und sie spürte, dass er sich nun durch ihre Hartnäckigkeit verletzt fühlte und sie zu weit gegangen war. Sie wollte ihn nicht kränken, achtete sie ihn doch in hohem Maße und verehrte ihn so sehr. Gerade für das, was er alles wusste. Gerade dafür, dass er sich mit ihr über solch schwierige Themen auseinandersetzte. Und dafür, dass er sie allzu oft durchschaute. Das kleine verletzliche Mädchen in ihr an die Oberfläche holte und ihre Stärke, die sie nach außen symbolisierte, anzweifelte. Für sie war er ein Meister!

Manchmal ahnte sie, dass er sie für hochnäsig hielt, weil sie so selbstsicher reden konnte, ihm Kontra bot und nicht locker ließ. Wenn er sie tadelte und ihren Glauben anzweifelte und sie ihm dann auch noch seelenruhig ins Gesicht schauen konnte und entgegnete: »Man kann vieles wissen und doch nichts begreifen, wenn man nicht mit dem Herzen sieht«, war es für ihn der Gipfel der Frechheit, wie sie so reden konnte. Dann war er beleidigt und forderte sie auf, den Mund zu halten. In diesen Momenten betete sie innerlich wieder um mehr Demut und darum, dass es nicht immer so aus ihr heraussprudeln sollte, wenn es um die Verteidigung Gottes ging. Doch sie konnte ihm auch nicht schmeicheln und zureden, wenn sie nicht seiner Meinung war. Und da er immer wieder das Gespräch auf Gott lenkte, konnte sie nicht gegen sich selbst gehen. Oder war es vielleicht ganz anders, dass sie ihn vielleicht bekehren wollte und ihm deshalb so vieles von ihren Erfahrungen erzählte? War es wieder ihr Hochmut, der sie so oft plagte? Weil sie glaubte zu wissen und doch gar nichts wusste? So vieles spürte sie in ihm. So viel Kraft, so viel Tatendrang strahlte er aus. Und wenn er lachte, dann erlebte sie in seinen Augen ein wahres Feuerwerk an Lebendigkeit. Wenn er sie anlächelte und seine Hand ganz zärtlich unmerklich ihre Schulter streifte, war sie glücklich. Samara bewunderte ihn, weil er sie immer und immer wieder in Frage stellte und sie sich dabei selbst überprüfen konnte. Doch da war auch etwas ganz Trauriges in seinen Augen. Eine Schwermut in seinem Herzen und eine tiefe Enttäuschung vom Leben. Sie war so euphorisch und idealistisch. Sie hatte trotz all dem, was sie erlebt hatte, den Glauben und die Hoffnung an das Leben niemals wirklich verloren. Kein Leid, war es auch noch so groß, hatte sie wirklich bezwingen können. Im Gegenteil, so tief sie auch gefallen war und so unbarmherzig das Schicksal auch zugeschlagen hatte, hatte es sie eher noch stärker gemacht. Sie lernte, sich auf ihre eigene Gewalt in sich einzulassen. Nachdem sie mit aller Macht zuerst gegen sie angekämpft hatte, sie nicht akzeptieren wollte und um ihren inneren Frieden rang, war es ihr am Ende doch immer möglich, sich in ihren Unfrieden hinein zu ergeben. Und in dem Augenblick, als sie keine Gegenwehr mehr hatte, sich nicht mehr wand und noch tiefer verstrickte in ihre eigenen Fesseln, war es geschehen. Als würde sie nach oben getragen wie ein sterbender Körper, der am Boden lag, war sie wie von Engelshand von tausenden gütigen, liebenden Händen sanft und zart aufgehoben worden und in ein neues Bewusstsein eingetreten. Und sie war sich dadurch näher gekommen. Spürte sich intensiv und hatte das wahrgenommen, was sie ausmachte. Sich als Mensch begriffen und verstanden, dass das Leben an sich die größte Gnade war. Gerade deshalb glaubte sie mehr und mehr, weil sie ihr eigenes Schicksal überwinden konnte. Es in ihre Person eingliederte, als einen Teil von ihr, der sie mit zu dem erschaffen hatte, was sie heute war, und ihr die Gewissheit gab, dass sie immer voranschreiten würde in ihrem Wachstum. Wenn Rainer diese Traurigkeit, diese Verbitterung über die Menschen nach oben dringen ließ und sie fühlte, dass er schon einmal zutiefst enttäuscht worden und sein Herz noch immer von diesem Gitter der Verletzung umschlossen war, hätte sie ihn am liebsten wie eine Mutter in ihren Schoß gebettet und ihm still über den Kopf gestreichelt. Ihm beruhigende Worte gesagt und ihm zugesprochen, dass er in Sicherheit war dort, wo er war, und alles seine

Ordnung hatte. So gerne hätte sie ihm von ihrer Kraft gegeben in diesen Momenten. Aber er brauchte sie nicht. Er ließ niemanden so nahe an sich heran, dass seine Wunden heilen konnten. ›Nur keine Schwäche zeigen, denn dann bin ich nicht verletzbar‹, konnte sie ihn oft in ihren Gedanken hören, wenn sie nicht miteinander redeten, worauf sie ihm im Geiste antwortete: ›Nur, die Liebe, die spürst du dann auch nicht. Dieses erfüllende, erhebende Gefühl zu lieben und zu spüren, wie schön es ist, wiedergeliebt zu werden und dadurch an sein ganzes Potenzial heranzukommen.‹ Doch sie hielt das zurück, würde er sie doch nur schelten über so viel Dreistigkeit. Denn sie fühlte, dass er das nicht zulassen konnte.

Immer wieder schüttelte er verständnislos den Kopf: wenn sie von ihren Engeln erzählte, nachdem er sie gerade wieder gezwungen hatte, darüber zu reden. Wenn er nicht aufhörte zu bohren, es wissen wollte, um es ihr dann doch wieder auszureden. Mit ihr kämpfen wollte und ihn dieses Thema zuweilen richtig wütend machte. Wenn Samara über seinen Ärger, den er über sie empfand in diesen Momenten, dann noch herzhaft zu lachen anfing, weil sie wusste, dass ihr Glaube fest wie ein Fels in der Brandung stand und doch jedem Sturm trotzen konnte.

Auf der anderen Seite faszinierte ihn ihre Beharrlichkeit.

So hatten sie sich ab und zu recht zwiespältig voneinander verabschiedet und Samara überlegte danach jedes Mal, ob es das war, was sie anzog oder abstieß.

Edda und Samara waren oft in die *Zauberfee* gegangen, meistens so gegen zehn, denn zu dieser Zeit konnte man noch einen ordentlichen Sitzplatz an der Bar ergattern. Merkwürdigerweise kam Rainer meistens erst gegen null Uhr oder sogar noch später. Samara wunderte sich, wagte aber nicht, ihn danach zu fragen. Vielleicht bezweckte er das und ließ sie absichtlich warten, um die Spannung zu steigern. Zuzutrauen war es ihm auf alle Fälle, denn er gab ihr immer wieder Rätsel auf. Sami hatte hier schon ihre Tänzer, mit denen sie regelmäßig das Tanzbein schwang, und immer wieder holte sie ein neuer fremder Mann. Samara hatte sich gerade angeregt mit ihrem Tänzer unterhalten und das gleichmäßige Schwingen im Takt und die immer wieder veränderten Figuren beim Fox genossen, als sie auf einmal seine Nähe fühlte. Immer wieder passierte das. Sie hatte sich gerade während einer Drehung nach ihm umgeschaut und ihn nirgends erblicken können, und auf einmal war Rainer hinter ihr rund um die Tanzfläche herumgelaufen. Sie konnte ihn oft noch gar nicht sehen und spürte doch immer, wenn er plötzlich da war. Samaras Herz begann zu pochen, auf einmal war sie im Inneren wie zu einer Säule erstarrt. Allein sein Anblick genügte, um ihr Blut in Wallung zu bringen, wusste sie doch inzwischen, dass er ihretwegen seine Runde durchs Lokal drehte. Gleich darauf wurde das Tanzen mit jedem anderen uninteressant für Samara.

Doch da in der *Zauberfee* immer ein gleichmäßiger Wechsel zwischen Standard- und Disco-Runden stattfand, ergab sich die Trennung von dem jeweiligen Tanzpartner praktisch von allein. Sie ließ sich dann auf ihren Platz begleiten und konnte es kaum erwarten, bis Rainer endlich den Weg zu ihr fand.

Meistens ließ er sich viel Zeit damit und das machte Sami unheimlich wütend. Einen anderen hätte sie mit einem solchen Verhalten schon längst abgeschrieben und ihm stolz ihren Rücken zugedreht. Wenn der sich nicht schlüssig war, was er wollte, war es eben sein Pech. Doch bei ihm hatte sie das Gefühl, dass er ganz genau wusste, was er wollte. Spannung aufbauen, spielen, sie zappeln lassen, um sie dann doch noch zu erlösen. Das reizte ihn und Samara zugegebenermaßen auch. Auch wenn sie ihn zuweilen in der Luft hätte zerreißen können und sie sich immer wieder überlegte, ob es nicht doch besser wäre, sich von ihm abzuwenden, so war es doch ein faszinierendes Spiel. Auch wenn sie gewollt hätte, Rainers Anziehungskraft war wie ein Strudel, der einen gewaltigen, ihr unerklärlichen Sog auf sie ausübte. Immer wenn ihre Wut auf ihn den Gipfel erreicht hatte, weil er sie nicht gleich zum Tanzen aufforderte oder zumindest herkam und sie begrüßte, entschloss sie sich, ihn nun nicht mehr zu beachten oder sogar zu gehen. Kurze Zeit später stand er da.

»Hast du Angst vor dem Feuer?«, flüsterte eine Stimme von hinten in ihr Ohr. Erschrocken drehte sich Samara um. Wer konnte es auch anderes sein, der sie auf diese Weise begrüßte?

»Nein, habe ich nicht, das Feuer kenne ich«, entgegnete sie ihm prompt. Rainer zog sie wortlos auf die Tanzfläche. »Aber vor dem Wasser fürchte ich mich«, fügte sie hinzu.

»Ach so, vor zu viel Gefühl, ja, was machst du denn dann dagegen?«, konnte er sie necken.

Und schon war es wieder losgegangen. Rainer sprach provozierend auf sie ein, während sie ihre Runden drehten.

Von der Seite sah er sie an und Samara konterte.

»Hast du wieder eine geraucht? Wie scheußlich, ich küsse keine Raucher«, konnte er sie erneut herausfordern.

»Ich habe nicht behauptet, dass du mich küssen sollst, ich will nur mit dir tanzen«, wehrte sie ab.

»So, ist das dein Ernst?«, foppte er zurück.

»Aber natürlich.« Sie drehte den Kopf zur Seite, sodass er fast auf seiner Schulter lag. Ganz unauffällig zog er sie wieder ein bisschen enger an sich heran, sodass sich in der Drehung unweigerlich ihre Wangen berühren mussten. Sie tanzten und tanzten und Rainer wurde mit der Zeit immer schwungvoller. Es schien ihm Freude zu bereiten, sie im Kreis herumzuwirbeln, und er lachte sogar. Er zeigte sein Wohlgefühl auf einmal ganz offen und ungeniert und wiederholte lächelnd wieder diese Tanzbewegung von damals. Runter, leicht in die Knie, wieder hoch und wieder nach unten, wirbelte er sie ausgelassen herum. Samara musste lachen und freute sich. Genoss es über alle Maßen, in seinen Armen zu sein. Er lächelte ihr zu und sie merkte, dass er sich wohl bei ihr fühlte. In diesem Moment strahlte er etwas sehr Weiches und Liebevolles aus, und sie hatte ihn auf einmal unheimlich gern. Ja, fast Dankbarkeit empfand sie für diesen schönen Augenblick der Arglosigkeit. Ganz spontan beugte sie sich zu ihm vor und sagte: »Ich muss dich jetzt einfach küssen.« Sie gab ihm einen freundschaftlichen Kuss auf die Wange und drehte sofort ihr Gesicht wieder zur Seite. Erstaunt über ihren Gefühlsumschwung lachte Rainer und sie tanzten bis früh in die Morgenstunden.

Beim darauffolgenden Besuch in der *Zauberfee* machte sich Samara keine Gedanken mehr, ob er sie holen würde oder nicht. Für sie war klar, das Eis war gebrochen. Sie setzte sich auf einen Barhocker, gut sichtbar nach allen Seiten, und blickte in seine Richtung.

Rainer stand an einer der großen weißen Säulen. Doch er machte überhaupt keine Anstalten, sie zu begrüßen, geschweige denn, sie zum Tanzen aufzufordern. Er schien sich angeregt mit einer anderen dunkelhaarigen Frau zu unterhalten. Samara kannte sie vom Sehen und wusste, dass sie ab und zu miteinander tanzten. Sie wusste auch, sie war die beste Tänzerin im ganzen Lokal. Samara hatte ihr schon ein paarmal bewundernd zugeschaut und sich gefragt, woher sie diese Gelenkigkeit und Leichtigkeit in ihren Drehungen wohl hernahm.

Sami ging spontan auf ihn zu. Sie fasste ihm spielerisch von hinten um die Hüften, so wie er sie auch schon begrüßt hatte, und sagte freudestrahlend: »Hallo Rainer.«

Sichtlich erschrocken drehte er sich um und antwortete barsch: »Was soll denn das?«

Dabei blitzten seine Augen drohend auf und Samara wich zurück. Sie stammelte, dass sie ihn doch nur begrüßen wollte, und wandte sich zum Gehen. Rainer war immer noch verärgert und wandte sich wieder der anderen Frau zu. Da ging sie nun wie ein begossener Pudel. Sie konnte seine Reaktion überhaupt nicht verstehen. Hatte sie seine Gesten falsch interpretiert? Hatte sie zu viel in seine Freundlichkeit hineininterpretiert? Und was war mit seinen Annäherungsversuchen? Seinen Zärtlichkeiten und seiner Hand, die ihr immer wieder ganz zart über die Schulter gestreichelt hatte?

Samara war getroffen, ja gekränkt. Sie war eine solche Reaktion von einem Mann, der ihr gefiel, einfach nicht gewohnt. Wenn er Interesse an ihr hätte, müsste er sich dann nicht freuen, dass auch sie auf ihn zukam? Nun war sie mit ihrem Latein am Ende.

Edda, die gerade nach einer beendeten Tanzrunde auf ihren Platz zusteuerte, stellte sich neben sie. Völlig frustriert erzählte ihr Sami von ihrer Abfuhr. Edda, die an diesem Abend sowieso nicht gut drauf war, registrierte das als einen gefundenen Anlass, über die Männer zu lästern. Spontan bestellte Samara zwei Martini für Edda und sich.

»Auf diesen Schock muss ich jetzt erst mal einen trinken«, sagte sie zu ihrer Freundin.

Samara war Alkohol nicht gewohnt und auch Edda hatte seit

Jahren nichts mehr getrunken, außer hin und wieder ein Glas Sekt. Deshalb waren sie relativ schnell angeheitert. Auf einmal empfand Samara das alles als gar nicht mehr so schlimm. Edda machte einen Juchzer nach dem anderen und sie hatten unheimlich Spaß. Der Alkohol beschwingte sie auf eine wundersame Weise und hüllte sie in einen Zustand der Gleichgültigkeit.

»So ein verkorkster Typ kann mir doch gestohlen bleiben«, bezeugte Sami Edda. Und schon mussten beide wieder herzhaft lachen. Die Leute drehten sich schon nach ihnen um, weil ihr Gekicher allzu schrill und ihre Gebärden so ausgelassen waren. Doch das störte sie wenig, wenn sie zusammen waren, fühlten sie sich stark und einig. Selbst Rainer drehte sich einmal zu ihnen um und schaute ihnen irritiert entgegen. Doch Samara tat, als würde sie ihn gar nicht sehen. Zu später Stunde stand er immer noch mit dieser Frau an der Bar und unterhielt sich angeregt und scherzte mit ihr. Zugegeben, Samara war ganz schön eifersüchtig, und das ärgerte sie erst recht.

Eine Discorunde wurde angespielt und Rainer ging allein auf die Tanzfläche. Samara ging ihm nach und tanzte in seiner Nähe. Sie spürte den Alkohol und ihre weichen Knie und stellte fest, dass sie sich doch ein wenig übernommen hatte. Auf einmal fiel es ihr wie Schuppen von den Augen. Dass sie daran nicht früher gedacht hatte! ›Sie muss seine Freundin sein! Dies erklärt auch sein eigenartiges Verhalten.‹ Sie überlegte nicht mehr, ging auf ihn zu und sagte: »Jetzt hab ich aber lang gebraucht, um zu begreifen, dass sie deine Freundin ist. Aber es ist mir egal, ich will dich so oder so!«

»Sie ist nicht meine Freundin und außerdem bin ich nicht käuflich!«, entgegnete Rainer schroff. Und schon drehte er ihr wieder den Rücken zu und tanzte weiter. Samara stand da, steif und regungslos. *Was* hatte sie soeben zu ihm gesagt? Dass sie ihn so oder so wolle? Das konnte doch nicht sein, das hatte sie doch nicht wirklich zu ihm gesagt!

Sie wollte nur noch raus.

»Lass uns gehen!«, forderte sie Edda, die mitten auf der Tanzfläche ihre Hüften schwang, auf. Sie schaute ihr erstaunt ins Gesicht.

»Was ist denn nun schon wieder los?«, fragte sie mit einem leichten Schlag auf der Zunge.

»Ich bin so bescheuert, lass uns bitte gehen!«

Edda fragte nicht mehr und schnappte Samara unter dem Arm. Sie holten ihre Handtaschen und verließen das Lokal. Samara war auf einmal wieder stocknüchtern. Als sie neben Edda im Auto saß und ihr alles erzählte, war sie noch immer aufgebracht.

»Wie konnte ich so etwas sagen, wie konnte ich nur? Ich schäme mich in Grund und Boden. Ich gehe nie wieder in die *Zauberfee*, ich kann ihm nicht mehr in die Augen schauen! Was hab ich mir nur für eine Blöße gegeben! Dass ich mich so danebenbenehmen konnte! So etwas ist mir noch nie passiert! Ich habe mich getäuscht! Ist das peinlich! Edda, was mach ich nur?«

»Vergiss ihn, der Kerl ist es nicht wert, dass du auch nur einen Gedanken an ihn verschwendest. Erst macht er dich an und dann lässt er dich abblitzen.« Edda schüttelte den Kopf und fand es natürlich genauso bescheuert, was Sami gemacht hatte. Aber Edda bestärkte sie auch darin, dass es nun einmal so gelaufen sei und sie froh sein könne, dass die Geschichte abgeschlossen war.

Es hatte sie noch ein paar Tage mitgenommen. Doch sie akzeptierte ihr Fehlverhalten und konzentrierte sich wieder auf ihren Alltag. Für sie stand fest, dass sie nun für eine lange Zeit nicht mehr in die *Zauberfee* gehen würde.

In der Woche darauf kam Regine wie immer zu Samara. Sie half ihr seit der Trennung von Marcel einmal die Woche im Haushalt, verdiente sich so etwas dazu und Sami war froh über jede Hilfe und Ansprache. Während sie sich gemeinsam daranmachten, die Betten neu zu beziehen, war genügend Zeit zum Reden. Regine wusste, dass Samara am Wochenende zuvor wieder in der *Zauberfee* gewesen war. Sami hatte ihr schon vor Wochen von Rainer erzählt und so war sie immer ganz wild darauf, über den neuesten Stand der Dinge informiert zu werden.

»Na, wie war's denn in der *Zauberfee*?«, fragte sie neckisch mit ihrem ewigen Grinsen, das Samara so gut gefiel. Es wirkte lausbubenhaft und unheimlich frech, wenn sich ihre Augenbrauen ein wenig nach oben bogen und ihre Pupillen so blitzten. Man konnte glauben, ein kleines Mädchen oder einen dreisten Knaben vor sich zu haben. Samara konnte gut verstehen, dass Oliver sie bezaubernd fand. Zum einen hatte sie wirklich eine perfekt geformte Figur, einen wunderschönen Busen und eine wohlgeschwungene Taille, ganz zu schweigen von ihrem Hinterteil. Mit ihren langen schwarzen Haaren war sie so ein richtiges Vollweib. Nicht nur optisch, fand Samara. Wäre sie als Mann zur Welt gekommen, hätte sie Oliver ernsthafte Konkurrenz gemacht. Vor allem, wenn Regine diesen schelmischen Blick aufsetzte, konnte Samara jeden Mann verstehen und sie allein schon deshalb in den Arm nehmen. Eigentlich waren all ihre Freundinnen eine wirkliche Augenweide. Regine jedoch hatte ein besonders hohes Maß an erotischer Ausstrahlung dazu. Samara wusste, dass sie ihr hundertprozentig vertrauen konnte. Denn Regine war ihr absolut loyal zugetan und Sami erwiderte diese innigen Gefühle. Sie wusste, dass sie etwas ganz Besonderes miteinander verband und sie immer, wenn sie könnte, für sie da sein würde. Dass diese Freundschaft für ein Leben war. Sie war eben eine echte Dame ihres Herzens. So wie Edda, Julia, Nina, Petra und Hanna. Zugegeben, das war eine ganze Menge an Herzdamen. Aber sie liebte sie eben alle.

»Ja, wie war's denn jetzt?«, riss Regine sie aus ihren Gedanken.

»Ach Regine, wo soll ich anfangen? Es war eine einzige Pleite!«

»Ach was! Erzähl, eine Pleite? Wieso denn das? Es lief doch mittlerweile alles so gut zwischen dir und Rainer.«

»Ja schon … dachte ich.« Sie stockte erneut, räusperte sich und begann die ganze Geschichte zu erzählen. Angefangen bei ihrer Trunkenheit. Von ihrem peinlichen Auftritt und dass sie sich benommen hatte wie ein Teenager. So großartig darüber reden wollte sie eigentlich gar nicht, denn sie schämte sich für die Blöße, die sie sich gegeben hatte. Doch Regine ermunterte sie mehrmals, doch weiterzuerzählen. Als Samara fertig war, begann Regine schallend loszuprusten. Im ersten Moment dachte Samara, sie würde sie auslachen, aber das konnte doch nicht sein?

»Sami, bitte entschuldige. Bitte verzeih, dass ich so lachen muss, aber diese Geschichte erinnert mich so sehr an meine eigene.«

Noch zuvor hatte Samara ein wenig geduckt auf der Bettkante gesessen, doch nun richtete sie sich erstaunt auf.

»Jetzt werde ich dir mal ein Geheimnis verraten«, erklärte Regine. Sie erhob sich vom Bett und ging in die Küche. »Darf ich?«, fragte sie Sami, die ihr hinterherlief. Sie öffnete den Kühlschrank und holte eine Cola raus. »Willst du auch eine?«, fragte sie Samara. »Ja bitte, aber jetzt mach's doch nicht so spannend!«

Regine setzte sich an den Küchentisch, schlug ein Bein über das andere und fuhr sich nachdenklich durch die Haare, als müsste sie erneut überlegen, ob sie auch alles der Reihe nach zusammenbrachte. Eine dunkle Strähne fiel ihr ins Gesicht und sie steckte sie mit einer Klammer wieder an ihren Platz und begann dabei ihre Geschichte einzuleiten:

»Ich kannte Oliver schon ungefähr zwei Jahre zuvor und immer, wenn wir uns zufällig sahen, flachsten wir miteinander. Er gefiel mir von Anfang an, das kann ich heute wirklich sagen. Er war mir bei meinem Auto behilflich und ich sagte ihm damals so ganz beiläufig, dass ich ihn dafür auf ein Bier einlade. Immer wenn wir uns zufällig trafen, fragte er: ›Ja was ist denn nun mit dem Bier?‹ Also haben wir uns irgendwann in einem Bistro getroffen. Ich war so gut drauf und trank ein Bier nach dem anderen. Wir unterhielten uns prächtig und hatten eine Menge Spaß. Wir redeten und tranken, und je später der Abend, umso wohliger wurde mir zumute. Der Alkohol ließ meine Hemmschwelle sinken und nachdem wir uns mehrmals ganz innig in die Augen geschaut hatten, rutschte ich ein wenig näher zu ihm hin. Ich schaute ihn an und sagte zu ihm: ›Küss mich!‹ Und er küsste mich. Ich sagte: ›Küss mich noch einmal‹, und er küsste mich wieder. Später brachte er mich nach Hause und ich wollte unbedingt, dass er noch auf einen Kaffee zu mir raufkommt. Ich hatte so Lust auf ihn.«

Bei diesem Satz mussten sie sich anschauen. Und plötzlich lachten sie beide schallend. Samara zappelte auf ihrem Platz herum und freute sich, dass es so aufregend war. Sie ermutigte Regine weiterzuerzählen und lauschte gespannt.

»Oli wollte aber nicht und erklärte mir, dass er nicht mit mir nach oben geht. Nachdem ich einfach nicht locker ließ, noch mal eindringlich versuchte, ihn zu überreden, fuhr mich Oli an: ›Heute ganz bestimmt nicht.‹ Ich hab mich wie ein kleines trotziges Kind verhalten, ich wollte unbedingt, dass er mitkommt. Das Ende vom Lied war dann, dass er mich fast aus seinem Auto tragen musste und nicht mit mir nach oben kam. Am nächsten Morgen hatte ich einen derartigen Brummschädel. Aber so betrunken, dass ich nicht mehr wusste, wie es am Vorabend abgelaufen war, war ich auch nicht.«

»Ach du Arme«, entwich Sami ein mitfühlender Seufzer. »Was hast du dann gemacht?«

»Ich schämte mich in Grund und Boden. Es ist normalerweise überhaupt nicht meine Art, Männer dermaßen anzubaggern. Nein, im Gegenteil, bis jetzt hatte immer ich das Oberwasser«, beteuerte Regine, als wollte sie sich noch immer dafür entschuldigen.

»Das sind die sogenannten starken Frauen, die immer alles selbst in die Hand nehmen wollen und wehe, es läuft nicht nach ihrem Kopf, dann sind sie schwer eingeschnappt«, zwinkerte Samara.

»Im Grunde trauen wir den Männern nicht zu, dass sie wissen, was sie wollen«, erklärte Regine. »Da hast du wirklich recht, doch mussten wir ja auch immer stark sein, um unsere Frau zu stehen im Alltag mit den Kindern, Job und allem anderen«, legte sie nach.

»Und was hast du dann gemacht?«, fragte Sami gespannt.

»Als ich ihn das nächste Mal sah, erzählte ich ihm, dass ich einfach so besoffen gewesen war. Mich an nichts mehr erinnern könnte. Ich fragte Oliver, ob ich ihn bedrängt hätte, und wenn ja, dass er dies doch bitte entschuldigen solle! ›Nur ein wenig‹, antwortete Oli mit einem leichten Grinsen auf den Lippen. Ich war gottfroh, als ich es hinter mir hatte, und dachte ebenso wie du, die Sache ist gelaufen. Ein paar Wochen später ist er dann dagestanden.«

»Ach Regine, so schön wie du hätte ich es jetzt auch gern.« Samara senkte den Kopf, überlegte eine Weile und sagte dann: »Ich werde mich bei Rainer entschuldigen und dann schminke ich mir die *Zauberfee* für einige Zeit ab. Das mach ich!«

»Na, da wünsche ich dir viel Glück. Aber es ist noch nicht aller Tage Abend, glaub mir«, bestärkte sie Regine und ging wieder an die Arbeit.

Immer wieder hatte Samara die darauffolgenden Tage darüber nachgedacht, wie sie das mit Rainer wohl am geschicktesten anstellen könnte. Doch der Alltag forderte ihre ganze Kraft und so konnte sie es auch wieder wegschieben.

Zwei Wochen später ging sie dann wieder in ihr Stammlokal.

Leider hatte Edda keine Zeit mitzugehen, obwohl es ihr sehr geholfen hätte, sie als Unterstützung im Hintergrund zu wissen. Doch Sami musste die Sache mit Rainer einfach hinter sich bringen. Sie konnte und wollte das einfach nicht so stehen lassen. Denn schließlich ging sie gerne tanzen.

Zu später Stunde lief er ein. Als sie ihn erblickte, wäre sie am liebsten ganz still und heimlich wieder verschwunden, so peinlich war ihr das Ganze immer noch. Samara entschloss sich, es kurz zu machen und dann zu gehen. Es war ihr so unangenehm, aber sie musste es tun, allein um ihre Selbstachtung zurückzugewinnen.

Rainer drehte ihr gerade den Rücken zu und trank von seinem Mineralwasser. Dies war ein günstiger Moment, um ihm nicht in die Augen schauen zu müssen. Samara ging auf ihn zu und sagte so beiläufig wie möglich von hinten: »Hallo Rainer, ich möchte mich noch gerne bei dir für mein Verhalten letztes Mal entschuldigen. Ich glaube, ich habe dich ganz schön blöd angemacht und ich hatte ein wenig zu viel getrunken! Normalerweise trinke ich keinen Alkohol, also vergiss es einfach, okay?«

Sami wollte sich schon wieder umdrehen und schnell verschwinden, doch er griff sie am Arm.

»Bleib doch hier«, erwiderte er äußerst freundlich. »Es war doch gar nicht so schlimm, was du gesagt hast, und außerdem steh doch einfach zu dem Gesagten.«

Samara wollte sich erneut herausdrehen und entgegnete: »Doch, doch, es ist mir wirklich peinlich.« Aber er hielt sie einfach fest.

»Möchtest du tanzen?«

»Ich?«, fragte sie erstaunt. »Möchtest *du* denn?«

»Ja, aber natürlich«, geschickt hatte er Sami ein wenig gedreht und schon waren sie auf der Tanzfläche. Er hielt sie so eisern fest, dass Samara wirklich nicht anders konnte, als mit ihm zu tanzen. Erstaunt registrierte sie seine dominante Geste und wusste gar nicht, wie ihr geschah. Einmal war er so grob, ja barsch und dann wieder von einer Freundlichkeit und Weichheit, liebenswürdig und zuvorkommend, dass sie einfach nicht schlau aus ihm wurde. Doch das Tanzen war einfach so schön mit ihm und sie entspannte sich zunehmend in seinen Armen. Wieder verbrachten sie den ganzen

Abend miteinander. Sie unterhielten sich, diskutierten und er war charmant, als sei nie etwas zwischen ihnen vorgefallen. Samara wusste, je später der Abend, umso langsamer wurde auch das Tempo der Musik. Wenn dann seine Finger wie von selbst auf ihren Schultern zu kreisen begannen, wusste sie nicht, ob sie sich seine leichten, fast nicht vorhandenen Berührungen nur einbildete. Wenn er sie fester um die Taille fasste und beim Hinausdrehen ganz zufällig ihre Wange streifte, hatte das schon etwas unglaublich Zärtliches und auch Erotisches an sich. ›Diesmal muss ich es aber richtig machen‹, schoss es ihr durch den Kopf.

Als sie sich nach der Tanzrunde wieder an die Bar stellten, blickte sie auf ihre Uhr und rief entsetzt: »Oh, schon halb drei! Jetzt muss ich aber gehen, morgen muss ich früh raus.« Sie ließ Rainer an der Bar stehen, nickte ihm kurz zu und ging zum Ausgang.

Samara fühlte, wie er ihr erstaunt nachblickte. ›Eins zu null für mich, so leicht mache ich es dir nicht‹, dachte sie triumphierend. Sie hatte sich schon in die lange Schlange an der Kasse eingereiht, als ihr doch Zweifel kamen. War ihr Abgang nicht ein wenig zu abrupt? Womöglich empfand er ihr Verhalten als unverschämt? Das wollte sie auf keinen Fall. Sie machte auf dem Absatz kehrt und steuerte erneut auf die Bar zu. Rainer, der seinen Blick auf die Tanzfläche gerichtet hatte, blickte überrascht in ihr Gesicht, als sie auf einmal wieder vor ihm stand. Samara beugte sich nach vorn, bis sie sein Ohr erreichte.

»Es war ein schöner Abend, ich danke dir.«

»Bist du zurückgekommen, um mir das zu sagen?«

»Ja!«, entgegnete sie heiter.

Er griff nach ihrem Arm, zog sie zu sich her und gab ihr den Kuss auf die Wange zurück, den sie ihm beim vorletzten Mal beim Tanzen gegeben hatte.

Beschwingt begab sich Samara zum Ausgang, fuhr nach Hause und dachte: ›Ich habe Zeit, viel Zeit.‹ Sie glaubte, dass dies der Anfang war und sich daraus eine wundervolle Beziehung entwickeln würde.

Meistens war er da, wenn sie in die *Zauberfee* ging, und es war eine aufregende Zeit. Nie wusste sie, wann er kam und wie es weitergehen würde. Ein richtiges Katz-und-Maus-Spiel begann. Wer sah wen zuerst? Wie würde der Abend verlaufen? Harmonisch oder im Streitgespräch endend? Von Mal zu Mal intensivierte sich jedoch sein Werben um sie ein wenig mehr.

Irgendwann fragte Samara ihn dann: »Sag mal, hast du eigentlich eine Freundin? Bist du in einer Beziehung?«

Er schaute sie prüfend an, lächelte dann und sagte: »In so einer halblebigen Geschichte.« Er antwortete fast abwertend, ja sogar verächtlich klang seine Stimme dabei. Sie schaute ihm erstaunt ins Gesicht.

»Das klang jetzt aber komisch. Ja liebst du sie?«, hakte sie nach.

Er zuckte mit den Schultern, als könnte er die Frage nicht beantworten.

»Du musst doch wissen, ob du sie liebst«, sagte sie.

»Was ist Liebe?«, gab Rainer ihr schulterzuckend zur Antwort.

»Ein inniges Gefühl zu einem Menschen. Etwas ganz Außergewöhnliches, das du empfindest. Für jemanden, den du über alle Maßen begehrst, eine Frau, die dir unheimlich wichtig ist. Wenn es nichts Schöneres gibt, als mit diesem Menschen zusammen zu sein. Wenn du unglaublich viel für sie tun würdest, nur um ein Lächeln auf ihren Lippen zu sehen. Wenn du glücklich bist, wenn *sie* es ist.«

Er schaute sie kritisch an und tadelte sie erneut. »Du hast Träume.« Er zuckte die Schultern und drehte seinen Kopf von ihr weg.

Sie sagte noch einmal: »Du führst aber eine komische Art von Beziehung.«

Er ging nicht weiter darauf ein und schien verärgert über ihre direkte Weise, ihn auszufragen. Wenn er gesagt hätte: »Ja, ich liebe sie«, wäre die Sache für Samara gelaufen gewesen. Sie hätte sich Rainer aus dem Kopf geschlagen. Doch so war es eher noch ein Ansporn. Samara glaubte in seinen Äußerungen eine versteckte Aufforderung zu finden. Ein Signal, dass er sich, wenn sich etwas Besseres bieten würde, eine Frau, die wirklich sein Herz berührte, sofort lösen würde. Sie fühlte, dass die Beziehung zwischen den beiden nur oberflächlich sein konnte, und sie musste ihn immer wieder fragen. Wenn er einige Brocken erzählte und eher abfällige Bemerkungen über sie machte, fand sie das komisch.

»Ist das deine Vorstellung von Partnerschaft?«, fragte sie Rainer. Irgendwie stimmte er ihr zu, bemerkte aber, dass er an die wahre Liebe nicht glaube. Es stand für Samara außer Frage, dass er sich aus dieser halblebigen Geschichte löste, sobald sich ihre Beziehung intensivieren würde. Denn warum sonst umwarb er sie?

Das darauffolgende halbe Jahr lief immer nach einem ähnlichen Schema ab. Sie trafen sich ohne Verabredung in der *Zauberfee*, kreisten umeinander, und irgendwann stand Rainer da und sie tanzten miteinander. Mit fortgeschrittener Zeit wurde ihre Tanzhaltung immer enger und sie genossen besonders die Blues-Runden. Ganz zärtlich ließ er dann seine Hände über ihren Rücken gleiten, streichelte ihren Nacken und presste sich immer inniger an ihren Körper. Samara liebte seinen Geruch, seine Ohren, seine zarte Haut am Hals, seine Schultern und seine Muskeln, die an seinem ganzen Körper anzuschwellen schienen, wenn Samara spürte, dass sie ihn erregte. Zärtlich küsste er dann ab und zu ihren Hals, während er sie herumwirbelte. Fast unmerklich, so als hätte er sie nur aus Versehen berührt.

»Nicht, du machst mich ganz verlegen«, versuchte sie ihn dann zu bremsen.

»Lass es doch zu, oder gefällt es dir nicht?«, erwiderte er ihr darauf.

Dann wich sie einfach aus und lenkte ab und unterbrach seine Bemühungen, sie zu liebkosen. Manchmal fühlte sich Samara wie ein kleines Mädchen, eingehüllt in seine starken Arme, zufrieden und glücklich. Zärtlich strich er ihr die Locken aus dem Gesicht, wenn sie bei einer Drehung zwischen ihre Wangen flog. Wenn sie so tanzten und die Zeit vergaßen, war es einfach wunderbar mit ihm. Samara genoss sein behutsames Werben, wenn er zart, kaum wahrnehmbar ihre Arme streichelte. Sie fester als sonst an der Taille fasste und sie dabei nach außen drehte und seine Augen auf den ihren kleben blieben. Ihre Blicke sich trafen, die so unendlich tief ineinander blickten. Das war schon sehr elektrisierend. Immer wieder bremste Samara seine Zärtlichkeiten, stoppte ihn, wenn es ihr zu intensiv wurde. Und sie hatte das Gefühl, gerade das reizte ihn ungemein.

»Einmal wirkst du scheu wie ein Reh, kindlich und naiv, und

dann wieder bist du so wild und so ungestüm, so aufbrausend und leidenschaftlich. Nie weiß ich, woran ich bei dir bin«, neckte er sie dann. Sie wusste ja selbst nicht, wie weit sie ihn gewähren lassen wollte. Ein richtiger Kuss, das war klar, war tabu hier in der *Zauberfee*. Doch sie malte sich aus, wie es wäre, wenn sie sich irgendwann einmal außerhalb treffen würden und er sie dann genau so zärtlich in den Arm nehmen würde und ihre Küsse dann endlos wären. Doch hier, vor allen Leuten, das wollte sie nicht, und wenn er es noch so oft versuchte.

Mit den Monaten, die vergingen, waren sie sich so vertraut, dass sie sich sogar die Lieder gegenseitig ins Ohr sangen, die angespielt wurden.

Jedes Jahr um dieselbe Zeit flog Rainer nach Isla Margarita, einer Insel bei Venezuela. Wenn er davon erzählte, wurden seine Augen noch heller, noch klarer, noch blauer, als sie eh schon waren. Immer wieder erstaunte es sie, dass ein so großes Strahlen in ihm verborgen war und zum Ausdruck kam, wenn ihn etwas wirklich berührte. Er geriet ins Schwärmen, wenn er ihr von seinem Paradies erzählte. Blaues Meer und starke Wellen, heller Strand und hohe Felsen. Er sprach von seiner Jagd mit dem Surfbrett auf dem Wasser. Hart gegen den Wind, immer an der Grenze des Möglichen, das Segel fest im Griff. Rainer berichtete von seinen Begegnungen mit diesen schnellen, dem Menschen wohlgesinnten Meeresbewohnern. Samara verehrte Delfine, sie fühlte sich eng mit diesen Säugetieren verbunden und konnte gar nicht genug bekommen von seinen Erzählungen. Rainer beschrieb Wettrennen mit seinen Freunden, wobei sie oftmals Geschwindigkeiten von über sechzig Stundenkilometern erreichten. Er schwärmte vom unendlichen Horizont, dem er entgegensteuerte, und dem Gefühl, das einen ergriff, wenn man ganz weit draußen war. Samara hatte keine Angst, dass ihm etwas passieren könnte, wenn er so weit weg war vom Strand und allein übers Wasser glitt. Vielmehr träumte sie davon, Seite an Seite mit ihm über die Wellen zu reiten. Stundenlang ihm nachzueifern, bis sie ihre Hände vor lauter Schwielen nicht mehr spürte, verbunden mit dem Holz unter ihren Füßen, dem Wasser und dem Wind. Sie sah sich dann gemeinsam mit ihm erschöpft, aber glücklich am Strand liegen, mit sandverschmierten Körpern. Sie stellte sich vor, Arm in Arm mit ihm einzuschlafen, bis die Sonne sie wieder wach küsste. Sah sie beide auf ihre Bretter steigen, den weiten Weg zur Bucht zurück gegen Wellen kämpfen, den Schweiß auf der Stirn. Samara träumte davon, in den späten Abendstunden gemeinsam mit ihm unter der Dusche zu stehen, und stellte sich vor, wie jeder den anderen zuerst einseifen wollte, kichernd, lachend, wie zwei Kinder. Heiße Küsse, warmes Wasser und nicht mehr wissen, wo sie waren. Atemlos eng umschlungen in das Bett hineinfallen und ein Stammeln, das nicht enden will: »Ich liebe dich, ich liebe dich, ich liebe dich so sehr!« Erwachen am Morgen in einen neuen Tag. Einen noch glücklicheren, seligeren. Sich recken und sich strecken und schon wieder in seine Arme fallen und seine Augen sehen, die strahlen vor Glück, weil sie so nah bei ihm ist. Samara sieht sich aufstehen und, während sie zum Fenster geht, ihre zerzausten Locken, die in alle Richtungen abstehen, mit den Händen ein wenig bändigen. Sie zupft sich ihr spärliches weißes Nachthemd zurecht, das gerade noch den Po bedeckt. Den verrutschten Spagettiträger zieht sie mit einer kurzen Handbewegung über die Schulter, während sie sich an die Metallstäbe des Balkongitters lehnt, um hinauszusehen und diese wunderbaren südländischen Düfte einzuatmen. Rote Blumen klettern an der Hauswand hinauf, bedecken die Mauern und finden an der Brüstung ein Ende. Der Duft von Obst und Wein, von Fisch und rohem Fleisch, der vom Markt, auf dem um kurz nach zehn schon sein reges Treiben herrscht, kriecht in ihre Nase, sodass sie innehalten muss vor lauter Erfüllung. Ein typisch südländischer Geräuschpegel dringt an ihre Ohren, denn ihr Zimmer liegt direkt über dem großen Platz. Einfach und schlicht, aber doch mitten im Geschehen, liegt diese kleine Pension. Keine Sicht auf das Meer, aber auf das Herz des Dorfes: Marktfrauen, die durcheinanderschreien, und Touristen mit bunten Tüchern um die Hüften geschwungen. Sie kann nicht umhin, ihn begeistert herzurufen. Und er steht auf und legt sanft seinen Arm um ihre Hüfte und ist genauso begeistert von dem, was er sieht. Er schaut sie an und ein Lächeln huscht über seine Lippen. In diesem Augenblick weiß sie, es ist ihre Begeisterung, die ihn entzückt. Sie träumt von Ausflügen mit Rainer, ihrem Schatz. Ihrem Diamanten, den, den es nur ein einziges Mal auf dieser Welt zu finden gibt. Von der Fülle ihres Lebens. Von dem bedingungslosen Ja an ihn. Träumt von Wanderungen an Seen vorbei und sieht sich aufsteigen zu hohen Felsen. Von Rastplätzen, einsam und still. Wie sie in dem klaren Gebirgsbach mit den Händen drei Forellen fischt und an ihren Vater denkt, der ihr das beigebracht hat. Ein Lagerfeuer in der Nacht und Sterne am hohen Himmelszelt. Und wieder endlose Gespräche von Manitu bis Schattenfelsen, von Räubern, Geistern, Lichtgestalten. Samara sieht sich aufstehen und ausgelassen losrennen, gefolgt von ihm. Sie lässt sich fallen, um aufgefangen werden von seiner Kraft. Heiß und innig sind ihre Küsse, die nicht enden wollen ...

Seine Worte rissen Samara wieder aus ihren Träumen. »Drei Wochen bin ich da unten.« Und sie wusste mit einem Mal, warum er das so eindringlich betonte. Nie sagte er etwas direkt. Aber sie wusste, dass sie auf ihn warten sollte, bis er wieder zurück aus seinem Urlaub war, um sie hier zu treffen.

Er rief nie an oder lud sie zum Essen ein. Rainer fragte auch nicht, ob sie sonst mal was gemeinsam unternehmen könnten. als ungewöhnlich hatte es Samara schon empfunden, doch sie dachte sich, er lasse sich eben Zeit und warte darauf, dass sie ihre Bereitschaft signalisieren würde. Samara spürte, dass sie ihm gefiel, daran gab es keinen Zweifel.

Mittlerweile konnte es Samara schon gar nicht mehr erwarten, bis es wieder Wochenende war, und immer war Rainer in der *Zauberfee*. Sehr verliebt war sie in dieser Zeit und dies half ihr über den Schmerz mit Marcel, der immer noch zuweilen heftig in ihrem Herzen pochte, ein wenig hinweg. Samara sah sich schon mit Rainer in eine wundervolle Zukunft gehen.

Die *Zauberfee* schloss um vier Uhr ihre Pforten und man wurde zum Verlassen des Lokals gedrängt. Die vielen Male davor war sie immer früher gegangen, doch an diesem Abend gingen sie gemeinsam hinaus und schlenderten durch die klare Nacht unter einem sternenbedeckten Himmel. Die laue Luft war so voll von Leben und sie hatte auf einmal das Gefühl, als wären sie zusammen irgendwo im Süden. Samara schwärmte Rainer vor, wie es wäre, wenn sie jetzt irgendwo am Meer zusammensäßen, sie Steine in das Wasser werfen könnten und sich allerlei erzählen würden.

Ja, sie war glücklich. Wirklich glücklich. Endlich einmal außerhalb der *Zauberfee* und so entspannt. Sie setzten sich auf eine kleine Mauer und Samara begann eine Geschichte zu erzählen. Sie standen wieder auf und gingen weiter. Sie erzählte von einer Gebirgslandschaft mit Hügeln und Wäldern und von einer jungen Frau, die sich in einen Mann verliebt hatte. Dass dieser ihr nicht glaubte. Ihr nicht zutraute, dass sie, wenn sie liebte, wie ein Fels sein konnte. Und dass dieses Gestein so fest war, dass es jedem Sturm trotzte und das Haus, das man auf ihm erbaute, sicher hielt. Gegen jedes Wetter und jeden Wind und jedes Gewitter, das da tobte, standhaft blieb.

Er blieb abrupt stehen.

»Was redest du denn da wieder für ein Zeug?«, fuhr er sie an.

Samara schaute ihm über die Schulter und sagte ruhig: »Hier wohnst du, nicht wahr?« Sie zeigte auf ein großes Haus schräg gegenüber von ihnen. Als hätte sie gar nicht gehört, wie er mit ihr redete, überging sie einfach sein Gesagtes. Es war einfach nicht wichtig. Sie wusste auf einmal, dass er hier zu Hause war. So oft hatte sie sich in den Monaten zuvor überlegt, wo und wie er wohl wohnen würde. Er hatte einmal erzählt, dass er zu Fuß in die *Zauberfee* gehen könne. Obwohl sie schon an vielen Häusern vorbeigegangen waren, gab es auf einmal keinen Zweifel für sie.

Rainer zog sie an sich und küsste sie. Als er sie wieder losließ, schaute sie ihn an und sagte:

»Möchtest du, dass ich noch mit dir nach Hause komme?«

Unschlüssig schaute er sie an.

»Ich weiß nicht«, sagte er zögernd. Er wirkte in diesem Augenblick wie ein kleiner Junge, der etwas tun möchte und ahnt, dass es Folgen haben würde.

Samara konnte seine Unschlüssigkeit überhaupt nicht deuten und antwortete: »Ich kann jetzt noch mit dir nach oben gehen. Ich könnte aber genauso einfach nach Hause fahren. Es hängt von dir ab: Was willst du?«

»Ich weiß es nicht. Wenn wir da oben sind, dann passiert es vielleicht, willst du das?«, fragte er nach.

»Ich kann dir darauf jetzt keine Antwort geben, es kommt auf die

Stimmung an, in der wir uns dann befinden. Ich bin mir aber sicher, dass ich jetzt einfach noch gerne bei dir sein möchte. Wir müssen nicht miteinander schlafen, einfach noch ein wenig neben dir liegen, in deiner Nähe sein, das würde mir genügen.«

Er überlegte kurz und griff sie dann fester unter dem Arm, als hätte er Angst, sie könnte es sich doch noch anders überlegen. Er war manchmal so eigenartig, einmal unentschlossen, zögernd und dann im nächsten Augenblick zielstrebig und dominant in dem, was er wollte. Sie überquerten die Straße und während er seinen Schlüssel suchte, schaute sie sich noch einmal um und war erstaunt, dass das Haus so groß war. Sie hatte sich ein kleines vorgestellt, mit wenigen Wohneinheiten. Dieses besaß sogar einen Fahrstuhl und mindestens zwanzig Klingeln. ›Hier wohnt er nun‹, dachte Samara und musterte alles aufmerksam. Es war so ganz anders, als sie es sich vorgestellt hatte. Sehr einfach, ja richtig karg. Die Wände im Treppenhaus waren grau und an manchen Stellen war die Farbe schon abgeblättert. Es gab keine Bilder oder Blumen, die den Gang schmückten. Die Atmosphäre war unpersönlich, wie in einem großen Wohnblock eben. Rainer entschuldigte sich fast und erklärte ihr, dass er diese einfache kleine Wohnung hier vor Jahren gekauft habe. Dass er hier seine Ruhe habe und es praktisch für seine Arbeit sei.

›Praktisch nah an der *Zauberfee*‹, dachte Samara.

Wie hätte sie ihre erste Nacht mit Rainer beschreiben sollen? Sie war schön, aber nicht gerade berauschend. Manchmal fast nüchtern und dann wieder eingehüllt von einem sehr warmen Gefühl füreinander. Samara war an diesem Morgen von ihm gegangen mit dem Gedanken, einen neuen Freund zu haben. Erst zu Hause und in der Woche darauf konnte sie es so richtig fassen, dass sie es nun endlich getan hatten, worauf sie schon so lange gewartet hatte. Und sie malte sich aus, wie es erst sein würde, wenn sie so richtig Zeit füreinander hätten und sie nicht gehen müsste, weil er seinen Dienst anfangen musste. Zeit wünschte sich Samara mit Rainer, einfach nur Zeit. Um ihm so viel von sich zu zeigen, was er noch nicht kannte. Ihr ganzes Spektrum an Gefühl, an Liebe, an Zärtlichkeit und an Bewunderung, die sie für ihn hatte, wollte sie ihm näher bringen. Samara konnte so viel geben, das wusste sie, war sie doch nicht mehr so jung und unreif wie in der Beziehung mit Marcel. Und sie hatte aus ihren Fehlern gelernt. Verwöhnen wollte sie ihn, stundenlang. Ihn massieren, kitzeln, bis er sie hineinließ in seine geheimsten Ecken. Er sollte wissen, fühlen und begreifen, dass sie ihn bedingungslos liebte.

Samara war überglücklich und konnte es kaum erwarten, Rainer wiederzusehen. Sie war in der freudigen Erwartung, dass es nun endlich richtig beginnen konnte zwischen ihnen. Sie war sich sicher, dass er sie, wenn er sie erst einmal richtig kennengelernt hatte, genauso lieben würde wie sie ihn.

Erst Tage danach war ihr völlig klar geworden, dass sie nun mit Rainer zusammen war. Als würde sie über dem Boden schweben, die Liebe in ihren Händen haltend, träumte sie sich durch den Tag. Alles war auf einmal so leicht, so einfach. Die karge Zeit der letzten Jahre war vergessen. Versöhnt mit ihrem Schicksal, begab sie sich in den Morgen, so wie sie sich am Abend in die Nacht begab. Sie hatte es geschafft. Nun kam der Lohn für ihren Schmerz.

Ja, sie war sogar froh, dass sie Marcel verlassen hatte, sonst wäre sie Rainer nie begegnet. Schon beim Erwachen verzehrten sie in Gedanken seine Augen, begrüßte sie sein Lachen. Samara sah seine Ohren und das Grübchen an seinem Kinn. Die Bilder vor sich, wie er tanzte, sich bewegte, und sie musste ein Lächeln unterdrücken, wenn sie sich vorstellte, wie er sich mit seinem etwas zackigen Schritt so ruckartig umdrehen konnte. Sie fühlte seine Umarmung und seine Küsse und hörte das leise Stöhnen, wenn er einen Orgasmus hatte. ›Was für ein Mann‹, dachte sie immer wieder voller Entzücken. Überall, wo Samara ging, wo immer sie war, sah sie nur Rainer, ihren Schatz. Endlos verliebt, die Zeit hätte sie anhalten und sich nie wieder weiterbewegen wollen vor lauter Freude bei dem Gedanken an ihn.

In diesen Tagen hatte sich Samara bei Edda zur Kosmetikbehandlung angemeldet. Richtig verwöhnen lassen wollte sie sich. Das Leben feiern mit ihr, mit allen um sich herum, dafür, dass sie so glücklich war.

Edda begrüßte Samara mit der Wärme und Freude, die sie Samara stets entgegenbrachte, und Sami bedankte sich dafür bei ihr.

Sie konnte es kaum erwarten, bis die Eingangstür hinter ihnen geschlossen war.

»Edda, Edda, es ist passiert, wir haben's getan! Endlich. Ich bin so glücklich«, sprudelte es aus ihr heraus.

»Und? Wie war's?«, fragte Edda schelmisch.

»Gut war's, gut. Erst wollte er gar nicht so recht und wir sind ewig vor seinem Haus gestanden und dann sind wir doch zu ihm hochgegangen.«

»Und, wie sieht es bei ihm aus, wie ist er eingerichtet?«, fragte sie weiter.

»Och, einfach, nicht groß. Stell dir vor, wir sind dann hinterher noch Arm in Arm dagelegen und haben uns zusammen eine Chakra-Meditationskassette angehört, das war so schön. In seinem Arm zu liegen, mit ihm zu träumen. Es war so richtig friedlich. Ich habe mich in diesem Moment so geborgen und glücklich gefühlt, ich hätte ewig mit ihm so daliegen können. Ganz zärtlich hat er mich so um die Hüfte gefasst und mich ganz eng an sich gedrückt, als dürfte ich ja nie mehr auch nur einen Meter von ihm weggehen. Ach, ich bin so froh, Edda. Dann hat er leider zur Arbeit gehen müssen, und das war's. – Und wie sieht's bei dir aus, was macht Rüdiger und was ist mit dem Neuen von letzter Woche?«, erkundigte sich Samara.

Während Edda ihre Hände an ihren Schultern kreisen ließ, ihre Finger die verspannten Stellen suchten, sie dabei ganz sanft ihren Nacken mit einem stetigen Druck nach oben dehnte, erzählte sie die Neuigkeiten aus ihrem Liebesleben. Edda und Alfred hatten sehr jung geheiratet. Anna war kurz darauf zur Welt gekommen und hatte für einigen Wirbel gesorgt. Alfred war noch in der Ausbildung und hatte sie dann schweren Herzens abgebrochen, um mehr Geld zu verdienen und seine kleine Familie versorgen zu können. Lange Zeit führten die drei ein turbulentes Leben, immer in Geldknappheit, aber glücklich. Als sich Alfred von Edda trennte und mit seiner neuen Freundin, mit der er schon ein ganzes Jahr ein heimliches Verhältnis hatte, zusammenzog, war das zuerst einmal ein ordentlicher Schock für Edda. Doch schon Wochen danach zog sie los, um das wilde Leben ohne festen Partner zu genießen. Einen so starken Drang hatte Edda, Ungewöhnliches zu erleben, dass sich Samara zuweilen wunderte, wo denn der Schmerz geblieben war über die Trennung von ihrem Mann. Sami hatte geglaubt, sie habe ihn geliebt, und so ganz ohne Trauerarbeit konnte sie doch nicht einfach weitergehen, dachte sie manchmal. Doch der Freiheitsdrang legte sich schnell bei Edda und sie spürte, dass sie es so auf Dauer auch nicht wollte. Zwischen den Zeilen und ein wenig nach hinten versetzt, kamen das Wehklagen und die Erinnerung an schöne vergangene Zeiten auch bei ihr immer wieder an die Oberfläche. Natürlich verband die ähnliche Lebenssituation die beiden Freundinnen ungemein. Sie konnten zusammen tanzen gehen, in Cafés sitzen und tratschen und kein Mann war da, der auf sie wartete. Beide versuchten das Positive aus ihrer Situation zu ziehen und empfanden sowohl zuweilen Trauer als auch eine große Erleichterung über ihr neues Leben. Sie mussten sich eingestehen, dass sie sich diesen Zustand des Öfteren auch in ihren Ehen gewünscht hatten. Ihre Ideale waren ungebrochen in ihren Herzen. Sie träumten unverändert von der ganz großen Liebe und dass es da etwas geben müsse. Eine ganz tiefe Innigkeit und ein Vertrauen. Eine Freundschaft und eine Begierde und eine unbändige Sehnsucht zugleich. Eine Verbundenheit und ein Wissen um den Anderen. Einen Menschen, einen Mann, mit dem es möglich war, sich gegenseitig zu achten. Eine Liebe, die ein ganzes Leben halten konnte. Auch das Scheitern ihrer Ehen hatte sie davon nicht abgebracht. Im Gegenteil, vieles entsprach da so gar nicht ihren Vorstellungen von einer intakten Beziehung. Manches war auf der Strecke geblieben oder war von vornherein gar nicht vorhanden gewesen. Samara glaubte immer noch, dass es diese Liebe, von der sie träumte, geben musste, eine Liebe, die auch den Alltag überstehen konnte. Sie stellte sich nicht vor, mit einem Mann noch einmal zusammenzuziehen. Das wollte sie gar nicht. Sie liebte es, allein zu sein in ihren eigenen vier Wänden. Keiner, der sie tadeln konnte, keine offene Zahnpastatube, die unappetitlich das Bad verschönerte, keine Launen, die der andere ertragen musste. Sie empfand getrennte Wohnungen als einen Garant, sich Selbstständigkeit bewahren zu können. Dem Partner noch etwas an Geheimnisvollem bieten zu können konnte sie sich so mehr vorstellen. Doch sie wollte keine Halbherzigkeiten mehr auf der Gefühlsebene. Samara wollte alles vom Leben haben. Die ganze Fülle! Im Beruf wie mit den Kindern und nun auch noch in der Partnerschaft. Samara träumte ebenso wie Edda von einem liebevollen, fantastischen Mann an ihrer Seite. Sie hatten eine neue Chance erhalten. Waren nicht mehr so grün hinter den Ohren und die Hörner waren abgeschliffen. Ruhiger, präziser, bewusster erlebten sie sich in ihrer neuen Bewusstseinsstufe.

Sie empfanden es beide als ein wunderbares Gefühl, eine solche Freundin zu haben. Mit ihr dieselben Gedanken zu teilen und auch noch eine, die den gleichen Beruf ausübte. Eine wirklich gute Kosmetikbehandlung, angereichert mit vielen meditativen Elementen, empfand Samara als etwas sehr Bereicherndes, ja Erhebendes, wenn man sich hineingeben konnte. Wenn man nichts tun musste, als einfach nur dazuliegen und sich verwöhnen zu lassen. Nicht immer selbst gefordert war, sondern sich unter den Händen der anderen treiben lassen konnte. Das erlebte sie als eines der vielen Geschenke des Lebens, überhaupt so genießen zu können. Samara fühlte sich unter Eddas Händen geborgen und leicht wie eine Feder. Sie genoss es über alle Maßen in diesem Augenblick, hier zu sein. Nichts hätte sie mehr gewollt in diesem Moment. Die Meditationsmusik im Hintergrund und den Schein der flackernden Kerze auf dem Schreibtisch nahm sie zu Beginn der Gesichtsmassage selbst noch mit geschlossenen Augen wahr. Nun konnte sie alles loslassen und sich vollkommen hineinbegeben. Stück für Stück sank Samara immer tiefer und tiefer. Sie fühlte sich leicht und beschwingt und empfand sich auf einmal in einem Zustand, wo vieles einfach gar nicht mehr so wichtig war. Was noch zuvor eine große Bedeutung gehabt hatte, verschwand ins Nichts. Ein Gefühl des Abgehobenseins, des Nicht-mehr-verhaftet-Seins in den weltlichen Dingen machte sich in ihr breit. Sie wusste, in diesem Zustand waren Transformationen möglich, zu denen man auf wacher Ebene oft lange brauchte. Edda verstand ihr Handwerk großartig. Sie hatte an diesem Morgen wieder warme, gütige, sanfte Hände voller Energie und Kraft, und sie teilte diese mit ihr. Diese sanfte Berührung ihrer Fingerspitzen, die keine Faser, keinen Muskel in ihrem Gesicht auszulassen schienen, besänftigten Samara noch mehr. Sie fühlte Eddas Hände, die ihren Hals entlang hinunter zu ihren Schultern tasteten, klopften, kneteten und auf ihrem Brustkorb kreisten. Sie füllten jeden Muskel mit Wärme und glitten langsam den Nacken wieder nach oben zu ihren Ohren. Losgelöst von ihrem Alltagsgeschehen, das gleich einem Nebel noch einmal kurz an ihr vorüberzog, sah sie sich auf einmal wie von außen. Als wäre sie aus sich herausgestiegen und würde auf einmal über dem Behandlungsstuhl kreisen, sah sie sich. Als würde ihr Geist über ihr fliegen, sich neben sie stellen, sich dann wieder erheben und über ihr schweben und auf sie blicken, während sie von Edda massiert wurde. Als wäre nur noch ihr materieller Körper da unten, leblos schlafend, und ihre Seele würde sich auf die Reise begeben. Es war wieder so, wie sie es schon oft erlebt hatte, wenn sie in frühere Leben eingestiegen war. So wie sie in diesen Leben aus ihrem Körper herausstieg, als sie starb und nach oben ging. Als sie begleitet wurde von ihren Lichtwesen hinauf in diesen wunderbaren göttlichen Zustand der Ruhe und in das Wissen um all seine irdischen und überirdischen Geschehnisse hinein. In diesem Zustand hatte sie ebenso auf alles, was hinter ihr gelegen hatte, herunterschauen können, um es, einem Abschied gleich, hinter sich zu lassen. Völlig neutral und ohne Wertung hatte sie über sich geschwebt, bis sie sich immer mehr entfernt hatte, um dem Licht entgegenzutreten. Kein Schmerz, kein Gefühl der Trauer, keinen Gram um die, die zurückbleiben mussten. Keine Not, sondern nur neutrales Wahrnehmen um die Gegebenheiten, so wie sie waren. Es war eine Selbstverständlichkeit, eine gewisse Zeit auf der Erde gewesen zu sein. In dieser Familie, mit diesen Kindern, mit diesem Mann. Um an ihnen zu reifen und sich dann wieder zu verabschieden. Um erneut in ihre Herkunft zu reisen, in die Kraft, in das allumfassende Licht, die wirkliche Heimat eines jeden Menschen. Im Augenblick des Abschieds, wenn schon die Engel da gewesen waren und sie gerufen hatten, war nie ein Gefühl der Einsamkeit in ihrem Herzen gewesen.

Einmal war sie in einem Leben vor dieser Zeit an Krebs gestorben. Sie hatte ihre Tochter, die noch recht klein gewesen war, und ihren Mann zurücklassen müssen. Als sie spürte, dass sie ihre Engel riefen, empfand sie ganz spontan eine tiefe Freude. Doch kurz darauf eine unsagbare Trauer, weil sie wusste, dass sie sich von ihrem geliebten Kind und ihrem Mann verabschieden musste. Noch im Ringen des Todes, im Kampf zwischen den Welten war es ihr schwergefallen und Schuldgefühle zogen an ihr. Als das Nicht-gehen-Wollen noch stärker war und sie Schmerz darüber empfunden hatte, sich verabschieden zu müssen, waren die Lichtwesen ganz langsam stärkend an ihre Seite getreten. Wenn das Leben auf der anderen Seite an ihr noch gezogen hatte und sie noch nicht auf der gegenüberliegenden angekommen war, empfand sie es in diesem einen Augenblick noch als grausam. Doch in dem Moment des Ergebens und Hinübertretens in das göttliche, allumfassende Licht war sie frei von dieser Betrachtung. In diesem Augenblick spürte sie sich mehr als je zuvor in ihrem irdischen Leben. Fühlte die Stärke und die Kraft, die sie hatte, und die große Liebe zu allen Menschen und sich selbst. Die Angst, die noch zuvor im Irdischen an ihr gezogen, sie geknebelt und zerfleischt hatte, war im selben Augenblick des Eingehens nicht mehr existent gewesen. Ausgelöscht und dem Wissen der Neutralität gewichen, dem Wissen um das, was war und immer sein würde und immer gewesen war. So erlebte sie sich nun von Neuem auf einer Ebene, die sie kannte. Die sie nicht erschreckte, denn sie nahm es einfach an und flog in ihrem Geist. Dorthin, wo man alles fragen konnte, wo man alles wusste.

Plötzlich sah sich Samara in der Zukunft. Das, was kommen würde, was sein würde, was möglich wäre. Ihr Dasein in der Ferne. Sie sah die Zeit mit Rainer und ihr ganzes Leben, das noch vor ihr lag. Sie sah die Jahre vergehen und es war eine gute Zeit mit ihm. Eine nicht immer ganz einfache, aber eine wirklich glückliche. Ihre Angst, die sie noch zuvor in ihrer Ehe mit Marcel erlebt hatte – davor, dass er sie eines Tages verlassen könnte –, war völlig verschwunden. Bei Rainer war sich völlig sicher, ihr Zuhause gefunden zu haben und dadurch den eigentlichen Aufgaben in ihrem Leben nachgehen zu können. Sie hatte durch diese innere Stabilität in ihrem Liebesleben die Kraft gefunden, mit ihrem Glauben nach außen zu treten. Sie wurde sogar berühmt, verehrt und umschwärmt, von manchen Menschen jedoch auch heftig angegriffen für ihren Mut, ihren Glauben zu beschreiben, der doch so anders war als das, was man kannte. Wie eine sichere Burg, in die sie zurückkehren konnte, wenn sie sich zuvor nach außen gerichtet hatte, bot ihr Rainer mit seiner großen

Liebe Halt. Samara dachte nicht mehr über andere Männer nach, die ihr gefielen. Es war eine Gegebenheit, dass sie auch auf andere ihre Wirkung hatte, ohne dass sie dies weiter beeindruckte. In ihrer Vision gehörten ihre Liebe und ihre ganze weltliche Hingabe ihren Kindern und Rainer. In dieser Zukunft öffnete Rainer sich ebenso, fasste Vertrauen und empfand sie als die beste Frau, die es überhaupt auf der Erde gab. Eben eine Ausnahme unter den Frauen, nach seinem Empfinden. Diese Ansicht teilte Samara nicht mit ihm, doch konnte sie seine kritische Sichtweise, die er weiblichen Wesen entgegenbrachte, verstehen. Und es schmeichelte ihr, spürte sie doch, dass sie wirklich sehr wichtig in seinem Leben geworden war und er für sie dieselbe große Liebe empfand wie sie für ihn. Ja, als fast erlösend erlebte er diese Liebe, da er sich doch insgeheim immer gewünscht hatte, ein solches Gefühl für eine Frau zu empfinden. Eine Frau, die seine Sehnsucht nach Erotik und Ekstase nicht müde werden ließ und die ihm die Gewissheit gab, dass sie bei ihm bleiben würde und ihn so liebte, wie er war. Eben mit seinen ganzen Macken und Kanten, mit denen er sich nach außen zeigte. Auch bei ihren Freunden war er beliebt und hatte Heimat gefunden, so wie bei ihrem Sohn und den beiden Mädchen, mit denen er sich prächtig verstand. Sie hingen sehr an ihm, blickten zu ihm auf, himmelten ihn geradezu an. Er war ihnen wirklich ein guter Freund geworden und sie alle hatten eine reiche und glückliche Zeit.

Es waren viele Jahre vergangen und er war gerade auf dem Weg zu seiner Arbeit. Oder war es kurz nach Ende seiner Berufstätigkeit oder noch viel später? Sie konnte es nicht genau ausmachen. Die Zeit in Zahlen spielte keine Rolle. Sie erlebte das, was sie sah, ähnlich wie in einem Zeitraffer. Doch die Zeit auf dieser Ebene hatte keine Bedeutung, sie war einfach gegeben. Sie sah ihn, Rainer, wie aus einem Dritten Auge im Schnee die Straße entlang gehen. Als würde ihr Geist auch über Rainer schweben, unsichtbar und empfänglich auch für seine Gedanken, die er dachte, so erlebte sie auch ihn.

Es war ein kalter, klarer Morgen und er überdachte noch einmal sein ganzes Leben. Samara spürte auf einmal eine unerklärlich große Spannung. Als ob sich etwas wie ein Knoten zusammenzöge, der ihren Hals bis ans Äußerste bedrängte, empfand sie etwas Unerklärliches. Etwas, das eine große Macht hatte und sie bedrohte. Etwas Unheilvolles, Unabänderliches. Samaras Atem ging schwerer und sie hatte das Gefühl, als würde sich ihr Herzschlag verdoppeln. Sie konnte nichts dagegen tun. Je mehr sie versuchte zu entkommen, umso mehr verspürte sie Angst. Sie fühlte Schweiß auf ihrer Stirn und ein kaltes Grausen überkam sie. Und da war Rainer, der ahnungslos und völlig gelöst seines Weges schritt. Sie fühlte Rainer, als wäre sie in ihn hineingeschlüpft, als wäre sie er. Er dachte zurück an die Zeit, als es zwischen ihm und Samara begonnen hatte. An die lange Zeit davor, bis er endlich begriff, was auch er für sie empfand. Noch immer war er erstaunt, wie sich sein Leben durch sie doch noch zum Guten gewandelt hatte. Er spürte eine tiefe Ruhe in sich und das Gefühl, ein schönes Leben zu haben. Er dachte an die Mädchen, wie sie immer auf ihn zustürmten. An die Gespräche mit seinem Sohn, der wie sein eigener für ihn war. Er sah sich hereinkommen und Samara begrüßen und ein Strahlen von ihr empfangen, das er so sehr an ihr liebte. Ja, glücklich und zufrieden war er. Doch auf einmal ging alles ganz schnell. Er wusste noch gar nicht, wie ihm geschah. Ein Schuss, ein kurzer Schlag. Wie Holz, das von einem anderen getroffen wird. Dumpf und hart durchbohrte etwas in seinem Nacken den Knochen. Wer schoss auf ihn?, fragte er sich erstaunt. Er wollte sich noch umdrehen, doch er taumelte und fiel zu Boden. Ganz automatisch tasteten seine Finger nach der Stelle in seinem Nacken, wo er diesen Schlag wahrgenommen hatte. Dass etwas warm in seine Hand hineinfloss, begriff er noch am Rande und er dachte ganz erstaunt, dass es sein eigenes Blut sein musste. Er fühlte keinen Schmerz und er wusste in diesem Moment, wie es war, das, was er sich schon so viele Male in seinem Job gefragt hatte. Er kannte nun dieses Gefühl des Sterbens. Er war noch erstaunt, wie einfach es war und ohne Allüren vor sich ging. Man stellte lediglich fest, dass es nun so weit war. Sein Sehvermögen wurde schlagartig trüber. Seine Hände und Beine wurden lahm und wie eine Welle, wenn der Wind eine leichte Brise darüberschickt, trieb es ihn davon in dieses wunderbare Gefühl hinein. Er sah das Licht, sah den hellen Schein auf sich zukommen und ließ sich hineintreiben in Liebe, in einem Umfangensein des Glücks.

Nun wusste er es selbst zu beschreiben, wovon ihm Samara immer wieder erzählt und was er doch nie so ganz begriffen hatte. Nun erlebte er es selbst, das, was nicht zu beschreiben war! Eine Fülle und eine Glückseligkeit und ein Wissen um alles erreichte ihn und er nahm es mit und ließ sich davontreiben, hinein in das allumfassende Licht.

Samara spürte eine eisige Kälte, alles krampfte sich in ihr zusammen. Sie sah, wie es klingelte an ihrer Tür, und sah sich selbst, wie sie ohne Argwohn öffnete. Da standen sie, zwei Männer in Uniform. In diesem Moment wusste sie, es war also so weit. Tränenlos, wie erstarrt nahm sie die Nachricht entgegen. Das Beileid der Beamten hörte sie nur noch aus ganz weiter Ferne. Wie in Trance setzte sie sich auf die Couch. Was war es für ein Gefühl, dachte Samara, sie hatte es doch immer gewusst. Und nun stand es vor ihr wie eine Wand, die ihr den Atem abdrückte. Ein Fallen in einen tiefen Abgrund, das Gefühl, sich an irgendwelchen Ästen festhalten zu wollen, die ihr doch keinen Halt gaben und ihr, während sie immer tiefer fiel, aus den Händen glitten. Endlos keinen Boden findend, stürzte sie und dann flossen auf einmal ihre Tränen und sie schrie ihn hinaus, ihren Schmerz. Hinaus in die Welt! In die Wände ihres Zimmers, die so eng zu sein schienen und wie Fesseln an ihrer Seele klebten. Und sie schrie aus Leibeskräften: »NEEEEEEIIIIIIIIINNNNNN, ich will nicht! Warum bist du nur so unbarmherzig! Du verfluchtes Leben! Ich will mit ihm gehen! Ich will nicht zurückbleiben und warten, bis wir in einer Ewigkeit wieder vereint sind! Oh Gott, du verfluchter Gott!« Sie warf sich zu Boden und weinte jämmerlich. Dabei war sie froh darüber, dass er vor ihr gehen durfte, denn er hätte diesen gewaltigen Schmerz nicht ertragen. Es hätte ihm den Boden unter den Füßen weggerissen, ohne sie hierbleiben zu müssen, er war nicht so stark wie sie. Er wäre nicht mehr aufgestanden und weitergegangen.

Als wäre sie nur noch ihr eigener Geist, empfand sich Samara in den Stunden danach. Es klingelte erneut an der Tür und die Mädchen kamen nach Hause. Tim studierte im Ausland und Samara überlegte, wie sie es ihm sagen sollte, als Stina ins Wohnzimmer kam. Sie spürte sofort, dass etwas nicht in Ordnung war. Sie bat

Leoni und Stina, sich hinzusetzen, und sagte es ihnen mit einer ruhigen Stimme, über die sie sich selbst wunderte: dass auf Rainer geschossen worden und er noch am Ort des Geschehens gestorben war. Stina und Leoni sprangen auf und schrien sie an und gingen mit den Fäusten auf sie los: »Nein, Mami, nein, es ist nicht wahr! Es darf einfach nicht wahr sein!«, stammelten sie immer wieder vor lauter Verzweiflung. »Ich brauche ihn doch noch so! Ich liebe ihn! Er darf mich jetzt noch nicht verlassen!«, schrie Stina, während sie ohne Unterlass durch das Haus rannte. Es riss ihr so die Füße weg. Und Leoni, die auf dem Boden saß und immerzu wimmerte, die Hände vor das Gesicht gepresst, und immer wieder »Mami!« rief. Wie sollten die beiden nur damit fertig werden? Die Sorge um ihren Schmerz war in diesem Augenblick größer als ihr eigener. Sie setzte sich neben Leoni und versuchte ihr zu erklären, dass er in den besten Händen war. Dass es ihm gut ginge und er immer bei ihnen sein würde. Dass sie doch eine unheimlich schöne wunderbare Zeit mit ihm verbringen durften in all den Jahren. Stina rannte wieder ins Zimmer auf Samara zu, stemmte die Fäuste in die Seiten und schrie sie an: »Wie kannst du so etwas nur sagen! Wie kannst du nur, Mutti!« Sie war außer sich in ihrem Schmerz und Samara musste begreifen, dass sie ihnen den ihren nicht abnehmen konnte.

Alle drei saßen sie schließlich da und schluchzten abwechselnd. Angst empfand Samara, Angst davor, was nun werden sollte ohne ihn an ihrer Seite. Schon so oft hatte sie doch Tode erlebt und sie wusste doch, wo er war, wo sie alle hingingen, in diesen wunderbaren Zustand hinein. Aber es half nicht denen, die zurückblieben!

Sie sah sich Jahre später wieder ganz gut zurechtkommen und sie sah Daniel und Marcel, die wieder in ihrem Leben waren. Zwar auf eine andere Weise als zuvor, jedoch wieder auf eine liebevolle und vertraute. Sie glaubte zu sehen, dass sie sogar wieder intim miteinander geworden waren. Marcel und sie hatten dies als sehr erfüllend und ganz anders als zu ihrer früheren Zeit empfunden und waren innige Freunde geworden. Als Samara dann fast zwanzig Jahre später auch nach oben ging, eintauchte in die allumfassende Liebe Gottes, hatte sie es wie eine Erlösung erleben dürfen, endlich zu gehen als eine Kraft, die sie zog wie ein Magnet, dem man nicht entkommen wollte, hatte sie es wie eine Erleichterung erfahren. Samara war mit dem Sterben so vertraut geworden, hatte so viele Menschen in Liebe begleiten dürfen, dass sie Freude erfüllte, als ihr eigenes Lebensende nahte. Als das Licht und die vielen Engel eine Schleuse bildeten und sie mit Lobgesängen empfingen, hatte Rainer als Erster an dem goldenen Tor gestanden, er, die Liebe ihres Lebens, das Glück ihrer Tage, und hatte sie empfangen in einer Erwartung, in einer Freude, die noch inniger, noch glücklicher war, als sie es auf Erden miteinander schon erleben durften.

Samara atmete tief und schwer, und auf einmal spürte sie wieder Eddas Hände auf ihrem Gesicht. Sie fühlte die feuchte Nässe um ihre Augen. Sie blinzelte und sah Edda über sich. Sie war wieder da!
Sie nahm ihre Hand mit einem festen Griff und stoppte die Massage.
»Edda!« Ihre Stimme bebte. »Edda! Ich habe gerade mein ganzes Leben vor mir gesehen. Ich habe mein Leben mit Rainer gesehen, sogar seinen Tod und das Leben danach mit Marcel.« Und nun heulte sie wieder: »Es schmerzt so sehr, Edda, ich kann es dir nicht beschreiben!«
Zu Hause ging ihr das Erlebte noch lange nach. ›Ist es möglich, dass man in seine Vergangenheit und in seine Zukunft blicken kann?‹, fragte sie sich verstört. ›Kann es sein, dass wir selbst die Zukunft gespeichert haben, wie die Vergangenheit? Ist jedes Mosaik in uns angelegt und zum Abruf bereit? Wie viele Möglichkeiten der Wahrnehmung, wie viele der Täuschung gibt es im menschlichen Dasein?‹ Abends ging sie in die Meditation, noch immer aufgewühlt vom Geschehen des Tages. Sie suchte ihre Lichtwesen, beschwor sie, ihr zu erscheinen, und sprach zu ihnen. Sie beschimpfte sie und warf ihnen vor, dass sie doch nun genug gelitten hätte in ihrem Leben. Dass sie nicht mit einem Mann zusammen sein wollte, den sie auch wieder verlieren würde.
»Warum kann das Leben nicht einfach endlos glücklich sein? Warum muss ich immer wieder in meinem Leben solches Leid erfahren?«, fragte sie ihre Lichtwesen vorwurfsvoll.
Da sprach Umaniel mit ruhiger, sanfter Stimme: »Mein Kind!

Dies ist die Essenz deines Daseins. Du hast es dir so ausgesucht, alle Dinge des Lebens begreifen zu wollen, alle Ebenen der Gefühle zu durchforschen, um darüber hinaus mit deinem Feingefühl, mit deiner Hingabe an jedes Individuum, mit dem Herz und dem Gefühl, das du dadurch errungen hast, der Menschheit zu dienen.«

»Aber ich will nicht! Ich will glücklich sein! Ich möchte auch hinauf in die Fülle. Warum konnte ich ihm nicht hinterhergehen, dorthin, wo Frieden ist?«, fragte sie verzweifelt.

»Was ist mit deiner Aufgabe? Hast du sie vergessen? Willst du hinaufgehen, ohne deine Arbeit getan zu haben? An dir, an deinem Umfeld, an den Menschen, die du dir ausgesucht hast?«

Durch Umaniels Worte kehrte die Vernunft in ihr aufgewühltes Herz zurück. Es gab etwas, das stärker war in ihr. Stärker als der Tod und das Leben! Stärker als jeder Zorn!

»Nein«, antwortete sie entschlossen. »Ich habe meine Aufgabe nicht vergessen. Was ich zugesagt habe, werde ich auch erfüllen.«

Sehnsüchtig wartete Samara am darauffolgenden Samstag in der *Zauberfee* auf Rainer. Edda hatte sich anderweitig verabredet und so langweilte sie sich schon ein wenig.

Um halb eins kam Rainer endlich, begrüßte sie mit einem freundlichen Hallo und gab ihr einen Kuss. Er zog sie auf die Tanzfläche, und schon die Berührung seiner Hände jagte ihr einen derartigen Schauer den Rücken hinunter, dass sie schon wieder vor Erregung hätte zerfließen können. Ganz schwindelig war ihr vor lauter Freude, in seiner Nähe zu sein. Rainer fragte Samara, wie es ihr die Woche über ergangen sei. Statt ihm von ihren Gefühlen zu erzählen, von dieser Leichtigkeit und dem Glück, das sie in diesen Tagen empfunden hatte, erzählte sie ihm von Alltäglichem, Belanglosem. Später wurden ihre Gespräche etwas intimer und sie berichtete ihm von ihren Sorgen. Von dem Ärger, den sie immer noch zuweilen mit ihrem Exmann hatte, wenn es ums Geld ging. Sie erzählte Rainer von den Auseinandersetzungen, der Aufteilung des restlichen Vermögens, das hinter ihr lag. Dass sie immer noch Wut in sich spürte über seine Forderungen, nachdem sie ihm das Studium finanziert und er sie mit dem Neugeborenen und den Zwillingen allein gelassen hatte.

Samara berichtete ihm von ihrer Enttäuschung, der entschwundenen Hoffnung nach mehr Ruhe und finanzieller Sicherheit, wenn er als Architekt in Anstellung gewesen wäre. Ihr Vermögen, das sie mit in die Ehe gebracht hatte, war aufgebraucht, ihre Illusionen dahin und mit leeren Händen, zerplatzten Träumen und einem Berg voll Arbeit hatte sie vor einem neuen Leben gestanden. Die Umstellung mit Leoni, die Veränderungen für Stina und Tim nun mit einer Schwester an ihrer Seite, und der Vater, der ihnen fehlte, waren nicht einfach zu bewältigen. Der Wiederaufbau ihres Geschäfts und die Kinder hatten ihre ganze Kraft gefordert, denn ihre Schwangerschaft und ihre schlechte Verfassung hatten sich nachteilig auf ihr Studio ausgewirkt.

All das erzählte sie Rainer und wunderte sich, dass er in ihr so viel Vertrauen wecken konnte, ihm Dinge zu berichten, die sie eigentlich für sich behalten wollte. Rainer erzählte von seinen Erfahrungen mit Menschen, die zu viel nahmen, und mit denen, die zu viel gaben, und gab ihr Ratschläge. Ermutigte sie, egoistischer zu sein. Rainer erklärte ihr, dass Gutmütigkeit oft der Schlüssel zu Niedrigkeit sei und er das oft in seinem Beruf erlebe. Dass der, der gab, nie selbstlos gab und man einen Menschen einfach nicht kaufen dürfe und dass sie sich dieses Fehlverhalten selbst zuzuschreiben hätte.

Es gab ihr zu denken und half ihr, sich selbst besser zu reflektieren. Denn eigentlich wollte sie nicht anklagen, denn sie wusste doch ebenso, dass alles Geschehen Ursache und Wirkung hatte. Rainer erzählte von seinen Problemen, die er so manches Mal auf seiner Arbeit hatte, von dem schmalen Grat zwischen Verständnis und der Pflicht, dem Gesetz zu dienen. Wie schwer es manchmal war, doch menschlich zu bleiben, und von den Schwierigkeiten, die sie draußen auf den Straßen oft hatten, und was einem jeden Tag so alles passieren konnte. Von der Freude, die er empfand, wenn er etwas gut gelöst hatte. Und von der Enttäuschung, die ihm manchmal den Atem raubte, über den Umgang der Menschen miteinander, wenn sie Grenzsituationen erlebten.

Sie unterhielten sich schon eine ganze Weile, als Rainer zu ihr sagte:»Ich muss heute leider schon um fünf Uhr wieder arbeiten, wir haben also nicht viel Zeit. Sollen wir noch ein wenig tanzen oder zu mir gehen?«

Innerlich war Samara die Kinnlade so richtig heruntergeklappt. Jetzt hatte sie sich so auf ihn gefreut und er konnte ihr nur eine einzige Frage stellen. Enttäuschung über das Gesagte schüttete sich wie ein Wasserfall in ihr Gehirn. Tausend Fragen schossen ihr gleichzeitig durch den Kopf.

›Was ist das für ein Gerede, zu mir oder zu dir? Bin ich überhaupt wichtig? Will er denn nur das Eine? Und warum ist er dann nicht einfach früher eingelaufen?‹ Am liebsten hätte sie sich einfach umgedreht und wäre gegangen. Doch sollte sie ihm gleich zu Beginn eine Szene machen? Sollte sie ihn mit Fragen und Vorwürfen bombardieren? Würde es auf ihn nicht wie eine Bevormundung wirken? Wäre es nicht sinnvoller, erst einmal abzuwarten, was der Abend doch noch bringen könnte?

Samara beschloss, um des lieben Friedens willen diesmal darüber hinwegzusehen. Zu einem späteren Zeitpunkt, wenn sich ihre Beziehung gefestigt hatte, würde sie noch einmal darauf zurückkommen. Also stimmte sie sich versöhnlich und sagte:»Gehen wir zu dir.«

In seiner Wohnung angekommen, holte er ihr eine Cola aus dem großen weißen Kühlschrank in seiner grauen Einbauküche direkt am Eingang. Sie gingen zum großen Fenster und schauten hinaus in die Nacht. Redeten wieder und küssten sich zwischendurch. Als er sie auf das große Bett hinunterziehen wollte, sagte sie:»Ich muss noch einmal ins Bad«, stand auf und verschwand. Verriegelte die Tür, lachte innerlich und dachte: ›Es soll ja eine Überraschung werden.‹ Schon zu Hause hatte sie ihre Träume gehabt. Vorstellungen, wie es werden würde, wenn sie sich wieder träfen, und dabei war ihr eine verrückte Idee gekommen. Zwar hatte sie das alles ein wenig anders geplant, eigentlich zu einem späteren Zeitpunkt und ein wenig gemächlicher, wenn sie sich erst einmal so richtig aufeinander eingestimmt hätten. Doch angesichts der knappen Zeit, die ihnen zur Verfügung stand, entschied sie sich spontan gleich dafür. Schon beim Hereinkommen hatte sie ihre Handtasche im Badezimmer deponiert, da sie immer erst einmal auf die Toilette musste. Die zog sie nun aus der Ecke, wo sie sie zuvor versteckt hatte. Blitzschnell streifte sie sich ihre enge Jeans und was noch darunter war herunter. Entledigte sich ihrer Bluse und zog das kleine rote Stück Stoff, fein säuberlich zusammengerollt, aus ihrem Täschchen. Es war ein kurzes, sehr eng anliegendes Stretchkleid, das ihr gerade so über den Po ging. ›Einfach entzückend, sexy und verführerisch‹, dachte sie, während sie sich vor dem großen Spiegel drehte. Die offenen blonden Haare, die sie noch einmal über die Schulter zupfte, ihre kleinen runden Brüste mit den spitzigen Warzen befeuchtete sie noch einmal kurz mit ein wenig kühlem Wasser, damit sie auch aufrecht standen, und betrachtete sich erneut. Ihre Taille brachte dieses Teil besonders gut zur Wirkung. Ihre Beine hatte sie noch am gleichen Abend, bevor sie ausging, eingeölt und so leuchtete ihre Haut sanft und zart. Sie war zufrieden, wirklich zufrieden. Denn das hier machte sie schließlich nicht jeden Tag. Ehrlich gesagt war es ihr erster Auftritt dieser Art.

Samara trat aus dem Badezimmer.

»Augen zu!«, befahl sie Rainer, der gerade mit dem Rücken zu ihr am anderen Ende des Wohnzimmers am Fenstersims stand und in die sternenklare Nacht hinausblickte. Sie trat aus dem dunklen Gang heraus, von dem man den ganzen Raum einsehen konnte, und lehnte sich an den rechten Türpfosten, der das Wohnzimmer von dem kleinen Flur trennte. Unweigerlich musste sie kichern. Doch sie biss die Lippen zusammen und zwang sich, ernst zu bleiben. Sie setzte ihren verführerischsten Blick auf, fixierte seinen Rücken mit ihren Augen.

»Umdrehen!«, befahl sie ihm erneut und konnte ein leichtes Lächeln doch nicht unterdrücken.

Langsam drehte sich Rainer um. Ein kurzes Aufblitzen seiner Augen verriet ihr Begierde. Ja, es gefiel ihm, was er sah. Das registrierte sie zufrieden.

»Na, wie gefalle ich dir?«, fragte sie neckisch und schaute ihm tief in die Augen. Während sie gleichzeitig mit ihrer Sehnsucht an seinen Lippen kleben blieb und ihre Augen keinen Millimeter von seinem Gesicht abwandte, ließ sie langsam beide Hände hinunter zu ihren Hüften gleiten. Ganz langsam schob sie ihr kurzes Kleid ein wenig nach oben. Nur so viel, dass man ihr kleines schwarzes Dreieck sehen konnte.

Rainer starrte sie an. Schluckte sichtbar. Fing sich wieder und sagte:»Ach, so machen wir das jetzt.« Langsam, grinsend kam er auf Samara zu. Und mit jedem Schritt, den er näher kam, zog sie den Stoff in ihren Händen wieder nach unten, bis man nichts mehr von ihrer Scham erkennen konnte.

»Du Luder!«, scherzte er schelmisch. Samara zwinkerte ihm lockend zu und schloss die Augen. Öffnete nur ein wenig ihre Lippen, als wolle sie ihn von der Ferne liebkosen. Noch immer war er in einem sicheren Abstand zu ihr und beeilte sich nicht, seinen Schritt zu beschleunigen. Er spielte das Spiel, das sie begonnen hatte, vorzüglich mit und das reizte sie noch mehr. Sie öffnete ihre Augen, fixierte ihn und drehte sich mit einem Ruck um die eigene Achse. Samara lehnte nun mit ihrem Brustkorb am Türpfeiler, sodass sie ihm ihre Rückseite zur Ansicht bot. Legte ihre Hände an die Hüften und schob nun erneut, langsam und konzentriert, ihr Kleid wieder nach oben, nur ein kleines bisschen und nur für einen kurzen Augenblick, sodass er ein wenig den Ansatz ihres nackten, wohlgeformten Pos betrachten konnte. Sogleich zog sie ihr Kleid blitzschnell wieder hinunter. Samara roch Rainer schon, obwohl er mindestens noch einen Meter von ihr entfernt sein musste. Sie hörte seinen Atem, der schwerer ging, und fühlte auf einmal seinen Brustkorb an ihrem Rücken. Samara hatte alle Mühe, aufrecht stehen zu bleiben und sich nicht anmerken zu lassen, wie sehr sie dieses kleine Spiel erregte. Seine warmen Lippen gruben sich in ihren Nacken. Ein Schauer fuhr ihr durch den ganzen Körper. Hitze stieg in ihr hoch und sie fühlte seine heiße Haut an der ihren. Seine starken Arme umklammerten ihre Hüften und drückten sie enger an sich. Samara hätte schreien können vor Erregung. Als er den Gürtel seiner Hose öffnete und sie sogleich die Wärme zwischen ihren Beinen spürte, konnte sie schon fast nicht mehr stehen. In dem Augenblick, als er noch näher kommen wollte, drehte sich Samara um, befreite sie sich ruckartig aus seiner Umarmung und rannte blitzschnell wieder ins Badezimmer. Sie lehnte sich von innen an die Holztür und musste erst einmal tief durchatmen.

»He, was machst du mit mir?«, ärgerte sich Rainer.

»Ich komme ja gleich wieder;« beruhigte sie ihn. Sie hatte sich im Badezimmer eingeschlossen und hörte Rainer auf einmal fast neben sich herzhaft lachen. Er musste sich wohl genauso wie sie an die Badezimmertür gelehnt haben. Samara kicherte auf der anderen Seite und freute sich über ihre Dreistigkeit. Geschwind hatte sie sich das rote Kleid heruntergestreift und ihre Jeans und alles, was sie zuvor getragen hatte, wieder angezogen. Kurz darauf stand sie wieder vor ihm, als wäre überhaupt nichts geschehen. Rainer wirkte einen Augenblick ratlos, als wüsste er nun überhaupt nicht mehr, was gespielt wurde. Samara schlang ihre Arme um seinen Hals und musste lachen. Gerade als er ihr wieder näher kommen wollte, um sie zu küssen, entwischte sie ihm ein zweites Mal.

»Fang mich doch«, scherzte sie und rannte davon. Dies ließ sich Rainer nun nicht zweimal sagen. Eine wilde Jagd durch seine Wohnung begann. Immer wieder erwischte er Samara, küsste sie, umarmte sie und sie schmusten einen kurzen Moment, bis sich Samara wieder aufs Neue entzog. Rainer versuchte sie immer wieder festzuhalten, aber sie konnte sich dann doch wieder befreien, teilweise nach heftigem Ringen. Rainer war wirklich stark, doch er hatte seine Mühe mit ihr. Wirkte sie äußerlich zart, so täuschte das gewaltig. Jahrelanger Kampfsport und das tägliche Massieren ihrer Kunden machten es ihm nicht leicht, ihre Kraft zu bändigen. Spielerisch nahm er sie in den Schwitzkasten und sie drückte seine Arme wieder nach außen. Bisweilen mussten sie so heftig lachen, dass sie kurz innehielten, sich wieder ganz intensiv küssten und von Neuem miteinander balgten. Irgendwann hatte er sie dann im Griff und hielt sie so fest, dass Samara ihm wirklich nicht mehr entkommen konnte, egal wie sehr sie sich wand. Er ließ sie nicht mehr los. Völlig außer Atem ergab sie sich.

Mit der einen Hand hielt Rainer nun fest ihre beiden Arme zusammen, während er sich mit der anderen am Reißverschluss ihrer engen Jeans zu schaffen machte. Immer wieder fühlte sie seine Lippen an ihrem Nacken.

Endlich hatte er es geschafft und sein Ziel erreicht und liebkoste sie nun am ganzen Körper mit seinen warmen Küssen. Sie vergaß die Welt um sich herum, sank immer tiefer in die aufgewühlten Kissen und gab sich hin. Als sie dann endlich ganz eng aneinander zusammen kamen, war es wie eine Welle, die sie mitriss. Mit sanften, weichen Hüftbewegungen steuerte er sie immer tiefer in eine wohlige Ekstase. Langsam und zärtlich, dann wieder heftiger. Kraftvoll gab er sich alle Mühe, sie vollends in die Höhe zu treiben, bis sie sich schließlich nur noch ganz an ihn verlieren konnte.

Wie einen Orkan hatte sie ihren Höhepunkt erlebt. Wie eine wilde heiße Glut, die langsam in einem hochsteigt und sich dann ganz gewaltig entladen muss. Alles in ihr brannte in einem unbändigen Verlangen. Ein tiefes Beben in ihrer Mitte und ein Dahinschmelzen, bis sie sich selbst nicht mehr spürte. Dann eine Wärme, Ruhe und Zufriedenheit tief unten in ihrer Seele und die glückliche Gewissheit, das durch ihn, den Mann ihrer Träume, erleben zu dürfen.

Doch Rainer gönnte ihr nur eine kurze Atempause. Erneut begann er mit dieser wunderbaren, ganz sanften Bewegung in ihrem Inneren. Langsam immer tiefer kommend, sein Tempo steigernd, bis sich wieder alles in ihr zusammenzog und sie nur noch schreien konnte und ihre Finger sich in das Laken krallten, als müsse sie sich festhalten, um nicht zu ertrinken in seiner Umklammerung. Arm in Arm lagen sie dann da, eng umschlungen für einen langen Augenblick, als sie ein starkes Verlangen in sich spürte, auch seinen Körper zu liebkosen. Letztes Mal hatte er sich schon so rar gemacht, als Samara ihn verwöhnen wollte. Vermutlich war er es nicht gewohnt, dass eine Frau die Initiative ergriff. So vieles wollte sie mit ihm machen, ihn anbinden, ganz leicht, sodass er sich jederzeit befreien konnte, ihn küssen, liebkosen, es hinauszögern, um dann wieder ganz stürmisch auf ihn loszugehen und sich an seinem ganzen Körper festzusaugen und ihn in Schwingung zu bringen. Massieren wollte sie ihn stundenlang, bis zu seinen intimsten Stellen vordringen, ihn kitzeln und kraulen, so lange, bis er sich nur noch krümmen konnte und vor lauter Hingabe und Liebe nur noch stöhnen würde.

Doch auf einmal schrillte etwas laut, grell und unbarmherzig hart an ihrem Ohr. Der Wecker klingelte und brachte ihre Liebesspiele jäh zum Stillstand.

»Es tut mir leid, aber ich muss jetzt gehen«, versuchte Rainer die etwas peinliche Situation zu entkrampfen. Sie stieg aus dem Bett und ging auf die Toilette. Da saß sie nun und war ganz neben sich.

›So, das war es jetzt also‹, schoss es ihr durch den Kopf. ›Sehr romantisch! Kein Frühstück zu zweit, kein Spaziergang in den Morgen hinein.‹ Wenigstens ein, zwei Stunden in seinen Armen zu schlafen hätte sie sich schon gewünscht. Sie erhob sich vom Klo und verließ das Bad und suchte ihre Sachen zusammen. Sie hatte es ja gewusst. Rainer war schon angezogen und umarmte sie von hinten. Streichelte ihre Brüste, die schon in ihrem gelben Spitzen-BH verstaut waren, während sie ihre Jeans über die Beine zog. Sie ging zum Spiegel und steckte mit ein paar Klammern ihre Haare nach oben. Rainer kam auch in den Flur und sagte: »Das hast du gut drauf mit deinen Haaren, nicht wahr?«

»Ja, es geht schnell«, sagte sie kurz, und der etwas angespannte Unterton in ihrer Stimme war nicht zu überhören. Sie warf ihm einen Blick zu, der ihm sagte, dass sie fertig sei, und sie verließen gemeinsam seine Wohnung und alles war wieder harmonisch und normal. Sie hatte sich wieder gefangen. Arm in Arm stiegen sie in den grauen Aufzug durch die kahle Eingangshalle, hinunter zu der großen Tür aus Stahl mit ihren Glasfenstern. Die Nacht war so dunkel und kalt und sie war erstaunt, denn sie hatte, sie als sie gekommen war, überhaupt nicht so empfunden. Noch deutlicher rief es ihr ins Bewusstsein, wie abrupt ihre Liebesnacht geendet hatte. Rainer brachte Samara zu ihrem Auto und verabschiedete sich mit einem Kuss. Sie hatte noch einmal die Scheibe heruntergelassen.

»Mach's gut«, sagte er freundlich und ging zu seinem Wagen. Samara schaltete den Motor ein, drehte die Musik an und fuhr in Richtung Schnellstraße. Vorbei am Tanzcafé *Zauberfee*, wo sie noch zuvor so sehnsüchtig auf ihn gewartet hatte. Sie empfand ein beklemmendes Gefühl in ihrem Magen. Keine Frage, wann sie sich wiedersehen würden oder ob sie sich vorstellen könne, die darauffolgenden Tage mit ihm etwas zu unternehmen. Kein »Wann hättest du Zeit für mich?«. Als sie dann zu Hause ankam, war sie ganz schön zerknirscht. Ja, richtig sauer! Warum hatte er sich nicht mehr Zeit genommen? Warum fragte er nicht mehr? Warum war er erst so spät erschienen? Er wusste doch, dass sie spätestens um zehn in der *Zauberfee* eintraf. Wenn er gesagt hätte: »Es tut mir leid, dass ich so spät komme, weil …«, und er ihr dann irgendwelche Gründe erläutert oder er nur andeutungsweise Anstalten gemacht hätte, das mit ihr gemeinsam nachzuholen, wäre sie gelassen von ihm gegangen. Aber so wurde sie dieses ungute Gefühl in der Mitte ihres Brustkorbs einfach nicht los. Warum wartete sie vergebens auf einen Anruf von ihm und wo blieb die Einladung zum Essen? Auch dieses Mal war sie von ihm gegangen, ohne dass er Anstalten gemacht hätte, sich konkret mit ihr zu verabreden. War sie ein Spielzeug, ein heißer Käfer, mit dem man sich gerne schmückte? Zuweilen jedoch nur und wohldosiert? Wo blieb das Interesse an ihrer Person? Beschränkte sich sein Handeln auf seine Lust? Auf ihren Körper? Wo war sein Herz, das brannte voll Sehnsucht und Verlangen? Lag der Wunsch, sie jeden Augenblick ganz nah bei sich haben zu wollen, nur tief verschüttet, vielleicht in der untersten seiner Schubladen? Zurückgeschoben oder herausgezogen, wie er es gerade brauchte?

Doch hatte er ihr nicht in diesen vielen Gesprächen zuvor gezeigt, dass er sehr wohl Interesse auch an ihrem Intellekt hatte? Kreiste man ein halbes Jahr um einen Menschen, um ihn dann doch nur ins Bett zu kriegen? Egal wie sehr sie versuchte, das Geschehene zu durchleuchten, es ergab keinen Sinn. Irgendetwas passte nicht zusammen. Sie hatte keine Lust, sich so komisch behandeln zu lassen, und beschloss an diesem Morgen, sich ein wenig zu distanzieren. Vielleicht bekam Rainer dann ein wenig Sehnsucht nach ihr und verhielt sich anders.

Mit Edda und Petra hatte Samara schon lange nichts mehr gemeinsam unternommen. Hanna wäre gern mal wieder mit ihr ins Kino gegangen, um hinterher noch gemütlich zusammenzusitzen und zu plaudern, doch Samara hatte es in der letzten Zeit vorgezogen, in die *Zauberfee* zu gehen. Manuela und Regine sah sie sowieso viel zu selten. Sandra hatte gerade ihren Bruder verloren. Er war an einem Gehirntumor gestorben und sie hatte eine ebenso enge Verbindung mit ihm gehabt wie sie mit Jonathan. Sandra lag Samara im Augenblick besonders am Herzen und sie hatte sowieso schon ein schlechtes Gewissen ihr gegenüber, kannte sie diese schmerzliche Erfahrung doch allzu gut und wusste, es gab nichts Wichtigeres, als in so einer Zeit wirklich gute Freunde um sich zu haben. Viel zu sehr war sie in den vergangenen Wochen auf Rainer fixiert gewesen. Freilich hatte sie immer telefonisch Kontakt gehalten, doch nun wurde es Zeit, sich wieder eingehend ihren Herzdamen zu widmen. Es gab also genügend Möglichkeiten, ihre angestauten Energien loszuwerden.

Kurz darauf hatte Samara all ihre Freundinnen angerufen und sämtliche freien Termine, in denen sie ohne ihre Kinder ausgehen konnte, an ihre Frauen vergeben. Edda schlug vor, mit Petra und ihr mal wieder ins *Soundtrack* zu gehen. In diesem Lokal verkehrten sie ebenso ab und zu wie in der *Zauberfee*. Da Petra noch nie dort war und sie sich gut mal wieder einen Abend zu dritt vorstellen konnten, verabredeten sie sich auf den nächsten Freitag.

Immer wenn Edda und Samara einen Abend dort verbracht hatten, war Sami ein sympathischer, gutaussehender Mann aufgefallen. Schon wenn sie das Tanzlokal betreten hatten, fiel ihr auf, dass er sie ins Visier nahm. Er machte allerdings nie Anstalten, ihr näher zu kommen oder sie zum Tanzen aufzufordern, doch spürte sie ständig, dass ihm keine ihrer Bewegungen entging. Er schien sie genau zu beobachten und sie hatte das Gefühl, als würde er sie prüfen. Wenn ein anderer Mann in ihre Nähe gekommen war, um sie in ein Gespräch zu verwickeln oder sie um einen Tanz zu bitten, hatte er unauffällig am Tresen gestanden und sein Blick war keine Sekunde von ihren Lippen gewichen. Samara hatte es amüsant gefunden, von ihm beobachtet zu werden, und empfand im Stillen seine unaufdringliche Präsens als angenehm. Nicht dass er ihr nicht hätte gefallen können. Er war groß und sah gut aus, wirkte sympathisch und machte einen gebildeten, höflichen Eindruck. Jedoch hatte sich Samara für Rainer entschieden und war froh, dass der andere auf Distanz geblieben war.

Edda konnte Rainer nicht ausstehen. Sie fand ihn arrogant und bezeichnete ihn als menschenfeindlich. Sie hatte ein paarmal versucht, mit ihm ins Gespräch zu kommen, ihn sogar einmal aufgefordert, mit ihr zu tanzen, und war an seiner Unfreundlichkeit und Unnahbarkeit gescheitert. Sie fand ihn äußerst merkwürdig.

Als sie vor Wochen das letzte Mal im *Soundtrack* zusammen gewesen waren, hatte Edda gefrotzelt. Wenn ihr etwas gegen den Strich ging, dann versuchte sie einen immer und immer wieder zu überzeugen und sagte damals: »Sami, schau doch mal, der Typ ist schon wieder da, und er linst den ganzen Abend nur nach dir.« Sie stupste sie dabei in die Seite und forderte Samara auf, in ihre Richtung zu schauen. Als würde er sich angesprochen fühlen, hatte er zu ihnen herübergelächelt. Und Samara nahm ganz genau wahr, dass sein Blick etwas zu tief auf ihre Augen gerichtet war. Doch sie wandte geschickt die ihren ab und tat so, als habe sie das überhaupt nicht registriert.

»Der passt doch viel besser zu dir, Sami«, betonte Edda. »Er ist immer gut gekleidet und scheint Manieren zu haben, sieht gut aus und wer weiß, was er noch so alles zu bieten hat. Ganz anders als Rainer«, entwich ihr ein Unterton.

»Mag sein, das ist deine Meinung, ich denke da anders. Rainer hat etwas, das kannst du nicht nachempfinden. Gott sei Dank, sonst müsste ich ja noch Angst haben, dass er dir auch gefallen könnte. Ich weiß, du würdest nie Anstalten machen, ihn mir auszuspannen. Aber so haben wir schon ein Problem weniger.«

Samara hatte ihr freundschaftlich unter den Arm gegriffen und sie etwas hergezogen, worauf sie in ein heftiges Gekicher ausgebrochen waren.

»Ach, die lieben Männer, schön, dass es sie gibt«, hatte Edda fast wie in eine Lobeshymne eingestimmt. Und Sami hatte ihr beigepflichtet und Edda noch ein Stückchen näher zur Tanzfläche hingezogen. Sie erinnerte sich, dass in diesem Augenblick ihr Lieblingslied ertönte und sie nicht mehr zu halten gewesen war. Es war ein schöner harmonischer Abend mit Edda, an dem sie viel geredet, genug gelacht und einiges an Tanzrunden zurückgelegt hatten.

Als sie nun dieses Mal zusammen mit Edda und Petra das *Soundtrack* betraten, war es ganz schön voll. Von dem guten Essen beim Italiener unter dem Tanzlokal waren sie in so einer richtig gemütlichen Stimmung. Eigentlich hätte sie jetzt auch heimgehen und eine Runde schlafen können, sagte sie zu ihren Freundinnen. Doch mit Edda und Petra war ihr ein spaßiger Abend auf jeden Fall garantiert und das hätte sie dann nie und nimmer gemacht. Natürlich war ihr Gesprächsthema nicht an Petras Diät vorbeigegangen, und jede warf ihre Ratschläge ein. Sie tratschten über alles Mögliche und eine nach der anderen erzählte von ihren Erlebnissen in der letzten Zeit. Natürlich war es Samara ein Bedürfnis, von ihrer großen Sehnsucht nach Rainer zu berichten. Petra und Edda unterstützten sie darin, ihn schmoren zu lassen. Samara musste zugeben, dass ihr das gar nicht leichtfiel. Aber die beiden fanden sein Verhalten alles andere als normal. Sie ermahnten Samara zur Vorsicht und rieten ihr, einen klaren Kopf zu behalten und sich alles genau anzuschauen, möge ihr Wunsch nach Zweisamkeit auch noch so groß sein. Die klare Wahrnehmung verschwinde zuweilen, wenn man sich verliebe.

Samara konnte nicht behaupten, in der Partnersuche je Probleme gehabt zu haben. Wenn ihr früher ein Junge gefallen hatte, hatte das immer auf Gegenseitigkeit beruht. Kurze Zeit später ergab es sich und sie gingen miteinander, bis sie sich dann irgendwann wieder trennte. So war das bis zu Marcel gewesen. Wenn sie darüber nachdachte, hatte es manche Situationen gegeben, in denen sie nicht gerade sensibel mit ihrem Gegenüber umgegangen war. Später bemerkte sie, dass sie schon viele Male geliebt wurde, dies aber nie richtig annehmen konnte. Manchmal hatte sie erst viel später die tieferen Zusammenhänge, die zum Scheitern einer Beziehung führten, und die eigene Verantwortung, die sie daran trug, realisiert. Marcel war der Erste gewesen, der sie verlassen hatte. Ihr Ehemann und der Vater ihrer Kinder. So sehr litt sie die erste Zeit, dass sie auf einmal begriff, wie sehr sie zuvor andere verletzt hatte. Doch seit sie ihr Leben wieder alleine gestaltete, empfand sie die Freierwelt so ganz anders als früher. Es schien ihr ab und zu so, als hätte sie zuvor tief hinter einer Dornenhecke, die sie nach draußen abschirmte, geschlafen. Da hatte es Monate nach der Trennung von Marcel gegeben, da war Samara teilweise auf eine dermaßen penetrante Art angemacht worden, wie sie es zuvor nie erlebt hatte. Einmal gab ihr beim Tanzen ein Mann zu verstehen, dass sie ihm gefiel, und warb ganz direkt um sie. Wollte mit ihr essen gehen und fragte nach ihrer Adresse. Als sie ihm freundlich, aber bestimmt antwortete, dass sie ihm die ihre nicht geben mochte, reagierte der Mann heftig und sauer, ungewöhnlich gekränkt und fast hasserfüllt, sodass sie ganz schön geschockt war. Sie hatte das Gefühl, gar nicht persönlich gemeint zu sein. Sie war nicht nur das Weibchen und ein Abenteuer schon gar nicht. Die Komplimente, die ihr Gegenüber sowieso jeder halbwegs attraktiven Frau um den Mund schmierte, interessierten sie nicht. Doch kam sie nicht umhin, sich zu fragen, warum sie auf einmal solche Männer anzog. Sie überprüfte ihr eigenes Bild von Männern. In dem Augenblick, als ihr bewusst wurde, dass sie die Ursache für das sein musste, das sich im Außen abspielte, musste sie sich eingestehen, dass sie einem Mann immer noch in solchen Momenten Macht über sich einräumte. Sie glaubte, durch gespielte Freundlichkeit würde sie keine Angriffspunkte bieten.

Samara begriff, dass die Zeiten nun endlich vorbei waren, wo sie wie früher einem Mann wie ihrem Vater gehorchen musste, und dass sie nun einfach nein sagen durfte und sich deshalb keine Schläge mehr einholte. Als Samara diese alte Struktur erkannte, entschied sie sich ganz bewusst, Verantwortung für ihr Nein zu übernehmen. Sie sprach ihre neue Erkenntnis, frei zu sein, sich entscheiden zu dürfen, für wen immer sie wollte, und ihren Wunsch, von nun an nur noch freundliche, liebenswürdige Männer anzuziehen, laut ins Universum. Von dieser Zeit an war sie keinem unverschämten, rüpelhaften Mann mehr begegnet, doch wusste sie, dass sie hier im *Soundtrack* schon langsam den Ruf der Unnahbaren weg hatte. Denn alle guten Tänzer hatten Samara schon einmal aufgefordert und versuchten den Kontakt mit ihr zu intensivieren. Da sie die gewünschte Nähe des anderen schon von vornherein abblockte, stand sie nun vor dem Problem, einen geeigneten Tänzer zu finden, der wirklich nur mit ihr tanzen wollte. Zum Glück gab es wie in der *Zauberfee* immer Discorunden, in denen jeder alleine tanzen konnte.

Als Edda, Petra und Samara an diesem Abend die große Treppe hinauf zum Eingang des *Soundtrack* stiegen, hörte man schon von draußen die laute Musik dröhnen. Nachdem sie ausgiebig geschlemmt und getratscht hatten, war es nun an der Zeit, allein schon um das gute Essen zu verdauen und kein schlechtes Gewissen deswegen haben zu müssen, sich die Beine zu vertreten. Was eignete sich hierfür besser, als sich zu toller Musik schwungvoll mit einem guten Tänzer aufs Parkett zu begeben? Meistens spielte eine Band dort, und dann war es abhängig von deren Spielqualität, ob das Tanzen Spaß oder großen Spaß machte.

Sie suchten sich einen Platz an der Bar, wo sie das ganze Geschehen auf und um die Tanzfläche herum beobachten konnten. Eine Cola bestellte Samara bei der Bedienung und zündete sich dabei genüsslich eine Zigarette an. Da sie erst abends nach dem Essen ihre erste rauchte, war es diesmal spät geworden. Umso mehr genoss sie das Rauchen und sog einen tiefen Zug nach dem anderen in sich ein. Ihre Blicke schweiften auf das Parkett der Tanzfläche und um die hölzerne Abschrankung, um die herum sich die Leute versammelten und im Stehen tranken und sich unterhielten. Vielleicht kannte sie ja jemanden, überlegte Samara.

Da war der nette Mann wieder, den sie schon des Öfteren hier gesehen hatte. Er lächelte ihr in dem Augenblick zu, als sie ihn wahrnahm, und Samara bemerkte, dass er sie wohl schon wieder eher wahrgenommen haben musste. Er wirkte zurückhaltend und höflich und auch sein Lächeln war charmant und ganz unaufdringlich und sie erwiderte es spontan. Das gefiel ihr wirklich an ihm. Da sie sich nun doch schon hin und wieder zwangsläufig, angenehm zwangsläufig, mit ihm beschäftigt hatte, glaubte sie eine gewisse Schwingung von ihm aufzunehmen.

Edda hatte recht, er wirkte interessant, gebildet und wie ein echter Gentleman. Natürlich könnte sich dieses Bild schlagartig ändern, kämen sie ins Gespräch. Aber es konnte ja so bleiben, wie es war, und mit den Augen ein wenig zu flirten, das war doch okay. ›Noch zwei Wochen will ich es durchhalten, Rainer nicht zu sehen. Eine schrecklich lange Zeit, wenn man so verliebt ist‹, schoss es ihr durch den Kopf.

Edda kam von der Tanzfläche und sagte: »Na, Sami, der Typ ist auch wieder da. Ist er nicht süß? Mir würde der viel besser gefallen als Rainer.«

»Du schon wieder, jetzt gib doch endlich einmal Ruh! Natürlich gefällt er mir auch!« Samara überlegte kurz: »Am liebsten hätte ich sie ja gern beide.«

Edda lachte und antwortete: »Du kannst alles haben, was du dir wünschst, die Schöpfung lässt uns frei, alles zu genießen und zu leben, was aus dem Herzen kommt.«

»Ach Edda«, entgegnete Sami, »du machst es dir immer so leicht.

Ich werde Rainer treu bleiben, da gibt es gar keinen Zweifel für mich, und wenn der andere mir noch so gefallen würde. Wenn Sehnsucht so brennt und das Allerschönste nur mit dem Einen erlebt werden möchte, kann ich doch nicht umfallen. Ich würde mich hinterher beschissen fühlen«, erklärte sie Edda.

»Doch du hast dich ja entschieden, ihn drei Wochen schmoren zu lassen«, schmunzelte Edda nun.

»Ja, das halte ich jetzt auch aus, basta!« Auf ihrem Gesicht machte sich ein Schmollen breit, ein tiefes Beleidigtsein drückte es aus. Wie ein Kleinkind, das nicht kriegte, was es wollte. Edda schaute sie prüfend an. In dem Moment wurde sich Sami ihrer Haltung bewusst und ihr Gesichtsausdruck änderte sich schlagartig und machte einem breiten Lachen Platz. Edda musste unweigerlich mitlachen, weil die Situation doch zu komisch war.

Auf einmal drehten sich die Leute um sie herum nach ihnen um. Sodass nun auch das wieder unglaublich komisch war.

»Es ist so schön, dass ich dich als Freundin habe, Edda, es tut so gut, mit dir zusammen zu sein«, schwärmte Samara aufrichtig.

»Ja, das ist wirklich toll, dass wir uns haben, Sami.«

Sami erhob das Glas und sie prosteten sich zu und schauten sich tief in die Augen. ›Wenn man sich bewusst ist, wen man neben sich hat, das Leben einen immer wieder beschenkt mit schönen Gegebenheiten, mit Menschen, die einem gut gesinnt sind, mit Augenblicken voller Wunder, Tag für Tag, dann ist das etwas sehr Kostbares.‹ Samara dachte an ihre Kunden, die sie alle so sehr schätzte. Ja, jeden einzelnen verehrte sie, rein seines Menschseins wegen. Weil sie fühlen konnte, wie sie fühlten, und sie so erkannte, wie sie hinter ihrer Schale waren.

Samara dachte an ihre Kinder, ihre Sonnenstrahlen. Die Herausforderung in ihrem Leben, das Glück ihrer Tage und die Schätze an eigener Wegbegleitung, die sie durch die Präsenz ihrer drei erfahren durfte. Dass sie das wichtigste irdische Geschenk in den Armen hielt: Stina, Tim, Leoni. Sie begleiten zu dürfen, zu führen und von ihnen geführt zu werden war Reichtum. Sie dachte an ihre Mutter und wie sehr sie sie liebte, nachdem sie so vieles gemeistert hatten. An Ängsten, an Schmerzvollem und an Not. Sie dachte an ihren

Bruder Simon und an Marcel, mit dem es inzwischen doch ganz gut klappte. Die gemeinsame Zusammenarbeit bei der Betreuung der Kinder. Selbst die gegenseitige Wertschätzung wuchs wieder, und sie fühlte innige Freundschaft zu ihm. Sie dachte an ihre Herzdamen, dachte an Peter und an Gorden. Sie hatte schon ein sehr schönes und reiches Leben. Und sie hatte dazu beigetragen. Nur noch der Mann fehlte und den hatte sie ja nun, dachte Samara.

Petra kam von der Toilette und sie gingen alle drei auf die Tanzfläche.

Öfters als sonst war sie an den Starnberger See gefahren. Auf einem Campingplatz hatten sie einen festen Standplatz. Ihr Wohnwagen war alt und klein, nichts Besonderes. Doch dieses freie Leben hatte was. Die Kinder liebten es, herumzutollen, mit ihren Nachbarskindern Frösche zu fangen oder ins Spielhaus zu gehen. Dieser spezielle Trakt direkt neben den Waschanlagen und dem Supermarkt war erst vor Kurzem für die Kinder neu errichtet worden. Samara mochte dieses einfache, unkomplizierte Treiben auf diesem großen Platz, auch wenn sie oft nur das Wochenende dort verbrachte. Allein schon wegen der Fahrt in ihrem geliebten BMW lohnte es sich. Wenn dann ihre Kinder angeschnallt waren, sich mit sich selbst beschäftigten, die Musik aus ihrem Radio ertönte, Stina und sie gemeinsam mitsangen, war das großartig. Leoni versuchte dann auch immer so gut sie konnte mitzuquietschen und das klang dann nach wilden Urgesängen. Das war dann immer unglaublich süß und witzig. Wenn Timi wieder Grimassen zog, weil er es nicht verstehen konnte, dass »Weiber« immer singen mussten, lachten sie alle. Dann war sie ihren Kindern unheimlich nah und sie genossen es in vollen Zügen. Sie konnte träumen und sich Dinge vorstellen. War mit ihnen zusammen und musste ihnen nicht die ganze Zeit hinterherspringen. Die Landschaft konnte sie dabei genießen und fühlte sich frei. So etwas wäre mit Marcel nicht möglich gewesen, überlegte sie dann. Freilich waren sie öfters fortgefahren, aber das war dann meist so kompliziert. Wenn sie dann noch in einen Stau geraten waren, war es aus mit seiner Laune gewesen. Sie war ein echter Löwe, das konnte sie nicht aus der Ruhe bringen. ›Es ist meine eigene Zeit‹, dachte sie dann und nutzte sie. Stimmte ein Ratespiel an oder sie sangen eben noch einmal. Doch die wenigen Male, in denen sie in einen Stau gerieten, konnte sie an einer Hand abzählen. Wenn sie ankamen, waren meistens schon Freunde vor ihnen da und es wurde gegrillt, am Lagerfeuer gesessen und einer nach dem anderen erzählte Geschichten. Manchmal spielte sie Karten, wenn sich jemand fand, und nicht selten wurde es zwei oder drei Uhr morgens, bis sie endlich ein Ende fanden. Nur ein paar Meter zu Fuß und schon konnte man den großen See sehen, den sie immer zuerst begrüßte, den See mit seinen hohen alten Bäumen, die dort am Ufer standen und deren Zweige sich majestätisch im Wind wiegten, als wollten sie einen begrüßen, mystisch und geheimnisvoll. Samara spürte instinktiv ein starkes Verlangen, sie zu berühren, ihnen ihre Hochachtung zuteil werden zu lassen, ihre stille Bewunderung dafür, dass sie schon so viel überstanden hatten und sie sich in ihrem Wachstum nicht hindern ließen. Wenn dann ein Wind über das Wasser pfiff, setzte sie sich mit ihren Kindern eine Weile auf ihre großen, kräftigen Wurzeln, die aus dem Boden ragten. Dann begann sie ihnen Geschichten zu erzählen von dem, was ihr die Bäume erzählten. Von lang vergessenen Zeiten. Von Herrschern und Beherrschten. Von Königen und Dienerschaft. Von Leibeigenen und Sklaven und von Zigeunern, die hier schon ihr Lager aufgeschlagen hatten. Dann merkte sie, wie Stina fester nach ihrer Hand griff und sie ebenfalls ins Träumen kam und aufmerksam ihren Worten lauschte und Tim zu schnitzen begann und Kampfszenen spielte. Leonis Augen wuchsen zu einem Feuerball, der glühte, wenn sie erzählte, und obwohl sie kein Wort verstehen konnte, strahlte sie über das ganze Gesicht, wahrscheinlich weil sie spürte, dass sie in diesem Augenblick ganz eng miteinander verbunden waren. Von dort aus hatten sie einen so schönen Blick auf den See, der milde Wellen an das Ufer trug. Hellblau, fast milchig, ein wenig wie mit einem Schleier bedeckt, kitzelte das Wasser die großen Kieselsteine am Strand. Sie ließen Steine hüpfen, versuchten auf umgefallene Hölzer zu klettern, und immer ging es darum, wer weiter, schneller, besser als der andere sein konnte. Schwäne und Enten kamen zuweilen vorbei und mit ein wenig Fantasie konnte man sich das Meer vorstellen. Natur war etwas Wunderbares. Die Sonne, der Wind, die Berge. Der Anblick des Sees ließ ihr immer wieder bewusst werden, dass ihr Sein doch gar nicht so wichtig war. Dass alles nicht so wichtig war und so floss und geschah, wie es eben geschehen musste. Diese Gefühle machten Samara immer wieder aufs Neue froh, und es entspannte sie, an Bedeutung zu verlieren und einfach *sein* zu dürfen.

Die Zeit war dann doch relativ schnell vergangen. Als sich die dritte Woche dem Ende zuneigte, waren ihr anfänglicher Ärger über Rainer und ihre Zweifel überwunden.

Nun fieberte sie dem kommenden Freitag entgegen. Natalie hatte sich wieder zum Babysitten angesagt und die Zwillinge freuten sich schon auf sie. Natalie war ein wunderbares Mädchen, das bei ihnen um die Ecke wohnte, liebevoll und freundlich. Schon mit fünfzehn war sie zu ihnen gekommen. Inzwischen war sie zu einer jungen Frau herangereift und über die Jahre hatte sich zwischen Natalie und ihr eine warme Herzenergie entwickelt. Sie stärkte ihr Vertrauen, in Ruhe ausgehen zu können, weil sie wusste, dass ihre Kinder gut aufgehoben waren. Stina liebte Natalie heiß und innig und durfte dann ein wenig länger aufbleiben. Tim hing ihr die ganze Zeit auf dem Schoß herum und wollte noch getragen werden, wenn sie da war. Als gelernte Erzieherin hatte sie immer tolle Bastelideen parat und konnte die beiden beschäftigen. Leoni brachte Samara am liebsten selbst zu Bett, um sich zu vergewissern, dass sie ihre Mutter wirklich nicht vermisste. Wenn Leoni so friedlich in ihrem Bettchen lag, fiel es Samara leichter, die Wohnung zu verlassen.

Froh darüber, nicht allein in die *Zauberfee* zu müssen, dankte sie Edda, die mit ihr kam. Ein bisschen Lampenfieber hatte sie schon, doch Edda redete ihr gut zu, sie sei ja bei ihr.

So gegen zwölf wurde Sami zunehmend nervöser. Gegen eins konnte sie ihre Anspannung fast nicht mehr ertragen. Wo blieb er denn? Sie war sich so sicher gewesen, dass er hier sein würde. Um halb zwei hielt sie es nicht mehr aus.

»Ich fahre zu ihm. Wenn er gerade kommt, sag ihm das bitte«, bat sie Edda. »Und wenn er nicht zu Hause ist, bin ich in etwa zwanzig Minuten wieder hier«, fügte sie hinzu.

»Mach's gut«, wünschte ihr Edda Glück und hielt die Stellung. Rainer wohnte nur ein paar Meter entfernt und so parkte sie ihr Auto vorsichtshalber auf dem Randstein. Sie war sich nicht sicher, ob er nicht vielleicht doch arbeiten musste. Nun stand sie vor dieser großen grauen Eingangstür. Hier hatte sie noch vor wenigen Wochen in seinen Armen gelegen, dachte sie. Der Kasten war so groß und es kam ihr vor als habe er tausend Glocken. Sie drückte seine Klingel, zaghaft, dann kräftiger.

›Mein Gott, was machst du da bloß?‹, fuhr es ihr durch den Kopf. ›Nachts um halb zwei bei einem Mann klingeln, das gibt's doch nicht. Wie tief bist du gesunken, Sami?‹

Der Himmel war klar, doch nur vereinzelt waren Sterne zu sehen. Sie klingelte noch einmal, aber nichts bewegte sich. Traurig ging sie zu ihrem Auto zurück und stieg ein. Der Randstein war hoch und da sie ihr Auto über alles liebte, fuhr sie millimeterweise vom Bordstein herunter. Samara konzentrierte sich noch auf den Bordstein, schaute kurz nach oben, um sich zu vergewissern, kein Hindernis zu übersehen, und da kam er gerade zum Stehen. Völlig außer Atem. Jäh hatte er sein Tempo abgebremst, damit sie ja nicht sah, dass er ihretwegen gerannt war. Sie ließ ihr Fenster heruntergleiten.

»Wo kommst du denn jetzt her?«, fragte sie Rainer erstaunt. Doch eigentlich hätte sie sich diese Frage selbst beantworten können. Da stand er vor ihr, nur mit einem Unterhemd, einer alten Jogginghose und Badeschlappen bekleidet. Aber selbst in dieser Aufmachung und so nach Luft ringend sah er unendlich erotisch aus. Die Muskeln an seinem Oberkörper waren vom Rennen noch angespannt und seine nackten Schultern schimmerten seidig im Laternenlicht, glatt und ebenmäßig, makellos männlich.

›Was für ein Mann‹, dachte Samara bewundernd und hätte ihn am liebsten bei diesem Anblick verschlungen. In Gedanken küsste sie ihn schon wieder und war überglücklich, ihn doch noch zu Gesicht zu bekommen. Er musste ja in einem Affenzahn vom vierten Stock die Treppen heruntergesprungen sein. Dass er sie überhaupt noch erwischt hatte, glich einem Wunder. Aber das gefiel ihr natürlich, dass er sich ihretwegen so ins Zeug gelegt hatte.

Also parkte sie ihr Auto auf einem anständigen Parkplatz und ging mit Rainer nach oben.

In seiner Wohnung angekommen, konnte sie kaum die Tür zumachen, als er sie vorwurfsvoll fragte:»Sag mal, wo warst du denn die ganze Zeit?«

Sie überlegte, was sie sagen sollte.»Weg war ich!«, antwortete sie schnippisch.»Du hättest dich ja auch mal melden können! Als ich das letzte Mal von dir gegangen bin, dachte ich, warum sehen wir uns immer nur so kurz? Ich habe mir erlaubt, mich ein wenig zu distanzieren, in der Hoffnung, dass du mich dann mehr vermisst!«

Es entstand eine kurze Pause, bis sich Rainer barsch umdrehte.»Ach so ist das?!«, antwortete er wütend,»du möchtest mich erpressen?«

»Erpressen?«, fragte Samara erstaunt.»Wie kommst du denn darauf? Ich wünsche mir einfach mehr Zeit mit dir. Ich möchte etwas erleben mit dir, auch außerhalb der *Zauberfee*. Mal essen, ins Kino, zusammen wandern oder mal spazieren gehen. So was halt.«

Er drehte sich weg von ihr und schien zu überlegen. Die Stille war unerträglich. Die Spannung, die sich aufbaute, wenn man fühlte, jetzt kam etwas, das einen treffen könnte. Herausreißen würde aus seinen Träumen. Hinabstürzte in Tiefen, die man ahnte und doch nicht kannte. Innerlich spürte Samara etwas in sich hochsteigen. Angst!

Rainer drehte sich langsam um. Er schaute ihr tief in die Augen und sagte dann:»Du willst eine Beziehung, nicht wahr?«

»Ja, natürlich, was willst denn du?«, entgegnete sie erstaunt. Wieder diese Stille. Diese Wand, die nicht da war und sie doch trennte.

Du weißt doch, dass ich eine Freundin habe! Dass ich eine Freundin habe, dass ich eine Freundin habe, dass ich eine Freundin habe!!!!

Als hätte ihr jemand in einem immer wiederkehrenden Rhythmus das Gehörte in den Kopf gehämmert, hallte es in ihrem Gehirn nach. Schlagartig wurde ihr vieles klar. Sein merkwürdiges Verhalten ab und zu. Seine Nichteinladungen. Seine ausgebliebenen Anrufe. Das späte Erscheinen im Tanzcafé.

Aber wie ging denn das?, pochte es in ihrem Hirn. Zuerst bei ihr und dann bei mir?, ratterte es.

»Ach so?«, sagte sie nun um einiges leiser, sichtlich geschockt.

Einen Augenblick lag die Stille wie Blei zwischen ihnen. Eine Welt brach in ihr zusammen! Stürzte ein wie ein Kartenhaus! Zu begreifen, dass das Haus, das sie erbaut hatte, auf Streichhölzern stand, schmerzte unendlich.

»Ich habe verstanden«, sagte Samara leise und erhob sich.

»Was willst du tun?«, hörte sie Rainer angespannt sagen.

»Ich gehe jetzt«, sagte sie ruhig: »Ich bin keine Zweitfrau. Ich bin auch keine Frau für gewisse Stunden. Ich bin wirklich in dich verliebt!«

Dieser Satz, der von ihren Lippen kam, tat weh und demütigte sie zugleich. Nun stiegen ihr fast die Tränen aus den Augen. Doch sie hielt sie zurück, sie wollte sich keine Blöße geben.

»Ich bin nie von etwas anderem ausgegangen, als dass wir beide eine Beziehung anstreben«, sagte sie. Und nun konnte Samara ihre Enttäuschung wirklich nicht mehr verbergen.

Rainer kam auf sie zu und nahm sie in den Arm. »Aber ich habe dir doch gesagt, dass ich eine Freundin habe!«

»Ja, eine halblebige Geschichte, hast du gesagt!«, antwortete sie wütend. »Es ist meine Schuld, ich hätte genauer nachfragen sollen!«

Trauer und Angst standen in seinen Augen. »Ich will nicht, dass du gehst, bitte bleib noch«, sagte er leise.

»Ich muss gehen!«, wiederholte sie.

Wieder zog er sie in seine Arme. Seine Lippen trafen die ihren und Tränen liefen ihr übers Gesicht. Mehrmals sagte Samara, dass sie nun gehen würde, und immer wieder zog er sie zu sich her. Eine halbe Ewigkeit standen sie so da, eng umschlungen, sich aneinanderklammernd. Als sie sich endlich aus seiner Umarmung befreite und nun mit Entschiedenheit betonte, dass sie nun gehen werde, spürte Rainer, dass ihr Entschluss feststand.

»Darf ich dich noch zu deinem Auto begleiten?«, fragte er.

»Ja natürlich. Ich möchte, dass du mich begleitest«, antwortete Samara freundlich. ›Ich hab dich so lieb, du dummer Kerl‹, dachte sie traurig, während sie stumm neben ihm herlief und sich bemühte, ihre Tränen zu unterdrücken. ›Und du begreifst nicht, wer ich bin für dich! Erkennst mich nicht! Die Deine! Die alles für dich hat!‹

Stumm waren sie Hand in Hand zum Aufzug und dann auf die

Straße entlang zu ihrem Auto gegangen. Wie zwei Kinder, die sich lieben und trennen müssen und wissen, es wird für eine lange Zeit sein, so empfand sie diesen Weg. Traurig sah sie Rainer an. Als sie sich von ihm verabschiedete, überschlugen sich in ihrem Kopf die Gedanken. ›So viel Freude wollte ich dir schenken. Mein Lachen und mein Vertrauen. Alles geben, um deine Gegenwart zu spüren. Ich wäre den Wasserfall hinuntergesprungen für dich! Doch du erkennst mich nicht, fühlst nicht, wie ich fühle, begreifst nicht, dass du die Liebe in deinen Händen hattest. Siehst eine Fremde in mir und das tut so unendlich weh, mein geliebter Schatz‹, kämpfte es in ihrem Inneren zwischen Wut und Verzweiflung.

»Wir sehen uns wieder, ganz bestimmt!«, versuchte er die Stimmung aufzumuntern.

»Es wird eine Weile dauern«, sagte Samara. »Ich wünsche dir alles Glück und die Liebe dieser Welt, auch wenn es nicht mit mir ist. Mach's gut, Rainer.«

Sie verabschiedete sich von ihm und konnte nun doch nicht verhindern, dass ihr eine Träne nicht gehorchte. Ein letzter Kuss, eine letzte Umarmung. Dann fuhr sie in die Nacht. Dass sie überhaupt noch die Straße sah, erstaunte sie. Ihre Tränen rollten wie Sturzbäche aus ihren Augen, ein Schleier aus Wasser legte sich auf ihre Wangen und bedeckte ihren Hals. ›Das war es jetzt also!‹, dachte sie. Wie naiv war sie überhaupt gewesen? Warum hatte sie auf ihre Zweifel, auf die kritischen Fragen in sich nicht gehört? Weil sie nicht darauf hören wollte! Warum hatte sie ihren Freundinnen keinen Glauben geschenkt, als sie vor ihm warnten? Sie hatte nicht anders gekonnt. Weil sie ihn vom ersten Augenblick ihrer Begegnung an geliebt hatte.

In den darauffolgenden Wochen hatte sie Mühe, ihre tiefe Trauer zu verbergen. Sie kümmerte sich besonders intensiv um ihre Kinder und spielte die Fröhliche, auch wenn es ihr ganz und gar nicht danach zumute war. Doch sie hatten genug gelitten. Kaum lagen die drei im Bett, ließ Samara ihren Tränen freien Lauf.

Was war das für eine Zeit? Was war geschehen in ihrem Leben? Wurde sie hinausgestoßen aus ihrer eigenen Welt? Wurde alles zerstört um sie herum, was wichtig für sie war? Sie heulte und heulte und konnte es nicht begreifen. Wie sehr hatte sie auf ein Glück mit Rainer gehofft. Wie brannte der Schmerz um den Verlust ihrer Ehe. Sie war verheiratet gewesen. Sie hatten gesunde Kinder. Sie waren glücklich. Erfolg im Beruf und gleichzeitig Familie zu haben tat ihr gut, sie hatte alles erreicht. Durch ihr geerbtes Vermögen war ihnen trotz der Kinder, trotz des Studiums ihres Mannes einiges möglich gewesen. Sie hatte sich prächtig mit seinen Eltern verstanden und sich eingebettet gefühlt in eine große Familie. Damals stand sie auf der Sonnenseite des Lebens! Die harten Jahre der Psychotherapie, das Aufarbeiten ihrer Kindheit hatte sie überstanden, den Tod des Vaters und ihres Bruders überwunden. Die Geschichte mit Jonathan. Mein Gott, was war alles geschehen in diesem einen Jahr? Wie in einem Hurrikan, der über die Landschaft fegt und alles vermeintlich Beständige aus seinen Fundamenten reißt, es hoch durch die Luft wirbelt und in tausend Teilen wieder herabregnen lässt, war ihre Welt auseinandergerissen und hatte sie zurückgelassen in Schutt und Schlamm. Und nun Rainer. Wie viel Hoffnung hatte sie in ihn gesetzt! Wie viel Freude hatte sie empfunden in seiner Gegenwart! Wie glücklich war sie, einfach nur in seiner Nähe sein zu dürfen! Sie spürte seine Kraft, die er ihr gab, den Schutz, den er ihr vermittelte. Ja, sie fühlte sich geborgen in seinen Armen. Ein Gefühl, das ihr Marcel nur selten vermitteln konnte. Sie spürte seine Annahme in diesem Augenblick, als sie zusammen gewesen waren. Hatte sie sich so getäuscht? War ihr ganzes Leben eine einzige Täuschung? War alles nur ein Traum? Waren es ihre Wunschvorstellungen von Liebe? Die Sehnsucht nach Zärtlichkeit und Anerkennung, die sie so gerne von ihm gehabt hätte? Ihr Herz weinte, alles in ihr weinte über ihren großen Verlust.

Samara hatte mit dem Aufräumen begonnen in ihrer zerstörten Welt. Suchte zusammen, was noch brauchbar war, ließ Altes liegen, fand Dinge, die sie bisher zu wenig beachtet hatte, die aber bestens geeignet waren, mit ihnen etwas Neues aufzubauen. Sie konzentrierte sich auf ihre Kinder, stürzte sich in ihre Arbeit und nahm all das in Angriff, was sie schon lange aufgeschoben hatte. Sie wollte neue Behandlungen und Meditationen in ihr Programm aufnehmen und sorgfältig für ihre Kunden vorbereiten. Sie renovierte wieder einmal eines ihrer Zimmer und war stolz auf sich, diese Leistung ohne fremde Hilfe erbracht zu haben. Die Zeit heilte. Samara hatte sich eingestanden, sich getäuscht zu haben. Sie hatte Rainer losgelassen.

Noch vor Kurzem hatte Samara geglaubt, nicht alleine sein zu können, unbedingt hatte sie eine Beziehung gewollt. Sie war so zwanghaft gewesen in ihrem Verlangen nach Zweisamkeit, und so trug sie diese Signale unweigerlich nach außen. Nun ging sie wieder mit Edda tanzen. Die *Zauberfee* mied sie, denn sie wollte Rainer nicht mehr begegnen. Deshalb gingen sie ins *Soundtrack*. Nach den vielen Wochen des Rückzugs war es ein schönes Gefühl, wieder einmal tanzen zu gehen. Edda holte sie ab und schon während der Fahrt waren sie überglücklich, zusammen zu sein.

Als sie das Tanzlokal betraten, war es schon spät und immer noch standen die Leute an, um eingelassen zu werden. Die Stimmung war gut und die Tanzfläche ließ kaum noch Platz für weitere Tänzer.

Samara spürte auf einmal, dass jemand sie ansah. Sie drehte sich um und blickte geradewegs in seine Augen. Ah, da war er wieder, dieser sympathische Mann, der sie hier schon so oft angelächelt hatte. Es kam ihr wie eine Ewigkeit vor und sie hatte ihn zwischenzeitlich vergessen. Doch nun erinnerte sie sich wieder an das letzte Mal, als sie hier gewesen waren, und dass sie schon damals gedacht hatte, dass er wirklich ein interessanter Mann zu sein schien.

Fünf Minuten später stand er vor ihr und forderte sie zum Tanzen auf.

Es war ein angenehmes Gefühl, mit ihm zu tanzen. Er war groß und kräftig und er fühlte sich gut an. Es war nicht so ein feuriges Gefühl wie in Rainers Armen, es war ruhiger, gleichmäßiger. Aber genau das schien ihr vernünftig, denn sie wollte sich nicht noch einmal einem solchen Herzschmerz ausliefern. An diesem Abend tanzten sie ununterbrochen miteinander.

Pasquale sah nicht nur gut aus, er war auch sehr charmant, gebildet und ein echter Gentleman. Es ging dann eigentlich relativ schnell, dass sie ein Paar wurden. Die ersten Wochen war Samara sehr glücklich. Pasquale verwöhnte sie, wo er nur konnte. Er ließ keine Gelegenheit aus, Samara seine Aufwartung zu machen. Er nahm sie mit auf die Hochzeit seines Bruders und sie erlebten in diesem Hotel ein traumhaft schönes Wochenende. Samara mochte ihn und genoss es, dass ihr endlich jemand die Aufmerksamkeit entgegenbrachte, die sie benötigte. Sie war in dieser Zeit sogar zwei- oder dreimal im Tanzcafé *Zauberfee* gewesen und hatte Rainer gesehen. Zugegeben, noch immer war sie verletzt, doch vorbei war vorbei!

Mit der Zeit kamen ihr jedoch Zweifel, ob Pasquale wirklich der Mann für ihr Leben war. Fragte sie nach innen, kam ein deutliches »Nein, er ist es nicht«. In manchen Dingen war er Marcel so ähnlich. Wie er wollte er sie formen und dirigieren und das entsprach nicht ihrer Vorstellung von Freiheit und Selbstentfaltung in einer Partnerschaft. Nun war sie frei und konnte sich neu entscheiden, für einen Mann, der wirklich zu ihr passte. Sie wollte sich nicht wieder in ähnliche Situationen wie in ihrer Ehe begeben. Es gab dann ein paar Dinge, wo sie sich nicht einig werden konnten. Ihre Gefühle zu Pasquale waren doch nicht so stark, um diese Hürde zu überwinden, und sie beschloss ihren Weg wieder alleine weiterzugehen.

Zwei Monate war sie dann gar nicht mehr zum Tanzen gegangen.

Eines Abends saß sie gemütlich mit Edda in einem kleinen Restaurant. Sie aßen vorzüglich und redeten über vieles.

Es war wieder so schön zwischen ihnen, dass Edda mit Engelszungen auf Samara einredete: »Jetzt komm halt mal wieder mit. Es macht gar keinen Spaß ohne dich. Nun sei doch ehrlich, immer nur zu Hause sitzen, ab und zu mal essen oder ins Kino, das ersetzt doch nicht das Tanzen. Es ist doch schon wieder so lang her. Geh halt mit! Es wäre so schön. Sollen wir nicht heute endlich mal wieder zusammen in die *Zauberfee* gehen?«

Samara überlegte, zögerte, doch dann sagte sie: »Okay, du hast gewonnen.«

Edda freute sich wie ein Schneekönig und so machten sie sich lachend auf den Weg. Die *Zauberfee* war ihr so vertraut, dass es wie ein Aufatmen war. Samara unterhielt sich gerade während einer Tanzrunde mit ihrem Tänzer, als sie auf einmal wieder diese eigenartige Schwingung spürte. Wie eine Woge hatte sie eine zarte Spannung, eine heimliche Erotik, ein Kribbeln in ihrem Bauch erfasst. Sie drehte ihren Kopf in die Richtung, aus der sie diese Energie auf sich zuströmen spürte. Sie suchte sie mit ihren Augen, die förmlich davon angezogen wurden, und erspähte die seinen. Rainer stand am Rande der Tanzfläche und schaute in ihre Richtung. Ihre Blicke trafen sich – und da war es wieder. Dasselbe Gefühl von damals. Wieder fühlte sie diese Hitze und als würden sie ihre Beine nicht mehr tragen können, so schlagartig war die Kraft aus ihnen gewichen. Peinlich berührt versuchte sie ihm auszuweichen, doch er verfolgte sie mit seinen Augen. Als sie sich später in Sicherheit wog und noch einmal nach ihm suchte, huschte ein sanftes Lächeln über seine Lippen. Kurz darauf stand er neben ihr. Wieder wie aus dem Nichts kommend, mit den Händen in den Hosentaschen. Die Muskeln an seinem Oberkörper waren so angespannt, dass sie es selbst durch sein Hemd sehen konnte. Er flüsterte ihr ins Ohr, berührte sie fast mit seinen Lippen dabei: »Wie geht es dir?«

Samara zuckte zusammen. Dann fasste sie sich wieder und drehte sich zu ihm um. »Gut geht es mir, gut, und dir?«

»Lange hat man dich hier nicht gesehen, wo hast du denn gesteckt?« Seine Stimme war so sanft, so warm und liebevoll. Seine Augen strahlten so, dass sie sofort wieder Vertrauen fasste.

»Ach, alles Mögliche habe ich gemacht.« Und dann begann sie kurz von Belanglosem zu erzählen.

»Willst du tanzen?«, unterbrach er sie. ›Warum eigentlich nicht‹, dachte Sami und nickte. Nun lag sie wieder in seinen Armen und sie konnte sich dieses wunderbaren Gefühls einfach nicht erwehren. Sie versuchte es, wie damals, doch wie immer durchschaute er sie auch diesmal. Er packte sie an ihren Schultern, wie er es schon früher immer getan hatte, wenn sie sich zu Beginn des Tanzes in seinen Armen verkrampfte, und sagte väterlich: »Was bist du denn so steif? Du musst dich nicht verkrampfen.«

Es war ganz eigenartig, Rainer schaffte es immer; schon in dem Moment, als er es zu ihr sagte, entspannte sie sich. Doch dadurch nahm sie nur noch intensiver wahr, welch eine Anziehung Rainer immer noch auf sie ausübte. Sie glaubte sich nicht zu täuschen, auch bei ihm ein Gefühl des Wohlbehagens wahrzunehmen. Stundenlang schwebten sie über die Tanzfläche. Redeten, lachten und tanzten, als wären sie niemals getrennt gewesen. Es wurde später und später und als das Licht anging, fragte er: »Willst du nicht mit mir mitkommen?« Dabei berührte er sie ganz zart am Hals, strich ihr den Nacken entlang, kitzelte sie und schäkerte.

»Du kennst meine Einstellung, ein Nein ist ein Nein«, entgegnete sie ernst.

Schlagartig veränderte sich sein Gesichtsausdruck. Dunkle Schatten zogen über seine Augenbrauen hinweg und er konterte wütend: »Du hast deine Prinzipien, egal ob du darunter leidest, nicht wahr?«

»Ja, genau so ist es, Rainer«, antwortete sie ruhig. Sie reichte ihm die Hand und verabschiedete sich von ihm und ging mit Edda, die weiter vorne auf sie wartete, an die Kasse. Rainer stand immer noch am selben Fleck und schaute ihr verwundert nach. Samara hätte viel darum gegeben, jetzt in seinen Armen zu liegen, und es war ihr gewiss nicht leichtgefallen. Ihr ganzer Körper brannte nach ihm. Doch wo hätte es hingeführt? Sollte sie seine Geliebte spielen? Immer auf ihn warten? Sollte sie von kurzen vergnüglichen Stunden mit ihm leben? Ihr Dasein auf einen Freitag mit ihm in der Woche beschränken, wohlwissend, dass sie darunter leiden würde? Nein.

Zwei, drei Mal trafen sie sich wieder zufällig in der *Zauberfee*. Sahen sich und kreisten umeinander. Tanzten, sprachen wieder viel und alberten unbeschwert. Kleinere Zärtlichkeiten ließ sie gewähren, als hätte sie sie nicht bemerkt. Es war doch auch so schön in seinen Armen. Wenn Samara seinen Oberkörper in einer Drehung berührte, nahm sie jede Stelle wie eine elektrische Spannung wahr, die sie innerlich zum Taumeln brachte. Später, als es absehbar wurde, dass nun bald die Musik verstummte und die Leute zum Nachhausegehen aufgefordert wurden, verschwand sie dann, wieder mit sich ringend, in Richtung Ausgang.

Es war Winter und der erste Schnee fiel von den Dächern. Sandra war in einem Skiclub und fuhr regelmäßig über das Wochenende in die Alpen. Schon lange hatten die beiden ausgemacht, dass Samara einmal mitfahren sollte. Marcel passte auf die Kinder auf und so schloss sich Samara ihrer Freundin an. Schon morgens waren sie direkt nach der Anfahrt gleich vom Auto aus auf die Piste gegangen. Es war herrlich. Klar und überhaupt nicht kalt lachte der Morgen.

»Eine Gruppe von mindestens zwanzig Leuten ist es jedes Mal«, bereitete sie Sandra vor, als sie an der Hütte ankamen.

Schon beim Vorstellen der ganzen Besatzung fiel ihr Peter auf. Doch keinesfalls angenehm. Sie setzten sich beim Essen an den Tisch neben ihn, denn dort waren noch Stühle frei. Samara legte ihren Schal ab und zog dabei ihre langen Haare aus ihrem Skioverall. Damit sie vom Wind nicht so durcheinandergerieten, hatte sie sich das so angewöhnt. Da griff dieser ungehobelte Typ einfach nach ihren Haaren. »Sind die Locken echt?«

Sie drehte sich blitzartig um und schaute ihm giftig in die Augen. Zog mit einem Ruck ihre Haare aus seiner Hand und sagte: »Natürlich sind die echt, was glaubst denn du? Wie alles andere auch!« Damit drehte sie sich wieder um, schnappte sich ihren Teller und ging zum Büfett. Der ganze Tisch lachte schallend.

Peter rief ihr nach. »Was bist du denn so ernst, war doch nur ein Spaß.« Doch sie drehte sich nicht mehr um. Neben ihr erschien Sandra und hatte ebenfalls einen Teller in der Hand.

»Immer diese Anmache!«, sagte Samara genervt zu ihr.

»Ach, der Peter. Das darfst du nicht so ernst nehmen. Der testet dich nur. Der ist ansonsten sehr nett, wirklich. Es gäbe da manche, die gerne von ihm angemacht würde.«

»Ach so? Er will mich testen? Was ist denn das für eine Masche? Na, das kann ja heiter werden.«

Sie lachten, und Samara nahm sich vor, ein wenig herunterzufahren. Doch sie konnte das einfach nicht leiden. Sahen die Männer eine Frau, blond und dann auch noch langhaarig, meinten sie gleich, sie wäre ein Püppchen. Nicht viel Hirn, Hauptsache Figur.

Als sie wieder Platz genommen hatte, entschuldigte er sich ganz lieb und sie sprachen ein paar Brocken miteinander. Smalltalk, aber ganz nett. Mittags auf der Piste kam er ihr dann schon wieder in die Quere. Sie freute sich so über den Schnee, schon so lange war sie nicht mehr gefahren! Obwohl sie schon mit drei auf den Skiern gestanden hatte, hatte sie Marcel zuliebe darauf verzichtet. Die Umwelt war ihm wichtiger als sein Vergnügen und so passte sie sich aus Liebe an. Doch nun genoss sie das weiße Nass und raste die Piste hinunter. Als hätte sie gar nie aufgehört, flog sie über den Schnee. Sie wäre bestimmt nicht hingefallen, doch da kreuzte dieser blöde

Anfänger ihren Weg und gerade, als sie noch eine Kurve um ihn herum machen wollte, flog er hin. Vor Schreck verlor sie die Kontrolle, zweimal überschlug sie sich und einer ihrer Skier ging davon. Sie wischte sich gerade den Schnee aus dem Mund, als ein netter Herr über ihr stand und sagte:»Madame, darf ich Ihnen behilflich sein?« Er zog sie am Arm nach oben und als sie gerade wieder stehen konnte, riss er sie in die andere Richtung wieder nach unten. Sie schrie:»He, was machen Sie?!« Und als sie auf ihm zum Landen kam, zog er sein Tuch vom Gesicht und lachte sie an.»Hallo Sami, begrüßt du den Schnee immer so innig?«

Schon wieder dieser Peter! Das durfte doch nicht wahr sein!

»Du blöder Kerl!«, sagte sie wutschnaubend, drückte sich von ihm ab und rappelte sich ein wenig umständlich auf.

»Kann ich dir behilflich sein?«, fragte er lachend.

»Nein danke, ich hatte schon das Vergnügen«, entgegnete sie grimmig und stapfte mit einem Ski am Fuß ihren anderen holen. Doch wieder war Peter schneller und hatte ihn schon in der Hand.

»Jetzt sei halt nicht so garstig, verstehst du denn keinen Spaß?«

»Wenn mir einer so blöd kommt wie du und mich in einer Tour anmacht, dann versteh ich wirklich keinen!«, erwiderte sie wütend.

»Jetzt hör doch mal. Ich will dich überhaupt nicht anmachen. Wie kommst du denn darauf? Okay, du siehst ganz gut aus. Aber das weißt du ja wohl selber. Ob du was im Hirn hast, ist noch lange nicht bewiesen.«

Er sagte das so ernst, dass Samara auf einmal schallend lachen musste. Sein Gesicht dabei war zu komisch. Und so war das Eis gebrochen. Sie freundeten sich sogar in dieser Freizeit noch richtig an, und als es am letzten Abend einen Punsch gab, wurde kräftig gefeiert. Es war eine fröhliche Gesellschaft und Samara taute auf. Sie tanzte und lachte und hatte wirklich Spaß. Nicht selten hielt man sie zu Beginn für eine Zicke, doch die war sie eigentlich gar nicht. Es war eben ihre Art, sich vor dem männlichen Geschlecht zu schützen. Peter hatte das recht schnell begriffen und gemerkt, dass er seine Taktik ändern musste. So ein Grobian war er ja gar nicht, das hatte sie schon festgestellt und ihm auch ehrlich gesagt. Die Art, wie er sie ansah, die Weise, wie er sie in ein Gespräch verwickeln konnte, gefielen ihr. Er war sehr klug und witzig und gar nicht so oberflächlich, wie sie zuerst geglaubt hatte. Sie erzählte ihm von Marcel und ihren Kindern. Dass sie alleine lebte und selbstständig sei.

»Oh, das ist sicher nicht ganz einfach«, entgegnete er und sie musste ihn ungläubig anschauen. Wie kam er darauf? Wirkte sie wie eine, die es schwer hatte?

»Ich habe mich nicht darüber beklagt, mittlerweile wohne ich gern alleine. Es hat viele Vorteile«, entgegnete sie.

»Sicher, doch dieser Wechsel zwischen Beruf und Kindern verlangt doch so manchen Seiltanz von dir, oder nicht? Ich bewundere Frauen jedenfalls, die erfolgreich im Berufsleben stehen und noch eine gute Mutter sein können.«

Sie schaute ihn ungläubig an und lächelte verlegen. Jetzt hatte er sie wirklich beeindruckt. Von einem Mann so einen Satz zu hören überraschte sie. Marcel wäre Derartiges nie im Leben eingefallen. Zu später Stunde spielten sie einige Bluesrunden und Peter fragte sie höflich, ob sie mit ihm tanzen wolle. Sie zögerte zuerst und dachte an Pasquale. Gerade mal zwei Monate war es her, dass sie die Beziehung beendet hatte. Doch er gab nicht nach. Sein Körper war so warm und so männlich. Das gefiel ihr gar nicht, sie spürte Gefahr. Doch es tat auch so gut. Er drehte sich mit ihr durchs ganze Zimmer und als die Musik schneller wurde, legten sie einen richtigen fetzigen Discofox aufs Parkett.

Es war schon in den frühen Morgenstunden, als sie sich verabschiedeten. Peter bestand noch darauf, sie zu begleiten, doch an der Tür verwickelte er sie dann schon wieder in ein Gespräch und wollte sie gar nicht gehen lassen. Zweimal verabschiedete sie sich: »Peter es ist jetzt wirklich gut, ich bin hundemüde.« Dabei hielt sie sich die Hand vor den Mund und gähnte herzhaft.

Sie wollte gerade in ihr Zimmer, da hielt er sie am Arm fest. »Aber einen Kuss will ich schon noch«, beharrte er.

»Also gut«, erwiderte Samara und setzte an, ihm einen auf die Stirn zu geben. Doch er nahm ihre Arme und hielt sie nach unten und zog sie zu sich heran und küsste sie zärtlich auf den Mund. Und wieder und wieder. Was hätte sie machen sollen? Er setzte sich vor ihre Tür und zog sie auf seine Knie. Sie küssten und küssten und es war wirklich schön.

»Du bist eine wundervolle Frau, Samara. Ich habe eine wie dich noch nie kennengelernt. Du bist so schön, so aufregend«, und schon wieder küsste er sie. »Ich will ganz bestimmt keinen Flirt«, sagte er, als sie sich endgültig in ihr Zimmer verabschiedete. »Es ist mir sehr ernst, Samara.« Sie küssten sich noch einmal und sie hatte Mühe standzuhalten.

Wie berauscht war sie in ihr Bett gefallen und in erregenden Gedanken an ihn eingeschlafen. Doch als sie am nächsten Morgen erwachte, tat ihr alles weh. Sie fühlte sich komisch und sie dachte an Peter. Auf einmal hatte sie große Schuldgefühle. Sie dachte an Pasquale und wie nett alles angefangen hatte. Wie sehr sie ihn verletzen musste, als ihr klar wurde, er war es nicht. Peter war so lieb. Er hatte es nicht verdient. Sie dachte an Rainer und sie wünschte sich: Wäre nur er so zu ihr! Sie beschloss, es gar nicht erst zum Äußersten kommen zu lassen. Sie ging hinunter zum Frühstücken und erzählte Sandra auf dem Weg dorthin die ganze Misere.

»Na, das ist ja toll, der arme Peter«, sagte Sandra mitfühlend.

»Ist es nicht besser, ich beende es gleich, bevor ich alles nur noch schlimmer mache?«, fragte Samara.

»Na, wenn du meinst«, antwortete Sandra zerknirscht.

»Ja, ich meine schon.« Schweigend gingen sie nebeneinander her. Schon als er sie sah, kam Peter ihr strahlend entgegen. Er wollte sie küssen, doch sie hielt ihm ihre Wange hin. Es war eine peinliche Situation.

»Was ist denn, Samara?«, fragte er.

»Ich bin noch müde«, wich sie aus. Doch er hatte begriffen. Traurig ging er zu seinem Platz zurück. Als niemand um sie herumstand, ging sie zu ihm hin. Sie passte einen günstigen Augenblick ab und stupste ihn von hinten an der Schulter. Er drehte sich um und blickte ihr erstaunt und abwartend in die Augen.

»Peter, es tut mir echt leid, aber ich kann nicht. Bitte verzeih mir, es war wirklich schön mit dir. Aber ich kann einfach nicht. Ich habe meine Gründe.«

»Ist schon gut«, antwortete er. »Da kann man nichts machen. Ist schon okay.« Er lächelte sie an und es fiel ihr ein Stein vom Herzen.

»Wenn du willst, können wir ja Freunde bleiben und ab und zu was miteinander unternehmen«, sagte sie noch einmal versöhnlich und gab ihm die Hand.

»Ja, das könnten wir machen«, sagte er. Doch es klang ganz und gar nicht so, als würde er daran glauben.

Als Samara im Auto saß und Sandra das Radio einschaltete, tat es ihr schon leid. Doch sie tröstete sich: »Ich brauche einfach meine Ruhe. Es hat keinen Sinn.«

Zwei Wochen später klingelte das Telefon und Peter war dran.

»Hallo Sami. Ich habe für Samstag zwei Karten ins Ballett, hast du Lust mitzugehen?«

Einen Augenblick war es still. Sie war erstaunt und ganz baff, seine Stimme zu hören.

»Du kannst dich sicher noch an unser letztes Gespräch erinnern, Peter.« Sie machte eine Pause. »Es ist, wie es ist. Reine Freundschaft. Ist das okay für dich?«, fragte sie nach.

Wieder herrschte Stille.

»Aber natürlich. Sonst hätte ich dich nicht angerufen«, beteuerte Peter fröhlich.

Es wurde ein schöner Abend und so begann eine wunderbare Freundschaft. Einmal noch gab es eine Situation, wo Peter es noch mal versuchte. Doch sie versicherte ihm, dass sich bei ihr nichts geändert habe, und so unterließ er es ab diesem Zeitpunkt, sie zu umwerben. Sie gingen ins Theater und manchmal auch mit den Kindern spazieren. Sie rief ihn an, wenn sie schlechte Laune hatte und umgekehrt. Sie trösteten sich gegenseitig und sie lachten viel miteinander. Mittlerweile kannte er all ihre Freunde und gehörte zum festen Stamm.

Nur von Rainer erzählte sie ihm nie etwas. Sie wollte ihn einfach nicht verletzen und sie musste ja auch nicht alles beichten. Sie war wieder mit Edda in die *Zauberfee* gegangen und das alte Spiel mit Rainer hatte wieder begonnen. Sie kreisten umeinander und irgendwann unterhielten sie sich. Sie tanzten und lachten und sie war glücklich in diesen Augenblicken. Doch immer, wenn es spät wurde, lief es auf dasselbe hinaus. Und immer ging sie mit sich ringend nach Hause.

Zwei Kunden hatten ihr ganz spontan hintereinander abgesagt und so stand sie auf einmal am helllichten Tag vor Rainers Tür. Sie klingelte und wartete ab. Insgeheim machte sie sich vor, dass er um diese Zeit sowieso nicht zu Hause sein konnte. Doch dem war nicht so und sie wusste in diesem Augenblick nicht, was ihr lieber gewesen wäre.

Rainer war ein wenig irritiert, als sie so vor ihm stand. Er sei nicht in bester Verfassung, habe scheußliche Kopfschmerzen und eine Grippe, entschuldigte er sich bei ihr.

»Ich bin erstaunt über dich, woher kommt denn nun dein plötzlicher Sinneswandel?«, wollte er wissen.

»Ich habe es einfach nicht mehr ausgehalten, ich musste dich einfach sehen.«

»Komm rein, da du jetzt schon hier bist.«

Es war eine komische Atmosphäre. Rainer ging sich einen Pulli anziehen, während Samara geduldig im Wohnzimmer auf ihn wartete. Er kam auf sie zu und umarmte sie. So sehr hatte sie sich nach diesem Moment gesehnt. Und nun, wo es geschah, stand sie neben sich und es war, als hätte sie keinerlei Gefühl. Es sträubte sich in ihr alles, nun gleich mit ihm ins Bett zu gehen. So schön sie es sich in ihren Träumen auch ausgemalt hatte, jetzt, wo es so weit war, kam sie sich vor wie in einem kalten Arztzimmer, in dem sie sich gleich vor einem wildfremden Menschen entblößen müsste. Dabei liebte sie ihn doch. Oder etwa nicht? Vielleicht war es auch nur die Sehnsucht nach dem Unerreichbaren?

Als sie Rainer aus ihren Gedanken riss, erschrak sie fast. »Du bist so steif, was ist denn los mit dir?«

»Ich weiß auch nicht, vielleicht geht mir doch alles zu schnell.«

»Möchtest du lieber spazieren gehen? Es gibt da eine kleine Kneipe hinten am Waldrand. Aber in einer Stunde muss ich gehen.«

Samara überlegte. Dann hätten sie keine Möglichkeit mehr, miteinander intim zu werden, und dann wäre er wieder weg. Sie musste nicht unbedingt mit Rainer schlafen, doch sie wollte in seiner Nähe sein. Nah bei ihm, um ihn zu spüren und auch in ihm diese Gefühle zu entfachen. Manchmal wirkte er unsicher, unbeholfen und steif und doch waren da Momente, die sie wie eine Botschaft zwischen den Zeilen auffing und die ein Zusammensein mit ihm so wichtig machten. Es schien, als verberge Rainer sein wahres Wesen hinter einer rauen, unnahbaren Hülle. Er war nicht der Mann, der viel redete, geschweige denn schmeichelte. Oder zum Ausdruck brachte, wenn ihm etwas gefiel. Doch sie spürte ganz genau, wenn seine Augen für einen Moment lang so ungeheuer lebendig und liebenswürdig schauen konnten, dass es ihr galt in diesem Augenblick. Vielleicht war gerade das so interessant an ihm. Samara spürte, da schlummerte ein unglaublich sinnlicher, hingebungsvoller Mensch, wenn er nur einmal lieben könnte. Doch sosehr sie auf seine Gefühle hoffte, so sehr zeigten ihr seine Berührungen und seine Gesten, dass es nur um den dringlichen Versuch ging, sie herumzubekommen, um in sie einzudringen. Ein eher mechanischer Ablauf ohne jedes Gefühl. Es war wirklich nicht berauschend, im Gegenteil. Eigentlich war es ganz schön beschissen.

Als sie wieder nach Hause fuhr, fühlte sie sich schlechter als vorher. Als so richtig scheußlich hatte sie alles empfunden. Wäre sie doch mit ihm zu dieser Kneipe gewandert, dann hätte sie endlich einmal wenigstens einen kleinen Teil mit ihm erlebt außerhalb der *Zauberfee*. Samara konnte ihren Körper einfach nicht von ihrem Herzen trennen und sie begriff, dass es doch hoffnungslos war, an seine Herzenergie heranzukommen, und dass sie diese spontane Aktion nur noch mehr verletzt hatte. Wenn er wenigstens seine Freundin hätte lieben können, dann hätte sie ein richtig schlechtes Gewissen gehabt. Doch dann wäre es wahrscheinlich erst gar nicht so weit gekommen. Aber er sprach immer abfällig von ihr. Als sie ihn einmal fragte, warum er denn dann mit ihr zusammen sei, antwortete er nur schulterzuckend: »Sie hat mich noch nie gefragt, wohin ich gehe.«

Sie wunderte sich über seine Äußerungen. Doch alles, was er rausließ, war komisch an dieser Beziehung. Er würde selten mit ihr schlafen. Übernachtet hätte er noch nie bei ihr. Sie habe kein Geld, also zahle er für sie und so weiter. Es gab alles keinen Reim. »Was ist Liebe?«, fragte er dann.

Was war es, was sie fesselte? Was hatte Rainer, was sie so an ihn band? Es waren diese vielen Momente voller Zärtlichkeit beim Tanzen. Die Dispute über ihre unterschiedlichen Meinungen, wenn es um ihren Idealismus ging. Ihren Glauben, an dem sie festhielt – dass in jedem Menschen das göttliche Licht verankert war und dass sie immer hinter allem etwas Gutes sah. Er nannte sie naiv und weltfremd und schien auch irgendwie ihr Gegner zu sein. Wollte sie ihn retten? War dies die Herausforderung? Wollte sie ihren eigenen Glauben überprüfen in der Auseinandersetzung mit ihm? Oder waren es wirklich seine wundervollen Augen, die ungeahnte Kräfte symbolisierten? Die, wenn sie einem ins Herz schauten, genau zu überprüfen schienen: ›Wie wahrhaftig bist du? Oder ist es so, dass doch alles Lüge ist, was aus deinem schönen Mund nach außen dringt? Bist du abgrundtief verdorben, lüstern und selbstherrlich? Benutzt du deine weibliche Erotik für deine Zwecke, wohlwissend, was du damit anrichten kannst? Vielleicht bist du eine, vor der ich mich schützen muss? Oder bist du wirklich so, wie du dich gibst, ehrlich, liebevoll und selbstbewusst?‹ In diesem Punkt spürte er die Diskrepanz in ihr zwischen dem Äußeren und dem Inneren. Zum einen war sie es wirklich. Ein Fels, unbeirrbar und fest, wenn er sie nach ihrem Glauben fragte. Und andererseits, wenn es um ihre Wirkung als Frau ging, war sie leicht zu verunsichern, manchmal ängstlich wie ein Reh, das sofort auf dem Sprung war, wenn man ihm näherkam. Doch kaum hatte man es eingefangen, war es treu und anhänglich. Sie fühlte, dass auch er sie verstand und doch nicht. Dass sie wichtig für ihn war und doch nicht. Sie konnte sich einfach nicht vorstellen, dass ein Mensch so verdrängen konnte. War es möglich, sein Gefühl abzuspalten, abzulegen wie erledigte Blätter in einen Ordner? Hatte er nicht Selbiges sogar zu ihr gesagt, als sie ihn Wochen später anrief?

Es war so ein schöner Sommertag. Mit ihrem Loslassen hatte es nicht funktioniert, wie schon so oft. Immer hatte sie sich vorgenommen, ihn zu vergessen, sich nun endlich abzuwenden. Doch es hielt nur wenige Wochen an, dann kam er wieder wie ein Flaschengeist in ihre Gedanken. Er begleitete sie, egal was sie tat, von morgens bis spät in die Nacht. Er schwebte neben ihr und sie erzählte ihm alles. Sie stritt und diskutierte mit ihm. Sie war nie allein, denn er war in Gedanken immer da. Es war wie ein Zwang, als sie ihn anrief.

»Ja bitte? Wer ist denn da?«

»Meldest du dich immer so?«, fragte Samara. »Ich bin's, Sami, wie geht es dir?«

»Ist es dir so langweilig, dass du mich anrufst?«, antwortete er.

›Was bist du doch für ein ungehobelter Kerl‹, dachte Samara und sagte: »Nein, es ist mir nicht langweilig, aber die Sonne scheint gerade so schön auf meine Liege neben meinem Wohnwagen und ich habe an dich gedacht.«

»Bist du wieder am See?«, fragte Rainer und sie unterhielten sich eine Weile darüber.

»Ich fahre morgen nach Hause und wollte dich zu einem Abendessen einladen«, erklärte Samara.

Kurz herrschte Stille. Ihr Herz pochte. Welche Blöße gab sie da schon wieder?

»Lassen wir das doch, ich komme mit mir in Schwierigkeiten, wenn ich mich mit dir auch regelmäßig treffe. Das zerreißt mich und ich weiß aus Erfahrung, dass das nichts bringt«, antwortete Rainer.

»Du kannst dich so ganz locker von deinen Gefühlen trennen, sie ablegen, wie Papierkram, oder wie?«

»Ja, so ähnlich ist es tatsächlich, ich kann das ganz gut sortieren«, erklärte er.

»Also dann, mach's gut«, antwortete Samara sauer und unterbrach das Gespräch.

›So ein arroganter Kerl! Was bin ich nur für ein Idiot? Das ist so peinlich‹, schimpfte sie mit sich selbst. ›Also, wenn du es jetzt noch nicht begriffen hast, dass er nur mit dir ins Bett will, dann weiß ich auch nicht. Du bist doch nicht mehr ganz sauber, Samara, du hast doch eine volle Scheibe! Was willst du eigentlich von ihm? Da gibt es haufenweise Männer, die gerne mit dir zusammen wären, und du hängst dein Herz an so einen. Der ist doch eiskalt.‹

›Ist er nicht‹, ertönte eine Stimme in ihr. ›Ich liebe ihn doch!‹

›Was hast du von so einer Liebe, nichts als Ärger und unbefriedigte Sehnsucht. Das muss endlich aufhören‹, beschwor sie sich und verbannte Rainer wieder in die hinterste Ecke ihres Herzens.

An diesem Abend fing sie an zu schreiben. Fünf Jahre hatte Samara diesen Gedanken schon mit sich herumgetragen. Doch sie wusste nicht, was sie hätte schreiben sollen. Sie wusste nur, dass sie diese Aufgabe, genau wie die Geburt von Leoni, eines Tages erfüllen musste. Wie bei ihrem dritten Kind hatte sie instinktiv, lange bevor es geboren wurde, gewusst, dass es sein sollte. Doch so, wie sie sich auch damals auf diese Gefühle einlassen konnte, wusste Samara tief in ihrem Inneren, durfte sie sich nun die Zeit nehmen, auch dieses Buch in sich reifen zu lassen.

Und dann war es auf einmal da. Wie von selbst gingen ihr die ersten Zeilen von der Hand. Zunächst auf losen Blättern, schrieb sie und schrieb. Wie eine irr Gewordene schrieb sie unaufhaltsam. Sie konnte kaum atmen, so sehr drängte es sie, ihre ganze Energie in ihre Finger fließen zu lassen. Als würde sie endlos massieren, so schrieb sie auf einmal. Mit ihrer ganzen Kraft, mit ihrer ganzen Konzentration, als würde es in diesem Augenblick nichts Wichtigeres geben. So als würde sie ihre Finger auf dem anderen kreisen lassen, tief versunken in das, was sie tat, mit all ihren Sinnen, mit ihrer ganzen Hingabe und Leidenschaft. Mit all dem Schmerz, den sie in sich trug, mit der ganzen Fülle ihres Herzens, schrieb sie Zeile für Zeile.

Doch als die ersten vierzig Seiten fertig waren, konnte sie ihre Finger nicht mehr bewegen. Schnell wurde ihr klar, dass sie so nicht wirklich weiterkommen würde. Sie überlegte, was zu tun war. Meldete sich zu einem Computerkurs an und besorgte sich ein Laptop. Stundenlang studierte sie die Gebrauchsanweisung, wurde immer zorniger, und alles endete in einem Heulkrampf. Sie fühlte sich, als wäre sie auf einer einsamen Insel. Wie ein Berg kam ihr auf einmal alles vor. Wie sollte sie das schaffen? Wie sollte sie Zeit finden, auch noch zu schreiben?

Da fiel ihr Peter ein. Peter konnte doch fast alles. Sie wählte seine Nummer, zögerte einen Moment. Er hatte ihr schon so viel geholfen. Hoffentlich ging sie ihm nicht auf die Nerven …

»Ja, hallo?«

»Hi Peter, ich bin so verzweifelt. Ich möchte ein Buch schreiben und jetzt hab ich mir ein Laptop gekauft und ich sitze schon stundenlang vor diesem Ding und es funktioniert nicht.«

Schallendes Lachen drang an ihr Ohr. »*Was* willst du? Ein Buch schreiben?«

142

»Ja, ganz im Ernst! Du musst nicht lachen«, fügte sie beleidigt hinzu. »Es ist mir ziemlich ernst. Todernst!«

»Okay, okay«, beschwichtigte er sie. »Und jetzt hättest du gerne, dass ich nach dem Teil schaue, nicht wahr?«

»Oh ja, das wäre toll.«

»Ich weiß aber gar nicht, ob ich das hinkriege. Was ist es denn für eine Marke?«

Und schon waren sie angeregt dabei, übers Telefon die technischen Daten zu besprechen. Noch am selben Abend war Peter gekommen und nach eineinhalb Stunden lief das Gerät. Von diesem Zeitpunkt an schrieb sie jede freie Minute, Tag und Nacht. Die nächsten Monate gab es auf einmal nichts Wichtigeres, als zu schreiben. Dieses Buch forderte sie auf unglaubliche Weise. Und schon bald häuften sich die Widerstände. Leoni wurde krank, dann auch noch Stina und am Ende war sie völlig fertig, weil ihr einfach die Nachtruhe fehlte. So konnte sie nicht weitermachen, sie musste auch wieder leben. An anderes denken. Schlafen! Das Bett vor ihr lockte sie, kam näher, schien behaglicher zu sein, als nun noch spät am Abend am PC zu sitzen. Sie zwang sich zur Meditation und betete. Sie rief ihre Schutzengel. Sie bat um Kraft, um Mut und um Führung. Und sie spürte von Minute zu Minute mehr, wie sich ihr müder Körper aufrichtete. Als würde sie gegeben, die Kraft, die da kam und durch das Licht ihren Geist stärkte. Sie zündete die großen Kerzen an, die rund um den Schreibtisch standen, legte eine Meditationskassette ein und fuhr ihren PC hoch. Schon nach einer viertel Stunde fühlte sie sich so verbunden mit ihrem Geschriebenen, dass sie förmlich damit verschmolz. Wenn sie spät in der Nacht ihre Zeilen gespeichert hatte, ging sie zufrieden und wieder ein Stück von einer großen Last befreit zu Bett, um doch am Morgen mit der gleichen Sehnsucht aufzustehen und mit der Hoffnung auf die Nacht den Tag zu beginnen.

Nachdem sie sich in dieser Anfangszeit eingeigelt hatte, sich von Abend zu Abend sehnte und geschrieben hatte, sobald ihre Kinder schliefen, musste sie erkennen: So war das auf Dauer einfach nicht möglich. Ihre Freunde meuterten.

»Nie hast du Zeit. Du bist nur noch kurz angebunden am Telefon. Kein normales Gespräch ist mehr möglich, seit du schreibst. Es ist überhaupt nichts mehr mit dir los«, beklagte sich auch Edda.

Als nach vier Monaten das Gerüst ihres Buches fertig war, entschied sie sich, sich dem normalen Leben wieder anzuschließen. Doch das war anfangs gar nicht so einfach. Auf einmal fehlte ihr die Zeit. Ging sie aus, plagte sie ein schlechtes Gewissen. Schrieb sie, hatte sie Mühe, ihre Freundschaften zu pflegen. Anfänglich, als sie schrieb, dachte sie nur an Rainer. Sie wollte das Geschehene verarbeiten und loslassen. Doch mit jeder Zeile kamen auch alte Erinnerungen an längst vergangene Zeiten wieder in ihr hoch. Und nicht nur die Glücksmomente häuften sich vor ihrem geistigen Auge, sondern gerade die Enttäuschungen vergangener Tage. Ganz bewusst holte sie besonders schmerzhafte Elemente in ihrem Leben noch einmal an die Oberfläche. Hatte sie das nicht schon einmal in ihrer Psychoanalyse getan? Doch dieses Mal schien sie tiefer als je zuvor hineinzukriechen und begann ihre Traumata zu entschlüsseln, die ihr Leben so sehr beeinflussten.

Wenn Samara sich bei ihren himmlischen Begleitern beklagte, dass ihr die Zeit, die Kraft und das Durchhaltevermögen fehle und das Wissen darüber, wie man überhaupt ein Buch schreibt, dann beruhigten ihre Engel Samara: »Schreib du nur und erzähle. Um alles andere kümmern wir uns. Hab Vertrauen. Es kommt alles von ganz alleine auf dich zu. Wenn die Zeit reif ist, werden die helfenden Hände von ganz allein auf dich zukommen und dir Schritt für Schritt weiterhelfen. Sorge dich nicht, mein Kind. Wir werden dir helfen und beistehen, bei jeder einzelnen Zeile.«

Samara konnte sich das anfänglich nicht vorstellen, aber schon so oft war es ihr so ergangen, dass sie nicht wusste, wohin ihre Lichtwesen sie führten. Also schrieb Samara und ging Schritt für Schritt weiter, in der Hoffnung, sie würden das Ihrige dazutun. Bevor sie mit ihrer Arbeit begonnen hatte, kannte sie niemand, der je ein Buch geschrieben hatte. Die Literatur war nicht ihre Welt und sie kannte sich nicht aus. Viel zu fremd war das alles und es hatte nie besonders ihr Interesse geweckt zu lesen.

Einigen Kunden hatte sie davon erzählt. So auch Frau Meilenstein. Sie kam fast schon zehn Jahre zu ihr und war eine ruhige, sehr interessante Frau. Während Samara ihr die Arme massierte, hatte sie von ihrem Buch berichtet. Die beiden Frauen unterhielten sich eingehend darüber und Frau Meilenstein erzählte von einem Schriftsteller. Sie waren mitten im Gespräch, als es ihr so erschien, als würde ein Engel neben sie treten und sagen: »Das ist der nächste Schritt.«

Am nächsten Morgen brachte sie ihre Kinder zu Marcel, denn sie hatten beschlossen, dass er dieses Weihnachten mit ihnen und Samara die darauffolgenden Feiertage mit den Kindern verbringen würde. Ihr erstes Weihnachten ganz allein, ohne Familie, ohne Kinder. Ein wenig komisch war ihr schon zumute, doch sie hatte diesen Tag sorgfältig geplant. Morgens war ein Besuch bei Edda zur Kosmetik geplant und abends stand ein Essen mit Freunden auf ihrem Tagesprogramm.

Immer, wenn etwas bedeutend und wichtig war, hatte Samara versucht, an diesem Tag auch eine Kosmetikbehandlung zu buchen. So bei ihrer Scheidung, ihren Geburtstagen und nun dieses Weihnachten. Allein der Gedanke daran, verwöhnt zu werden, genießen zu dürfen und wieder gestärkt daraus hervorzutreten, beflügelte sie. Denn in diesem Zustand der tiefen Entspannung war sie schon zu manch wichtiger Transformation fähig gewesen. Und außerdem konnte sie mit Edda zusammen sein.

Edda stand schon in ihrem weißen Arbeitsmantel an der Eingangstür und begrüßte Sami freudig.

»Welch ein Tag, an Weihnachten, zu dir zu kommen, und das schon am frühen Morgen«, freute sich Samara.

»Ja, das ist doch ein Luxus, nicht wahr?«

»Und ob! Ich hätte gerne eine Rückenmassage, Wimpern und Augenbrauen gefärbt, die Multibalance-Behandlung, Fußreflex und Strömen.«

Samara zog ihre Bluse aus und setzte sich auf den Behandlungsstuhl. Die Entspannungsmusik lief schon im Hintergrund. Edda legte ein gelbes Handtuch um Samis Brustkorb und wickelte sie bis zu ihrem Dekolleté in eine flauschig weiche, beigefarbene Wolldecke. Ihren Kopf zierte nun ein Stirnband, über das ein weißes Kosmetikhäubchen zum Schutz der Haare gestülpt wurde. Man sah darin aus, als würde man in einer Spülküche arbeiten, wirklich nett, doch sie war es ja gewohnt von ihren eigenen Kunden. So empfand Samara das als ein schönes Ritual, um sie auf das Kommende vorzubereiten. Denn schließlich war *sie* heute an der Reihe.

Nachdem ihr Edda den Nacken und die Schulterpartie massiert hatte, ließ sie den Behandlungsstuhl zu einer flachen Liege herunter, sodass sich Samara auf den Bauch drehen konnte. Während sich Edda mit einem Massageöl an ihrem Rücken zu schaffen machte, sprachen sie über Heiligabend.

»Petra und Thomas kommen erst um zwanzig Uhr zu mir, sie haben noch mal angerufen, dass es ihnen doch nicht auf sechs reicht. Wenn du willst, könnten wir vorher noch in die Kirche gehen.«

»Das wäre eine gute Idee, dann bereiten wir davor alles für das Essen her?«, fragte Edda.

»So könnten wir es auch machen, ich freu mich schon auf das leckere Raclette. Es ist schon ewig her, dass ich das gegessen habe.«

Sie sprachen über dies und jenes, als der Franzbranntwein auf ihren Rücken kam und sie ein wenig zusammenzuckte. Aber es war schon wieder angenehm und sie spürte, wie die Tinktur ihren Rücken durchblutete. Nun musste sie geschwind heruntersteigen, damit Edda ihren Stuhl wieder in die aufrechte Stellung einstellen konnte. Samara wurde nun wieder erneut eingepackt, sodass ihr Rücken warm blieb und nur das Gesicht, der Hals und ihr Dekolleté frei lagen.

Edda hielt ihr Behandlungszimmer in sanften, warmen Gelbtönen. Der große Behandlungsstuhl thronte majestätisch in der Mitte des Zimmers. Ähnlich einem Zahnarztstuhl konnte man ihn hydraulisch in der Höhe verstellen, allerdings mit dem großen Unterschied, dass jeder, der darauf Platz nahm, sich meist schon Tage zuvor auf die Behandlung freute. Seidenvorhänge zierten das große helle Fenster, das zwei auf dem Boden stehende gelbe Blumentröge schmückten. Ein großer Hibiskus reckte sich in dem einen und eine rosarote Azalee in dem anderen. Links vom Behandlungsstuhl stand das Gerät, mit dem die Haut bedampft wurde. Zum einen tat die Wärme gut, zum anderen schwemmten die feinen Wasserpartikel die Poren aus und klärten die Gesichtshaut. Das ätherische Öl, das zuvor je nach Stimmung beigefügt wurde, tat noch ein Übriges und wirkte stimulierend auf das vegetative Nervensystem. Besonders an kalten Tagen war das eine Wohltat. Entweder konnte hier schon eine Arm- oder Beinmassage integriert werden, oder es bot sich eine Fußreflexzonenmassage an. Nachdem ihre Haut wieder abgetrocknet war, wurden Unreinheiten entfernt und die Augenbrauen wieder in eine schöne Form gezupft. Dabei blieb eine Menge Zeit, sich die Seele frei zu reden. Samara wusste, dass sie Edda vertrauen konnte. Nicht nur, weil sie ihre Freundin war, in diesem Bereich der Dienstleistung war Verschwiegenheit eines der obersten Gebote. Hochwertige, konzentrierte Wirkstoffe wurden nun aufgetragen in Form von Ampullen oder Kapseln, angereichert mit Mineralstoffen, Vitaminen und Spurenelementen, Lipoiden, essentiellen Fettsäuren und anderen Bausteinen, die für die Haut ebenso wichtig waren wie für den Körper insgesamt. Samara konnte jedes einzelne Tröpfchen so sehr empfinden und freute sich über diesen Reichtum an Freude, den sie spürte, und dass sie unendlich genießen konnte. Sie war der Meinung, dass man nur viel nach außen geben konnte, wenn man auch an sich selbst dachte, und dass das, was man sich an Aufmerksamkeit und Wertschätzung für andere wünschte, sich auch selbst zukommen lassen musste. Schließlich sah sie die Wirkung auch an ihrem äußeren Erscheinungsbild. Kosmetik war für Samara wie auch für Edda mehr als nur das, was im üblichen Sinne darunter verstanden wurde. Sie konnte so tief dabei entspannen, dass sie in einen tranceähnlichen Zustand fiel.

In ihrem Geist sah sie plötzlich eine weiße Frau mit langen blonden Haaren. Sie waren so lang, dass sie von dem Altar, auf dem sie lag, bis zum Boden reichten. Sie trug ein weißes Gewand wie aus Leinen und hatte nackte Füße. Obwohl es doch kühl sein musste, fror sie nicht, denn sie lag friedlich dort, als würde sie schlafen. Plötzlich rief sie jemand. Sie drehte ihren Kopf in die Richtung, aus der die Stimme kam. Sie schaute den langen Gang entlang an den leeren Kirchenbänken aus dunklem Holz vorbei, die dicht an dicht, Reihe für Reihe, den großen Raum säumten bis zu der schmiedeeisernen Kirchentür. Sie sah die Gestalt auf sich zukommen. Es war ein überaus friedliches Bild. Es war fast dunkel und sie war hell erleuchtet auf diesem Altar. Diese Gestalt, so zart und geschmeidig, nicht gehend, eher schwebend, kam wie ein Hauch auf sie zu, zunächst nur sichtbar wie ein heller Kreis. Doch je näher der helle Kreis kam, umso mehr nahm er Gestalt an, größer, mächtiger, dabei lieblich, sanft und zart. Als habe man tausend helle Aurahüllen sichtbar gemacht, die hell aufleuchteten und den Menschen darin sichtbar werden ließen, kam die Gestalt näher, bis sie die Frau auf dem Altar auf einmal sanft berührte.

Plötzlich erkannte sie Jesus neben sich. Sein mildes Lächeln, seine Hand, die ihre berührte und doch nicht, und sie fühlte sich wie ein Kind in der innigsten Umarmung. Seine Erscheinung war so gütig, so voller Ruhe. Scheinen, ein Scheinen sein. Hell, klar und sanft. Er schaute sie an mit seinen warmen Augen und sagte: »Komm.«

Sie erhob sich andächtig, als gäbe es nichts Bedeutenderes, als ihm nachzufolgen. Sie sah sich an seiner Hand, die sie doch nicht berührte, und es war ihr, als läge ein Band darin, das sie unweigerlich zog, ihm zu folgen. Er führte sie in einen kleinen Raum, in dem wieder ein von Kerzen umringter Altar zu sehen war. Es war, als läge Musik in diesen Gemäuern, und sie fühlte endlose Demut. Wie ein Kind, das das schönste aller Geschenke erwartet, trat sie einen weiteren Schritt nach vorne, als er sie schweigend zu sich her winkte.

Ein großes, massives Buch lag aufgeschlagen vor ihr, eingebunden in einen Umschlag aus Blei oder Zink. Steine waren eingelassen in den schweren, silbernen Band. Es wirkte alt, uralt, wie vor tausend Jahren geschrieben, und sie spürte, es war nicht irgendein Buch. Auf dem kleinen Altar umringt von brennenden Kerzen lag es da.

Der Herr legte seinen Finger auf eine Zeile.

Er schaute sie an, als wollte er sie fragen: »Willst du?« Und sie hörte sich andächtig sagen: »Ja, ich will.« Er schaute sie prüfend an und dann lächelte er wieder, sanft und zärtlich. Sie stand neben ihm in ihrem Nachthemd. Sie stand da wie eine Andächtige, wie eine, die alles, alles für ihn geben würde. Ihr Leben, ihr Herz und alles, was in ihr war. Er nahm sie an der Hand und ging wieder mit ihr gemeinsam still hinaus aus diesem kleinen Teil der Kapelle.

Sie sah sich draußen stehen, vor der Kirche. Auf einmal war es heller Tag. Sie war wieder sie selbst und trug ganz normale Kleider.

Sie schaute sich um und suchte ihn mit ihren Augen, doch er war fort. Kurz erreichte sie ein Gefühl der Trauer, der tiefen Verzweiflung. Doch dann schaute sie in ihre Hände und hatte ein kleines Buch darin liegen und einen Stift in der rechten. Sie war erstaunt. Wo kam das her? Noch kurz zuvor war sie doch noch in dieser Kirche gewesen? Sie musste unweigerlich auf das kleine Buch in ihrer Hand schauen. Und sie schlug es vorsichtig auf. »Ich werde immer da sein! Hab keine Angst. Ich bin der, der ich bin.« Und auf einmal spürte sie Hände, die sanft ihre Stirn umfassten, und sie wusste, dass es seine waren.. Ein Gefühl erreichte sie und auf einmal sah sie neben ihm alle Engel stehen, in einer Umarmung einen Kreis um sie bildend, in gebührendem Abstand. Und sie verstand, was sie ihr sagen wollten.

»Ich liebe euch von ganzem Herzen! Ich liebe euch über alle Maßen«, sagte sie. »Ich werde weitermachen, auch wenn ich oft ein Zweifler bin, und erfüllen, was ihr für mich erwünscht und auch ich in meinem tiefen Inneren wünsche. Euch zu dienen, der Welt zu dienen, der Menschheit. Mit meiner Liebe, die ich in mir trage. Ich werde meine Ängste überwinden und mit meinen Erlebnissen nach außen treten, ich verspreche es. Ich werde mir alle Mühe geben!«, versprach Samara. – »Amen. Ich werde dich führen. Ich werde dein Herz weit machen. Wer mir nachfolgt, dem ist das Himmelreich jetzt schon nah«, hörte sie es in sich wieder hallen. Und ihre Tränen vermischten sich mit ihrem Lachen über das Glück und die Fülle, die sie spürte. Für ihr Herz, das da brannte und hell in ihr leuchtete und ihr Innerstes mit diesem Segen überströmte.

Als Edda ihre Hände von ihrem Gesicht nahm und es mit kühlem Wasser abgewaschen hatte, konnte Samara endlich reden. Natürlich musste sie Edda das alles erzählen, es war noch so frisch. Sie war die Einzige, zu der sie solch ein Vertrauen hatte, sich so zu offenbaren. War sie verrückt? Auch Edda glaubte das manchmal. Was hatte sie da immer für Visionen! Träumte sie einfach? Sie zweifelte wie Edda selbst an dem, was sie immer wieder erlebte. Aber sie ließ es genauso gut als Möglichkeit stehen. Wer sollte das verstehen? Sie konnte es ja selbst nicht und doch konnte sie nicht anders, als immer wieder zu glauben und darauf zu vertrauen. Sie wusste, dass Edda sie liebte, dass sie sie so liebte, wie sie war. Allein dass sie zuhörte und Samara ernst nahm, half ihr dabei ungemein.

Durch dieses Erlebnis hatte sie den ganzen Tag eine Kraft gehabt, mit der sie dann auch zu Bett gegangen war, so als habe man ihr eine ganze Ladung Frischzellen gespritzt. So stellte sie sich das jedenfalls vor, wie es sich anfühlen würde, frische Zellen injiziert bekommen zu haben. Petra und Thomas erzählte sie nichts davon. Sie hätten sie noch ungläubiger angeschaut, als sie es eh schon manchmal taten.

Einige Tage danach rief Hanna an. Erst vor Kurzem hatte sie ihre langjährige Beziehung mit Ron beendet. Nun rief sie wieder öfter bei Samara an.

»Du, sag mal, du gehst doch immer mit Edda in das Tanzlokal? Wie heißt das noch gleich, ›Zauberwald‹ oder so?«

Samara lachte und unterbrach sie: »Du meinst die ›Zauberfee‹, nicht wahr?«

»Ach ja genau, das habe ich gemeint. Könnten wir da nicht nächsten Freitag zusammen hingehen? Mir fällt die Decke auf den Kopf, ich muss unbedingt raus.«

Samara zögerte, denn sie wollte Rainer nicht mehr sehen. Doch sie hatte in den letzten Wochen nicht viel an ihn gedacht. Die schönen Abende mit Edda fielen ihr wieder ein. Das viele Tanzen und Lachen, und eigentlich fehlte ihr das schon, wenn sie so recht überlegte.

»Also gut, wenn du meinst, können wir machen. Ich arbeite bis um neun. Wenn du willst, kannst du mich im Geschäft abholen und dann könnten wir noch irgendwo was trinken, bevor wir anschließend tanzen gehen«, schlug sie vor. Hanna war begeistert.

Es war schön, wieder zu tanzen. Die alten Songs zu hören und den Körper zu spüren. Die Musik war gut, besser als sonst, und sie konnte sich immer mehr entspannen und dem Rhythmus hingeben.

Als Rainer zu später Stunde einlief, stellte sie erleichtert fest, dass sie nichts, rein gar nichts mehr für ihn empfand. Kein Gefühl, totale Gleichgültigkeit. Eigenartig, er war ihr auf einmal völlig egal. Sie erinnerte sich wieder an dieses Telefongespräch, den letzten Kontakt zu ihm. Auch wenn es nun schon fast ein halbes Jahr zurücklag, fiel es ihr nun auf einmal wieder ein. Sie war froh, endlich geheilt zu sein. Keine viertel Stunde verging, als sie jemand von der Seite stupste.

»Hallo Sami, bist du auch mal wieder da?« Rainer stand plötzlich neben ihr und erkundigte sich nach ihrem Befinden. Auch dieses Mal brannte es ihm förmlich auf den Lippen, zu fragen, wo sie so lange gewesen sei.

›Warum diese Frage, warum immer wieder diese Frage?‹, ratterte es in ihrem Kopf und schon wieder stieg ein Gefühl des Unmuts in ihr hoch. Doch sie drückte es weg. Es war vorbei! Samara erlaubte sich Freundschaft zu empfinden, denn sie wollte mit niemandem in Unfrieden sein. Sie unterhielten sich eine Weile und mit der Zeit erzählte sie ihm sogar von ihrem Buch. Zuerst glaubte er, sie wolle ihn auf den Arm nehmen, hörte ihr jedoch aufmerksam zu und konnte ein Gefühl der Bewunderung nicht verbergen. Er lachte viel, und als ein temperamentvolles Lied angespielt wurde, forderte er sie zum Tanzen auf. Sie empfand kein Zittern in ihren Beinen, keine Hitze, die sie zum Nein-Sagen bewogen hätte. Es beruhigte sie außerordentlich, einfach nur mit ihm tanzen zu können. Nach diesem schnellen Lied wurde die Musik auf einmal merklich langsamer, obwohl das eigentlich gar nicht auf den vorherigen Song abgestimmt war. Wie früher legte Rainer sanft seine Hand in ihren Nacken und zog sie näher zu sich heran. Samara drehte ihren Kopf zur Seite und wich seiner Berührung aus. In diesem Augenblick verspürte sie einen so unglaublichen Zorn. Fast erschrocken legte er blitzartig seine Hände wieder in ihre Taille.

»Was bist du nur für ein Mensch?«, fauchte sie ihn an und ihre Augen funkelten gefährlich. Ihre ganze Verachtung, ihr ganzer Frust der Vergangenheit mit ihm lagen darin. »Was glaubst du eigentlich, wer du bist? Einmal bist du liebenswürdig und nett, sanft und charmant und dann wieder schroff und ungeheuer brutal. Was hast du letztes Mal zu mir am Telefon gesagt? Du könntest deine Gefühle entsorgen wie Müll?«, zischte sie.

Seine Augenbrauen zogen sich zusammen. »Das soll ich gesagt haben?«, antwortete er erbost.

»Natürlich hast du das gesagt, ich erinnere mich genau!«

»Das hab ich ganz bestimmt nicht gesagt«, erwiderte Rainer

energisch und sichtlich gekränkt.

»Nein, das hast du nicht gesagt«, äffte Samara ihn nach. »Falls du glauben solltest, dass du mich mit deinen Annäherungsversuchen noch einmal ins Bett kriegst, hast du dich ebenfalls gewaltig getäuscht. Du bist arrogant und selbstverliebt, das Gegenteil von großzügig. Du achtest dein Gegenüber nicht. Betrachtest die Menschen nur oberflächlich und sobald du eine Schwäche an ihnen wahrnimmst, verurteilst du sie zutiefst. Deine ganze Gestik, deine Körpersprache, deine Augen und dein Blick. Wie du Frauen ansiehst, verrät dich. Du bist total verklemmt. Wahrscheinlich weil du deinen eigenen Trieb, deine Sehnsucht nach Sex nicht wirklich zulassen kannst. Lebst du sie dann dennoch aus, steht kurz darauf deine eigene Fratze wieder vor dir. Vielleicht entwickelst du deshalb so etwas wie Hass für Frauen und musst immer wieder grob sein und sie wieder von dir wegdrücken. Weil sie dich wahrscheinlich so in deiner Lust anrühren. Falls du dir einbildest, du seist ein guter Liebhaber: Vielleicht hast du eine ganz gute Technik drauf, aber das ersetzt das Gefühl noch lange nicht! Auf so etwas kann ich in Zukunft verzichten. Nein danke! Ich habe genug!«

Samara spürte deutlich, wie er zusammenzuckte. Er versuchte es sich nicht anmerken zu lassen, doch es hatte gesessen.

»Jetzt hast du es mir aber gegeben«, versuchte er die hitzige Stimmung mit einem Lächeln zu entschärfen. Aber das hätte er erst gar nicht zu versuchen brauchen. Samara hatte gesagt, was zu sagen war. So lange hatte sie ihm schon mal die Meinung sagen wollen. Sie wollte, dass er wusste, dass sie sein Spiel durchschaut hatte. Doch sie wusste auch, dass es ihre Verhaftungen waren, die sie zum Bleiben zwangen.

Rainer war nicht der Typ von Mann, der Kritik leicht wegstecken konnte, geschweige denn duldete. Dass er sie nicht stehen ließ, sondern einfach mit ihr weitertanzte, verwunderte sie total. Es war raus und merklich hatte sie sich wieder entspannt und konnte wieder Freundschaft empfinden. Irgendwie tat er ihr sogar leid. Sie wusste doch, wie sehr sie kämpfte, um ihre Strukturen zu durchbrechen. Ihm ging es doch genauso. Er kämpfte auch, nur anders. Es war nicht ihre Art, einem Menschen eine solche Breitseite zu verpassen.

Doch er brauchte es.

Hanna hatte die Situation vom Rand der Tanzfläche aus beobachtet. Ihr war keine Reaktion entgangen und als Samara sich wieder neben sie stellte, sagte Hanna bewundernd:

»Dem hast du's aber gegeben. Der ist richtig zusammengezuckt.« Sie wollte schon weitermachen, als Samara sie jäh bremste.

»Ach hör doch auf«, tadelte sie Hanna wütend. »Es war wirklich nicht meine Absicht, ihn so anzufahren. Dieses Machtgehabe, *du verletzt mich, also verletze ich dich auch und drück dir ordentlich eins rein*, entspricht eigentlich nicht meiner Auffassung von Konfliktbewältigung.«

Doch im gleichen Augenblick huschte ein Lächeln über ihr Gesicht, und sie fügte versöhnlich hinzu. »Aber es hat wirklich gut getan.«

Hanna nahm sie unter den Arm und sagte: »Es wird Zeit, dass du den Männern zeigst, wo es langgeht.«

Sie waren gerade dabei, sich eine Zigarette anzuzünden, da stand Rainer wieder neben ihr.

Zu ihrem Erstaunen wollte Rainer sie zur nächsten Tanzrunde holen.

»Du verblüffst mich, Rainer. Ich hätte nicht gedacht, dass du noch einmal mit mir tanzen möchtest«, sprach sie ihre Gedanken aus.

»Und ich bin über mich erstaunt, dass ich es wieder tue.«

Sie schaute ihn von der Seite an, suchte seinen Blick, um festzustellen, was er wirklich dachte.

Ein leichtes Grinsen huschte über seine Lippen, und während er sie fast unmerklich mit seiner Wange berührte, flüsterte er: »Vielleicht hast du ja recht?«

Samara war beeindruckt, so ein Eingeständnis hätte sie nicht von ihm erwartet. Plötzlich war er wieder ganz sanft. Oder war das vielleicht einfach nur wieder eine Masche? Nein, das stimmte nicht, er war nie wirklich unehrlich gewesen. Wenn sie nachgefragt hatte, hatte sie immer eine klare, oft harte Antwort erhalten.

Samara überlegte, dass er vielleicht gar nicht anders konnte, als so zu sein, wie er war. Sie musste sich eingestehen, wieder mal aufs

Neue: Ja, sie mochte ihn wirklich. Ja, sie mochte ihn sogar sehr.

Sie schwebten über die Tanzfläche und begannen nach einer Weile auch wieder zu reden. Sie sprachen über ihr Buch, seine Arbeit und vieles mehr. Als die nächste Discorunde begann und alle wieder alleine tanzten, wich er immer noch nicht von ihrer Seite. Ein hübsches Mädchen, sehr interessant in der Erscheinung, tanzte neben ihnen. Samara nahm wahr, dass auch ihr Rainer gefiel. Unmerklich und doch für Sami auffällig genug spielte sie ihre erotischen Reize aus. Obwohl Samara sich während des Tanzens nicht einmal zu Rainer umgewandt hatte, nahm sie die Schwingungen hinter sich wahr und merkte, dass sich Anziehung zwischen den beiden entwickelte. Obwohl sie Rainer den Rücken zukehrte, spürte sie sein Wohlgefallen an der Fremden und fühlte, wie er sie von der Seite betrachtete.

›Das tu ich mir nicht an, das ist nicht meins‹, dachte sie und machte sich daran, sich tanzend aus dem Feld von Rainer und dem Mädchen wegzubewegen. Rainer reagierte auf einmal blitzschnell und tanzte von hinten um sie herum, als wolle er ihr den Weg abschneiden und ihr Weggehen verhindern. Kurz darauf tanzte er vor ihr und lächelte sie an. Sie hätte einen richtigen Bogen um ihn machen müssen, um ihre Richtung fortzusetzen. Samara stellte erstaunt, aber auch angenehm überrascht fest: Wenn man etwas in dem Moment am wenigsten will, es sich zuvor aber gewünscht hat, erfüllt es sich zu einem Zeitpunkt, wo man schon gar nicht mehr damit gerechnet hat.

Als Rainer spürte, dass Samara einlenkte, huschte ein zufriedenes Lächeln über seine Lippen, als hätte er einen erfolgreichen Schachzug vollbracht.

Hanna war erstaunt, als Samara zurückkam. »Der legt sich aber mächtig ins Zeug! Ein Mann, der nichts von dir will, reagiert nicht so, Sami. Bleib dran.« Sie musste am nächsten Tag noch einiges erledigen und verabschiedete sich bald danach.

So blieb Samara noch alleine in der *Zauberfee*. Rainer ließ keine Tanzrunde aus, sie redeten viel, lachten und tanzten. Sie waren sich wieder sehr nah und vertraut und je mehr sie mit ihm tanzte, seinen Körper an dem ihren spürte und seine Stimme hörte, umso intensiver nahm ihn Samara wahr. Seine Ohren, seinen Nacken, den

154

Ansatz seines Oberkörpers, der durch das oben nicht ganz geschlossene Hemd zum Vorschein kam. Die zarte Haut an seinem Hals, auf Blickhöhe ihrer Augen. Den Duft an ihm, in den sie sich hätte verkriechen können. Die Art, wie er sprach, die Weise, wie er lachte, und seine Augen, die aufblitzen konnten wie die eines kleinen, lebendigen Jungen, der etwas entdeckt hatte, was er noch nicht kannte. Was sollte sie machen? Sie liebte ihn einfach. Obwohl sie wusste, er empfand das nicht. Er war *der* Mann für sie. Immer würde sie ihn anziehend finden. Vielleicht würde sie ihn ewig lieben. Was sollte man tun, wenn man inniglich liebte? Wenn man alles wusste und doch nicht anders konnte? Sich lösen, sie wusste es ja. Sie würde sich niemals lösen von der Liebe in ihrem Herzen. Aber sie wusste, dass man sich verabschieden konnte einer größeren Liebe wegen. Verabschieden musste, wenn der Ruf rief. Irgendwann könnte sie weitergehen mit der Liebe in ihrem Herzen.

Er zog sie wieder näher an sich heran, während sie ihre Runden drehte. Ihr Verstand wehrte sich. Sie wollte nicht empfinden. Sie wollte keine Lust verspüren. Seine Lippen berührten ihr linkes Ohr.

»Willst du nicht heute Nacht bei mir bleiben? Bitte.«

Kurze Zeit herrschte Stille und als sie glaubte, es sich eine Ewigkeit überlegt zu haben, antwortete Samara: »Nein! Es führt doch zu nichts, lass uns einfach nur tanzen.«

Als die Tanzrunde zu Ende war und sie wieder an ihre Plätze zurückgingen, fasste Samara sich in den Nacken, weil sie auf einmal eine unangenehme Spannung dort wahrnahm.

»Bist du verspannt?«, fragte Rainer, während er neben ihr herging, und blieb stehen, als sie ihre Barhocker erreicht hatten.

»Ich habe heute von acht Uhr morgens bis abends um neun behandelt, viel massiert und am Schluss noch eine Neukundin gehabt, die derartig meine Energie aufgesaugt hat. Es ging ihr sehr schlecht und ich habe ziemlich viel in sie hineingelegt. Obwohl ich mich ordentlich gereinigt habe, hat es mich heute doch ein wenig verfolgt und das spüre ich dann meistens in meinem Nacken. Dann ist es wieder Zeit, mich selbst zu behandeln«, erklärte sie Rainer.

Ohne zu zögern legte er seine Hände auf ihre Schultern, während er vor ihr stand, und begann sie zu massieren. Seine Hände waren warm und voller Kraft. Es war eine klare, saubere Energie, die durch seine Finger floss. Sie ließ es geschehen und fühlte, dass er alles in seine Hände hineinlegte. Sie wollte es nur kurz zulassen, aber es tat so unendlich gut. Samara spürte, wie er ihr die ganze Anspannung von den Schultern nahm. In diesem Augenblick gab sie sich vollkommen hin, so sehr, wie sie es noch nie in seinen Armen getan hatte. Selbst wenn sie intim gewesen waren, hatte sie immer etwas zurückgehalten. Sie stand einfach nur da. Es kümmerte sie nicht mehr, ob die Leute, die ebenfalls am Rande der Tanzfläche standen, sie vielleicht beobachteten. Sie standen zwischen zwei Barhockern und sie ließ es geschehen, dass Rainer ihr den Nacken massierte. Er tat es so liebevoll, so bewusst und doch mit einer Dominanz, dass ihre Hände kraftlos an ihren Hüften herabsanken. Sie sackte so richtig ein wenig in sich zusammen, sodass ihr Kopf seinen Brustkorb berührte. Sie schloss die Augen und auf einmal liefen ihr Tränen über die Wangen. Es war, als habe er sie vollständig mit seinen Händen geöffnet, und ihr wurde auf einmal bewusst, wie groß ihre Liebe zu ihm war, so weit, so voll wie der Ozean. Wie sie diesen Menschen, der da neben ihr stand und ihr seine Hände auflegte, begehrte. Es war kein körperliches Begehren, es war ein Begehren nach dem Ganzen in ihm. Nach seinen Gedanken, nach seinen Vorstellungen, nach der Art, wie er sich bewegte, nach der Tiefe in ihm, die er mit dem Verstand nicht zeigen konnte und nun in seine Hände legte, wenigstens in diesem Augenblick.

Warum auch immer *er* es war und niemand an seine Stelle rücken konnte, vermochte sie nicht zu sagen. So inbrünstig, so tief aus ihrer Seele umsorgte sie diesen Menschen mit ihren Gedanken, mit ihrer Sehnsucht und mit ihrer Verehrung. ›Mein Gott, wie liebe ich dich und du, du spürst es nicht. Du gehst vorbei an meiner Seele und berührst sie nur für einen viel zu kurzen Augenblick‹, dachte Samara traurig. In diesem kurzen Moment fiel ihr auf einmal ihr Vater ein. Waren nicht alle Männer, die sie liebte, Marcel, Daniel und Rainer, eine Suche nach ihm? Spürte sie nicht denselben Schmerz in dieser Liebe wie damals, als sie begriff, dass er nicht sie meinte? So ähnlich war dieses Gefühl des Verlassen-worden-Seins, obwohl sie es gewesen war, die ging. Sie, die sich zurückgezogen hatte, weil er sie so getäuscht hatte. Wie in einem Film erschienen Bilder in ihrem Kopf, liefen Rädchen, die sich drehten und doch nicht vorwärts kamen. ›Warum gehst du nicht mit ihm? Warum tust du nicht das, wonach du dich so sehr sehnst? Ist es nicht deine Liebe, die du in deinem Herzen fühlst, die wirklich zählt?‹ Vorsichtig, zaghaft hob sie ihre Hände, die immer noch neben ihren Hüften baumelten, und legte sie Rainer um die Taille. Als würde ein Strom tiefer Erleichterung durch seinen Körper fahren, drückte er sie so fest an sich, dass sie glaubte, fast keine Luft mehr zu bekommen. Sie schlang ihre Arme um seinen Hals und schmiegte sich an ihn. Eine Ewigkeit hätte sie so verharren können. Als er ihre Hände zärtlich von seinem Nacken nahm und nach ihrer Hand griff, gingen sie still zum Ausgang. An der Kasse standen einige Leute, die ebenfalls bezahlen wollten. Sie stellte sich hinter Rainer und schlang von hinten ihre Arme um seinen Bauch, als sei alles klar zwischen ihnen. Sie zog ihre Zahlkarte heraus, die in Diskotheken üblich war, und dachte: ›Mal sehen, ob er heute für mich mitbezahlt.‹

Doch Rainer machte keine Anstalten, ihr die Karte abzunehmen und ihre Rechnung zu begleichen. Schlagartig wurde Samara wieder nüchtern. Sie gingen zur Garderobe und Rainer half ihr in den Mantel. Die alte Wut auf ihn hatte sich schlagartig in ihr Bewusstsein gedrängt.

»Sag mal, bezahlst du nie eine Rechnung für eine Frau?«, fragte sie.

»In einer Zeit, wo Frauen mehr als Männer verdienen, halte ich das für überflüssig«, erklärte er knapp.

»Es ist nicht so, dass ich meine Rechnung nicht bezahlen *kann*. Auch nicht, dass ich fordere, dass du mich einlädst. Aber ich hätte mich gefreut und es als eine Wertschätzung empfunden«, erklärte ihm Samara, während sie nach draußen gingen.

›Nicht einmal zehn Mark bin ich ihm wert‹, schoss es ihr durch den Kopf.

»Wo willst du denn hin?«, fragte Rainer erstaunt. Samara lief zielstrebig auf ihr Auto zu. »Ich gehe nicht mit, ich habe es mir anders überlegt. Ich hätte es einfach schön gefunden, wenn du mir wenigstens diese kleine Wertschätzung erwiesen hättest. Das zeigt mir einfach, wie wichtig ich wirklich für dich bin.«

»Jetzt hör doch auf, das hat doch damit nichts zu tun!«

»Doch, hat es sehr wohl! Mach's gut, Rainer.«

Sie stieg in ihr Auto und fuhr einfach davon. Er schaute ihr entgeistert nach, als könnte er es nicht fassen, dass sie so heftig reagierte. Es war nicht nur dieses Bezahlen gewesen … und doch. Es gehörte zu diesen vielen Dingen der Missachtung. Einmal war er so zärtlich, tat so viel für sie, wie das mit dem Massieren. Und dann war er wieder kalt, unaufmerksam und so ein Stoffel. Sie hatte solch eine Wut auf ihn.

Doch je länger sie fuhr, umso mehr schlich sich der Gedanke ein, wie es nun wäre, in seinen Armen zu liegen. Je weiter sie sich von seiner Wohnung entfernte, umso mehr bekam sie Wut auf sich selbst. Hatte sie sich doch so danach gesehnt, bei ihm zu sein! Die Szenen des Abends, wie sehr er sich bemüht hatte, standen ihr nun lebhaft vor den Augen. So richtig ins Zeug gelegt hatte er sich. Würde er das tun, wenn sie ihm nicht wichtig wäre? Er hätte doch auch anderweitig Chancen gehabt, eine Bettgefährtin zu ergattern. Sie wusste doch, dass er sie nicht so lieben konnte wie sie ihn. Sein Bedürfnis nach Selbstkontrolle war viel zu stark, als dass er sich auf so ein gefährliches Glatteis wie die Liebe einlassen könnte. Er war doch schon einmal bitter enttäuscht worden. Er wollte dieses Gefühl doch nie wieder erleben. Wie sollte er sich sicher sein, dass sie ihn nicht enttäuschen würde? Sie wusste doch, dass sie etwas hatte, das ihm gefährlich werden konnte. Es verband sie etwas, vor dem sie doch beide Angst hatten. Warum war sie jetzt nicht bei ihm? Samara stellte sich ihre einsame Wohnung vor. Das Wochenende, das vor ihr lag, ohne die Kinder. Freilich musste sie auch arbeiten. Aber trotzdem, es war ihre Zeit, ihre ganz eigene für sich und für Rainer. Sie sah sich in ihrem Bett liegen und sich nach ihm verzehren. Und sie wusste, dass es ihm genauso ging.

Sie blickte auf das Handy neben sich, und das Mikrofon der Freisprechanlage lud sie nahezu ein, sie müsste nur die Lippen bewegen. Wie von selbst wählte sie seine Nummer. Mittlerweile waren gut zwanzig Minuten vergangen, seit sie sich verabschiedet hatten. Es klingelte eine Ewigkeit. Sie versuchte ihr Verhalten damit zu rechtfertigen, dass er sein Telefon eh immer abgeschaltet hatte und sie ihn somit auch nicht stören könnte.

»Ja, bitte?«, meldete sich am anderen Ende seine dunkle Stimme. Samara hielt den Atem an. ›Feigling, Feigling‹, hörte sie ihre innere Stimme.

»Möchtest du, dass ich noch komme?«, fragte sie ruhig.

Wieder diese Stille, wie vor dem Ausbruch einer Sturmflut, wenn man glaubt, sich schnell in Sicherheit bringen zu müssen, um von den Fluten, die da in Bewegung kommen, nicht mitgerissen zu werden. Doch sie hielt dieses endlose Brodeln aus.

»Ja.«

Nur dieses eine Wort, doch es genügte ihr.

»Also gut, ich bin in zwanzig Minuten bei dir«, antwortete Samara und legte auf.

Die nächste Ausfahrt fuhr sie runter und raste dann mit einem Affenzahn, als gälte es ein Wettrennen zu gewinnen, die Brücke hinunter und auf der anderen Seite wieder auf die Schnellstraße Richtung *Zauberfee*. Sie wusste, dass es verrückt war! Sie wusste, dass es absolut inkonsequent und abartig süchtig war! Hätte eine ihrer Freundinnen neben ihr gesessen, sie hätte den Kopf geschüttelt. Und doch war es genau das, was die Freiheit des Lebens ausmachte.

Sie fühlte Glück. Samara hatte ein unglaubliches Herzklopfen und eine Freude in sich, dass sie sich doch noch anders entschieden hatte. Als gäbe es nichts Wichtigeres als diese eine Nacht. So fuhr sie wieder zu ihm zurück. Fast hätte sie mit den Füßen zu der Musik aus ihrem Radio getanzt. »Ich liebe dich, ich liebe dich, du Schatz, du«, sang sie, überhaupt nicht passend zu dem, was aus dem Lautsprecher ertönte. Es war ihre eigene Entscheidung. Auch wenn sie wieder von ihm gehen würde, frustrierter als je zuvor, so hatte sie doch ihre Sehnsucht für diesen einen Augenblick gestillt.

Samara parkte ihr Auto vorschriftsmäßig auf dem Seitenstreifen und steuerte zielstrebig auf die Haustür zu. So viele Klingen gab es dort.

»Wie heißt er denn noch mal?«, überlegte sie laut. Dabei wurde ihr klar, dass sie immer nur zusammen mit Rainer in das Haus gegangen war. Sie hatte nicht einmal seinen Nachnamen behalten!

»Verdammte Scheiße«, fluchte sie. So viele Namen und alle so ähnlich, und das nachts um halb zwei. Sollte sie wieder gehen? Sie konnte doch nicht irgendwelche Klingeln drücken um diese Zeit. Sie lief um das Haus herum und pfiff durch die Finger, so laut sie konnte. Und sie konnte wirklich unheimlich laut pfeifen, denn es hallte so schrill durch die Nacht, dass sie sich duckte, weil sie die Befürchtung hatte, dass nun alle Fenster gleichzeitig aufgehen würden. Doch keines öffnete sich. Dann rief sie: »Rainer!« Und noch lauter: »Rainer!!« War sie denn völlig bescheuert? Wie ein verrücktes Weib rannte sie da um den Block. Sie zürnte und fluchte, doch es half nichts. Sie lief wieder zurück und ihr Adrenalinspiegel musste mindestens um das Doppelte gestiegen sein. Sie stand wieder vor diesem Meer von Klingeln und dann drückte sie einfach eine. »Schau doch wenigstens mal heraus, du musst dir doch denken können, dass ich schon längst hier bin«, schimpfte sie vor sich hin. Doch niemand öffnete. Es war kalt und ungemütlich. Samara war schon ganz verzweifelt und beschloss nun doch, aufzugeben und zu gehen.

»He!«

Wer schrie da? Samara schaute sich um, konnte jedoch niemanden sehen.

»Sami!«

Sie schaute in die Richtung, aus welcher der Ruf kam. Schaute ein wenig nach oben und entdeckte Rainer.

»Du bist am falschen Haus!« Er winkte herunter und lehnte sich fast ein wenig zu weit aus dem vierten Stock.

Sie schlug sich mit der flachen Hand auf die Stirn und stand nun völlig demoralisiert da. Schaute ihn fassungslos aus großen Augen an, den Mund weit geöffnet, unfähig, auch nur ein einziges Wort zu sagen. Sie musste urkomisch aussehen, denn Rainer lachte auf einmal schallend.

»Warte, ich komme runter.« Er schloss das große Fenster und verschwand.

Sie fühlte sich erschöpft, durchgefroren und doch erleichtert. Wenn sie jemand gesehen hätte, wäre er wohl recht in der Annahme gegangen, dass sie kein Fettnäpfchen ausließ. Sie hätte bestimmt versichert, dass sie ganz und gar nicht der Typ sei, dem alles misslinge und sich dazu noch auf solche Abenteuer einlasse. Nun ja, nun steckte sie mittendrin. Hätte ihr jemand erzählt, dass sie einmal solche Dinge anstellen würde, um mit einem Mann zusammen zu sein, sie hätte lauthals gelacht.

Rainer kam ihr lächelnd entgegen. Sie konnte nicht anders, als sich ebenfalls ein zerknirschtes Lächeln abzuringen. »Oh, das ist mir aber peinlich, Rainer!«

»Ist schon gut«, meinte er väterlich und legte seinen Arm um ihre Schulter. Als sie endlich in seiner Wohnung angekommen waren, konnte sie nichts mehr hindern. Waren ihre Gesten noch kurz zuvor verhalten höflich gewesen, so brach nun ein wahres Feuerwerk zwischen ihnen aus. Sie lagen sich schon im Gang seiner Wohnung so eng umschlungen in den Armen, als hätten sie sich jahrelang nicht gesehen. Es war ja auch eine Ewigkeit her, dass sie hier gewesen war. Doch nun wusste sie, dass sie es nicht bereuen würde. Rainer war so zärtlich, so liebevoll und fürsorglich, immer wieder strich er ihr die Haare aus dem Gesicht und küsste sie auf die Nasenspitze und dann noch zärtlicher auf den Mund. Als wären nur sie füreinander geschaffen, empfand sie diese eine Nacht. Und auch Rainer wirkte sanfter, weicher, friedlicher als sonst.

Als sie ihn an diesem Morgen verließ, war sie ganz ruhig. Sie musste ihn nicht mehr aus ihrem Herzen drücken, sie konnte nun mit dieser Liebe leben.

Die Tage vergingen und sie hatte sich wieder ihrem Buch zugewandt. Konzentrierte sich auf ihre Kinder und ihre Arbeit. Sie wusste nun, dass die Zeit nicht mehr wichtig war, sie konnte ihn einfach lieben, unabhängig davon, ob sie ihn sah oder nicht. Sie wusste, dass sie ihn immer wieder sehen würde. Zuweilen, es kam darauf an, wie stabil sie in ihrem Alltag war, plagte es sie dann doch, dass man das, was sie da zusammen mit Rainer fabrizierte, keine Beziehung nennen konnte. Denn sie wünschte sich einen Partner. Einen wirklichen Freund, der fähig war, ihre Gefühle zu erwidern, und sie nicht im Ungewissen darüber ließ, ob er irgendwann zu ihr finden würde. Und sie wusste, dass es keine Lösung war, sich jedes halbe Jahr auf ihn einzulassen und sich dann wieder rarzumachen. In der Versenkung zu verschwinden wie ein Reh, das verscheucht worden ist und erst ganz langsam wieder Vertrauen fasst und aus dem Wald kommt. Wie musste es für Rainer sein, wenn sie nach so einer Nacht dann wieder verschwand und monatelang nicht mehr auftauchte? Sie wäre so gerne jede Woche in die *Zauberfee* gegangen wie damals, als alles begonnen hatte. Doch sie hoffte immer noch, durch ihren Verzicht, der sie auch vor Dummheiten dieser Art schützte, irgendwann seine Herzenergie doch noch zu erwecken. Gleichzeitig hoffte sie, dass es eines Tages weniger werden würde, wenn sie ihn nicht sah.

Wieder waren drei Monate ins Land gezogen und sie wusste schon gar nicht mehr, ob sie noch tanzen konnte. Sie war mit Edda in der Sauna verabredet. Trübe Wolken verdeckten den Himmel, Regen und Windböen wechselten sich ab. Obwohl sie an diesem Wochenende keine Kinder hatte, hatte sie sich entschieden, zu Hause zu bleiben und zu schreiben. Ein paar Stunden mit Edda wollte sie sich dennoch gönnen. Schon auf der Straße vor dem Studio gab es ein freudiges Hallo, und auf dem Weg zur Umkleide brach ein Geschnatter über die neuesten Neuigkeiten aus.

Eingehüllt in Decken, hatten sie den ersten Saunagang hinter sich, genossen die Ruhe im Gebäude und rekelten sich wohlig in ihren Liegen.

»Weißt du, Edda, ich frage mich, warum komme ich nicht von Rainer los? Warum spukt er mir immer wieder so heftig im Kopf herum? Er ist ständig bei mir wie ein innerer Gefährte und ich kann ihn einfach nicht abschütteln. Ich hab mich entschieden, ihn nicht mehr wiederzusehen, und es klappt einfach nicht. Er hat mir doch nun einige Male erklärt, dass er keine Beziehung mit mir haben will, und trotzdem besteht immer wieder diese Anziehung zwischen uns, wenn wir uns begegnen. Wenn ich für ihn mehr als das erotische Erlebnis wäre, würden wir doch schon längst unseren Weg gemeinsam gehen. Einmal sagte er, ich hätte das Erlebte aus meiner Kindheit nicht wirklich verarbeitet und würde mir deshalb immer wieder die gleiche Situation mit Männern schaffen, um mich erneut mit dem Alten zu konfrontieren. Vielleicht hat er recht. Doch die Art und Weise, wie das kommt, ist einfach kalt. Warum ist er nur so hart, wenn ich am Telefon mit ihm rede, und sobald er mich beim Tanzen in die Arme schließt, weich und sanft? Ich denke schon eine ganze Weile darüber nach und versuche mich dabei von außen zu betrachten.«

»Vielleicht ist es das Spiel um die Macht«, meinte Edda. »Vielleicht reizt er dich gerade, weil du ihn nicht haben kannst? Schau, die Männer, die dich begehren, willst du nicht. Im Grunde ist es doch das ganze Jahr so gelaufen, ihr zieht euch an und stoßt euch wieder ab. Du reizt ihn durch dein hübsches Äußeres und er dich durch seine Arroganz. Du weckst seinen Beschützerinstinkt, wenn er dich sieht. Deine Art, dich zu kleiden, die Weise, wie du dich bewegst und wie du tanzt, ist weich. Du hast etwas Süßes an dir. Mit deinen blonden Locken, deinem zierlichen Körper und deinem knackigen Po machst du die Männer sowieso verrückt. Eine erotische Ausstrahlung und ein nettes Lachen kann man dir auf jeden Fall bescheinigen. Das mögen die Männer«, erklärte Edda.

»Na, na, jetzt übertreibst du aber«, wehrte Samara ab.

»Nein, Sami! Du bist das typische Mäusle, mit der jeder gerne kuscheln würde.«

»Wenn ich da auch nicht ganz deiner Meinung bin, danke ich dir jedenfalls für das Kompliment«, entgegnete Samara und musste Edda umarmen.

»Wollen wir noch einmal reingehen?«, fragte Edda. Sami nickte und sie setzten sich auf das warme Holz der Saunakabine und Samara begann wieder laut über Rainer nachzudenken. Für Edda war das okay, denn sie war sich bewusst, wie wichtig dieses Immer-wieder-darüber-Reden für Frauen war. Denn über das Reden transformierten sie, und das bestärkte Samara darin, sich nicht zu verurteilen, sondern dieses weibliche Prinzip zu akzeptieren und auszuschöpfen. Für einen Mann wäre es ein Gräuel gewesen, zuhören zu müssen. Stattdessen hätte dieser wahrscheinlich Lösungsvorschläge angeboten und das hätte ihr Problem nicht gemildert, sondern nur verstärkt. Samara wünschte sich von einem Mann, dass er zuhören konnte, ohne sie zu belehren. Ihr in diesem Moment seine Aufmerksamkeit schenkte und sie in ihrer gerade schwierigen Gefühlsverfassung akzeptierte. Sie in ihren Stärken bestätigte und sie nicht an ihren Schwächen maß. Deshalb war sie froh, dass sie ihre

Freundinnen hatte, bei denen sie so sein durfte und immer wieder etwas durchkauen konnte. Ohne Angst davor haben zu müssen, als schwierig, problematisch und unattraktiv zu gelten.

»Sexuelle Anziehung muss noch lange nichts mit Liebe zu tun haben. Du bist zwar äußerlich das Häschen, doch sobald du den Mund aufmachst, kommt da doch zuweilen manch Gescheites raus. Und damit können nicht alle Männer umgehen. Und so ein Macho wie der Rainer, ich weiß nicht«, sagte Edda.

»Gut, er ist ein Jäger, sonst würde er mich nicht immer wieder anbaggern, aber haben sie nicht auch Gefühle?«

»Es heißt ja nicht, dass er keine für dich hat. Welcher Natur sie entsprechen, ist doch wesentlich«, erörterte Edda und sprach noch einmal darüber, ob es nicht seine coole, unnahbare Art war, die sie reizte, und ob sie das vielleicht von früher kannte. Hatte sie nicht immer um die Aufmerksamkeit ihres Vaters ringen müssen? Gab es da nicht eine Parallele? Wenn ein Mann, der als schwierig zu erobern galt, ihr seine Aufmerksamkeit schenken würde, wäre es doch eine Aufwertung für sie. Egal um welchen Preis.

Samara hatte tief einatmen müssen und versucht, es loszulassen. Es löste sich einfach nicht, egal was sie anstellte. Sie sehnte sich so sehr danach, frei zu sein. Sie fühlte sich gefangen und konnte nur wieder akzeptieren, dass sie gefangen in ihrem Käfig das Beste daraus machen musste.

Als sie nach Hause fuhr, überlegte sie noch lange. Wenn sie an ihre Kindheit zurückdachte, erinnerte sie sich daran, dass ihr Männer, sei es ihr Vater oder die Arbeiter im Geschäft ihrer Eltern, besonders dann Aufmerksamkeit entgegenbrachten, wenn sie zärtlich zu ihnen war. Nicht selten hatte sie einer auf den Schoß gezogen, wie es auch ihr Vater oft getan hatte. Sie begriff in ihrer kindlichen Art früh, dass sie unter dem Einsatz ihres Körpers an diese Energie herankam. Auch Marcel hatte zuweilen bemängelt, dass Zärtlichkeit und Erotik einen zu hohen Stellenwert in ihrer Beziehung für sie hätten. Jedes Mal, wenn Samara mit Rainer intim gewesen war, hatte es hinterher eine Situation gegeben, die ihr zeigte, dass er sich nun wieder Distanz zu ihr wünschte. War es ihre eigene Angst vor einer wirklich innigen Beziehung, die Bestand hatte? Konnte es

Widerstand sein gegen ein wirklich erfülltes Liebesleben mit einem Mann? Oder gar die Lust am Leiden?, überlegte Samara fieberhaft. Eddas Worte hallten immer noch in ihr nach. »Rainer will doch gar nicht geliebt werden. Das, was du für ihn hast, deine Tiefe, deine Ehrlichkeit und Standhaftigkeit, das will er doch gar nicht. Der hat doch Schiss vor dir. Denn sonst müsste er sich ja einiges in seinem Leben anschauen, oder er würde feststellen müssen, wie wenig Wärme um ihn herum ist. Das sind doch zwei verschiedene Welten. Du wünschst dir einen Mann, der offen ist, der Freude wie Schmerz zulassen kann. Jemand, der sich fallen lassen möchte und für den du etwas ganz Besonderes bist. Der dir vertraut und weiß, dass er sich auf dich verlassen kann. Einen Menschen, der dir Geborgenheit gibt und bei dem du dich wirklich angenommen fühlst.«

Bei diesem Gedanken kam Samara ins Schwärmen: »Das wäre es doch. So ein Großer, Stattlicher. Und mit einer Ausstrahlung, dass einem beim bloßen Hinschauen die Knie wackelig würden. Eben so ein richtiger Mann«, sprach sie laut vor sich hin, während sie nach Hause fuhr. Und sie musste schon wieder an Rainer denken. Er hatte Ausstrahlung, Erotik, und wenn er durch die Tür kam, blieb ihr jedes Mal schier der Atem stehen.

Im Radio wurde ein Lied gespielt, das ihr Daniel damals aufgenommen hatte. So lange war es her, es kam ihr wie eine Ewigkeit vor. Blitzartig schossen ihr die Tränen in die Augen, sie konnte es einfach nicht verhindern, so sehr überraschte sie dieses Lied. Kurz zuvor hatte sie doch noch so intensiv an Rainer angedacht. Plötzlich wurde die Erinnerung an diese große Liebe in ihr lebendig. An diesen Schatz, den sie in ihrem Herzen bewahren würde gleich einem hellen, wunderschönen Diamanten der Erkenntnis und der Liebe, denn das war es, was Daniel sie gelehrt hatte. Wie das Wasser in einem wilden Bach flossen ihr die Tränen schnell und heftig über die Wangen. Mit einer raschen Bewegung wischte Samara sie zur Seite, damit sie noch die Straße erkannte. Sie sah wieder den Abend vor sich, als er noch spät in der Nacht an ihre Tür klopfte, Monate nach der Trennung von ihrem Mann. Als diese heiße Liebesbeziehung begann. Wie sie auf dem Sofa saßen, immer nah am anderen, um sich gegenseitig zu spüren und zu riechen, jedes Wort von den

Lippen des anderen verzehrend. Wie sie über den Tag gesprochen hatten und sie es doch beide kaum erwarten konnten, wieder nebeneinander zu liegen. Es war ein nie zuvor erlebter Rausch für beide gewesen. Die große Liebe. So inniglich erlebt, so ein allumfassendes Ja von beiden Seiten. Ob sie sich gegenübersaßen und einfach nur redeten oder miteinander schliefen, es war die innigste Zeit mit einem Mann gewesen. Wenn sich ihre Körper völlig nackt berührten, war das wundervoll und so kostbar. Weil sie sich so exakt im anderen spiegelten. Er eine ähnliche Kindheit erlebt hatte wie sie, mit so vielen schmerzlichen Erlebnissen. Daniel hatte nie Liebe und Geborgenheit, geschweige denn Zärtlichkeiten bekommen. Sie war es, die dieses Defizit vollkommen auffüllen konnte. Samara hatte diese Gleichheit des Denkens und Fühlens, wenn sie zusammen waren, so intensiv noch nie zuvor mit einem Mann erlebt, außer mit ihrem Bruder Jonathan.

Sie parkte ihr Auto, lief über die Terrasse zum Hauseingang und schloss die große, schwere Tür auf. Alles war still. Ach, die Kinder waren ja nicht da! So sehr hatten sie diese Gedanken gefangen genommen, dass sie das ganz vergessen hatte. Sie stellte ihre Badetasche im Flur ab und begab sich ohne zu zögern an ihren Schreibtisch. Als sie die Kerzen angezündet hatte und ihren Computer hochfuhr, empfand sie auf einmal Leere. Etwas in ihr wehrte sich zu schreiben. Sie dachte an das Kapitel, das sie sich vorgenommen hatte. Doch dann legte sie ihren Schreibblock zur Seite und ging in die Küche. Sie öffnete die Schranktür, um sich ein Glas herauszuholen, und knallte dabei mit dem Kopf so heftig an die Türkante, dass sie für Sekunden taumelte. Sie konnte sich nicht erinnern, wann sie sich das letzte Mal selbst so sehr verletzt hatte. Schon wieder brach sie in Tränen aus. Vielleicht stand dieser Unfall symbolisch für die alten Verletzungen, die sie gerade wieder hervorholte, um sie durch das Niederschreiben dann vielleicht endgültig gehen lassen zu können, überlegte sie, während sie sich mit einer kühlen Kompresse in ihren Ledersessel im Wohnzimmer setzte.

Plötzlich sah sie ihren Vater vor sich, so wie er damals, als sie noch Kind war, ausgesehen hatte. Er hatte schwarzes Haar, große braune Augen und eine kräftige, athletische Figur. Eine Locke nach vorne frisiert, wie es damals so üblich war, lächelte er ihr zu. Ja, er hatte mit dem jungen Elvis Presley verblüffende Ähnlichkeit und sein breites, aber doch herzhaft freundliches Grinsen hatte ihre Mutter in dem Augenblick, als sie ihn das erste Mal gesehen hatte, begeistert. Samara sah sich auf ihn zuspringen, sah sich, wie sie ihn anstrahlte, während sie ihm entgegenlief und er seine Arme ausbreitete, um sie aufzufangen, und dachte: ›Für mich warst du der Größte, ja der allergrößte Papa und ich war dein Mädchen!‹ Bei diesem Eingeständnis rannen ihr die Tränen noch heftiger und sie erkannte, dass sie ihn trotz allem wirklich geliebt hatte. Sie begriff, dass ihre Liebe so offen gewesen war, so nichtsahnend, wie es die Liebe von Kindern eben ist. Alles gebend, alles hoffend und doch nichts wissend von der Welt und ihren Gefahren.

Sie sah sich so als kleines Mädchen und stellte fest, dass sie unglaublich süß gewesen war mit ihren goldenen Haaren und ihren großen, dunklen Kulleraugen. Wie weich und anschmiegsam und so verliebt in ihre Eltern.

Wenn Stina, Tim und Leoni ihre Ärmchen um sie schlangen, dann konnte sie gut verstehen, was ihr Vater gefühlt hatte. *Es ist ein Gefühl von so großer Innigkeit, von so allumfassender Liebe, welche besonders Kinder in ihrer Umarmung vermitteln können. Die Kleinen, die noch ganz frisch von oben hereinkommen und noch angefüllt sind mit dem göttlichen Vertrauen, tragen noch viel stärker dieses reine Sein in sich. Das Gefühl von Geborgenheit erreicht einen und der Wunsch wird wach, in dieser Umarmung die Welt anhalten zu wollen, für diesen Augenblick der Innigkeit*, schrieb sie in ihr Buch.

Samara hatte ihren Vater angehimmelt und hätte ihn am liebsten geheiratet, in dem Glauben, dann nie von ihm getrennt sein zu müssen. Die Buben, dachte sie, würden wahrscheinlich nicht anders über ihre Mütter erzählen, könnten sie sich an dieses ganz frühe Gefühl in den ersten Jahren ihres Daseins erinnern. So waren dies doch schon die allerersten Liebesbeziehungen in jedem Menschenleben. *Nur die Verantwortung, mit diesem Potenzial umzugehen und es in die richtige Richtung zu lenken, liegt zuerst in den Händen der Eltern*, schrieb sie hinzu.

›Es ist grotesk, dass ich Liebe empfinde, nach dem, was er mir alles angetan hat.‹ Die langen Jahre der Psychotherapie, der Hass in ihrer Pubertät, der Wunsch, ihn zu töten, weil er sie einfach nicht in Ruhe ließ und immer wieder mit Gemeinheiten quälte. Die harte Arbeit an ihrer Psyche, Stück für Stück, um einen aufrechten Menschen aus ihr zu machen. Die Wut und Enttäuschung zuzulassen und zu verarbeiten. Das Gefühl der Schuld und Minderwertigkeit zu überwinden, das Durchleuchten seiner Psyche, das Hinuntergehen in seine Abgründe, um die Ursachen zu erforschen für das, was er getan hatte, hatten ihr geholfen, sich von ihrem Hass zu befreien. Zu begreifen, was ihn trieb, in welch großer Not auch er gewesen war. Was ihren Vater so werden ließ, um dann fast ihr Leben zu zerstören. Dass er die Fähigkeit entwickelte, fast zu töten, sein doch geliebtes Kind. Es entschuldigte nichts, doch erlöste es einen von dem Gefühl, man habe das Geschehene selbst verursacht. ›Kann man von Liebe sprechen und gleichzeitig tun, was er getan hat? Ist es die eigene Sucht nach Lebendigkeit, die in sich selbst nicht erlebt werden konnte und die er deshalb stehlen musste von seinem eigenen Kind?‹ Fragen würden bleiben, die nie geklärt werden konnten. Dann, nachdem sie alles entschlüsselt hatte, das Hineinfallen in ihre eigene Not. Das Hinuntergehen in die Tiefen des Schmerzes, um dann Schritt um Schritt die eigene Unschuld zu begreifen und die Gegenwart wahrzunehmen: dass sie nun frei war. Frei, ihren eigenen Weg zu gehen. »Es ist vorbei!«, sagte sie noch einmal laut vor sich hin und erhob sich von ihrem Schreibtisch.

Dreißig Jahre lag es zurück, und in dem Moment, als es aufgebrochen war, hatte sie ein Gefühl, als wäre es erst gestern gewesen. Sie kannte von da an die Gründe für so vieles in ihrem Leben. Als Samara die Ursache, den Missbrauch an ihrem kleinen Körper und an ihrer Seele, erkannte, mit ihrem Verstand, den sie als Kind noch nicht in diesem Maße entwickelt hatte, versuchte sie das Verbrechen an ihr endlich zu verabschieden.

Sie musste erneut an Daniel denken. Es war doch eigenartig, welche Wege man im Leben ging, wie sich alles Stück für Stück zu einem Mosaik zusammenfügte. Da lag sie in den Armen des Mannes, dessen Liebe sie am innigsten erlebte. Der *sie* so liebte. Der sie als Mensch und als Frau begehrte, sie mit ihren Stärken und Schwächen, einfach um ihrer selbst willen, liebte und alles Alte brach wieder auf. Und in dieser Liebe, in diesem Wissen um ihre Seelenverwandtschaft erlebte sie es noch einmal, das, was so lange zurücklag, schon nicht mehr existent gewesen war in ihrem Bewusstsein. In der innigsten Verbindung mit ihm, als sie ganz und gar ineinander verschmolzen waren, zu einer Einheit von Körper und Geist, die sie zuvor nie gekannt hatte, war Samara ein drittes Mal in ihrem Leben bewusstlos geworden.

Noch einen Augenblick zuvor hatte sie geglaubt, der Boden würde sich erheben vor lauter Glück. Vor lauter Lust und vor Dankbarkeit, dass er sich hingeben konnte an sie. Er jeden Teil ihres Körpers zu lieben schien und nichts, rein gar nichts ausließ, um sie in Ekstase zu bringen, immer wieder Liebesschwüre stammelte, während er sie berührte, bevor sie in einem unendlichen Taumel der Leidenschaft endlich zueinander kamen. Diese Freude, dieses Glück. Und sie konnten ihre Blicke nicht voneinander wenden, während er sie zärtlich immer mehr in die Höhe trieb. Und auf einmal war sie weg gewesen, in seinen Armen, mitten im Akt hatte sie dagelegen, leblos, wie tot!

Wahrscheinlich waren es nur wenige Minuten, vielleicht sogar nur Sekunden gewesen. Als sie langsam wieder erwachte, sah sie erst nur einen verschwommenen Schatten über sich, doch allmählich wurde er klarer. Ihr Bewusstsein kam zurück. Als wäre sie weit in der Ferne gewesen, in einer ganz anderen Welt, erkannte sie zunächst nur unzusammenhängende Teile eines Gesichts, doch dann wurde es zunehmend deutlicher, und sie erkannte Daniel. Er hatte sich über sie gebeugt und sie wunderte sich, warum er so besorgt auf sie herunterblickte.

»Sami, Sami, was ist denn? Sami, wach doch auf, hörst du mich?«
Sie nahm seine Stimme wie hinter einer Scheibe wahr. Sie spürte ein Rütteln an ihrem Körper und konnte auf einmal wieder sprechen. Sie hielt seine Hand umklammert, um nicht erneut wegzutreiben in der wilden Strömung, aus der er sie gerade gezogen hatte.

»Daniel, Daniel, ich bin schon einmal vergewaltigt worden.« Sie setzte sich auf und erhob ihre Stimme, weil es für sie ebenso unwirklich klang, und wiederholte es noch einmal. Als müsste sie der

Wahrheit Kraft verleihen, sagte sie: »Daniel, ich bin schon einmal vergewaltigt worden. Ich weiß es jetzt!«

»Was?« Ungläubig geweitete Augen, Fassungslosigkeit. »*Was* bist du?«

»Ja, ich weiß es jetzt.«

»Ja, aber von wem denn?«, fragte er entsetzt.

»Ich weiß es nicht, ich weiß es nicht!«, schrie sie verzweifelt heraus. Sie spürte einen tiefen Stich in ihrem Unterleib, als habe man ihr ein Messer hineingerammt, so brannte auf einmal ihr Innerstes. Sie verschränkte die Arme vor ihrem Gesicht und fing an zu heulen. Alles in ihr krampfte sich zusammen, sie krümmte sich zur Seite und presste die Hände an ihren Bauch, während ihr Heulen zu einem einzigen schmerzerfüllten Klagelaut anschwoll. Daniel wusste sich gar nicht zu helfen und versuchte sie zu trösten.

Doch sie erwartete keine Hilfe, es konnte ihr niemand helfen. Sie heulte einfach, ließ sich in seinen Arm sinken und plärrte wie ein kleines Mädchen. Sie verstand auf einmal, warum sich damals die Krankenschwestern so wunderten. Denn das war ihr genauso bei Stina und Tim und Leoni passiert. Mitten in den Presswehen war sie auf einmal weggetreten. Es war zwar nur für Sekunden, aber die Hebammen fanden es ungewöhnlich. Doch ansonsten verlief alles planmäßig und so schenkte man diesem Zwischenfall keine Aufmerksamkeit mehr. Auch Samara hatte es schnell wieder vergessen, als sie dann ihre Babys in den Armen hielt. Doch obwohl zwischen den Geburten ein Abstand von mehreren Jahren lag, war ihr das Gleiche auch bei Leonis Niederkunft passiert. Warum war sie, als der Schmerz am größten war, als sie das Gefühl hatte, es zerreiße sie bei lebendigem Leib, bewusstlos geworden? Samara kannte dieses Gefühl, das war es! Sie kannte diesen Schmerz, den jede Frau in den Wehen ihres Kindes erlebt, dieses Gefühl, das einem den Atem nimmt, schon lange Zeit davor, aus ihrer frühen Kindheit.

Nach einer Weile beruhigte sie sich allmählich. Lange hatte sie in seinem Arm gelegen und es fehlten ihr die Worte. Als sich Daniel von ihr verabschieden musste, vergewisserte er sich mehrmals, ob sie okay sei. Immer wieder musste sie ihn beruhigen, dass er sich keine Sorgen machen müsse, sie würde es schon schaffen. Doch in dieser

Nacht weinte sie noch stundenlang in ihre Kissen.

*

»*Flight number nine*«, ertönt es im Lautsprecher. Als wäre sie aus einem tiefen Schlaf erwacht, schiebt Samara ihre Arme in die Höhe und muss sich erst einmal strecken. Eigentlich war sie mit dem Gedanken in die *Zauberfee* gegangen, Rainer nach seiner Adresse in Venezuela zu fragen. Jedes Jahr um die gleiche Zeit verbrachte er dort seine Ferien. Sie wollte ihm von ihrem Buch erzählen, wollte ihm scherzhaft sagen, dass sie ihn vielleicht für ein paar Tage da unten besuchen würde, wollte sehen, wie er reagierte. Vielleicht hätte sie ihn auch um seine Anschrift gebeten, damit sie ihm ihr Manuskript zuschicken konnte. Sicherlich interessierte ihn, was sie über ihre Liebesgeschichte geschrieben hatte.

Samara fühlte sich gut an diesem Samstagabend. Sie war relativ ausgeruht, denn in ihrem Geschäft lief es gerade etwas ruhiger und ihre kleine Schnecke hatte die Nacht zuvor durchgeschlafen. Samara wusste sie gut versorgt, denn sie verbrachten das Wochenende bei Marcel. Edda, die mit in die *Zauberfee* gefahren war, hatte sich verabschiedet, weil sie am nächsten Morgen früh aufstehen musste. Samara lehnte sich zurück, genoss die freie Zeit und beobachtete die Leute auf der Tanzfläche, dessen wurde sie nie müde. Es gab immer etwas Interessantes zu sehen, sei es die Kleidung der anderen Frauen, die sie bewertete, oder der Ausdruck in ihren Gesichtern oder auch Gefühle und Gedanken, die sie zuweilen aufschnappte, die sie dann amüsierten und zum Lachen brachten. Dabei schweifte ihr Blick immer wieder hinüber zum Eingang. Obwohl es schon nach ein Uhr war, hoffte sie noch immer auf Rainers Kommen. Sie schaute wieder auf die Tanzfläche und schon wieder fixierte ihr Blick erneut den Eingang.

Doch wen sah sie auf einmal? Daniel! Sie sah ihn nur ganz kurz zwischen den Leuten, doch Samara hatte das Gefühl, keine Luft mehr zu bekommen. Als würde ihr Herz auf der Stelle stehen bleiben und ihre Füße den Halt verlieren, empfand sie ihren Zustand. Gleichzeitig fuhr ihr ein unbändiger Schmerz in die Brust und Tränen schossen in ihre Augen. Da war er wieder, die Liebe ihres Lebens. Er ging auf sie zu und ihre Blicke trafen sich. Seine Augen waren schmerzerfüllt, sein Blick sagte ihr: ›Es muss aufhören!‹ Und es traf Samara, als würde eine Wand auf sie zukommen. Er ging an ihr vorbei, weiter nach hinten, und ihr Blick folgte ihm. Tränen rollten stumm aus ihren Augen und sie saß wie gelähmt auf ihrem Barhocker. Fremde Männer kamen vorbei, wollten sie zum Tanzen auffordern, und wie in Trance antwortete Samara: »Nein danke, nein danke, ich möchte nicht. Nein danke, ich möchte jetzt nicht tanzen.«

Die Vergangenheit holte sie in diesem Augenblick so heftig ein und es spulte sich ein Video vor ihrem geistigen Auge ab. Noch Monate zuvor hatten sie sich hier zufällig getroffen. Nach so langer Zeit. Sie glaubte schon, ihn nie mehr wiederzusehen, und dann hatte er plötzlich vor ihr gestanden, mitten auf der Tanzfläche. Als wäre ein Geist auf sie zugeschwebt, unwirklich, aus dem All gekommen, war er aus der Versenkung wieder aufgetaucht. Lachend blickte er sie an und sie fiel ihm um den Hals. Wie Kletten hingen sie aneinander. Sich keinen Schritt vom anderen entfernen wollten sie, miteinander reden bis tief in den Morgen hinein, sich immer wieder anschauen, während sie die Furcht begleitete, es könne jemandem auffallen, wie sie sich immer ein wenig zu lange, ein bisschen zu innig und verschworen ansahen. Dann der Tanz in seinen Armen, nie würde sie ihn vergessen. Unvorstellbarer Frieden. Seine Augen, die auf die ihren gerichtet waren, ihre Blicke, die sich nicht voneinander abwenden wollten. Diese Welle der unendlichen Liebe, das tiefe Glück, das sie beide empfanden, sich hier noch einmal getroffen zu haben. Seine Haut, die zart die ihre berührte, seine Hand, die sie ganz fest umklammerte, und jeder Blick von ihm, der ihr sagen wollte, wie sehr er sie liebte. Wie sie dann beide mit jemand anderem tanzten, damit es nicht auffallen sollte, wie sehr sie zueinander gehörten. Und doch hielten sie ganz verstohlen Ausschau nach dem anderen.

Sie hatte Stefan aufgefordert, mit dem sie oft hier tanzte, und mit ihm an seiner Stelle getanzt. Und sie hatte sich hinter seiner Schulter versteckt und um Fassung gerungen. Ihre Herzen hatten so gebrannt und sie fühlten, dass es dem anderen genauso erging, denn sie waren ja Zwillingsdelfine.

»Du sagtest, du hättest gelernt, damit zu leben. Jeden Tag würdest du an mich denken, an mich und an unsere wundervolle Zeit. Die schönste in deinem Leben, die glücklichste mit einer Frau. Du hättest die Liebe zu mir immer in deinem Herzen und nichts und niemand auf der Welt könne sie dir nehmen. Aber wenn du deine Kinder anschaust, die Buben und das Mädchen, dann weißt du, dass die Entscheidung, die wir beide trafen, richtig war.« Sie hörte seine Stimme wieder, als würde er noch immer neben ihr sitzen wie damals. Doch diesmal ging er vorbei. Samara wusste es ebenfalls, sie wussten es ja beide, sie hatte es immer gewusst, dass sie nicht glücklich hätten werden können. Samara dachte immerzu an seine Frau und sie fühlte, dass sie ihn ebenso liebte. Dass sie es ihm nur nicht so zeigen konnte, wie sie es verstanden hatte. Samara hätte es nicht fertiggebracht, nachdem sie kurz zuvor selbst von ihrem Mann verlassen worden war, ihr Glück auf dem Unglück einer anderen und deren Kindern, die ihn ebenso brauchten, aufzubauen. Es war gut so, dass er dort war, wo er war, und sie wussten es beide. Aber es tat so unendlich weh! Sie waren wie zwei Delfine im Ozean, die sich ein Leben lang kannten. Es war nicht nötig, miteinander zu reden, sie brauchten sich nur anzusehen und fühlten, wie es dem anderen ging. Sie wusste, dass diese Liebe beide ein Leben lang begleiten würde, sie zweifelte nicht daran, hatte nie daran gezweifelt. Samara hatte es zuvor nicht für möglich gehalten, dass es so etwas im Leben gab. Vielleicht manchmal in alten Filmen oder in irgendwelchen Kitschromanen, wo von Liebenden erzählt wurde, die mit einer derartigen Innigkeit verzaubert wurden und ihr ganzes Streben auf diesen Glückszustand gerichtet hatten. Ihr ganzes Leben lang hatte sie sich nach diesem Gefühl gesehnt. Nach so einem Menschen, nach dieser innigen Liebe zwischen Mann und Frau. Sie war so ganz anders als die Liebe zu Rainer. Sie war so klar, ohne Kampf, so voller Harmonie. Und doch nahmen beide in ihrem Herzen denselben Platz ein.

Sie saß auf ihrem Barhocker und rang um Fassung. Würde es denn nie aufhören, dass Erinnerung manchmal so quälte?

Ihre Geschichte endete dort, wo sie begonnen hatte. Natürlich würde sie in ihrem Herzen nie enden und doch endete sie. Edda sagte: »Du erlebst dich selbst als Ganzes, wenn du auf den Menschen triffst, der dich erkennt. Der im Ozean des Lebens an deiner Seite ist und dich hält, sodass du nicht mehr gegen die Wellen kämpfen musst, sondern ruhig mit ihm durch das Wasser gleitest.« Samara sprach Eddas Worte im Geist nach und fügte hinzu: ›Genauso ist es mit Gott, im Licht und nach dem Leben im Augenblick des Sterbens. Mit allem eins sein, nicht mehr das Gefühl von Trennung empfinden. Verbundenheit mit allem und keine Fragen mehr. Selbstannahme pur! Die Liebe in jeder Zelle spüren, sich selbst entdecken und erkennen. Es ist ein Gefühl, wie ich es immer und immer wieder erlebt habe, wenn ich oben war im Licht. Auf der violetten Ebene des Lichts, wie die Engel diesen Zustand nennen, nachdem man gestorben ist und bevor man wieder in ein neues Leben eingeht. Das Auftanken und Sichvereinen in Liebe, das Verschwinden jeglicher Polarität. Zu wissen, alles ist vereint. Keinen Schmerz mehr zu spüren und doch zu begreifen, dass er hier auf der Erde noch notwendig ist, um die Antriebskraft zu stärken für den Wachstumsprozess in unserem Innern.‹

Damals, an diesem Morgen, nachdem sie sich so unverhofft getroffen hatten, verließen sie gemeinsam mit Edda die *Zauberfee*. Sie war mit dem eigenen Auto gekommen und Edda lächelte so warm. Es war ein so verbindendes Lächeln, als wollte sie sagen: ›Jetzt habt ihr euch noch, genießt es!‹ Und sie hatten es genossen, diesen Augenblick. Jede Sekunde, die sie zusammensein durften. Ihre Fingerspitzen hatten sich flüchtig, fast heimlich berührt. Alles war so kostbar! Alles an ihnen war so kostbar für den anderen.

Samara erzählte Daniel von ihrem neuen Auto und wie stolz sie darauf war, sich diesen Herzenswunsch endlich erfüllt zu haben. Sie war Besitzerin eines BMW. Sie setzten sich hinein und als die Türen ins Schloss fielen, wich jegliche Beherrschung von ihnen. Endlich wieder in seinen Armen! Diese Geborgenheit und seine Wärme. Daniel hielt Samara ganz fest umschlungen, sodass sie fast nicht mehr atmen konnte. Ihre Lippen trafen sich und sie verschmolzen miteinander, als wollten sie sich nie mehr loslassen.

»Ich liebe dich, ich liebe dich, ich liebe dich so sehr, Sami«, stammelte Daniel.

»Ich dich auch, ich dich auch, mein geliebter Schatz.«

Und fast im gleichen Augenblick des Glücks dieser Schmerz.

»Warum schmerzt es so sehr? Warum bist du es, den ich so be-gehre, als hätte ich zuvor gehungert?«, fragte sie ihn wieder. So lange hatten sie sich nicht mehr gesehen, Samara dachte längst, es wäre vorbei. Tränen liefen ihr übers Gesicht. Er stützte ihr Kinn mit sei-ner rechten Hand und betrachtete sie ganz genau, als wolle er ihr sagen, dass er immer bei ihr wäre. Er wischte ihre Tränen zärtlich zur Seite, fast mit Freude, dass sie seinetwegen weinte, und nahm ihren Kopf an seine Brust. Als hätte sie sich die Frage selbst beantwortet, sagte sie: »Ich liebe dich einfach, weil du auf der Welt bist, einfach weil du lebst.« Sie hob ihren Kopf, sodass sie auf der gleichen Höhe mit ihm war, und sagte: »Ich möchte mit dir schlafen.«

»Ich auch mit dir«, erwiderte Daniel, »aber nicht hier im Auto.« Wieder küssten sie sich und ihre Körper schmiegten sich eng aneinander. Samara fühlte eine unbändige Hitze. Alles an ihr, alles in ihr war heiß. Das Auto war in wenigen Minuten so beschlagen, dass sie nicht mehr sehen konnten, was draußen vor sich ging. Er beug-te sich zu ihr herunter und küsste durch den Stoff ihrer Hose ihre Scham. Legte dann seinen Kopf in ihren Schoß und sie hielt ihn einfach. Lange lag er so da, ohne sich zu regen, als wolle er einfach nur die Bewegung ihrer Atmung, wie sich ihr Bauch hob und senk-te, wahrnehmen. Still streichelte sie seine Stirn und wiegte ihn wie ein Baby in ihrem Schoß.

»Ich muss gehen, es ist schon spät«, sagte er mit bedrückter Stimme.

»Ja, ich weiß«, antwortete Samara und dachte an seine Frau. Es war schwierig, sich wieder loszulassen an diesem Morgen. Kühl weh-te der Wind und der Tau bedeckte die Autos wie das Gras und Sa-mara dachte, dass es schade war, dass Rainer sie nicht so liebte, wie es Daniel tat.

Drei Tage hatte Samara geheult. Wieder war sie in eine tiefe Schlucht hineingefallen, die nicht enden wollte. Und ein Schmerz in ihrer Brust, den sie kannte, als ihr Vater starb, als Jonathan ge-sprungen war und als sie Marcel verlassen hatte. Und doch wusste Samara, dass dies der Anfang war. Dass alles seine Richtigkeit hatte und sie nur dort war, wo sie sein sollte in ihrer Entwicklung. Dass sie das mit Daniel erleben durfte, dieses große Glück, diese große Liebe, ließ die Hoffnung wach werden, einer noch größeren Liebe zu begegnen, die dann ohne Hindernisse sein durfte. Er war der Mann, der sie geöffnet hatte, in jeglicher Hinsicht. Samara gab nicht auf, alles zu wollen, alles haben zu dürfen in ihrem Leben, das erdenklich Schönste in allen Bereichen.

Samara schüttelte die Gedanken ab und ging auf die Tanzfläche. Sie schaute zu Daniel hinüber, der in der anderen Ecke tanzte, und dachte: ›Gut, das war's! So ist das eben im Leben. Was machst du jetzt, Samara? Wie gehst du damit um? Kannst du weitergehen? Ja! Ja, ich kann! Ich gehe weiter meinem Leben entgegen, meiner ungewissen Zukunft, und doch wissend, jetzt, wo ich meine Kraft wieder spüre, dass ich bin, Samara. Dass ich lebe!‹ Sie atmete sich tief ein und es war ein gutes Gefühl, sich selbst zu haben. Sie tanzten beide getrennt, sie auf der einen Seite der Tanzfläche und Daniel auf der anderen. Als sie ging, drehte sie sich noch einmal nach ihm um, gefasst und aufrecht. Daniel erwiderte ihren Blick. Der Abschied war da und es war, wie es immer gewesen war, eine stumme Einigkeit.

Samara fuhr an diesem Abend spät nach Hause und war gleich eingeschlafen. Ein komisches Gefühl empfand sie jedes Mal, wenn ihre Kinder nicht da waren. Ein wenig einsam wirkte dann das Haus mit den leblos in den Ecken sitzenden Kuscheltieren. Das Geschrei fehlte ihr, das Lachen und das Weinen. Sie vermisste die Streitigkeiten zwischen ihnen, wenn sie weg waren, und war doch froh, dass sie einmal nicht schlichten musste. Sie stellte sich den Sonntagabend vor. Die Freude ihrer Kinder, wieder bei ihr zu sein, schwappte schon jetzt auf sie über, als sie an die Begrüßung dachte. Vielleicht war ihr Verhältnis ja deswegen so innig, weil sie sich immer wieder trennen mussten. Mittlerweile empfand sie es als die ideale Form, wenn die Kinder bei einem Elternteil lebten und sie zu festen, regelmäßigen Zeiten beim anderen wohnten. Sie konnte sich entspannen und an diesen Tagen konzentriert ihrer Arbeit nachgehen und abends ins Nachtleben eintauchen.

Am darauffolgenden Morgen stand Samara auf und setzte sich

zum Frühstücken in die Küche. Ihr erster Gedanke galt Daniel. Hier hatten sie so oft zusammen gesessen, hatten geredet, gelacht, gegessen und getrunken. Ja, selbst geliebt, alles war mit ihm möglich. Grenzen, die gesprengt wurden in der Vertrautheit der Liebe. Nun, wo es endgültig zu Ende sein musste, erinnerte sie sich noch einmal, wie alles begann.

Monate, nachdem sie Marcel verlassen hatte, verliebte sie sich in Daniel. Wäre sie damals seine Frau geworden, sie hätte niemals nur einen Gedanken an Rainer verschwendet. Sie hätte ihn wahrscheinlich gar nicht kennengelernt, denn sie hätte keinen anderen Mann mehr angeschaut. Hätte sie in ihrem Leben wählen dürfen, Rainer oder Daniel, sie hätte sich für Daniel entschieden. Denn er wollte Samara. Liebte sie mit allem. Wäre ein zweiter Vater geworden für ihre Kinder. Doch es durfte nicht sein. Auch wenn er immer sagte: »Du bekommst mich so oder so. Hab nur Geduld.« Doch zu vieles hätte eingerissen werden müssen. Nein, es sollte so sein. Sie hatten keine Chance gehabt.

Und so erinnerte sich Samara erneut. Sie waren wieder miteinander losgezogen wie in alten Zeiten. Drei Monate, nachdem Marcel ausgezogen war. Samara musste nach einer Zahnoperation aufhören zu stillen und da Leoni schon nach drei Wochen durchschlief, war es kein Problem mit der Betreuung ihrer Kinder. Ihre Mutter kam ab und zu vorbei und schlief bei ihnen. So musste Samara die drei nicht aus ihrer gewohnten Umgebung reißen und konnte Leoni noch in Ruhe selbst zu Bett bringen. Edda holte sie wie gewöhnlich so gegen zehn Uhr ab, oder sie trafen sich auf halber Höhe und wechselten in ein Auto.

Samara war an diesem Abend ziemlich gefrustet. Schlecht gelaunt stieg sie zu Edda in ihr Fahrzeug und konnte sich selbst nicht leiden. Wie in diesen Monaten nach ihrer Trennung so oft, hatte es mit Marcel heftigen Streit gegeben. Die Wohnungseinrichtung, die sie sowieso bezahlt hatte, wie auch das meiste an Materiellem, musste aufgeteilt werden. Marcel trat ihr auf so eine dreiste Art und Weise entgegen, dass sie fast ohnmächtig wurde vor Wut. Sie musste einfach raus und war froh, dass sie Edda alles erzählen konnte. Sie hatte solch einen Frust und schimpfte wie ein Rohrspatz. Nicht einmal in der *Zauberfee* konnte sie sich beruhigen. Alle Männer kamen ihr wie kleine Kinder vor, die immer nur haben wollten und keine Rücksicht nahmen auf die Wünsche und Bedürfnisse des anderen. Abfällig betrachtete sie jeden Einzelnen und konnte sich nicht vorstellen, dass ihr jemals wieder ein Mann gefallen könnte. Keinen Gedanken verschwendete Samara an eine neue Beziehung oder gar daran, dass sie sich erneut verlieben könnte, so enttäuscht, so zerknirscht und unzufrieden, wie sie war.

Sie stand am Rand der Tanzfläche zwischen zwei Barhockern, mit verschränkten Armen und einem Gesicht zum Lachen oder Weinen, und musterte ihr Umfeld herablassend. Wäre sie ein Mann gewesen, sie hätte sich auf keinen Fall angesprochen. Zugegeben, man sah ihr nicht an, dass sie soeben noch einmal Mutter geworden war. Bestenfalls fünf Kilo mehr brachte sie auf die Waage und diese fielen bei ihrer Figur nicht sonderlich ins Gewicht. Wenn man sie nicht kannte, hätte man sie immer noch als schlank durchgehen lassen können. Samara setzte sich auf einen der Barhocker und zog unruhig an ihrer Zigarette. So demoralisiert wie an diesem Abend war sie schon lange nicht mehr gewesen. Am liebsten wäre sie schon nach einer Stunde nach Hause gegangen. Doch Edda hatte solchen Spaß und da wollte sie keine Spielverderberin sein. Immer wieder versuchten die neben ihr, Samara mit einzubeziehen, aber sie hatte einfach keine Lust auf Smalltalk. Sie saß neben den anderen und blickte stur auf die Tanzfläche. An jedem, den sie betrachtete, fand sie irgendeinen Makel.

Da kam Daniel um die Ecke, stellte sich seitlich zu ihrer Rechten an einen der Tanzeingänge und schaute zu Samara her. Sie dachte grimmig: ›Der fordert dich jetzt bestimmt nicht auf.‹ Sie kannte ihn vom Sehen, denn vor Jahren hatten sie einmal miteinander getanzt und es hatte überhaupt nicht geklappt. Er war ein interessanter Typ, ohne Frage, aber doch nicht ihr Geschmack, dachte Samara. Doch plötzlich kam er tatsächlich auf sie zu und fragte, ob sie Lust hätte, mit ihm zu tanzen. Sami erklärte ihm, dass sie gerade gehen wollten und es schon spät sei.

»Wenigstens eine Runde«, bettelte er und lächelte Samara so gewinnend an, als hätte er gar keinen Zweifel daran, dass sie das noch unbedingt tun müssten. Sie lehnte noch einmal ab, doch schon ein wenig freundlicher. Doch er bohrte und bohrte. Und da er das so nett machte, willigte sie versöhnlich ein.

Sehr viel besser klappte es auch diesmal nicht, obwohl sie eine hervorragende Tänzerin war. Daniel hatte so einen eigenartig zackigen Tanzstil drauf, dass sie ihm nicht folgen konnte. Wenn sie sich gerade in eine andere Richtung gedreht hatte, als er wollte, und sie fand, dass er es nicht deutlich genug angezeigt hatte, mussten sie unweigerlich lachen. Daniel bemühte sich fürsorglich, mehr Harmonie in ihre unterschiedlichen Tanzstile zu bringen. Irgendwie war er erfrischend in seiner Art. Das Tanzen mit ihm heiterte Samara ein wenig auf und sie vergaß für kurze Zeit ihren Ärger. Sie gab sich jedoch relativ gleichgültig und reserviert, denn im Grunde war es ihr egal, ob er sie nun sympathisch fand oder nicht.

Daniel begleitete sie an ihren Platz zurück und blieb neben ihr stehen. Normalerweise konnte sie das überhaupt nicht leiden und ging dann entweder auf die Toilette oder versuchte sich auf irgendeine andere Art von ihrem Tanzpartner zu distanzieren. Denn sie wollte hier vor allem tanzen. Zum Reden hatte sie ihren Freundeskreis, ihre Herzdamen und ihre Kunden. Samara wollte sich nicht auf Gespräche mit Männern einlassen, die dann meistens über das Angebot, Kaffee zu trinken oder essen zu gehen, doch nur mit ihr ins Bett wollten. Seltsamerweise jedoch war ihr seine Gesellschaft nicht unangenehm. Es entwickelte sich eine wirklich interessante Unterhaltung und sie erzählte ihm von ihrer Trennung und dem darauffolgenden Ärger um das verbliebene Vermögen, das sie mit in die Ehe gebracht hatte. Daniel hörte zu und berichtete seinerseits von seinen Schwierigkeiten, von den Feindseligkeiten zwischen ihm und seiner Frau, von den Problemen mit den Kindern und davon, dass er schon ein halbes Jahr in seinem Büro übernachtete und beschlossen habe, sich nun endgültig von seiner Frau zu trennen. Doch der Gedanke an seine Kleinen hielt ihn immer wieder davon ab, diesen Schritt zu vollziehen. Samara dachte, dass er ja gut reden konnte. Sie hatte schon viele von Trennung reden hören in der Hoffnung, sie dann herumbekommen zu können, und merkte sehr wohl, dass Daniel sich für sie interessierte. Als sie dann zu später Stunde doch aufbrachen, bat er sie um ihre Adresse und fragte, ob sie sich wiedersehen könnten. Sami wich aus, verabschiedete sich, ohne darauf einzugehen, und dachte: ›Ein verheirateter Mann, auf so etwas lasse ich mich schon gar nicht ein. Da kann er hundertmal getrennte Schlafzimmer haben.‹ Daniel blieb hartnäckig und ließ es sich nicht nehmen, die beiden Frauen zu ihrem Auto zu begleiten. Dabei verwickelte er sie erneut in ein lustiges Gespräch und die Stimmung war heiter und ausgelassen. Zugegeben, er war wirklich sehr sympathisch. Als Samara gerade ins Auto steigen wollte, fragte er sie erneut:»Du wolltest mir doch deine Adresse geben.« Er lachte sie so freundlich und siegessicher an, dass sie dachte, so viel Mut und Durchsetzungskraft müsse man einfach belohnen. Sie reichte ihm ihre Geschäftsnummer und verabschiedete sich von ihm.

Als Edda losfuhr, wunderte sich Samara, dass sie so schnell nachgegeben hatte. Sonst verstieß sie doch auch nicht sofort gegen ihre Prinzipien. Allerdings wusste er nicht, wie sie wirklich hieß, denn ihr Geschäft lief auf ihren Mädchennamen und so hatte er noch lange nicht ihre Adresse. Konnte es sein, dass ihre Einsamkeit sie beeinflusst hatte? Das Gefühl, dass sie nun eine Frau war, die in Scheidung lebt? Oder versuchte sie den Kummer um Marcel zu übertünchen? Samara beschloss, nicht länger darüber nachzudenken, sie war wieder frei. Wenn es auch noch ein komisches Gefühl in ihr verursachte, nach so langer Zeit wieder auf eigenen Füßen zu stehen, so steuerte sie doch in eine neue Zukunft. Warum nicht Freunde gewinnen, die sie ein wenig aufheiterten?

Schon ein paar Tage später hatte Daniel angerufen und sich erkundigt, ob sie gut nach Hause gekommen waren. Sie plauderten eine Weile, bis die nächste Kundin klingelte. Daniel fragte Samara, ob er wieder anrufen dürfe, und war höflich und freundlich, überhaupt nicht aufdringlich, sondern lustig und galant, und so gestattete sie ihm, sich wieder zu melden. Er hatte immer Glück, wenn er anrief. Keine Kundin saß im Behandlungsstuhl oder die letzte ging gerade. Obwohl sie immer ausgebucht war, erwischte er diese kurzen Augenblicke. So war es möglich, einige Minuten miteinander zu plaudern, zu lachen, zu scherzen. Es amüsierte sie, sich mit ihm zu unterhalten, denn er hatte eine besondere Art, sie zum Lachen zu bringen, es war einfach nett. Wenn er nach ihrer Privatnummer fragte, ging sie zu einem anderen Thema über, als hätte sie nichts davon gehört, verabschiedete sich später wieder freundlich von ihm.

Daniel heiterte ihr schweres Gemüt ein wenig auf. Er gab ihr Tipps, wie sie mit Marcel umgehen könnte, und verwickelte sie dann wieder in ein ganz anderes Thema.

Nachdem sie wieder einmal herzhaft miteinander gelacht hatten, fragte Daniel ganz direkt: »Sami, hör mal, möchtest du mir nicht doch endlich deine Privatnummer geben, damit wir wirklich einmal länger und ungestört miteinander telefonieren könnten? Es ist doch blöd, immer in deinem Geschäft, meistens müssen wir abrupt aufhören, weil deine Kundin kommt.«

Es kam so unvorbereitet und eigentlich hatte er ja recht. Nun waren sie schon so vertraut miteinander.

Sie hörte sich sagen: »Wenn du weiterhin so brav bist und mich nur anrufst, dann geb ich sie dir.« Daraufhin fand sie häufig liebe Nachrichten auf ihrem Anrufbeantworter, wenn sie nicht persönlich ans Telefon gehen konnte. Erkundigungen über ihr Wohlbefinden und das ihrer Kinder. Er fragte nach ihrer Arbeit und war interessiert an allem, was sie betraf.

Es tat ihr einfach gut, dass sich jemand so um sie sorgte und Anteilnahme an ihrem Leben zeigte. Da sie in dieser Zeit sowieso oft nicht wusste, wie sie den Tag, geschweige denn die Nacht hinter sich bringen sollte, war sie ihm für dieses Interesse wirklich dankbar. Hinzu kam, dass sie mit ihren Zähnen große Probleme hatte, sich kurzum körperlich beschissen fühlte und sich noch immer schwer tat, mit ihrem Noch-Ehemann zu kommunizieren. Daniel rief nun fast täglich an. Es entwickelte sich ein äußerst vertrautes Telefonverhältnis. Trotz seines Trostes heulte sie sich immer noch die Augen nach Marcel aus und machte auch vor Daniel keinen Hehl daraus, wie sehr sie noch an ihm hing.

Eines Abends rief Daniel an und fragte: »Sag mal, Samara, bist du umgezogen?«

»Wieso, wie meinst du das?«

»Ich stehe hier vor deinem Haus und da ist kein Schild mit deinem Namen.«

Samara musste lachen und sagte: »Ich wohne jetzt ein Haus weiter vorne im eigenen, aber schon ein paar Jahre. Aber wie hast du meine Adresse ausfindig gemacht?«

»Das bleibt ein Geheimnis«, entgegnete er ihr lachend. »Da es dir doch gerade so schlecht mit deinen Zähnen geht, wollte ich dich ein wenig aufmuntern und dir eine Kleinigkeit vorbeibringen.«

»Was? Jetzt um diese Zeit?« Unmöglich, ich sehe ganz fürchterlich aus und außerdem wollte ich gerade zu Bett gehen!«, entgegnete sie erschrocken.

»Ach bitte«, bettelte Daniel. »Nur ganz kurz, nur einen Augenblick.«

»Nein, auf keinen Fall. Meine Haare stehen nach allen Seiten zu Berge, eine dicke Backe hab ich auch und im Übrigen bin ich schon im Schlafanzug. Wenn du unbedingt willst, kannst du mir deine Überraschung ja auf die Terrasse stellen. Du musst von der Eingangstür links um das Haus herumlaufen und dann siehst du sie gleich. Ich komme aber erst heraus, wenn du wirklich weg bist«, erklärte sie ihm entschlossen.

»Ach bitte«, bat er von Neuem. »Ich schau auch gar nicht hin, ich verspreche es dir.«

»Nein, mein Lieber, keine Chance!«

»Also gut«, gab sich Daniel geschlagen.

Samara hatte alle Lichter im Haus ausgemacht und eine geschlagene halbe Stunde gewartet. Nachdem sie das ganze Grundstück durch alle Fenster hindurch nach ihm abgesucht hatte, öffnete sie vorsichtig die Balkontür.

Stille, nichts war zu sehen. Nur eine Eule in der Ferne war zu hören. Schnell holte sie das kleine Präsent herein, das am Fuß vom ersten Absatz stand. Sie packte es vorsichtig aus und war gespannt, was wohl darin war.

»Oh«, entwich es ihr. Ein kleiner lachender Clown saß auf einem Tablett neben einer Zimmerpflanze. Freilich sah sie sofort, dass er es an einer Tankstelle gekauft haben musste. Aber allein der Gedanke, ihr etwas zu schenken, rührte sie zutiefst. In einer Zeit, wo es ihr schlechter ging als je zuvor, als sie herausgepurzelt war aus ihrer ach so heilen Welt in ein kaltes Nass hinein, sie sich überhaupt nicht attraktiv fand und nichts dazu beisteuerte, dass man sie als besonders liebenswert hätte empfinden können, war er da. Sorgte sich um sie, nahm Anteil an ihr, ohne sie in irgendeiner Weise zu bedrängen, geschweige denn eine Gegenleistung von ihr zu erwarten.

Sie schlüpfte in ihr Bett, stellte den kleinen Clown auf ihren Nachttisch, lächelte ihm noch einmal zu und schlief zufrieden ein.

In der Woche darauf rief Daniel wieder an, und ab und zu sprach auch sie nun eine Nachricht auf sein Handy.

Eines Abends war Samara nach Hause gekommen und eilte schon als ersten Gang zum Anrufbeantworter. Insgeheim hoffte sie, dass Daniel ihr wieder etwas Nettes draufgesprochen hatte. Tatsächlich. Ihr Herz hüpfte, als sie seine Stimme hörte.

»Hallo, mein süßer Engel, wie geht es dir? Hast du einen schönen Tag gehabt? Ich hoffe es für dich, das Wetter war ja toll, was hast du gemacht mit deinen dreien?« Dann klickte es zweimal in der Leitung und es schien, als würde er eine Pause machen. »Du Sami«, hörte sie ihn etwas leiser sagen. »Ich würde dich unheimlich gerne sehen. Ich hab ein solches Verlangen nach dir!«

Stopp! Das Band war zu Ende. Kein weiterer Satz. Kein weiteres Wort, das sie hätte überhören können. Samara setzte sich. Sie wusste nicht, ob sie atmen sollte oder einfach die Luft anhalten. Sie saß da, als wäre sie vom Blitz getroffen. Einen Augenblick konnte sie überhaupt nichts mehr denken. *Verlangen, Verlangen*, ratterte es in ihr nach. Sie erhob sich und drückte die Taste noch einmal. Setzte sich wieder. Wusste nicht, was sie fühlen sollte. Sie stand wieder auf und ließ das Band immer wieder zurücklaufen und musste sich auf einmal eingestehen: »Ich auch, ja, ich auch!«

Wie ein Schlag hatte sie dieser Satz getroffen. Sie war so sehr mit sich selbst beschäftigt, so in ihr Selbstmitleid versunken gewesen, dass sie gar nicht wahrgenommen hatte, welcher Mensch ihr da gegenüberstand. Doch was sollte sie tun? Mit sich ringend, nun in dem Bewusstsein, dass auch sie sich nach ihm sehnte, suchte sie nach einer Lösung. Doch es gab keine! Alles war noch so frisch. Sie dachte an Marcel und wie sehr sie sich gewünscht hätte, von ihm wäre je so ein Satz gekommen. Doch es war zu Ende. Sie wusste es und sie wollte es doch auch. So vieles stand zwischen ihnen. Doch sie war auch nicht bereit, sich schon wieder auf eine Beziehung einzulassen.

Außerdem hatte er eine Frau und Kinder. Er war ein toller Mann und verfügte über Eigenschaften, die sie sich an Marcel sehnlichst gewünscht hätte. Er war so reif, so sanft und gütig. Er hatte eine Begabung zuzuhören und ihre Stärken wahrzunehmen. Er bewertete sie nicht nach ihren Schwächen, obwohl sie ihm alles andere als vorteilhafte Eigenschaften zeigte. Ihr Herz wurde schwer. Ja, sie mochte ihn wirklich.

Und trotzdem beschloss sie, nicht darauf zu reagieren. Trauer überkam sie, doch sie konnte nicht anders. Sie entschied sich, nicht mehr bei ihm anzurufen. Sich einfach nicht mehr zu melden. Dann würde er das als eine deutliche Absage verstehen.

Die darauf folgenden Tage vergingen ohne einen Anruf von ihm und sie merkte, dass es schwer war, darauf zu verzichten. Keiner, der mehr fragte: »Wie geht es dir?« Keiner, der sie so wunderbar aufheitern konnte. Sie sah die Tage vor sich. Doch sie wollte es schaffen. ›Es ist einfach besser so für uns beide‹, tröstete sie sich.

Es war Donnerstagabend. Sie hatte gearbeitet und Stina und Tim schon zu Bett gebracht und war gerade dabei, auch Leoni in ihre Wiege zu legen, als es an der Haustür klingelte. Nanu? Um halb zehn, wer konnte das sein? Normalerweise besuchte sie niemand spontan. Ihre Freunde meldeten sich zumindest telefonisch kurz vorher an und fragten, ob es ihr recht wäre, wenn sie vorbeischauen würden. Nein, sie hatte niemanden vergessen und sie war auch nicht verabredet.

Es klingelte erneut und Samara lief mit Leoni auf dem Arm in den kleinen Vorraum, der ihre Wohnung vom Hauseingang abgrenzte.

Sie fragte durch das Rauchglas, das in der alten Holztür in kleinen Mosaiken eingearbeitet war: »Wer ist denn da?«

Stille, keine Antwort.

Sie fragte noch einmal, noch etwas energischer, fast wütend: »Wer ist denn da?«

Einen Moment glaubte sie, jemand habe sich einen schlechten Scherz erlaubt.

»Ich bin es, Daniel.«

Samara war so perplex, dass sie ihm kurzerhand aufschloss.

»Was machst du denn hier?«, empfing sie ihn verärgert. Sie stand da in ihrem Schlafanzug, ihre nackten Füße steckten in ihren schon etwas abgelatschten Hausschuhen. Sie schaute zuerst ihn an, dann an sich herunter und das milderte ihre Laune ganz und gar nicht. Wie angewurzelt standen sie sich in dem kalten Treppenportal gegenüber. Leoni begann auf ihrem Arm wild loszuplappern und strahlte Daniel an. Überrascht blickte Samara in ihr Gesicht, dann in das von Daniel, und musste feststellen, dass sich die beiden schon gegen sie verbündet hatten.

»Da du nun einmal hier bist, komm halt rein«, sagte sie schon etwas versöhnlicher. Doch fast in einem Atemzug fügte sie hitzig hinzu: »Überfälle dieser Art kann ich absolut nicht ausstehen!« Sie schaute ihm dabei kurz, aber eindringlich in die Augen und sie wusste, das wirkte.

Doch liebevoll antwortete er: »Ich habe dich einfach sehen müssen, Sami. Es ging nicht anders.«

Was sollte sie darauf sagen?

»Okay. Ich bring nur geschwind Leoni ins Bett und zieh mir etwas über. Setz dich doch derweilen ins Wohnzimmer, ich komme gleich.« Sie zeigte mit einer Handbewegung auf die offene Tür, die rechts vom Gang zum Zimmer führte. Das Feuer im Kamin war schon fast heruntergebrannt, doch es verbreitete immer noch eine angenehme Atmosphäre. Samara zündete ein paar Kerzen an und bat ihn, es sich gemütlich zu machen. Dann verschwand sie ins Kinderzimmer und danach ins Bad, steckte sich die Haare etwas zurecht und schminkte sich die Lippen.

›So müsste es gehen‹, betrachtete sie ihr Spiegelbild und dachte darüber nach, wie peinlich ihr das war, dass Daniel sie so gesehen hatte. Wenn, dann hätte sie sich ihr Wiedersehen anders vorgestellt.

Daniel rief aus dem Wohnzimmer und unterbrach ihre Gedanken. »Hübsch hast du es hier. Wirklich sehr geschmackvoll.«

»Danke«, rief sie zurück. »Möchtest du etwas trinken?«

»Ja bitte.«

»Ich hab Cola, Kaffee oder möchtest du vielleicht Tee oder Wein?«

Sie schloss ihre Schminkschatulle, verließ das Bad und wollte in die Küche, als er auf einmal vor ihr stand. Aus dem Wohnzimmer schimmerte einen Spalt breit das Licht auf den dunklen Flur, doch so, dass sie ihn deutlich erkennen konnte. Er stand da und schaute sie einfach an. Er kam auf sie zu und zog sie einfach in seine Arme. Es ging alles so schnell. Er fragte erst gar nicht, er küsste sie einfach. Doch Samara hatte das Gefühl, er lege sein ganzes Herz, sein ganzes Gefühl und alles, was er zu geben hatte, in diesen einen Kuss, nur um sie für sich zu gewinnen.

Und er gewann sie. Und wie. Samara schmolz förmlich in seinen Armen dahin, er küsste sie und küsste und küsste. Sie konnte nicht mehr denken, nicht mehr fühlen. Er raubte ihr die Sinne und ihre Knie wurden weich wie Butter. Samara fühlte sich, als würde sie davongetragen in eine unbekannte, neue, wunderbare Welt. Wie auf ener großen Woge, die sie weit hinaustrug aufs offene Meer, ließ sie sich treiben, ließ es zu, dieses unendlich schöne Gefühl, über alle Maßen begehrt zu werden. Noch nie in ihrem Leben hatte sie ein Mann so geküsst! Es war ein Kuss wie ein Urknall, ein Kuss, der alle Fesseln sprengte, atemberaubend, voller Leidenschaft, innig und sanft zugleich. Samara wusste nicht mehr, wie lange sie da draußen in ihrem dunklen Gang gestanden hatten, eng umschlungen und sich immer wieder küssend. Ehe sie sich versah, hatte er sie mit einem Ruck hochgehoben, sie ins Wohnzimmer hinübergetragen und auf der Couch abgesetzt. Dort zog er sie auf seinen Schoß wie ein kleines Kind, hielt sie sicher und geborgen. Er wiegte sie wie ein Baby und begann ihr Gesicht zu liebkosen. Sie verbrachten den ganzen Abend dort und küssten sich immer wieder. Schmusten und kamen sich langsam näher – und eine wundervolle Zeit begann.

Schon am nächsten Morgen rief er wieder an, nachdem er spät in der Nacht gegangen war. Bedankte sich für den atemberaubenden Abend und gestand Samara, dass er sie am selbigen unbedingt wiedersehen müsse.

Um zweiundzwanzig Uhr klingelte es erneut an der Haustür. Und diesmal war Samara vorbereitet und empfing ihn freudestrahlend. Einen großen Strauß roter Rosen hatte Daniel mitgebracht und entschuldigte sich noch einmal für sein gestriges Eindringen. Aber er hätte einfach nicht mehr warten können und nach dem, was sie erlebt hatten, stand ihnen weit Schöneres bevor. Daniel zog

Samara erneut in seine Arme und sagte ihr, er müsse unbedingt mit ihr reden. Verwundert schaute sie ihn an. Argwöhnisch vermutete sie, dass jetzt der Haken käme.

»Was ist denn?«, sagte sie lächelnd. »Was musst du mir denn jetzt gestehen?«

»Mach dich nicht über mich lustig«, antwortete er ernst und zog sie ins Wohnzimmer. Erstaunt ließ sie ihn gewähren, ließ sich, seiner Hand folgend, mit ihm auf dem Teppich nieder und sagte: »Du machst es aber spannend.«

Er nahm ihr Gesicht in seine Hände und schaute sie an. Er streichelte ihr mit der linken zärtlich über die Augenbrauen.

»Sami«, begann er vorsichtig. »Nicht dass ich ein Mann bin, der so etwas leicht über die Lippen bringt, aber ich möchte dir sagen …« Er stockte und fuhr dann fort: »Samara, ich habe das erst einmal in meinem Leben zu einer Frau gesagt. Es klingt vielleicht komisch und es ist vielleicht etwas schnell, aber ich weiß es ganz sicher!«

Samara hing an seinen Lippen, sie wusste, was er sagen wollte, sie hoffte es inständig. Er schaute ihr tief in die Augen und wurde still. Strich ihr zärtlich eine Locke aus der Stirn, schien zu überlegen, wie er es sagen könnte, und küsste sie dann auf den Mund. Wieder blickte er sie lange an, als wollte er mit all seinen Sinnen alles in ihrem Gesicht aufnehmen, es speichern, um es nie wieder aus seinem Gedächtnis zu streichen, und lächelte.

»Ich liebe dich, Sami, ich liebe dich! Wirklich, ich weiß es ganz sicher. Ich weiß, es ist sehr früh für solche Worte, aber ich empfinde ein Glücksgefühl in deiner Nähe, wie ich es noch nie zuvor bei einer Frau erlebt habe.«

»Oh, Daniel, es geht mir ganz genauso!«

Wie in einem Märchen, fast unwirklich weit der Realität entrückt und doch greifbar nah. Greifbar in einem Menschen, der ihr gegenüberstand. Als wäre sie in einen Groschenroman hineingestiegen, der doch nur geschrieben war. Worte, Zeilen, doch nicht wirklich echt. Nur erlebt in der Fantasie. Sie glaubte zu träumen, und doch wusste sie: Es gibt wahre Märchen. Sie hätte es nicht für möglich gehalten, doch sie war die schönste, glücklichste Prinzessin.

Sie konnten von diesem Moment an nicht mehr voneinander

lassen. Es war so wundervoll, in seinen Armen zu liegen, liebkost zu werden an jeder einzelnen Stelle ihres Körpers, verwöhnt zu werden in jedem Augenblick. Er hatte so eine Art, sie anzusehen, sie zu streicheln, zärtlich und dann wieder wild, leidenschaftlich, fordernd und zugleich so sanft, dass sie manchmal nicht mehr wusste, was sie denken, geschweige denn fühlen sollte. Erbarmungslos zog es sie wie in einen Strudel hinab, ihre Körper verschmolzen, als hätten sie tausend Jahre Hunger gelitten. Es war nicht nur die Intimität, die sie verband. Es gab Tage, da saßen sie stundenlang in ihrer Küche, sprachen und aßen zusammen, waren fröhlich und erzählten sich ihr ganzes Leben. Sie sprachen über ihre Wünsche und ihre Sehnsucht, über Dinge, die sie zusammen erleben wollten, liebten und schmusten und redeten bis tief in die Nacht hinein. Sie machten Blödsinn und rannten sich durch das ganze Haus nach wie die Kinder. Dass weder Stina, Tim noch Leoni aufwachten in all den Wochen, empfanden sie wie ein Wunder in dieser Zeit.

Irgendwann hatte Daniel sie morgens besucht und war bis über den Mittag geblieben. Samara deckte auf der Terrasse den Tisch und Leoni krabbelte auf dem Boden und spielte mit ihrem Teddybär. Die Vögel zwitscherten und es war ein herrlicher Augenblick.

»Gleich kommt Stina, bleib bitte, ich möchte, dass du sie kennenlernst«, bat Samara.

Tim war in einer AG und hatte Mittagsschule und blieb zum Essen dort. Stina stürmte wie üblich im Hauseingang Samara entgegen, erzählte fast in einem Atemzug, was sie alles erlebt hatte, und fand kein Ende. Samara sagte beiläufig, während sie Stina weiterreden ließ: »Wir haben Besuch.«

Stina fragte: »Wer ist denn gekommen?«

»Kennst du nicht. Daniel ist sein Name, er sitzt draußen auf der Terrasse.«

Stina ging hinaus, begrüßte ihn und setzte sich auf seinen Schoß. Wie selbstverständlich, so als würden sie sich ewig kennen. Samara traute ihren Augen kaum. Stina war beileibe kein schüchternes Kind, doch auf den Schoß eines fremden Mannes steigen hatte sie Stina noch nie gesehen. Sie umarmte Daniel so liebevoll, als würden sie das jeden Tag tun. Für ihn war das anscheinend selbstverständlich. Er lächelte sie an und streichelte ihr zärtlich den Nacken. Als Stina in das erstaunte Gesicht ihrer Mutter blickte, die mit offenem Mund dastand, sprang sie mit einem Satz wieder herunter. Daniel nahm ihre Hand und schaute Stina so warm an, und Samara spürte, es war bei beiden Liebe auf den ersten Blick.

Samara genoss es, wie liebevoll Daniel mit ihren Kindern umging. Mit solch einer Geduld spielte er mit Tim und trug Leoni durch die Wohnung, als wären sie die seinen. Samara kannte wenige Männer, von denen sie hätte sagen können, sie seien Wahnsinns-Väter. Sie kannte viele mittelmäßige aus der Sicht ihrer Ehefrauen. Aber Daniel war so einer. Er liebte Kinder über alles, sie waren sein Lebenselixier. Er wollte ihnen all die Aufmerksamkeit und Fürsorge geben, die er selber nie erhalten hatte. Und er verfügte über eine starke Anziehungskraft auf die Kinder. Mit seiner Ruhe, Güte, mit seinem Verständnis und seiner Geduld zog er auch Samara immer wieder in seinen Bann und vereinte alle. Umso mehr fing es an, sie zu belasten, dass er zu Hause eine Frau hatte, die ebenso auf ihn wartete.

Ihm schien dies zu Beginn ihrer Beziehung nicht sonderlich viel auszumachen. Er nahm das Ende der Liebe, die er auch zu seiner Frau einmal empfunden hatte, nur noch deutlicher wahr. Für Daniel war die Trennung schon längst vollzogen. Nachdem sie fast über ein Jahr nicht mehr miteinander geschlafen hatten und Gespräche über seinen Auszug schon lange vor ihrer Zeit gelaufen waren, fühlte Daniel sich im Recht. Samara hatte ihm immer wieder Fragen gestellt, um zu überprüfen, ob seine Ehe wirklich so hoffnungslos war. Vieles, was er von seiner Frau erzählte, kam ihr so bekannt vor. Und sie hatte öfters für sie Partei ergreifen müssen. Sie versetzte sich in ihre Lage, fragte sich, wie es ihr ergehen musste, und fand einige Parallelen zu ihrem Leben. Sie fühlte sich verbunden mit ihr. Umso mehr begann sie sich damit auseinanderzusetzen, wie eine gemeinsame Zukunft mit Daniel aussehen würde. Auf der einen Seite schrie alles in ihr nach ihm. Nach ihrer Liebe, nach dem Glück ihres Lebens. So vieles hatten sie gemeinsam, und ihre Kinder beteten ihn genauso an wie sie.

Doch da war dieses Gefühl, auf diese Liebe kein Recht zu haben.

Samara stellte sich vor, wie es wäre, wenn er seine Frau verließe. Welcher Schmerz das für sie und die gemeinsamen Kinder bedeuten würde. Samara konnte aus seinen Erzählungen heraushören, dass auch seine Frau ihn brauchte, und Samara glaubte, dass auch sie ihn auf irgendeine Weise liebte, obwohl sie miteinander stritten und sie ihm ihre Liebe nicht so zeigen konnte. So sah sie doch dieses kleine Mädchen in ihr, die auch einigen Ballast aus ihrer Kindheit mit sich trug und aus dem heraus unreif reagierte. Samara fühlte von Frau zu Frau. Sie war ihr in ihrem Herzen eher wie eine Freundin, nicht wie eine Rivalin. Hatte Samara doch auch so viele, ganz typische weibliche Reaktionen, die sie von sich kannte, wenn sie sich nicht verstanden glaubte.

»Du bekommst mich so oder so«, sagte Daniel immer wieder zu ihr, wenn sie an ihrer gemeinsamen Zukunft zweifelte. Doch diese Zweifel wurden immer größer. So wie die Liebe in ihr wuchs zu diesem Mann, so wurden auch ihre Schuldgefühle seiner Frau und ihren Kindern gegenüber von Woche zu Woche stärker. Sie erlebte doch das alles gerade, was die beiden vor sich hatten. Wie viel Schmerz und Not eine Trennung für beide Seiten zum Vorschein brachte – und war sie erst einmal endgültig ausgesprochen, nahm die schmerzhafte Talfahrt ihren Anfang. Sie dachte an ihre eigenen Gefühle, als Marcel ging. Sie dachte an Stina und Tim, wie sehr sie gelitten hatten, als ihr Vater auszog. Wie sie diese kleine Seele Leoni nicht genügend stützen konnten bei ihrer Ankunft auf der Erde. Weil sie selbst so sehr am Abgrund schwebten. Und nun wäre sie mitverantwortlich dafür, dass eine andere Frau und deren Kinder das Gleiche erleiden sollten?

Wenn Daniel gegangen war, grübelte Samara die Nächte durch. Sollten die beiden es nicht doch noch einmal miteinander versuchen? War es das nicht wert, eine Ehe? Das Versprechen, das man sich einst gegeben hatte, in guten wie in schlechten Zeiten? Schon wegen der Kinder? War es nicht falsch, allzu schnell aufzugeben? Hatte er sich diesen Schritt denn wirklich reiflich überlegt? Und wollte sie das wirklich? Samara und Marcel hatten es trotz alledem geschafft, die Kinder so wenig wie möglich zu belasten. Samara gab sich Mühe, selbst in der Anfangszeit, wo sie noch hart in ihrem Schmerz stand, die Kinder so oft wie möglich Marcel zu überlassen. Sie wusste aus Daniels Erzählungen, dass ihm seine Frau damit drohte, ihm die Kinder ganz zu entziehen, und sie wusste, wie sehr er seine Kinder brauchte. Sie stellte sich vor, was ins Rollen kommen würde, wenn sie ihre Drohung wahrmachen würde. Wie wäre es für Daniel, ihren Kindern ein Vater zu sein und seine eigenen zu vermissen? Würde ihre Liebe das aushalten? Was wäre, wenn er eines Tages sie, Samara, wegen einer anderen verlassen würde? Das alles machte ihr Angst. Damals war sie sich sicher, dass er sich das im Detail einfach noch gar nicht vorstellen konnte. Dass man nicht einfach seine Frau und seine Kinder verlassen konnte. Es würde große Probleme geben.

Daniel war fest entschlossen, diese Liebe zu ihr zu leben. Immer wieder beteuerte er, dass er noch nie in seinem Leben eine solche Frau wie sie getroffen hätte. Noch nie habe er so gefühlt wie bei ihr. Noch nie habe er so eine Geborgenheit wahrgenommen, ein solches Verständnis und eine solche Hingabe. Noch nie solche Leidenschaft empfunden. Samara glaubte ihm, hatte nie einen Zweifel an dem, was er sagte. Daniel war die Liebe ihres Lebens und sie wünschte sich so sehr, dass sie immer zusammenbleiben könnten. Doch spürte sie auch, dass sie nicht glücklich werden würden. Immer mehr begann sie unter diesem Zustand zu leiden und auch Daniel merkte allmählich, dass dies alles nicht leicht werden würde. Es ging ja nicht nur um ihre Liebe, sondern auch um die Kinder.

Irgendwann hatte Samara es nicht mehr ausgehalten. Unter seiner Handynummer rief sie bei Daniel an und sprach ihm auf sein Band.

»Daniel, ich bin es, Sami. Ich möchte Schluss machen! Ich kann diesen Zustand nicht länger ertragen. Ich liebe dich! Sami.«

Sie wusste, dass es nicht fair war. Und sie wusste auch, dass sie ihn damit sehr verletzen würde. Aber sie war in diesem Augenblick so verzweifelt. Die ganzen letzten Monate, dieses große Glück, ihm zu begegnen, und diese Hürden, die sich unüberwindbar vor ihr aufbauten. Sie empfand ihr eigenes Handeln wie einen Sprung von einer Klippe in die Tiefe. Unwiderruflich war es ausgesprochen, und sie legte den Hörer auf die Gabel und fiel diesen hohen Felsen hinunter in einen nicht enden wollenden Abgrund. Den langen Fall, bis sie auf das Wasser aufschlug, empfand sie als einen tiefen Schrei aus ihrer Seele heraus. Doch als sie aufprallte, lebte sie noch immer und der Schmerz hatte sie nicht getötet.

›Wie viele Male sterben wir, bis wir endlich sterben dürfen? Wie viel Leid liegt einem jeden einzelnen Leben zugrunde, bis wir uns wirklich voll und ganz dem Leben hingeben können und nicht immer wieder daran scheitern?‹ Sie hatte ihn gebeten zurückzurufen, damit sie in Ruhe noch einmal darüber sprechen könnten. Das Glück, die Ekstase, die Nähe zu einem einzigen Menschen so vollkommen erleben zu dürfen hatte am Ende immer einen Preis. Wenn sie sich trennen, sich loslassen mussten, um in ihrem Leben weiter zu gehen, war es ein tiefer elementarer Einschnitt.

Vielleicht ist es ein Weg in eine noch größere Liebe, in ein neues Glück. Doch so, wie wir uns erinnern können, so ist auch die Erinnerung an den Schmerz in uns nicht gewichen, schrieb sie später in ihr Manuskript.

Eine Woche lang hatte Daniel nicht angerufen und sie war ein zweites Mal schier daran zerbrochen. Sie vermisste ihn so sehr, alles in ihr sehnte sich nach ihm. Doch die Gedanken an die Kinder, die ihren und die seinen, waren stärker. Hatte sie das Recht, Unglück zu säen? Hätte sie seiner Frau sagen sollen: »Mich hat mein Mann auch verlassen! Nun nehme ich dir den deinen.«? Wohl kaum.

Es war eine schreckliche Zeit für Samara, bis er endlich anrief. Sie sagte ihm am Telefon, wie leid es ihr täte, und meinte die Art und Weise, wie sie es ihm gesagt hatte. Sie erklärte ihm ihre Not, die Gründe, die das in ihr ausgelöst hatten, und dass sie einfach so reagieren musste, und bat ihn um Verzeihung.

Und er verzieh ihr. Auch er hatte eine schreckliche Woche hinter sich. Zu dem Schock, den ihre Entscheidung ihm versetzt hatte, kam ein Zwischenfall in seiner Firma, der seine Existenz bedrohte. Einer seiner Hauptkunden sei Bankrott gegangen und es stünden Forderungen in Millionenhöhe aus.

»In einer einzigen Woche bricht nun alles zusammen, was ich aufgebaut habe«, erzählte Daniel. Ihr war das nicht unbekannt. Sie hatte nach der Trennung von Marcel ebenfalls Mühe gehabt, ihr Geschäft zu halten. Hatten große Transformationen nicht immer auch einen massiven Einbruch in der ganzen Struktur des Lebens zur Folge? Wenn Altes zerstört wurde, um Neuem Platz zu machen, geriet vieles ins Wanken. Sie trafen sich wieder und redeten lange.

Er sagte, dass ihm in dieser einen Woche klar geworden sei, dass er bei seiner Familie bleiben müsse. Sie heulten wie zwei Kinder, die sich aneinanderklammern, um doch nur gemeinsam zu ertrinken. Sie mussten sich voneinander lösen, um zu überleben.

In dieser Nacht war es ihnen besonders schwergefallen, sich zu trennen. Sie konnten sich ein Leben ohne den anderen einfach nicht vorstellen. Sie nahmen sich vor, sich wenigstens ab und an zu treffen. Aber jedes Mal, wenn sie das getan hatten, zerriss es ihnen fast das Herz bei dem Gedanken, nicht für immer zusammen zu sein. Er war der Mann, der ihr alles gegeben hatte und der sie über alle Maßen liebte. Bei dem sie sich geborgen fühlte und der durch seine Liebe allen Schmerz aus der Vergangenheit in ihr hochholte. In seiner Umarmung konnte sie ihrer eigenen Wahrheit, ihren verschütteten traumatischen Erlebnissen ins Auge sehen. Dreißig Jahre danach holte Samara Unfassliches für sie und ihn an die Oberfläche ihres Bewusstseins.

Immer seltener wurden ihre Treffen, denn wenn sie Daniel getroffen hatte, brauchte Samara tagelang, um wieder lebenstauglich zu sein. Die Erinnerung brannte so sehr in ihrem Herzen, das Bewusstsein dafür, was sie aufgaben. Doch sie wusste, dass man manchmal eine große Liebe opfern musste um einer höheren willen. Der Liebe zu ihren Kindern. Ob sie je einmal begreifen würden, was ihr Vater für sie aufgegeben hatte? Was *sie* aufgegeben hatte?

*

Samara steht auf und geht auf die Toilette in der Flughafenhalle. Sie schaut in den Spiegel und betrachtet ihr Gesicht.

›Ich werde dir immer dankbar sein für dieses Geschenk, das du mir gemacht hast, Daniel. Zu spüren, wie ich selbst bin, wenn ich wirklich geliebt werde. Dass ich über mich hinauswachsen kann und Erfüllung zu schenken vermag, wenn ich wirklich Vertrauen gefunden habe und mich öffne. Und ich wünsche, dass du belohnt wirst im Leben für diesen Verzicht. Ich wünsche dir von ganzem Herzen Glück und dass du deine Frau irgendwann so lieben kannst, wie du mich geliebt hast‹, sagt sie in Gedanken.

*

Sie musste Daniel loslassen, um nicht länger zu leiden, und sie hatte es nach einigen Monaten geschafft. Mit der Zeit fand sie wieder in ihren Alltag ohne ihn. Hatte ihr eigenes Leben wieder. Samara begann den Tag mit ihren Kindern, war froh an ihrer Arbeit und konnte sich an ihren Ausgehtagen auf die Zeit für sich allein freuen. Sie lernte Rainer kennen und lieben und fixierte ihre Gedanken auf ihn. Wenn sie Daniel und Rainer verglich, waren sie so gegensätzlich, wie zwei Menschen gegensätzlicher kaum sein konnten. Es war nicht so, dass sie Daniel vergessen hatte. Immer wieder kehrten die Gedanken an ihn und an ihre Verbundenheit zurück und sie wünschte sich, dass Rainer sie so lieben könnte, wie er es getan hatte.

Nachdem sich Samara nun endgültig hatte verabschieden können nach diesem Abend in der *Zauberfee*, sahen sie sich wirklich nicht mehr. Das Herz liebte, doch die Vernunft war stärker. Rainer war da. Er hatte einen großen Teil in ihr erobert. Wenn sie morgens aufstand und abends zu Bett ging, galten ihm ihre Gedanken. Als wäre er immer um sie herum, sprach sie mit ihm genauso im Mentalen wie mit ihren Lichtwesen. Sie erzählte ihm von ihrem Tag, von ihren Erlebnissen und fragte ihn in Gedanken nicht selten um Rat. Obwohl sie sich schon lange nicht mehr gesehen hatten und sie es vermied, in die *Zauberfee* zu gehen, um seinem Charme nicht wieder zu erliegen, lebte sie ihr Leben gedanklich doch an seiner Seite. Was war sie nur für eine Frau? All ihre Freundinnen schimpften mit ihr. Sie sagten, sie verschließe sich vor einem normalen Mann. Da sei Peter, der an ihrer Seite sei, ein wirklicher Gentlemen, der sie verwöhnte und mit dem sie reden könne. Der ihr alles bieten könne. Und sie, was tue sie? Sie sagten ihr immer wieder, dass Rainer nichts tauge, dass er nicht fähig sei zu lieben. Sie wusste das alles und trotzdem konnte sie nicht anders, als ihn zu lieben. Je mehr sie ihn aus ihrem Herzen zu drängen versuchte, desto mehr schlich er sich immer wieder hinein. Sie konnte die Hoffnung, dass er sich eines Tages doch noch öffnen könnte, einfach nicht loslassen. Immer wieder kämpfte sie gegen sich selbst.

Samara versuchte die Hintergründe in ihrer Kindheit zu finden, entschlüsselte einiges, wusste auch, damit ihre Sehnsucht nach Rainer zusammenhängen musste, und konnte doch nicht anders, als ihr Leben gedanklich mit ihm zu teilen. Wie viel leichter war es mit Daniel gewesen und doch nicht leicht. Wie viel normaler mit Marcel und doch nicht normal. Sie liebte sie einfach alle drei und sie würde sie nicht aus ihrem Herzen zerren. Sie liebte sie, wenn auch auf ganz unterschiedliche Weise und zuweilen mit einem unbändigen Zorn.

Sie fand es eigenartig, ihr Leben mit einem Menschen zu teilen, der nicht real gegenwärtig war, und auf einmal erinnerte sie sich daran, dass sie vor langer Zeit, lange vor diesem Leben, ein Leben gelebt hatte, in dem sie Ähnliches empfunden hatte. Sie nahm erneut ihren Block zur Hand und schrieb. Von der Zeit mit Alma, ihrer Weißmagierin, her, wo sie in Trance auch in frühere Leben gereist waren, erinnerte sich Samara zurück an dieses Leben vor ihrem jetzigen Leben. Samara hatte früher nicht an Wiedergeburt geglaubt. Doch da sie das bei Alma am eigenen Leib erfahren durfte, hatte sie ihre Meinung geändert. Und so kamen die Erinnerungen wieder, und sie wollte sie unbedingt in ihr Buch aufnehmen.

Sie hatten ein einfaches und arbeitsreiches Leben gehabt. Aber sie waren glücklich gewesen, Alexander und sie. Es war auch das Leben, in dem Edda und sie schon befreundet waren. Doch damals hieß Edda Kunigunde und sie sah auch anders aus als jetzt in diesem früheren Leben. Sie konnte sich vorstellen, dass dies auch schon in vielen anderen Leben der Fall gewesen war, aber an dieses konnte sie sich eben erinnern.

Für die damalige Zeit war sie verhältnismäßig groß, eher männlich von der Statur her, mit breiten, kräftigen Schultern und einem Becken wie ein Mann. Doch sie war eine Frau, und ihr Name war Laila. Sie hatte langes, blondes Haar, das auch so voll war wie das Haar, das sie heute trug, doch damals hing es ihr achtlos über die Schultern. Eine besondere Pflege kannte man damals noch gar nicht.

Auch ihre Gesichtszüge glichen eher denen eines Mannes, nicht zart und glatt, sondern grob und herb, so wie es damals oft die Frauen hatten durch die Arbeit im Freien. Mit der heutigen Zeit verglichen, wäre sie bei einem Schönheitswettbewerb glatt durchgefallen. Aber darüber dachte sie wirklich nicht nach in diesem Leben, es gab Wichtigeres. Zum Beispiel mit Kunigunde Beeren zu sammeln. Sie erinnerte sich, wie sie Kunigunde gegenüberstand, draußen im Wald, und diese eine große Kappe trug. Ziemlich viel von ihrem Gesicht und den schon damals dunklen Haaren war unter dieser Kappe verdeckt. Sie war in ein graues, einfaches Kleid gehüllt, das an der Taille mit einer Kordel gerafft war, nach unten hin weit wurde und bis zu ihren Knöcheln reichte. Sehr einfach und undenkbar für die heutige Zeit, eher mit einem Leinensack zu vergleichen, aber für damalige Verhältnisse ganz normal. Eine rostfarbene Schürze, die praktisch war zum Aufsammeln von allem, was man fand, trug sie um die Taille. Eifrig pflückten die beiden dunkle Beeren von den Sträuchern, die zwischen den Bäumen wuchsen, Kunigunde in ihre Schürze und sie in ihren Korb aus Bast. Mit großer Geschicklichkeit trennten sie die guten von den schlechten Früchten und unterhielten sich dabei über das Fest, das am Abend stattfinden sollte. Kunigunde erzählte von zwei jungen Männern aus dem Nachbardorf. Alljährlich, wenn der Mond seine Bahn vollendet hatte und die neue Zeit begann, krönte ein großes Fest das Zusammentreffen der Dorfbewohner im nahen Umfeld. Viele waren geladen und es war einer der großen Höhepunkte in diesem einfachen Leben, auf den man sich schon lange vorher freute. Die Frauen trafen sich, um Kochrezepte auszutauschen, und die Männer erzählten von ihren Erlebnissen auf der Jagd. Doch das war eigentlich eher nebensächlich. Seine Töchter zu verheiraten, wenn sie im heiratsfähigen Alter waren, um gewinnbringende Verbindungen zu knüpfen, bildete den eigentlichen Höhepunkt. So wurde dieses Fest vor allem von den Mädchen und Buben mit Spannung erwartet.

Kunigunde hatte die Möglichkeit, ihrem Vater zu helfen, und war so schon einmal im Nachbardorf gewesen. Ganz interessiert hatte Laila ihren Erzählungen gelauscht, als auf einmal das Gebrüll eines Bären zu hören war. Sie drehten sich um und da kam er auch schon auf sie zu. Er stellte sich auf die Hintertatzen und knurrte drohend. Sie wichen ein wenig zurück und sie stellte ihren Korb mit den Beeren gut sichtbar ab. Kunigunde öffnete ihre Schürze und ließ ihre Beeren auf einen Haufen fallen. Sie zogen sich in einen angemessenen Sicherheitsabstand zurück und mussten ihm zuschauen, wie er sich genüsslich über ihre Arbeit der letzten Stunde hermachte. Gesättigt und sichtlich besänftigt, trottete er schließlich behäbig von dannen. Sie ärgerten sich natürlich, dass sie nun wieder erneut zu sammeln hatten, aber dies kam nun einmal ab und zu vor.

Sie hörten die leisen Pfiffe aus der Ferne und drehten sich in die Richtung, aus der sie kamen.

»Das sind sie«, sagte Kunigunde und zog sie aufgeregt an ihrem Beinkleid. Die Jungen kamen geradewegs auf die beiden zu, und so war ihnen diese Bärengeschichte geradezu willkommen, um ein geeignetes Gesprächsthema zu haben. Die beiden Jünglinge schienen kaum älter zu sein als sie. Der eine von beiden trug sein braunes Haar schulterlang und hatte ein freches Grinsen. Er war etwas kleiner als Laila und führte das Wort. Alexander war groß und eher hager und er gefiel ihr sofort. Er hatte kräftige Oberarme und blondes Haar, das etwas zerzaust um seinen Nacken auf den Schultern aufstand. Seine klaren Augen faszinierten sie vom ersten Augenblick und er war gut noch einen Kopf größer als sie.

Als Alexander sie anschaute, wusste Laila, er war es. Zwischen ihnen sprang der glühende Funke nahezu gleichzeitig über. Überhaupt war alles so einfach mit ihm. Eigentlich ihr ganzes Leben lang. So wie es begonnen hatte, so endete es auch. Vom ersten Augenblick an, als sie sich sahen, wussten sie, dass sie sich von nun an nicht mehr trennen würden. Und tatsächlich war es ein Leben voller Harmonie, geradlinig und bescheiden. Sie bekamen zwei Kinder, ein Mädchen und einen Jungen, und wohnten in einer einfachen Hütte im Wald in der Nähe des Dorfes. Sie sah noch das Feuer in der Mitte des Raumes und das Holzbett mit den Fellen darauf, die er von der Jagd in ihr Heim mitgebracht hatte. Es war kein aufregendes Leben, doch sie waren sich sehr einig gewesen. Es war nicht dieses Feuer, das kam und ging, es war etwas Gleichmäßiges, Beständiges, und sie hatten sich geliebt und geschätzt.

Alexander war dann recht jung gestorben. Nur ungefähr zwanzig Jahre waren sie miteinander verheiratet. Er hatte hohes Fieber und als er an diesem Abend in ihren Armen lag, wusste sie, dass er sterben würde, und er wusste es auch.

Samara zuckte zusammen. Sie hob den Kopf und fuhr sich durch die Haare und dachte: »Komisch, derselbe Schmerz zieht in meine Brust.« Dieses Gefühl war ihr so vertraut. Schon so oft hatte sie diesen Moment als Kälte und Wärme zugleich erlebt, wie es eben war, wenn jemand ging und starb. So wie sie es auch gefühlt hatte, als sie die Vision mit Rainer gehabt hatte. Als er starb, durchzog sie der gleiche Schmerz. Doch das war doch noch gar nicht geschehen? Aber es war das gleiche Gefühl wie in diesem Leben, lange Zeit vor ihrem jetzigen.

Samara fiel es schwer, ihre Zeilen zu vollenden. Sie stockte kurz und schrieb dann doch weiter.

Seine Augen wirkten fast schwarz im hellen Schein des Feuers, das noch brannte. Er wirkte so ruhig. Als fast gespenstisch empfand sie diese Ruhe. Angst kroch in ihren Nacken. Eine Ahnung, das etwas kommt, das unabänderlich ist und doch nicht greifbar, wie ein dunkler Schatten, der alles bedeckt, den man vertreiben möchte und der einen doch einhüllt in Ohnmacht. Alexander schaute sie an mit seinen schwarzen Augen. Sie waren so groß, so unendlich groß, und schon so weit schienen sie in die Ferne zu schauen, schon fast der Gegenwart entrückt. Und doch, als müsste er sich darauf konzentrieren, hier zu bleiben, bedankte er sich. Dafür, dass sie all die Jahre zu ihm gehalten hatte. Für die Kinder und für das Geschenk, ihm eine so gute Frau gewesen zu sein. Sie streichelte seine Wange und holte die Kinder. Ruhig weckte sie beide, als wäre gar nichts geschehen, und sagte ihnen, sie sollten sich von ihrem Vater verabschieden. Sie weinten fürchterlich, doch sie selbst hatte keine Tränen. Sie fühlte sich wie ein Kapitän, der weiß, dass sein Schiff zu sinken beginnt, und der die Ruhe bewahren muss, um die Passagiere nicht noch mehr in Panik zu versetzen. Doch innerlich bebte sie und kämpfte den Kampf gegen die bedingungslose Kapitulation. Die Kinder weinten und zerrten an ihm. Sie begriffen und konnten doch nicht begreifen. Blanker, kalter Schmerz, erbarmungslos. Und doch war auch in ihnen diese Ahnung, dass es gut war, wie es war.

Alexander war dann ganz friedlich in ihrem Arm eingeschlafen. Sie fühlte sich leer und doch nicht. Sie fühlte sich einsam und doch nicht. Es war ein eigenartiges Gefühl.

›Wir wissen doch alle, dass wir gehen müssen. Dass der eine davor und der andere danach geht. Und wenn es dann so weit ist, gleicht diese Erfahrung einem Geborenwerden. Neues zu erleben ist oft grausam, schwer und beängstigend, und doch birgt es Hingabe in sich‹, dachte Samara und schrieb weiter.

Sie hatte nur wenige Wochen um ihn getrauert. Dann begann sie wie von selbst, mit ihm zu reden, wie sie es immer getan hatten, als er noch bei ihr war. Sie wurde älter und die Kinder heirateten ebenfalls und gingen aus dem Haus. Sie zogen in andere Dörfer und führten ihr eigenes Dasein. Immer wieder versuchten sie ihre Kinder zu überreden, sich doch wieder einen Mann zu suchen. Doch sie wollte nicht. Sie führte ein gutes Leben, in Gedanken mit Alexander an ihrer Seite. Er war immer da. Sie sprach mit ihm, als würde er neben ihr sitzen, und sie wusste sehr wohl, dass er nicht da saß. Sie war noch attraktiv und kam auch gut bei Männern an und es hätte manch einen gegeben, der sie umsorgen wollte. Die Kinder konnten nicht verstehen, dass sie alleine bleiben wollte. Sie sorgten sich um ihre Mutter und wollten nicht glauben, dass sie zufrieden war mit dem, was sie hatte, nur in ihren Gedanken an ihren Vater. »Ich brauche nichts anderes. Meine Erinnerung an ihn und unsere Zwiesprache sind so stark, dass ich nichts vermisse«, erklärte sie ihnen immer wieder.

Als sie viele Jahre später fühlte, dass nun auch ihre Zeit gekommen war, verspürte sie eine übergroße Freude, nun endlich wieder bei ihm sein zu dürfen. Als sie dann starb und nach oben geleitet wurde von ihren Begleitern, von diesen vielen leuchtenden Lichtwesen um sie herum, und es immer heller wurde, war er der Erste, der sie mit offenen Armen empfing. Es war eine Glückseligkeit für sie beide, die unbeschreiblich war.

Ja, das war in diesem früheren Leben gewesen. Samara runzelte die Stirn, lutschte nachdenklich an ihrem Kuli und erinnerte sich, wie sie damals, lange vor Daniel und lange vor Rainer, als sie noch mit Marcel verheiratet war, eines Abends an diesen Stammtisch gegangen war, den Alma einmal im Monat organisierte.

Ob sie nicht einmal Lust hätte, auch zu kommen?, hatte Alma immer wieder bei ihr nachgefragt. Nicht, dass es sie nicht interessiert hätte, doch irgendetwas hielt sie zurück. Es war einfach nicht wirklich wichtig gewesen zu diesem Zeitpunkt. Eines Tages hatte Alma sie angerufen und ihr erzählt, dass nächsten Freitag wieder dieser Stammtisch stattfinden würde. Und nachdem sie ewig mit sich gerungen hatte, war sie hingegangen.

Schon beim Hereinkommen erreichte sie ein ganz eigenartiges Gefühl. Die anderen Gäste saßen gemütlich an einem großen, langen Tisch und musterten sie aufmerksam, als sie den Raum betrat. Einige rutschten auf und so konnte sie sich dazugesellen. Es waren fast alles Frauen, die sich gerade einander vorstellten. Als sich Samara gesetzt hatte und ihren Blick durch die Runde schweifen ließ, war er ihr sofort aufgefallen. Er hatte blondes lichtes Haar und seine Körperhaltung verriet ihr, dass er nicht unbedingt einen Astralkörper unter seiner Kleidung verbarg. Seine Augen waren ein wenig zusammengekniffen und seine mageren langen Hände lagen auf der Tischplatte. Michael war nicht gerade das, was man gutaussehend nannte. Und doch er hatte etwas. Schon nach kurzer Zeit fiel Samara auf, dass alle Frauen um seine Gunst buhlten. Sie tauschten in dieser Runde immer wieder die Plätze, um sich näher kennen zu lernen. Auf einmal saß Samara neben ihm. Es war so ein komisches Gefühl. Wie ein Magnet, der Plus und Minus unweigerlich zusammenziehen muss, rutschten sie aufeinander zu. Samara spürte einen so starken Sog zu Michael hin, dass es sie total erschreckte. Sie war doch glücklich verheiratet mit Marcel! Denn diese Geschichte, ihre ganzen Reinkarnationen, die Arbeit mit Alma lagen Jahre zurück. Lange vor der Zeit mit Daniel, lange vor Rainer.

Auf einmal berührten sich ihre Schultern. Samara erschrak und wich zurück. Aber immer, wenn sie das tat, bewegte sich Michael kaum spürbar in ihre Richtung, sodass sich ihre Schultern wieder trafen. Es blieb den anderen nicht verborgen und sie konnte die wüsten Gedanken einiger Frauen lesen. ›Jetzt kommt die ganz frisch zu uns und schon verwendet er seine ganze Aufmerksamkeit auf sie, und das auch noch so offensichtlich.‹

›Sie hatten ja recht‹, dachte Samara. Es war schon so oft in ihrem Leben so gewesen, dass sie die Aufmerksamkeit von Männern förmlich auf sich zog, ohne dass sie es provozierte. Sie hatte ein schlechtes Gewissen den anderen Frauen gegenüber, und so wich sie ihm immer wieder aus. Doch die Anziehung zwischen ihm und ihr war eine so unerklärlich starke. Samara hatte das Gefühl, ihn schon seit ewigen Zeiten zu kennen. Er war ihr so vertraut. Sie kannte das von Begegnungen mit Frauen, da war ihr das schon oft passiert, doch mit einem Mann? Es war keine erotische Anziehung, wenigstens von ihrer Seite nicht. Es war ihr unerklärlich.

Alma schaute sie an und lächelte. Hilflos sagte Samara zu ihr: »Alma, oh mein Gott, was ist denn los mit mir?«

»Lass es zu, lass es einfach geschehen«, antwortete sie mit einer ruhigen, besonnenen Freundlichkeit.

Michael und Samara sprachen am selben Abend darüber und er hatte die gleichen unerklärlichen Gefühle für sie. Er sagte, sie seien sicher schon einmal miteinander verheiratet gewesen in einem früheren Leben. Dann lehnte er sich zurück und schilderte ihr Bilder, die er sah. Von einer Holzhütte, von einem Wald, von der Gegend dort. Er beschrieb das alles ganz genau, in allen Einzelheiten. Auf einmal fiel es Samara wie Schuppen von den Augen. Sie fragte Michael, ob sie Kinder in dieser Zeit miteinander gehabt hätten. Er erwiderte darauf, dass es zwei gewesen seien, und beschrieb sie nach ihren Charakteren so haargenau, wie nur er es wissen konnte. Er war der Mann, mit dem sie dieses glückliche Leben hatte, als Edda schon ihre Freundin war – Alexander! Natürlich sah er jetzt anders aus als damals, aber seine Art, Dinge zu beschreiben, seine Körperhaltung und die leichte Drehung in seiner Hüfte, wenn er sich bückte, waren unverkennbar dieselben. Auch seine Stimme, die Art, wie er den Kopf neigte, wenn er ihr zuhörte, waren ihr vertraut. Er hatte eine so fürsorgliche und verbindende Art, ihr zu schmeicheln, wie er es früher schon getan hatte. Sie wusste, wie er dachte und fühlte. Sie konnte seine nächste Handlung fast schon voraussagen, einfach weil sie jahrelang ganz nah an seiner Seite gewesen war.

Nach diesem Abend trafen sie sich viele Male. Sie gingen spazieren, philosophierten, sprachen über ihre Ehen, über ihre Stärken und Schwächen und waren sich unheimlich einig. Samara und Alexander besuchten Museen, wanderten über Felder und sie lernte viel von ihm, auch manches mehr aus der männlichen Sichtweise zu betrachten. Er half ihr, die Probleme zwischen ihr und Marcel mit etwas mehr Weitblick zu betrachten und nicht mehr so verbissen und verkrampft an einem Augenblick festzumachen.

Als sie wieder einmal in den Abendstunden spazieren gingen und die Sonne sich allmählich am Horizont verabschiedete, die Luft lau und mild war und sie wieder dieses warme, vertraute Gefühl füreinander spürten, drehte sich Michael zu ihr um. Etwas nachdenklich, ja fast traurig wirkte er in diesem Augenblick. Er nahm ihre Hand und sagte: »Weißt du, Samara, du bist mir schon sehr wichtig.« Er hielt ihre Hand so fest, dass es fast schmerzte.

Samara erschrak und entzog ihm blitzartig die ihre. Sie wollte das gar nicht, aber sie war einfach so erschrocken. Wahrscheinlich, weil auch sie sich sehr geborgen bei ihm fühlte und das nicht zulassen wollte. Sie dachte an Stina, Tim und an Marcel und sagte dann: »Ich liebe Marcel! Auch wenn wir manche Schwierigkeiten miteinander haben, so ist er doch mein Mann.«

Nervös fuhr sich Michael durchs Haar, hatte sich jedoch schnell wieder gefangen und lenkte ein: »Ich weiß, ich weiß. Ich bin mir darüber bewusst, dass wir hier noch einmal zusammentreffen, um uns gegenseitig zu helfen. Um uns aneinander zu stärken und uns Kraft zum Weitergehen zu vermitteln. Um uns bewusst zu machen, dass wir mit unseren jetzigen Partnern, mit denen wir beide ja unsere Probleme haben, das erreichen sollen, was wir damals schon geschafft haben. Wir beide haben in diesem Leben unsere Lektion aneinander erfüllt, denke ich.« Seine Stimme klang nun wieder ruhig und sicher. Samara entspannte sich zunehmend und sagte zu ihm: »Ja, damit kann ich etwas anfangen.«

Schweigend gingen sie weiter, bis es so dunkel war, dass sie fast nichts mehr sehen konnten. Sie gingen zurück zu ihren Fahrzeugen und verabschiedeten sich auf ein Wiedersehen in ungewisser Zukunft.

Sie hatten sich von diesem Zeitpunkt an nicht mehr getroffen.

Nur manchmal, wenn sie mit Marcel Streit hatte, erinnerte sie sich an ihn, als einen guten Freund und Meister, der sie so vieles lehrte.

Rainer hatte nicht die geringste Ähnlichkeit mit Alexander, aber ihre Tagträume waren den Erinnerungen an ihn sehr ähnlich und auch die Verbindung auf mentaler Ebene. Samara sprach nicht nur in Gedanken mit Rainer, nein, sie träumte auch von Erlebnissen mit ihm, die nie stattgefunden hatten und sich wahrscheinlich auch nie ereignen würden. Aber sie hatte sie doch, ihre Wünsche und Fantasien. Und so ließ sie sich wieder hineinfallen in ihre Traumwelt

Draußen bedeckte der Schnee zart die Landschaft und verwandelte die Natur in eine Zauberwelt. Die Sicht aus ihrem Fenster glich dem Blick aus verschmierten Brillengläsern, durch die man nur schemenhaft das Außen erkennen konnte. Weiße Dächer und ein Kirchturm in der Weite säumten ihren Blick. Am Horizont nahm sie die Ferne nur wie eine Ahnung wahr. Ihre Gedanken gingen wieder auf die Reise zu ihm, mit ihm, weit fort in die hellen Strahlen der Morgensonne, und sie träumte wieder.

Wie aus einem tiefen Schlaf erhob sie sich in diese fremde Welt und sah sich erwachen in einem weichen, großen Bett, warm umhüllt von flauschigen Federn, die sich um ihren Körper schmiegten. Das Bett war umrandet von hellen Holzbalken, die sich an der Decke wie ein Dach zusammenfügten und von gusseisernen Ringen zusammengehalten wurden.

Gelbes Leinen umband die Balken und so konnte sie die Decke des Raumes nicht erkennen, es sei denn, sie hätte sich aus dem Bett herausgelehnt. Zarter Blumenduft kroch in ihre Nase. Das Fenster mit seinen alten Läden war geöffnet und ein Duft von Rosmarin und Thymian erreichte ihre Nase. Es war ein lauer Sommermorgen, der einen noch schöneren Tag versprach, hier in der französischen Provence. Um diese Tageszeit war es noch angenehm und die Luft hatte etwas Frisches zum Tiefeinatmen. Gegen Mittag wurde es dann so heiß, dass man sich nur noch ein ruhiges Schattenplätzchen suchen wollte, um sich dort unter den Bäumen in der Nähe des Anwesens auszuruhen.

»Samara«, hörte sie Rainer rufen. Seine fröhliche, heitere Stimme drang an ihr Ohr. Sie huschte zum Fenster und lehnte sich mit ihrem leichten Nachthemd über die Balkonbrüstung. Der Balkon hatte nur einzelne verzierte Balken, zwischen denen sie bequem die Füße hindurchbaumeln lassen konnte.

»Guten Morgen«, rief sie beschwingt zurück. Sie lachte ihm entgegen und seine Augen suchten die ihren. Bei ihrem Anblick huschten sie von ihrem Gesicht weg zu ihren Füßen und sie spürte seine Bewunderung und sein Begehren. Ihre nackten Beine, die ein wenig durch die Brüstung hindurchragten, und das Nachthemd aus Seide, das an ihren Oberschenkeln endete, schienen ihm einen schönen Anblick zu bieten und ein Prickeln durchzog ihren Körper. Sie dachte an den Abend zuvor, als sie bei Kerzenlicht auf der Veranda gesessen hatten und ihre Blicke über diese wundervolle Landschaft schweiften, nach dem Meer in der Ferne suchten, das Glitzern in den Blättern der hohen Eichen wahrnahmen und ins Träumen kamen. Wie es früher hier einmal gewesen sein mochte, lange vor ihrer Zeit, als die hohen Herrschaften hier noch residierten und königlich speisten? Wie es gewesen sein mochte, wenn sie ihre Feste feierten, mit Konkubinen, die sie lachen hören konnte, während allerhand Künstler ihr Handwerk vorführten? Später traten sie ihren Abendspaziergang zu der kleinen roten Kapelle dort oben auf dem Hügel an, während die Sonne allmählich versank und ein Meer von Farben sich über den Himmel ergoss. Jeden Abend vor dem Schlafengehen wanderten sie dorthin, Hand in Hand durch die Alleen über die Hügel den schmalen Weg hinauf, und kamen ins Staunen über das Viele, was sie sich zu sagen hatten. Sie hörte ihn lachen und dann wieder ganz still sein, hörte ihn Geschichten erzählen und sah, wie sie dann wieder schweigend nebeneinander hergingen. Dieses innige Gefühl der Verbundenheit begleitete sie und sie waren sich so nah. Die Bank hinter der Kapelle wirkte einsam und doch, kam man näher, ging es kurz hinter ihr steil die Böschung hinunter. Endlich konnte man in der Ferne schemenhaft das Meer erkennen. Als sie sich setzten und die Landschaft bewunderten, war es unfassbar, dass es so etwas Schönes und Anmutiges gab. Dann drückte sie sich ganz eng an ihn, wissend, dass wieder eine wunderschöne Nacht vor ihnen lag. Ein leises Seufzen bei dem Gedanken daran, wie er sie in seine Arme ziehen konnte, kam über ihre Lippen. So zärtlich und behutsam und dann wieder so wild und keinen Widerstand duldend. Ihre Hände an ihm und seine Hände auf ihrem Körper, seine Lippen an den ihren. Wie sie nur noch dahinschmelzen konnte in seiner Umarmung.

Dann sah sie Rainer zwischen den meterhohen Bäumen stehen und er lachte ihr zu und sie wünschte sich, die Zeit hier mit ihm festhalten zu können. »Willst du nicht herunterkommen?«, forderte er sie erneut auf. »Der Frühstückstisch ist schon gedeckt, mein Schatz.«

»Ich komme gleich, ich zieh mir nur noch geschwind etwas über.«

»Ach das brauchst du nicht«, scherzte er. »Wegen mir schon gar nicht!«

Was war das für ein Geräusch in ihren Ohren? Ein Brummen und sie blickte auf. Der Bildschirm war dunkel, ihr Computer einfach abgestürzt. Ach, was war das wieder für ein Traum, so schön und doch so ungeeignet, um danach wieder arbeiten zu können.

Am nächsten Morgen war sie in ihr Auto gestiegen und zu Edda gefahren. Es war noch ziemlich früh und der Nebel dampfte zwischen den Bäumen. Der Schnee bedeckte den Boden mit einem zarten Weiß. So unberührt wirkte diese Waldstrecke hindurch bis zu Eddas Ortschaft. Sie erinnerte sich wieder an ihren Tagtraum und sah das Erlebte noch einmal vor sich. Noch in den frühen Morgenstunden war die Liebe wie ein Frühling in ihr Herz gezogen, und schon in den Abendstunden war sie wieder der Verzweiflung nahe gewesen. So wechselte ihr Gefühl zwischen Träumen und der doch allzu unsanften Realität, denn das alles würde sie vermutlich nie mit Rainer erleben dürfen.

Als sie bei Edda angekommen war, hatte sie sich schon wieder gefangen. Freudig begrüßte Edda Sami an ihrer Eingangstür und sagte: »So früh haben wir uns auch noch nie getroffen, schon um acht, das ist eine ungewöhnliche Zeit für uns beide, außer wir sind zusammen auf Schulung gewesen.«

»Ja, das stimmt«, schmunzelte Samara und begrüßte sie mit einer Umarmung. Doch der Anlass, warum sie schon in den frühen Morgenstunden diesen Weg auf sich nahm, war ein sehr angenehmer.

Ihre Kosmetik-Behandlung war wieder an der Reihe.

»Wenn man zu dir hier aufs Land fährt, meint man, die Welt endet hier oder ein neues Reich beginnt«, scherzte Samara. Sie gingen in Eddas Behandlungszimmer und Samara dachte schon wieder an Rainer. So vieles würde sie gerne mit ihm erleben. In den frühen Morgenstunden durch so ein Stück Wald fahren. Oder Hand in Hand durch grüne Wiesen schlendern. Auf hohe Berge wandern oder im Meer baden. Essen in Tavernen und reden, bis die Sonne unterging.

Samara hatte sich frei gemacht und sich von Edda in die flauschige Wolldecke einwickeln lassen. Danach begann Edda ihr Rosenholz auf die Schultern zu träufeln und es einzumassieren. Schon bei der ersten Knetung spürte Samara, wie es stimulierte.

»Ach, Edda«, seufzte sie, »ich bin so verliebt.«

Edda stoppte augenblicklich die Massage und beugte sich zu ihr vor. Erstaunt blickte sie Samara an.

»Oh das ist aber eine Neuigkeit, in wen denn?«

»In Rainer«, antwortete Samara und dachte: ›Was fragst du mich?‹

»Ach so«, hörte sie Edda enttäuscht sagen.

»Glaubst du, dass Träume wahr werden können, wenn man ganz fest daran glaubt?«, fragte Sami.

»Ach, du meinst Rainer und dich?«, räusperte sich Edda.

»Ja, genau!«

Ihre Freundin überlegte und sagte: »Ich denke, dass Träume eine hohe Anziehungskraft haben und dass sie, träumt man sie lange genug, auch einiges zuwege bringen können. Doch geht es dabei um einen anderen Menschen, hat dieser ja immer seine eigene Entscheidungsfreiheit.«

Samara war mit dieser Antwort keinesfalls zufrieden. Hätte Edda doch sagen können: »Ich glaube an eure Liebe.« Doch Samara war auch froh über die Ehrlichkeit ihrer Freundin, die deutliche Zweifel hatte und meinte, dass alles gegen eine Verbindung mit Rainer sprechen würde.

Samara beschloss sich nun der Massage zu widmen und sie zu genießen.

»Es hört sich komisch an, wenn du über euch beide sprichst.

Du gehst mit Rainer um, als wärst du richtig mit ihm zusammen. Teilst dein gesamtes Gedankengut mit ihm und gibst einem Phantom solch eine Macht über dich. Würde er nur halb so viel an dich denken wie du an ihn, wäre er schon längst in deinem Leben«, fügte Edda hinzu.

Das waren deutliche Worte und keinesfalls neue Einsichten. Als Samara wieder nach Hause fuhr, spukten diese Worte noch immer in ihrem Kopf herum. Sie wusste das alles und doch konnte sie es nicht lassen. Es war wie eine Sucht. Ein Sehnen, ein Verlangen nach ihm, nach Eigenschaften in ihm, die es gar nicht gab. Die er gar nicht hervorbringen konnte, weil er sich anders im Leben entschieden hatte. Das, was sie in ihm sah, war nicht dasselbe, was er geben wollte. Doch wann endlich würde sie frei sein? Samara sehnte sich so sehr danach, einfach zu sein, nichts zu wollen, nichts zu denken und vor allem danach, nicht immer wieder in Träume zu verfallen, die nichts, aber auch gar nichts mit der Realität zu tun hatten. War es ein Ausweichen, ein nicht klar den tatsächlichen Gegebenheiten Ins-Auge-schauen-Wollen? Oder ein Nicht-Können, weil sie sich ihrer Wahrnehmung noch entzogen, bis sie sich eines Tages in all ihrer Grausamkeit offenbarten? Hatte nicht jeder Mensch diese Fragen in sich: Was ist wahr und was ist Schein? Waren diese Zweifel an der eigenen Psyche nicht immer wieder berechtigt? Oder hatte nur sie das? Sie dachte an Marcel. Und es fiel ihr auf, dass sie immer etwas in ihm gesehen hatte, das noch gar nicht da war. Erst lange nach ihrer Trennung konnte sie ihn tatsächlich so sehen, wie er war. Dass es da immer um Macht gegangen war in ihrer Beziehung. Er wollte ihren Erfolg, um ein bequemes Leben zu haben. Es war ihm nicht aufgestoßen, dass sie vermögend war. Doch er war wie sie in seinen Wünschen gespalten. Auf der einen Seite suchte er das Nest. Wollte immerzu haben, ohne selbst sich einzusetzen. Suchte die Mutter und wollte sie doch nicht. Er konnte ihrem Vaterbild nicht standhalten, vielleicht war er auch zu brav für sie. Seine Bodenständigkeit faszinierte sie an Marcel und doch fehlte ihr etwas Verruchtheit. Der Wunsch, mit ihm in Sphären zu steigen, abzuheben und wieder gemeinsam landen zu können. Sie wollte ihm alles geben, aus Angst, verlassen zu werden. Aus Angst, nicht gut genug zu sein. Aus Angst, nicht als der Mensch, der sie war, vor ihm bestehen zu können. So viel Selbstverleugnung aus Angst, zurückgestoßen zu werden. Marcel erlebte sie als mächtig, als stark, als immer im Vorteil, und holte seinerseits aus. Egal was sie anstellen würde, sie konnte ihm nicht gerecht werden. Wenn Konkurrenzdenken den Ton in der Partnerschaft bestimmte, hatte es keinen Sinn. Und sie wurde sich bewusst, dass sie ihn gar nicht mehr wollte.

Würde es ihr mit Rainer genauso ergehen? Würde sie irgendwann des Wartens müde sein und dann endlich akzeptieren, dass ihre Liebe nicht ausreichte, um Dinge zu bewegen? Welchem Irrtum war sie in ihrer Ehe unterlegen, zu glauben, mit ihrem Gefühl das seine zu entfalten! ›Wenn du ihn nur liebst, wird er dich irgendwann auch so inniglich lieben können‹, sagte sie sich immer wieder, um sich in Geduld zu üben. Wann begriff sie endlich, dass einzig und allein sie für ihr Leben verantwortlich war? Sie sein Empfinden nicht ändern konnte? Dass es ihr nicht zustand, für jemand anderen zu denken oder zu handeln? Das war einfach Hochmut. Das Handwerkszeug einer Ungläubigen, die kein Vertrauen in den Prozess des Lebens hatte und deshalb meinte, alles selbst in die Hand nehmen zu müssen. War dies nicht das Prinzip, das auf Leistung beruhte? ›Wenn ich gut genug bin, werde ich geliebt sein?‹ Wo nahm das seinen Anfang?

Wollte sie nicht genauso bei ihrem Vater glauben, dass er liebte, und hatte deshalb alles erduldet all die Jahre? War es nicht so, dass sie sich eine Traumwelt erschaffen hatte, um in dieser Abhängigkeit zu bleiben? Doch konnte man von einem kleinen Mädchen solche Gedankengänge erwarten? Es war doch unmöglich. Ein Gefühl der Ohnmacht und Hoffnungslosigkeit stieg in ihr hoch und Tränen ließen ihre Augen feucht werden.

»Dann ist ja alles umsonst gewesen?«, sagte sie laut. Tiefe Enttäuschung machte sich in ihr breit, stieg hoch wie eine Welle im Ozean, wurde größer und größer und rollte auf sie zu, mächtig und tosend. Da war diese Liebe zu Rainer, diese tiefe Sehnsucht, dieses Begehren, das bis in ihre Fingerspitzen hinein prickelte. Seine männliche Erscheinung, seine stolze Haltung und seine Augen, die einen durchbohren konnten. Doch da war auch diese Wand zwischen ihnen, durch die sie einfach nicht hindurch konnte. Immer wieder spürte sie in ihren Gesprächen, dass er sie gar nicht wahrnahm als der Mensch, der ihm gegenüberstand. Sein Misstrauen und seine tiefe unbewusste Angst vor der Weiblichkeit konnten eine liebevolle Frau gar nicht zulassen. Hinter allem, was sie sagte, vermutete er List und Argwohn und sie fühlte, dass seine Mauer einfach stärker war. Würde sie ihn wirklich haben wollen, wenn er sie je endlich wahrnahm?

Suchte sie immer noch ihren Vater? Wo war die Gemeinsamkeit? Zuckerbrot und Peitsche, war es das, was sie reizte? Oder war es ihr eigenes Spiel um Macht? War sie der Jäger, der unbedingt gewinnen wollte? War es Rache?

Sie dachte an Evi, eine ihrer Kundinnen, denen auch sie sich offenbart hatte. Sie hörte Evis Stimme wieder, als sie in ihrem Studio stand und sagte: »Jetzt überleg doch mal. Rainer ist ein Spieler, nehmen wir an, er spielt gerne Roulette und du bist die Kugel. Er weiß doch nie, wo sie hinfällt, kriegt er dich oder kriegt er dich nicht? Er kann nicht voraussehen, wie du jetzt wieder reagieren wirst. Auf der einen Seite hat er ein Bild von dir. Von dem Weibchen, dem schönen Luder, von einer, die nicht ganz auf dem Boden steht. Und dann durchbrichst du dieses Bild immer wieder mit irgendeinem klugen, tiefgreifenden Satz. Er kann dich einfach nicht einschätzen, das Puzzle kommt nicht zustande. Das ist doch unheimlich spannend für ihn. Seine Freundin, die hat er, damit er nicht alleine ist, bei der engagiert er sich emotional nicht so sehr, wie er ja schon bestätigte, und mit dir hat er den Kick. Du bist sein Abenteuer! Und wenn du es nicht mehr bist, wird sich eine andere finden. Du bist austauschbar, Nachschub ist immer da, solange er noch jung und knusprig ist. Nur wehe, er wird älter, und das ist auch ihm vorherbestimmt. Vielleicht treibt ihn dann der Verlust seiner Jugend doch eines Tages ins Nachdenken, wo denn das Glück seines Lebens geblieben ist.«

Evi hatte die Arme gehoben, als hätte sie noch sagen wollen: »Was willst du da machen, aussichtslos.« Und Samara dachte deprimiert, dass sie dann ja noch ewig warten konnte.

»Doch was hat das alles mit mir zu tun, Evi? Das ist doch nicht mein Problem, ich bin doch offen für die Liebe, wieso komme ich nicht von ihm los? Warum kann ich nicht konsequent bleiben, wie mir das bei anderen doch auch nicht schwerfällt?«

»Ganz einfach«, sagte Evi. »Das mit deinem Vater war doch ähnlich, er hat dich gequält und liebkost, auch da gab's Zuckerbrot und Peitsche. Das erlebst du nun ein zweites Mal mit ihm, vielleicht um dir das Alte noch einmal genauer anschauen zu müssen, um es dann vielleicht loslassen zu können. Also im Grunde seid ihr beide nicht richtig beziehungsfähig. Du wie er brauchen das Extreme!«

So deutlich hatte es ihr noch niemand gesagt, dachte Samara. »Du bist echt super, du bist ein Schatz«, freute sie sich über Evis Gedankengänge. »Damit kann ich wirklich etwas anfangen und damit weiterarbeiten!«

Das Make-up war fertig. Echt schön sah Evi wieder aus, wie immer, wenn Samara sie gestylt hatte. Als Samara ihr noch erklärte, wie der Lidschatten aufzutragen war, den sie mitnehmen wollte, besprachen sie einen Folgetermin und verabschiedeten sich in gewohnter Herzlichkeit voneinander.

Einige Tage später hatte sich Samaras Mutter bei ihr zur Kosmetikbehandlung angemeldet. Schon als sie hereinkam, spürte Sami, dass es ihr nicht gut ging.

»Heute ist der Todestag von Jonathan, weißt du das?«, fragte ihre Mutter.

Manchmal hatte Samara das Gefühl, sie würde ihr daraus einen Vorwurf machen, dass sie nicht nach dem Datum traurig war. Sie hatte so viel um Jonathan getrauert, aber sie akzeptierte heute seine Entscheidung, vom Leben und von ihnen Abschied genommen zu haben. Die Zeit, da sie darüber verzweifelt war, lag hinter ihr. Manchmal erreichte sie Samara noch so wie alle glücklichen und unglücklichen Ereignisse in ihrem Leben. Manchmal und zuweilen ganz unvermutet kehrten sie in ihr Gedächtnis zurück, in dem sie eben als Vergangenheit und Geschehenes ihren festen Platz eingenommen hatten.

»Dann passt es ja gut, dass du heute bei mir bist und ich dich ein wenig verwöhnen kann«, entgegnete Samara ihrer Mutter liebevoll. Sie begann ihren Rücken zu bestrahlen und ihre Finger an ihrem Nacken kreisen zu lassen, und mit der Zeit wurde sie wieder um einiges lockerer. Ja, an solchen Tagen war es immer besonders schlimm für sie. So vieles war da geschehen in ihrer beider Leben, so vieles hatte auch ihre Mutter aushalten müssen. Wenn eines ihrer Kinder sich das Leben nehmen würde, wäre das auch für Samara ein entsetzlicher Schlag. Wahrscheinlich noch schlimmer, als es der Tod ihres Bruders gewesen war, sofern man die Intensität des Schmerzes über den Verlust eines geliebten Menschen überhaupt auf einer Skala einordnen konnte. Sie sah auf einmal wieder sein Gesicht, sah ihn vor sich wie damals, als er noch unter ihnen weilte, und sie begann, wie sie das vor allem in den ersten Monaten nach seinem Tod häufig getan hatte, mit ihm zu reden.

›Ich höre immer noch dein Lachen in meinen Ohren, Jonathan! Sehe deine dunklen Augen, wie sie funkelten, wenn du von etwas begeistert warst und mir davon erzähltest. Ich erinnere mich daran, wie oft wir gemeinsam durch die Straßen rannten. Singend, tanzend, ja fast geschrien haben wir vor Freude darüber, dass wir zusammen waren. Ich spüre noch heute deine Hand, wie sie die meine festhielt. Deinen Blick auf meinem Gesicht. Die Güte, die du hattest, und dass dir nichts zu viel war, wenn es darum ging, irgendetwas für mich zu tun! Das erlebt man nur selten unter Geschwistern und das war auch nicht immer so gewesen. Es war erst mit der Zeit so gekommen. So zwischen neun und zehn ungefähr. Als wir aufhörten, in Rastern wie *blöde Jungen* und *blöde Mädchen* zu denken. Ja. euphorisch und sprühend vor Lebenslust waren wir als Teenager und als junge Erwachsene, wenn wir zusammen sein konnten. Sei es, dass wir aus dem Kino kamen und uns ein Film besonders gut gefallen hatte, so wie *Hair* oder die *Rocky Horror Picture Show*. So sangen wir die Film-Songs in den Straßen, lachten übermütig, wenn uns die Leute komisch anschauten, und empfanden es als Freiheit, einfach das zu tun, wonach uns gerade zumute war.

Ja, wir konnten ausgelassen miteinander sein! Wenn wir dann zusammen in die Disco gegangen sind und jeder glaubte, wir seien ein Pärchen, die Leute um uns herum ganz erstaunt waren, dass wir das nicht waren, fühlten wir uns geehrt. Im Grunde weiß ich heute, es ist so gewesen. Wir waren es! Wie Verliebte haben wir uns gefreut, wenn wir uns lange nicht gesehen hatten, und waren traurig, wenn wir uns wieder trennen mussten. Als wir noch unter einem Dach wohnten, war unser Verhältnis zueinander ebenso harmonisch wie später. Wir achteten schon in jungen Jahren auf die Bedürfnisse des anderen. Das hieß nicht, dass wir uns nicht auch ordentlich fetzen konnten. Meistens war ich es, der irgendetwas nicht passte und die dann laut versuchte, ihr Recht einzufordern. Aber du hattest schon damals ein enormes Fingerspitzengefühl für mich. Du hast mich dann einfach nachgemacht, wie ich so in meiner Wut gewesen bin, und konntest mich damit so entwaffnen, dass ich dann meistens lachen musste. Du ließt dich einfach nicht von mir provozieren, hast mich fauchen und mit den Zähnen knirschen lassen. Du argumentiertest erst, wenn bei mir die Luft schon wieder raus war. Wir diskutierten oft stundenlang über Politik, den Tod und über Gott. Denn in diesem Bereich hatten wir ja ziemlich konträre Ansichten. Du als Freidenker und Atheist hast dich nicht selten daran gestört, wenn ich wieder auf Biegen und Brechen meine Ansichten durchsetzen wollte und Wert auf alte Regeln und Dogmen setzte, damals mit achtzehn. Ich hab viel über deine Worte nachgedacht, über deine kritische Meinung der Kirche gegenüber. Erst später, ja fast erst nach unserer Zeit, hat sich mein Glauben von Grund auf verändert. Durch deinen Tod und die Erlebnisse, die ich im tiefsten Schmerz erfahren durfte. Diese Hilfe, die ich von dir erhoffte, hab ich ganz woanders her erfahren. Sie haben mein Bewusstsein grundlegend verändert. Als ich mich nicht mehr gegen den Schmerz wehren konnte, der so heftig nach deinem Fortgehen in mir brannte, ist es geschehen. Als ich hinabgestiegen bin in die Tiefen des Leids und nicht einmal mehr schreien konnte, nicht mehr gegen ihn rebellierte, weil es so stark und hart gegen mich gekommen war und ich mich irgendwann ergeben musste. Ich hab dich so vermisst und hab dich doch losgelassen in diesem Augenblick und das Licht ist gekommen. Ach Jonathan, ich hätte dir das alles so gerne erzählt, was ich erlebt habe. Es war Kraft! Eine, die voll ist von Liebe, purer Liebe und unendlicher Güte. Sie hat mich berührt, nur einen Sekundenschlag, doch es war unsagbar schön. So erfüllt hatte ich mich noch nie gefühlt. So voll von Liebe war ich nie zuvor gewesen. So glücklich und eins mit mir und mit allem, und ich wusste, alles ist gut. Jona, hörst du mich? Hast du das auch so erlebt? Ich würde es so gerne wissen. Ist dir das alles auch widerfahren, als du gegangen bist? Ist die Liebe zu dir gekommen in dem Moment, als du nach oben gingst? Hat sie dich genauso eingehüllt wie mich? Waren sie da? Um dich herum?

So viele Zweifel haben mich in den ersten Jahren gequält. Wie ist es, wenn einer seinen Tod selbst bestimmt hat, fragte ich mich immer wieder. Bist du weitergegangen oder wartest du womöglich auf einer Zwischenebene auf mich? Ich will nicht, dass du wartest, Jona. Ich will nicht, dass du meinetwegen bleibst. Ich will, dass du gehst. Ich liebe dich. Ich werde dich immer lieben. Aber heute bin ich fähig, die astrale Nabelschnur zwischen dir und mir zu kappen. Wo du wohl jetzt sein magst? Ob du dich durch deinen Selbstmord irgendwo anders befindest? Gibt es sie wirklich, Himmel und Hölle? Oder existiert sie vor allem in unserem Inneren, Jona? Ich kann mir vorstellen, dass wir etwas eingepflanzt bekommen in dem Augenblick, wo wir die Erde betreten, vielleicht schon als Embryo im Leib unserer Mutter. Einen göttlichen Samen, der das alte, unbewusste Wissen über den Ort, an die Heimat, aus der wir alle unseren Ursprung haben, in sich trägt. Verschleiert, vernebelt, doch immer noch als gute kraftvolle Saat in unserem Inneren beherbergt. Gehen wir gegen uns selbst und handeln gegen dieses Urgut an Licht, wird sich dieser Samen als innere Stimme bemerkbar machen. Dieses Gefühl, zu wissen, dass wir von unserem Weg abkommen, können wir zulassen und es ändern oder verdrängen und wegschieben. Ich bezweifle, dass es möglich ist, Geschehenes völlig aus unserem Gedächtnis auszuradieren. Wenn wir Schuld auf uns geladen haben, wird sie uns unbewusst verfolgen und vielleicht zu unserer eigenen Hölle werden. Gelingt es uns jedoch, ehrlich mit uns selbst zu sein, unsere Schatten umzuwandeln und auf dem göttlichen Weg zu bleiben, unsere Seele zu achten und anderen Menschen liebevoll gegenüberzutreten, mitzubauen an der neuen Welt und sie mit Liebe zu füllen, dann wird uns der Segen gewiss sein. Doch heißt es, wir inkarnieren als Wesen mit freiem Willen. Das Licht lässt uns so sein, wie wir sein möchten. Es bleibt unsere eigene Entscheidung, jeden Augenblick in unserem Leben, ob wir im Licht oder im Schatten wandeln möchten. Wenn wir uns entscheiden, Gott erfahren zu wollen, wird er uns Wege zeigen, ihn zu finden, das glaube ich wirklich. Die Jahre kurz vor deinem Tod hab ich als die intensivsten an Nähe mit dir erlebt. Immer, wenn es die Zeit zuließ und wir uns gegenseitig besucht haben, war da eine große Anziehung, und doch haben wir uns abgestoßen. Ruhelos bist du umhergereist, immer auf der Suche, ständig an einem anderen Ort, und konntest doch nicht finden, was dein Verlangen nach Leben hätte stillen können. Immer wolltest du alles wissen und ergründen bis in die tiefsten Tiefen deiner selbst. Die langen Spaziergänge, die vielen Gespräche. Du warst der beste Masseur, den ich je kannte. Du in deiner Schule, ich in meiner. Der ständige Austausch an neuen Griffen hat mir viel gebracht. Deine Berührungen habe ich als starke Kraft und doch unsagbare Sanftheit empfunden und als große Heilung gespürt.

Jona, du hast mich vieles gelehrt. Ich war nicht allein in meinem Wissensdurst und wir haben vieles an Ritualen und fernöstlichen Gebräuchen ausprobiert. Nach jedem Kurs in Shiatsu, Fußreflex, Akupressur oder energetischen Übungen bin ich immer als Erstes auf dich losgegangen und habe mich vervollkommnet an deinem wachen Geist. Deine Kritikfähigkeit und dein Verständnis von Geben waren mir immer wichtig, bevor ich dann an meine Kunden Hand angelegt habe in dem Wissen, du bestätigst mich. In dieser Hinsicht hatte ich schon immer ein großes Vertrauen in mich. Was soll schon passieren, dachte ich, wird schon recht werden, wenn ich auf meine Wahrnehmung achte, wird sie mich führen, und so war es dann auch. Was meine berufliche Laufbahn anging, hatte ich nie Schwierigkeiten, Neues zu lernen und es selbstbewusst umzusetzen. Doch diese Sicherheit habe ich keinesfalls in meinem privaten Bereich empfunden. Oft war ich innerlich unsicher und ängstlich, wenn ich fremden Menschen begegnete. Deshalb fühlte ich mich auch so bestärkt an deiner Seite. Du hast mir immer ein Gefühl der Akzeptanz vermittelt, was meine Person betraf. Ich erinnere mich, wie du mich mitgeschleppt hast auf irgendwelche Partys und dann stolz deinen Arm um meine Schulter legen konntest und allen ohne Umschweife laut erzählt hast: *Das ist meine kleine Schwester.* Ich musste immer lachen und entgegnete, dass ich nur fünfzehn Monate jünger sei als du. Wie du es genossen hast, wenn deine Freunde dann scherzend sagten: *Du hast aber eine hübsche Schwester, das hätten wir dir gar nicht zugetraut.* Ich setzte dann mein schönstes Lachen auf, das ich zu bieten hatte, und freute mich einfach. Fühlte mich wohl, wenn du mich dann geschwind ganz fest von der Seite an die deine gedrückt hast.

Erinnerst du dich noch, wie ihr mich beschimpft habt, du und Simon? *Immer das Gleiche. Du wirst immer bevorzugt von Papa*, habt ihr euch geärgert und mich weggeschubst, und dann gingen wir eben wieder aufeinander los und prügelten uns, als wir so sieben oder acht waren. Ich hab euch beiden darin in nichts nachgestanden und konnte meine Fäuste genauso geschickt gebrauchen wie ihr. Einmal verbündete ich mich mit Simon gegen dich und wieder umgekehrt. Teilweise verhakten wir uns so sehr ineinander, dass wir schreiend und heulend nach Mutti gerufen haben, die schon immer zu viel bekam bei ihrem Haufen Arbeit, dem Haus, dem Geschäft und uns drei fast gleichaltrigen Bälgern. Eigentlich ging das lange so mit unseren Kämpfen. Wenn es irgendwas zu regeln gab, haben wir das mit unseren Fäusten, Beinen und Zähnen ausgefochten. Zimperlich ging es bei uns wirklich nicht zu, aber wir waren ja auch von unseren Eltern einiges gewöhnt. Ach, Jona, man kann die Zeit nicht zurückholen und es ist gut so …‹

»Ah«, seufzte ihre Mutter, »was machst du denn, Sami, du zwickst mich ja!«

»Oh, entschuldige, Mutti.« Samara bemühte sich, sich wieder auf ihre Massage zu konzentrieren, denn sie wollte es ihrer Mutter ja schön machen. Sie strich ihren Hals herunter, machte kleine knetende Drehungen an ihrem Trapezmuskel, fügte Lymphdrainagegriffe hinzu und strich ihr Dekolleté aus.

Und wieder gingen ihre Gedanken auf die Reise. Sie sah ihre Eltern streiten, wie so oft sah ihre Mutter, wie sie zähnefletschend aus der Küche schreien konnte und wie auch er einfach keine Ruhe gab. Sie hatte das immer als schrecklich empfunden, weil es so oft eskalierte. Wenn sich ihre Eltern stritten, waren sie wie Hund und Katz, milde ausgedrückt. Und es half dann auch nicht viel, wenn einer von ihnen versuchte zu schlichten. Ob es Simon war, der versuchte, sie abzulenken, oder Jona milde zu schlichten begann, eigentlich hatten sie es selten geschafft. Mein Gott, war das eine Ehe. Irgendwie hatte sie ihre Eltern immer unter Spannung erlebt. Zwar schlugen sie sich nicht die Köpfe ein, doch dafür konnten sie sich aktive verbale Schlachten liefern. Mit den Jahren wurde es immer schlimmer zwischen den beiden. Und die Sache mit ihrem Vater hatte auch nicht gerade dazu beigetragen, dass sich die Lage entspannt hätte. Als ihre Mutter sich immer ernsthafter mit dem Wort »Scheidung« auseinandersetzte und dies auch als Druckmittel einsetzte, war der Vater dann völlig ausgeflippt. Zweimal mussten sie die Polizei holen, weil er sie umbringen wollte.

Sie erinnerte sich an eine Situation in ihrer Kindheit, die sie wohl nie vergessen würde. Ihre Mutter stand in der Küche vor der Spüle an der Wand und keifte, und sie bildete mit ihrem Bruder Jona eine Barrikade mit ihren Körpern, damit ihr Vater nicht durchkonnte. Die Bierflasche hielt sie fest verkrampft in ihrer rechten Hand hinter Jonas Rücken versteckt, während sie die Fingernägel der anderen Hand in den Türrahmen krallte, solche Angst hatte sie. Eine Ohnmacht, die zum Himmel schrie, und zwei Erwachsene, die nicht wussten, was sie taten. Während sie die große Spannung in Jona wahrnahm, der sich mit seiner Schulter fest an die ihre presste, damit ihr Vater ja nicht durchkommen konnte, stieg eine unbändige Wut in ihr hoch, die ihr wohl die Kraft zuschanzte, ihre Stimme zu erheben. Sie schrie ihn verzweifelt an: »Nein, Papa, nicht, lass es, das bringt doch alles nichts, das ist doch kein Ausweg! Wir brauchen euch doch beide!« Und während er versuchte, durch die Mauer aus ihren Körpern hindurchzukommen, um ein Messer aus der Schublade zu holen, hatte ihre Mutter von hinten immer noch gefaucht. »Ich bring sie um, ich bring sie um!«, schrie ihr Vater immer wieder und ihre Mutter schrie ihm ebenfalls irgendetwas ins Gesicht. »Jetzt halt doch endlich deine Klappe, verdammt noch mal«, hatte Samara ihre Mutter angeschrien. »Begreifst du denn nicht, was vor sich geht?« Simon war zu einem befreundeten Polizisten gerannt, und bis dieser gekommen war, hatten sie ihren Vater in Schach halten können. Der Polizist hatte einen guten Draht zu beiden gehabt. Als die Anspannung gewichen war, weinte ihr Vater. Da war sie fünfzehn.

Vieles spielte sich in der Küche ab, denn das war der Hauptaufenthaltsraum am Tag. Am nächsten Morgen machte ihre Mutter gerade das Frühstück, Jona und Simon saßen schon am Tisch, als Samara hereinkam. Ihr Vater saß am Tischende und es herrschte eine beklemmende Atmosphäre, das spürte sie sofort. Ihr Vater war wieder betrunken, schon am frühen Morgen, vielleicht hielt aber auch die Dosis vom Vorabend noch an. Sie wollte an ihm vorbeigehen und sich auf ihren Platz setzen, da raunte er: »He, schneid mir mal die Fingernägel.«

Allzu sehr saß ihr die Erinnerung vom Vortag in den Knochen. Alles in ihr sträubte sich. Sie wusste, das war schon wieder ein Machtspiel. Doch er *hatte* die Macht. Sie nahm seine Hand in die ihre und versuchte seine Fingernägel zu schneiden. Alles in ihr ekelte sich vor ihm. Wie sie das hasste, wenn er schon morgens blau war.

»Was zitterst du denn so!«, fuhr er sie an.

»Ist es ein Wunder, wenn du meine Mutter umbringen willst?«

Er schaute sie an, Hass spiegelte sich in seinem Blick, Hass und tiefe Verachtung. Doch sie empfand dasselbe für ihn in diesem Augenblick.

»Das werde ich so lange versuchen, bis ich es geschafft habe«, sagte er.

Samara schaute entsetzt ihre Mutter an und die machte eine Schulterbewegung, als wollte sie sagen: »Das glaub ich nicht.« Samara rannte hinaus, schlug ihre Zimmertür hinter sich zu, warf sich auf den Boden und fing bitterlich an zu schluchzen. Sie wusste: Er meinte es genau so, wie er es gesagt hatte! Niemand war ihm wirklich gewachsen. Er hatte solch eine Macht über alle. Auch wenn sie sich immer gewehrt hatten, es war nicht zu ändern.

Von diesem Tag an bewachten sie ihre Mutter, nie mehr ließen sie sie allein. Und trotzdem konnten sie nicht verhindern, dass es noch zweimal geschah. Doch sie war immer schneller gewesen. Und irgendwie wollte er es wohl doch nicht, denn sonst hätte er es geschafft.

Samara wandte sich in ihren Gedanken, während sie ihre Mutter immer noch massierte, wieder an Jona: ›Als wir klein waren, ist Mutti die tragende Kraft gewesen, der Pfeiler, der alles hielt. Doch auch sie war oft überfordert. Wenn dann wir Kinder untereinander zu sehr stritten, drohte sie uns, dass es bald was setzt. Mutti platzte irgendwann der Kragen und dann sagte sie: *So, jetzt reicht es mir.* Dann wussten wir: Abends, wenn Papa nach Hause kommt, ist es wieder so weit. *Antreten* hab ich es später genannt, als es längst vorbei war, jedoch seine Spuren hinterlassen hatte in mir. Es hatte seine Kerben in den Pfahl eingeritzt, war unauslöschlich in das Buch der Erinnerungen geschrieben. Mutter erzählte Papa, schon während er die Treppe hochkam, wie böse und unartig wir wieder gewesen seien, und dann ging's los. Wir mussten uns in Reih und Glied aufstellen und die Hosen herunterlassen. So gönnerhaft stand er dann an der Treppe und winkte uns lächelnd zu sich. Ich weiß noch, wie du mich flehend angeschaut hast, als wüsste ich einen Ausweg. Manchmal tauschten wir die Plätze, weil keiner der Erste sein wollte, doch wir wagten nicht abzuhauen. Wir mussten ihm den nackten Po entgegenstrecken und dann haute er drauf. Manchmal nur ein einziges Mal, dafür aber mit aller Wucht, dass ich glaubte, mir springt mein Po davon. Manchmal zweimal, oft auch mehrmals, und manchmal schien er gar nicht aufhören zu wollen. Besonders bei euch Buben legte er so richtig los, sodass Mutti manchmal sagen musste: *Jetzt reicht es aber.* Dann wurde er wieder zahmer. Ich habe es als kleines Kind nie verstanden, dass er uns in diesem Augenblick so hassen konnte. Manchmal heulte ich, manchmal auch nicht. Ich glaube, wir haben uns abgewechselt, doch Simon plärrte immer am hemmungslosesten. Er tat mir dann so unendlich leid und ich hätte ihn so gerne beschützt und habe meine Eltern überhaupt nicht verstanden. Ja, ich habe sie gehasst dafür. Nicht einmal dafür, dass sie mich schlugen, sondern weil es Simon so weh tat und jedes Mal eine Welt einstürzte. Doch es war tatsächlich eine ganze Weile Ruhe, denn wir hatten Schiss und es wirkte. Manchmal hatte ich das Gefühl, er würde diese Macht genießen, und hinterher war er, obwohl wir alle drei heulten, gelöster und zufriedener als zuvor. Auch Mutter wirkte entspannter und dann waren sie sich für kurze Zeit einig.

Die Schläge machten mir nicht so viel aus wie das Hose-Herunterlassen. Mutti hätte es selbst in die Hand nehmen sollen, und zwar gleich, und es nicht erst Stunden später von Papa erledigen lassen. Doch das hast du ihr ja später ein paarmal gesagt. Mutter wollte es nicht hören. Sie wollte nie wissen, wie wir unsere Kindheit empfunden haben; wenn wir als junge Erwachsene auf das Thema kamen, wiegelte sie sofort ab: »Es kann doch gar nicht so schlimm gewesen sein.« Und dass wir das gebraucht hätten. Drei Kinder, ein altes Haus, das kaum bewohnbar war, das ständig umgebaut wurde. Ein Berg von Schulden und wir drei Kinder mittendrin und alle nur ein Jahr auseinander. Unsere Eltern hatten sich restlos überfordert, viel zu jung für so viel Verantwortung. Mutter wirkte stark nach außen und zeigte selten Schwächen. Ich sah sie nie weinen, erst als wir auszogen. Doch Papa war eher labil. Er konnte von ganz weich bis in der nächsten Sekunde ganz hart, versteinert und machtbesessen agieren. Er hatte die Einstellung: Ich bin der Boss und alle müssen mir gehorchen. Doch er scheiterte ja selbst an seinem eigenen Bild von Männlichkeit. Als ich begriff, dass er ziemlich viel trank, war ich so ungefähr sechs. Dass er tagsüber immer einen bestimmten Pegel hatte und abends dann ziemlich voll war, kam erst später. Und dann konnte er regelmäßig ausrasten und suchte förmlich den Streit. Mutti versuchte das aufzufangen, so gut es ging, riet ihm immer wieder, zu den Anonymen Alkoholikern zu gehen, und drohte des Öfteren mit Scheidung. Als sie dann ihre Drohung wahrmachte und ihn tatsächlich verließ, starb er nur einige Jahre später, nur drei Jahre vor deinem Tod. Ach, Jonathan. Ich kenne so viele, die solche Geschichten aus ihrer Kindheit erzählen können. Wenn ich allein an meine Kunden denke. Gemessen an dem, was sich in vielen ihrer Familien abspielte, war unsere Geschichte noch glimpflich. Was sie im Krieg erlebten oder auf der Flucht. So viele Schicksale.

Warum hast du es getan? Warum nur? Warum konntest du nicht weiterleben wie all die anderen? Da gab es doch auch so viele schöne Augenblicke in unserer Kindheit. Sie haben sich doch bemüht um uns. Die Urlaube, das, was sie uns alles ermöglicht haben. Die viele Mühe, vor allem von Mutti. Wie hat sie uns begleitet, gelernt mit uns. Sie hat uns immer verteidigt und sich meistens vor uns hingestellt. Sie haben uns geliebt. Auch wenn es bei Papa tatsächlich eine seltsame Liebe war. Beides hat mich doch geprägt. Ich werde ihnen immer dankbar sein für das Gute in dieser Zeit. Für die Zeit mit dir. Für die Liebe und Freundschaft zwischen uns und für das Lachen. Für Simon, auch wenn wir oft gestritten haben. Aber er war mir so ähnlich und du, du warst anders. Dich hab ich bewundert und verehrt. Die schönen Ereignisse werden unauslöschlich in meinem Gedächtnis bleiben. Die schlechten kann ich noch nicht vergessen, vielleicht niemals, aber sie können irgendwann an Wichtigkeit verlieren und ich werde mich versöhnen können und hoffen, dass ich sie irgendwann völlig gehen lassen kann. Irgendwann werde ich frei sein!

Später, viel später, wenn alles überstanden scheint, sieht man vieles aus einer anderen Perspektive, besonders wenn man eigene Kinder hat. Wissend darum, wie schwer es oft ist und unmöglich, keine Fehler zu machen. Denn diese Erkenntnis erlöst einen auch von der Zensur über die eigenen Eltern, macht einem verständlicher, welches Handeln aus der eigenen Not geboren wurde. Als würde man endlich die Möglichkeit in Betracht ziehen, auch um die Säule herumlaufen zu können, ändert sich auf einmal der Blickwinkel. Das hast du nicht erlebt, Jona. Es hätte auch dich zu einem großen Teil versöhnen können.‹

Sie sah im Geist zu Jonathan hinüber, als würde er neben ihr stehen, und sie gestand sich auf einmal ein, dass sie ihr Vater wirklich eine Zeit lang bevorzugt hatte, zumindest vor ihrem Bruch mit ihm. Doch war es das wert gewesen? Sie hatte den Preis dafür mit ihrem Körper bezahlt, nein, mehr noch, mit ihrer Seele. Tatsächlich war sie sein Lieblingskind gewesen. Sein »Ein und Alles«, wie er sie zärtlich nannte, wenn es keiner hören konnte. Das hatte sie jedenfalls lange Zeit geglaubt. Später, als sie sich ihm körperlich entzogen hatte, kehrte sich seine Gunst ins Gegenteil um und er rächte sich mit Erniedrigungen. Diese vielen Beschimpfungen wie *Hure, Nutte, Schlampe, Luder*, als sie mit vierzehn vorsichtig anfing nach Jungen zu schauen und sie noch nicht einmal imstande war, die Bedeutung dieser Worte einzuordnen. Als sie das mit ihm so sehr verdrängt hatte und gerade ihr Interesse am anderen Geschlecht erwachte, versuchte er sie immer wieder ihren Widerstand zu brechen und sie in die Knie zu zwingen. Er hatte es nie geschafft, er konnte noch so seine Macht demonstrieren mit dem, was er ihr antat, sie hatte ihren Lebenswillen behalten.

›Du hast mich dafür bewundert, Jona, dass ich meine Missgunst so offen bekundete und mich dadurch natürlich wieder erneuter Gewalt aussetzte. Dafür bewundert, dass ich aggressiv, trotzig, ja unbeugsam gewesen bin. Doch gleichzeitig hast du dich deswegen um mich gesorgt. Papa konnte mir grundlos etwas verbieten, einfach weil er Freude daran hatte. Ich erinnere mich an eine von so vielen Begebenheiten, als sei es gestern gewesen. Anna und ich wollten auf die Schlittschuhbahn. Ich machte mich gerade auf zu gehen, als sie an unserer Haustür klingelte. Papa kam aus dem Zuschneideraum und sah mich mit meinen Schlittschuhen auf der Schulter dem Ausgang entgegensteuern. Er sah mich an und sein Blick war voller Provokation, drohend baute er sich vor mir auf und stellte sich mir in den Weg. Er war wieder mal total voll, und das um vier Uhr am Nachmittag.

Wo gehst du hin?, schrie er mich an. Ebenso aggressiv, antwortete ich: *Auf die Schlittschuhbahn!*

Du bleibst hier!, sagte er in einem gebieterischen Ton.

Und warum?, fragte ich.

Einfach, weil ich es sage!, brüllte er mich an. Seine Augen funkelten voller Hass und ich spürte die tiefe Genugtuung seiner Gewissheit, die Macht zu haben. Das Wanken in seinem Gang war nicht zu übersehen und seine Alkoholfahne hätte man meterweit gegen den Wind gerochen. Wie ich ihn verachtete. Wie sehr ich diesen Menschen, der mein Vater war, verabscheute. Diese ständigen Eskapaden, dieses Keinen-Frieden-dulden-Wollen. Ich wusste, dass ich nun wieder Gefahr lief, eine Ohrfeige zu kassieren, würde ich ihm nun nur noch ein Wort entgegenbringen. Trotzdem sagte ich zu ihm: *Ich finde das ganz schön beschissen, wie du das machst!*

Sein Gesicht verwandelte sich in Sekunden in ein rotes Pulverfass. Seine Backen schwollen sichtbar an und er brüllte noch lauter: *Ab, in dein Zimmer, sonst kannst du was erleben!* Ich stapfte nach oben unters Dach und verkrümelte mich wütend in meinen Sessel. In diesem Augenblick war ich wieder einmal so froh, dass wir beide ganz oben wohnten und nicht wie Simon dem ständigen Theater, das andauernd herrschte, im unteren Stockwerk ausgesetzt waren. Hatte er es nicht mit mir, stritt er mit Mutter oder beschimpfte Simon. Am meisten aber mich und am wenigsten dich, Jona. Vielleicht, weil du so sanft und diplomatisch gewesen bist und ihm am wenigsten Angriffspunkte geboten hast. Natürlich kam er nach oben und baute sich erneut vor mir auf. Wie ein Stier, der durch die Nase schnaubt und jeden Augenblick angreifen wird.

Mit lallender Stimme fragte er: *Na, hast du dich wieder beruhigt?* Ich habe ihn als so widerlich empfunden in diesem Augenblick. Er hatte für mich so gar nichts von einem Vorbild oder gar einer Vaterfunktion in diesen Jahren.

Ebenso provozierend antwortete ich: *Ja, das habe ich!* Doch die Verachtung, die ich für ihn empfand, dafür, dass er dauernd besoffen war und uns alle tyrannisierte, stand mir ins Gesicht geschrieben.

Ich finde dein Verhalten wirklich übel, mich wieder ohne Grund nicht gehen zu lassen. Es ist einfach nicht in Ordnung, Papa!, wiederholte ich mich noch einmal.

Wenn du jetzt noch frech wirst, dann fängst du gleich eine!, schnauzte er mich an.

Ich habe es doch im Ruhigen versucht, dachte ich, doch es machte mich so unglaublich ohnmächtig, dass es einfach keine Lösung zwischen uns gab. Wütend erhob ich mich von meinem Sessel. Ich stand ihm nun direkt gegenüber, schaute ihm in die Augen, hielt für einen Moment inne und sagte doch kurz darauf: *Dann schlag doch zu!*

Er hat gar nicht lang überlegt, nicht einmal gezögert. Er schlug so heftig zu, dass es mir den Kopf dabei umdrehte und ich in die Ecke flog. Es ging so schnell, dass ich kaum meinen eigenen Aufprall spürte. Sein Schlag war so heftig gegen mich gekommen, dass ich glaubte, meine Nase sei gebrochen. Meine Hand spürte instinktiv zu ihr hin und fing ein paar Blutstropfen auf. Die Knochen taten mir weh und meine Wange brannte wie Feuer. In mir kochten der blanke Hass und die Verachtung über die Art und Weise, wie er sein eigenes Kind behandelte. Gleichzeitig hatte ich das Bedürfnis, vor Wut zu heulen, doch ich wusste, dass er die größte Befriedigung daraus gezogen hätte. Diesen Gefallen tat ich ihm nicht. Nein, im

Gegenteil, ich ließ mir meine Schmerzen und meine Enttäuschung nicht anmerken und richtete mich langsam, den Rücken zu ihm gekehrt, so wie ich gefallen war, wieder auf. Nun stand ich auf seiner Höhe. Ich drehte mich zu ihm um und blickte ihn aus hasserfüllten Augen an.

Wortlos drehte ich ihm meine andere Wange hin.

Schlag doch noch mal zu!, forderte ich ihn erneut heraus.

Die Luft war so heiß zwischen uns, dass sie zu brennen schien. Wie ein Vulkan, der lodert und seine Glut nicht im Zaum halten kann. Es herrschte auf einmal Stille, sodass man nur noch unser beider Atem hören konnte. Ich war auf alles gefasst.

Seine Pupillen weiteten sich vor Zorn. Dass ich es wagte, seine Autorität auf so dreiste Art anzuzweifeln, schlug dem Fass den Boden aus. Er hob die Hand, um erneut zuzuschlagen, und ließ sie im gleichen Augenblick wie resigniert sinken. Er drehte sich wortlos um. Sein Kopf war röter, als ich ihn je zuvor gesehen hatte, aber er ging.

Als die Tür ins Schloss fiel, sackte ich so richtig in mich zusammen. Tiefe Enttäuschung lastete auf meinen Schultern. Eine Not und eine Trauer über uns beide hab ich empfunden und bohrenden Hass zur gleichen Zeit. Du hast ja nur einen kleinen Teil mitbekommen, als du in mein Zimmer gekommen bist, Jona.

Was musst du ihn auch immer so provozieren!, hast du mich beschimpft und ich hab mich umgedreht und einfach gesagt: *Ich bring ihn um!* Ich habe es damals wirklich so gemeint, Jona.

Spinnst denn du? Willst du dich unglücklich machen? Willst du dir dein ganzes Leben verbauen, wegen so einem? Willst du das wirklich? Dein Ton war überhaupt nicht mehr sanft wie sonst. Angst lag darin. Um es nicht Panik zu nennen. Ich überlegte kurz. *Du hast recht, er ist es eh nicht wert! Dann hau ich eben ab, das ist auch eine Möglichkeit.*

Wo willst du denn hin?, hast du entgeistert gefragt.

Das werde ich dir gerade noch verraten. Wenn Mutti dann heult und ganz verzweifelt ist, sagst du es ihr doch.

Da muss ich dir zustimmen, ehrlich gesagt, ich könnte es nicht für mich behalten. Wenn sie alle spinnen und sie mich als Erstes versuchen auszuquetschen, ich würde das nicht durchhalten, vor lauter Angst um dich.

Du bist ein Feigling! Lieber schweigst du und frisst alles in dich hinein, als zu kämpfen, hab ich dir vorgeworfen. Und traurig hast du deinen Kopf gesenkt und mir Recht gegeben.

Im Vergleich zu dir bin ich das wahrscheinlich wirklich. Aber nützt es was, gegen eine Übermacht anzugehen?

Es tut mir so leid, Jonathan, ich wollte dich nicht verletzen. Dich am allerwenigsten, wahrscheinlich ist es besser auszuhalten. Aber ich will und kann eben auch nicht anders, hab ich dir entgegnet. Ich bin dann übers Klofenster hinaus aufs Dach gestiegen und es hat nicht ganz zur Dachrinne gereicht. Ich sehe noch deine Hand, die du mir für den halben Meter, den ich noch gebraucht habe, versöhnlich hinstrecktest. Du wolltest nicht, dass ich gehe. Doch du hast mich geliebt. Du gabst mir deine Hand, meinetwegen. Vorsichtig habe ich mich an den Ziegelsteinen festgehalten und mich ausbalanciert zu einem sicheren Stand, als ich mich noch einmal zu dir umdrehte, als ich da so frei auf der Dachrinne stand. Sorge stand in deinen Augen, auch die Angst, ich könnte mich verletzen. Doch ich wusste, dass ich springen konnte, ohne mir weh zu tun.

Mein Gott, Jona, ich bin vor dir gesprungen! Aber ins Leben, nicht wie du in den Tod. Aber damals war mein Sprung auch dein Triumph darüber, dass ich das tat, was auch du dir so sehr zu tun gewünscht hättest. Fortlaufen, rebellisch sein, Widerstand leisten, sich auflehnen können. Du konntest nicht mit mir kommen, doch du hast mir deine Verbundenheit signalisiert, immer!

Pass auf dich auf, ich kann dich eh nicht halten!, hast du mir nachgerufen.

Genau!, sagte ich und bin gesprungen. Es war ja nicht so hoch, die drei, vier Meter bis zur Wiese, die darunter lag. Es wäre mir egal gewesen, wenn ich mir etwas gebrochen hätte, doch ich hab gewusst, ich schaffe das. Ich musste es einfach schaffen. Ich hätte nicht bleiben können, ich musste einfach weg!

Ich hab dir von der Straße aus zugewunken und es war wie ein vorgezogener Abschied. Wir hatten beide Tränen in den Augen. Damals mit vierzehn war ich vielleicht mutiger als heute, doch jetzt hab ich den Mut, nicht mehr fortzulaufen, Jona! Ich sehe noch, wie ich dann zu Detlef, einem Kumpel, den ich vom Jugendhaus kannte, gerannt bin. Ich wusste, dass er mit zwei Freunden eine Hütte in einer Schrebergartensiedlung besaß. Glücklicherweise war er zu Hause. Ich erzählte ihm vom Stress mit meinem Vater und überredete ihn, mich in seiner Hütte ein paar Tage übernachten zu lassen. In meiner kindlichen Naivität hatte ich nicht bedacht, dass sein Vater ein Hüter des Gesetztes war und sein Beruf als Polizist von ihm verlangte, meine Eltern über den Verbleib ihrer Tochter in der Hütte seiner Buben zu unterrichten. Wie dumm von mir, doch vielleicht war es auch mein Glück. Wenn ich an Mutti denke, die völlig mit den Nerven am Ende war. Und, wie mir später erzählt wurde, dass der Vater von Detlef die größte Mühe hatte, Papa zur Vernunft zu bewegen. Weil der immer wieder ins Telefon gebrüllt haben soll, dass ich was erleben könnte, wenn ich nach Hause käme. Und er Detlef schließlich versprechen musste, mich nicht erneut zu schlagen, sonst hätten sie von ihm meinen Aufenthaltsort nicht erfahren. Das hat ihm bestimmt ganz schön gestunken, dass eine fremde Familie solche Einblicke in unsere Familientragödie bekommen hatte.

Ich wollte es mir gerade auf der Eckbank ein wenig gemütlich machen, Detlef hatte mir ein paar Decken gebracht und Verpflegung für die nächsten Tage. Wo ich hinsollte, wenn ich hier nicht mehr bleiben konnte, wusste ich noch nicht. *Es wird mir schon etwas einfallen*, habe ich gedacht. Vielleicht wäre ich auch wieder von selber nach Hause gegangen, ich glaube, ich hätte eh nicht getrennt sein können von dir, Mutti und Simon. Du hättest dir also gar keine Sorgen machen müssen. Einen gehörigen Schrecken wollte ich Vater damals einjagen. Wimmern sollte er nach seiner Tochter, betteln, dass ich wieder zu ihm zurückkäme. Unheimlich war mir schon zumute, denn draußen waren vereinzelt Geräusche von Katzen und anderen nicht auszumachenden Tieren zu hören. Es muffelte in der kleinen Hütte und immer wieder starrte ich zu der etwas schäbigen einfachen Holztür hinüber. Ich hatte schon Angst, wäre es doch ein Leichtes gewesen, sie einzutreten.

Doch dann klopfte es an der Wand. Mein Atem stockte, starr saß ich zusammengekauert in meine Wolldecke gehüllt auf dem schäbigen Holzbett. Mein Herz raste so heftig, dass ich glaubte, meine letzte Stunde habe geschlagen. Ich umklammerte den Stock neben mir und redete mir ein, ich würde erbarmungslos zuschlagen.

Samara, bist du da drinnen?, hörte ich die Stimme von Mama. Grell und viel zu hoch klang sie durch die Tür. Ich sprang auf und bewegte den kleinen hölzernen Riegel auf die Seite. Zum einen war ich erleichtert, hatte ich doch allmählich begriffen, dass mein Vorhaben mit großen Entbehrungen und Gefahren verbunden war. Ich ahnte, dass es meiner Mutter schlecht gehen würde. Doch ich hatte auch Angst vor Bestrafung. In dem Augenblick, als ich gesprungen war, hatte ich nur an mich gedacht, nicht an sie, nicht an Simon und auch nicht an dich, Jona. Doch ich konnte damals keine Rücksicht auf eure Gefühle nehmen, denn ich hoffte insgeheim, dass Papa sich um mich sorgen würde. Nicht sie, denn ihrer Zuneigung war ich ja gewiss. Mutti wollte ich am allerwenigsten verletzen, aber ich musste mein Leben in meine eigenen Hände nehmen – glaubte ich zumindest. Ich wollte nicht, dass ihr Angst um mich hattet. Aber es war alles so aussichtslos zu Hause. Und ich hatte das Gefühl, das alles immer nur noch schlimmer wurde bei uns. Ich wollte ein Zeichen setzen. Ich wollte sie beide wachrütteln, in der naiven Hoffnung, dass endlich mehr Frieden einkehren könnte. Dass es so schlimm werden würde, wie es geworden ist, hätte ich nicht unbedingt erleben wollen.

Als wir uns in die Arme gefallen sind, damals in dieser Holzhütte, habe ich gefühlt, wie sehr ich sie liebe. Sie konnte sich natürlich gar nicht mehr beruhigen, so heulten wir dann beide herzzerreißend.

Wie konntest du mir das nur antun?, schluchzte sie immer wieder.

Mutti, es tut mir so leid, ich wollte dir wirklich nicht weh tun, aber Papa war wieder so gemein zu mir, erzählte ich ihr. Dass ihr mich überall, bei all meinen Freunden und in der ganzen Stadt gesucht habt und euch noch eine Stunde Zeit gegeben hattet, ehe ihr zur Polizei gegangen wäret, hatte ich nicht bedacht. *Was ist mit Papa?*, wollte ich nur wissen.

*Der tobt zu Haus*e, sagte Mutti.

Dann kann ich ja gleich hier bleiben, habe ich entgegnet.

Doch dann hat Mutti ihren Blick aufgesetzt, der keine Widerrede dudelte, und geantwortet: *Du kommst jetzt mit, das ist doch keine*

Lösung! Wenn sie so bestimmend war, wusste ich, dass nun Widersprechen nichts mehr half, und ich habe es ja auch eingesehen. Also sind wir nach Hause gefahren. Was würde mich erwarten, dachte ich und ich spürte eine Ahnung in mir hochsteigen. *Er kann mir gar nichts antun,* dachte ich trotzig.

Zu Hause angekommen, wartete er schon oben an der Treppe. Unsere Blicke trafen sich und es hatte sich nichts geändert. Der gleiche Blick, die gleiche Macht. Das gleiche Schwarz in seinen Augen, das mich so verachtete. Ich konnte nur wieder mit derselben Verachtung reagieren und signalisierte ihm wohl durch meine Augen, dass ich meinen Widerstand nicht aufgeben würde.

Wo warst du, wo hast du dich herumgetrieben, bei welchem Kerl hast du gepennt?, brüllte er mich an.

Ich habe mich nicht herumgetrieben!, schrie ich zurück. Als hätte ich mich jemals herumgetrieben! Er war so verrückt, so krank! Doch ich habe das alles nicht begriffen. Ich hab ihn einfach nicht verstanden, nicht dahintergeschaut, wo die wirkliche Ursache lag für seine ständige Eifersucht. Ich habe alles wörtlich genommen und reagiert, wie nur ein Kind, ein Teenager reagieren kann.

Ich bin wegen dir abgehauen, weil du mich immer so behandelst!, versuchte ich ihm zu erklären.

Ach was!, schrie er zurück, *wegen einem Kerl bist du abgehauen, wegen so einem dreckigen, dahergelaufenen Kerl. Gib's doch zu, du Miststück!*

Mutti ist dazwischengegangen: *Jetzt ist aber Schluss, lass das Mädchen in Ruhe, es ist schon schlimm genug, was passiert ist! Du machst uns noch ganz verrückt!,* fuhr sie ihn an.

Ach, nun bin ich wieder an allem schuld, wenn dieses Früchtchen davonrennt!

Ich fasste Mama am Arm. *Mutti, lass doch, es hat keinen Sinn,* versuchte ich sie wegzuziehen.

Du hast sechs Wochen Hausarrest, ab in dein Zimmer!, kommandierte er mir hinterher. Ich schaute zu meiner Mutter. Erschrocken, schockiert, Hilfe suchend.

Sechs Wochen?, wiederholte ich.

Sie sagte nichts darauf und gab mir mit den Augen zu verstehen, ich solle es gut sein lassen. Ich gehorchte und rannte in mein Zimmer, schmiss mich heulend auf mein Bett.

Wegen einem Kerl, wegen einem Kerl, schluchzte ich immer wieder, ich war so verzweifelt. Es hatte überhaupt nichts gebracht, mein Versuch, ihn zu mehr Verständnis zu bewegen, war fehlgeschlagen, ich konnte nicht fassen, dass alles umsonst gewesen war.

Nach zwei Wochen wurde mir meine Strafe wegen guter Führung erlassen. Besser gesagt, ich hielt meinen Mund, aber nicht, damit mir meine Strafe gemindert wurde, sondern weil ich so enttäuscht war, dass er mich nicht verstand. Natürlich hatte ich dieses milde Urteil wieder Mutti und dir zu verdanken, denn ihr habt wieder mal nicht lockergelassen und ihn erweichen können. Schäbig bin ich mir trotzdem vorgekommen.

Eine Zeitlang ist dann wieder Ruhe gewesen, bis zum nächsten Knall. Er hat sich Simon oder Mutti vorgeknöpft. Zu finden hat es ja immer etwas für ihn gegeben. Zum Beispiel als er die Negerpuppe von Simon sah, mit der er nicht heimlich genug geschmust hatte. Papa ging dann auf ihn los, riss ihm die Puppe aus den Händen und tobte: *Der Junge wird noch schwul!* Und Mutti schrie er an: *Und du lässt das zu, ich sag ja immer wieder, dass das nicht mein Kind ist. Den hast du bestimmt von jemand anderem.* Mein Gott, hat mir das Herz geblutet, als Simon so bitterlich um seine süße kleine Negerpuppe weinte und ich nur noch mitheulen konnte über so viel Verbohrtheit. Ich hab Vater in diesen Momenten in meiner Fantasie erhängt, erstochen, erdrosselt. Simon war so zart in seiner Seele, so verletzbar und kindlich. Er liebte diese Puppe so. Wie konnte er nur vor seinen Ohren so etwas immer wieder sagen? Was war das nur für eine Scheiße? Ich hätte brüllen können. Wenn ich älter gewesen wäre, hätte ich ihn vielleicht tatsächlich noch umgebracht, allein dafür, dass er behauptet hatte, Simon sei nicht sein Sohn.

Warum verlässt einen so etwas nicht? Warum kann man es nicht einfach zur Seite schieben, als etwas Unangenehmes, das man erlebt hat? Vielleicht weil es so tiefe Wunden hinterlässt. Da könnte ich heute noch den blanken Hass bekommen über so viel Gewalt.

Ich klage dich an, Papa! Nach so langer Zeit. Ich klage dich an! Du hast die Schuld! Du bist voll verantwortlich! Für Simon! Für Jonathan! Für mich! Du und Mutti, ihr seid verantwortlich! Du, Mutti, weil du das alles mitertragen hast! Ich weiß, du weinst jetzt, während du das liest. Und ich seh auch dich weinen, Papa. Ja, es ist gut so, dass ihr weinen könnt. Es ist wichtig. Es verzeiht so vieles. Und ich sehe mich, wie ich hinter euch stehe und euch meine Hände auf den Kopf lege. Und die Liebe in mir habe. Sehe, wie ich schuldig bin an dem, was Stina, Tim und Leoni einmal zu tragen haben. Was sie aufräumen müssen in ihrem Leben. Ich werde sie nicht erlösen können, aber ich werde sie um Verzeihung bitten. Und mir selbst hoffentlich für meine Unfähigkeiten verzeihen können. Die Welt ist voll von Schuld, aber auch von Unschuld.

Du warst nicht so draufgängerisch wie ich, Jonathan. Viel diplomatischer warst du und konntest dich auf eine ruhigere Art und Weise widersetzen und hast daher auch den größten Einfluss auf Vater gehabt. Manchmal gelang es dir sogar, dass er ein ausgesprochenes Verbot zurücknahm und sich als großzügigen, gütigen Herrscher präsentierte.

Diese Eigenschaft, dass ich mit nichts hinterm Berg hielt, wenn ich mich ungerecht behandelt fühlte und Partei ergreifen musste, zu Hause oder auch sonstwo, wenn ein Schwächerer in der Klasse sich nicht wehren konnte und ich mich hinter ihn stellte, brachte mir so manche Schwierigkeit in meiner Jugendzeit ein. Ich dachte mir oft, dass ich das doch jetzt wieder hätte sein lassen können. Aber irgendwie trieb mich eine tiefe innere Überzeugung, dass wir Menschen auf der Erde sind, um einander zur Seite zu stehen. Natürlich hat sich mein Bild vom Helfen grundlegend geändert, denn oftmals ist das Nichthelfen besser. Es ist wichtig, dass wir Spannungen im Leben aushalten und uns selbst um eine Lösung unserer Probleme bemühen. Doch es gibt diese Momente, wo mir mein Herz ganz klar und deutlich sagt, dass ich hier in diesem Augenblick gefordert bin und meine Augen nicht verschließen darf. Ich würde jedem Menschen helfen, egal ob ich ihn kenne oder nicht, wenn ich sehe, dass er wirklich meine Hilfe braucht.

Du warst überall beliebt, Jona, sei es bei Freunden, in der Schule oder in der Verwandtschaft. Zu dir sagte Mutter nie vorher, *bitte benimm dich anständig*, so wie zu Simon und mir. Mich mochte man entweder sehr oder überhaupt nicht. Dazwischen gab es nichts. Ich habe mir damals oft gewünscht, ich könnte so sein wie du. Ja, ich habe dich dafür, dass du dich immer noch beherrschen konntest, auch wenn es noch so ungerecht sein mochte, bewundert. Heute denke ich manchmal: Wärst du doch nur öfter mal aus dir herausgegangen und hättest auch deine Wut und deine Ohnmacht zum Ausdruck gebracht. Vielleicht wäre dann alles anders gekommen. Aber es kommt so, wie es für jeden kommen soll! Nun hast du die Möglichkeit, einen neuen Weg zu gehen. Trotz der ganzen Tragik, die geschehen ist, ist mein Vertrauen auf die Güte und Liebe Gottes stetig gewachsen.

Ich erinnere mich auch an eine Zeit, da waren wir unzertrennlich, du und ich. Wir erzählten uns all unsere Geheimnisse, unternahmen alles gemeinsam. Wir waren so verschworen, Jona. Bis ich begann, mich Stück für Stück aus unserer innigen Zweisamkeit herauszuschälen, und nach außen ging. Als ich dann meinen ersten Freund hatte, warst du ziemlich sauer und gekränkt. Ich konnte das überhaupt nicht nachvollziehen und war verärgert über deine Art, mir Vorwürfe zu machen, da das doch mit meinen Gefühlen zu dir überhaupt nichts zu tun hatte, dachte ich. Heute begreife ich, dass ich instinktiv den richtigen Weg gegangen bin und mich meine Freundschaften zum anderen Geschlecht immer getragen haben. Sie haben mich gehalten und mir Schutz geboten, in einer Zeit, wo sich bei uns zu Hause alles immer noch mehr zugespitzt hatte. Lange haben wir vier geplant auszuziehen und haben versucht, Papa behutsam darauf vorzubereiten. Dass wir diesen Schritt wirklich vollziehen würden, hat er, glaube ich, bis zu diesem Tag nicht gecheckt. Wir hatten alle Angst davor, nicht wahr? Ich erinnere mich noch genau an diesen Nachmittag, denn ich war voller Sehnsucht nach diesem Tag. Und doch, als er da war, ist auf einmal alles anders gewesen. Die Möbel waren schon in dem großen Lieferwagen verstaut und es fehlten nur noch Kleinigkeiten. Vater war verhältnismäßig ruhig und wenig alkoholisiert. Er hat uns leid getan. Deshalb wollten wir ihm wahrscheinlich zeigen, dass wir trotzdem immer zu ihm kommen würden und er auf uns Kinder zählen konnte. Ich sehe noch, wie wir die Matratzen auf den Boden gelegt haben, damit wir auch bei ihm hätten übernachten können. In jedem Kinderzimmer lag eine und ein paar wenige Dinge standen noch dabei. Freilich war es eine schwere Situation für uns und für ihn, denn er wollte uns nicht gehen lassen. Er war nie mit unserer Entscheidung einverstanden gewesen, auch hinterher nicht, denn er war der Ansicht, eine Familie gehört zusammen. Er hatte unseren guten Willen verstanden und machte seine Runden durch das leere Haus. Es schmerzte ihn zu sehen, was von unseren einstigen Kinderzimmern übrig geblieben war. Die Matratzen auf dem Boden, hier und dort ein einsames Möbelstück, das wir nicht mitnehmen konnten. Doch er zeigte sein Verständnis für unser Bemühen und wir waren erleichtert.

Als er in mein Zimmer kam, blieb er wie erstarrt in der Tür stehen. Blickte auf die leere Matratze, auf den braunen Überzug, und seine Augen klebten daran. Auf einmal war es aus mit seiner Beherrschung. Er ballte seine Hände zu Fäusten zusammen und schrie mich an:

Was glaubst du eigentlich, ich werde dein Liebeslager hier nicht dulden. Dass du Kerle mit hierherschleifen kannst und dich bei mir mit ihnen vergnügst, lasse ich nicht zu! Ich sehe noch, wie wir alle fassungslos dastanden. Du hast mich angeschaut und ich dich. Tränen schossen in meine Augen, ich konnte gar nicht anders und begann zu heulen. Das war eine Breitseite, die ich nicht erwartet hatte. Fiel es mir doch sowieso schon schwer, ihn zu verlassen. Ich habe dagestanden wie ein Häufchen Elend in meiner Enttäuschung und war so getroffen! Als hätte man mir von oben herab eine Holzlatte auf den Kopf gehievt, die mich kleiner machte und zu erdrücken drohte. Als würde mir mit einem Mal meine ganze Kraft aus den Zellen gezogen. Irgendwie hast du wohl gespürt, Jona, wie sehr mich das getroffen hatte.

Was glaubst du eigentlich?, hast du auf einmal völlig außer dir geschrien. Dein Kopf war augenblicklich hochrot und dein Gesicht zum Platzen angespannt. In deinen Augen spiegelte sich unendliche Verachtung für Vater. So hatte ich dich noch nie zuvor gesehen und auch nie mehr danach. Es erschreckte mich zutiefst, was da in deinen Augen stand, und es machte mir große Angst, dich so zu sehen.

Ich wollte dich beruhigen: *Jonathan, lass doch*, flehte ich. *Nein, nein, ich lasse nicht!* Du wehrtest meine Hände, die deine festhalten und dich beruhigen wollten, heftig ab. *Du bist ein Schwein, eine Drecksau, ein solches Arschloch!*, hast du ihn angeschrien. *Wann lässt du sie endlich in Ruhe, warum hört das nicht endlich auf? Was hat sie dir denn getan, dass du immer wieder so brutal sein musst? Was hat sie dir nur getan?* Deine Stimme war so grell, man konnte es nicht mehr reden nennen. Du hast nur noch geschrien und ihn immer weiter provoziert. Und ich heulte und heulte, konnte mich nicht mehr beherrschen, wollte dazwischengehen, doch du hast dich nicht beruhigen lassen. Keiner von uns hatte dich je so erlebt, so außer dir und zu allem bereit. Simon und Mutti versuchten es ebenfalls, aber es war nicht möglich, dich zur Vernunft zu bringen. Sie hatten die Gefahr, die in der Luft zum Kochen kam, genauso gefühlt wie ich. Doch du hast uns gar nicht mehr gehört.

Ich habe mich gewundert, dass Vater so lange wie versteinert dastand. Doch irgendwann befreite er sich aus dieser Haltung und schrie ebenfalls: *Was glaubst du eigentlich, du Rotzlöffel, mich so anzugreifen!* Mutti schrie nun auch: *Ja seid ihr denn alle verrückt geworden?* Doch auch sie war nicht in der Lage, uns zu beruhigen. Jona, du hast begonnen, alle Ereignisse aufzuzählen, in denen Vater mich gequält hatte. Du hörtest und hörtest nicht auf zu schreien. Immer mehr Abscheulichkeiten zähltest du auf und wolltest überhaupt nicht mehr stoppen. Du warst so in Rage, als würde ein Berg zu beben beginnen. Du hast deine Fäuste zusammengeballt.

Du willst mich angreifen?, hat Papa zurückgeschrien.

Ich werde dich nicht schlagen, ich mache mir doch nicht die Hände schmutzig!, hast du gebrüllt.

Was glaubst du eigentlich, du fängst dir gleich eine, was muss ich mir noch alles bieten lassen, von dir, du Rotzlöffel!, brüllte Papa zurück.

Schlag, doch zu, Schlag mich doch auch. Schlag doch zu, komm, schlag doch, hast du nur noch lauter geschrien. Immer wieder hast du ihn herausgefordert. *Das kannst du doch so gut, da bist du doch so stark drin. Schlag mich doch.*

Wir waren wie ohnmächtig und hatten keinen Einfluss mehr auf euch beide. Alle schrien, Simon, Mutti und ich, ohnmächtig vor

Angst. Du und Vater, ihr wart wie zwei Raubkatzen, die sich um ein Stück Fleisch reißen. Als würdet ihr uns gar nicht mehr hören, verhallte unser Flehen und Bitten, doch aufzuhören. Eure Drohgebärden und eure angespannten Leiber waren nicht mehr auszuhalten

Als dann seine Faust in dein Gesicht fuhr, spritzte das Blut nur so aus deiner Nase und dein weit aufgerissener Mund schrie mir lautlos deine ganze Qual entgegen. Die Not, die du nicht mehr aushalten konntest, und die Sehnsucht, mich zu beschützen, die du einfach nicht erfüllt bekamst.

Als hätte sich die ganze Spannung auf einmal entladen, war es plötzlich still geworden und wir alle standen nur noch regungslos da. Die Angst kroch in mir hoch, dass nun etwas geschah, was dieses Ausmaß an Aggression noch übersteigen würde. Doch du hast nur kraftlos dagestanden und bist in dich zusammengesackt. Tränen liefen aus deinen Augen, die sich mit deinem Blut vermischten. Ich hatte solche Angst, dass ihr wieder aufeinander losgehen würdet, um euch umzubringen. So wie wir Mutti beschützen konnten, als er das versuchte, hätten wir dich nicht beschützen können. Simon hat geplärrt und Mutti nur noch ein hilfloses Gewinsel herausgebracht, und du und ich, wir haben so geheult und geheult. Nur Papa konnte es immer noch nicht fassen, dass nun schon wieder er der Böse war. Wir haben uns umarmt und bitterlich geflennt, wir vier. Hätte er doch mit uns heulen können, dann wäre vielleicht die Mauer gebröckelt, aber es war ja schon zu spät für dich, Papa, in diesem Leben. Mutti schaute uns an und nahm unsere Hände. Wir sind wie kleine Kinder an ihrer starken Hand hinter ihr hergetrottet, kraftlos, immer noch heulend, und so hat sie uns wortlos hinausgeführt. Papa stand wie erstarrt da, seine Arme baumelten kraftlos an seinen Schultern. Der voll bepackte Laster stand draußen vor der Tür, so sind wir eingestiegen und losgefahren, in eine neue Zukunft.

Immer noch lief das Blut aus deiner Nase, während wir ohne Vater in die neue Heimat gefahren sind. Jona, wir haben uns in den Arm genommen und aneinandergeklammert geschluchzt, und die Liebe und die Verbundenheit zwischen uns war endlos.

Es war nicht leichter ohne Papa in dieser Zeit. Wir hatten kein Geld, eine kalte Wohnung und es fehlte uns vieles, was praktisch und annehmlich war. Dinge, die wir zuvor ganz selbstverständlich genossen hatten in dem großen Haus. Mutti arbeitete viel und war auch dauernd genervt, nicht weniger als vorher, und die Streitereien zwischen Mutti und Papa liefen unvermindert weiter. Obwohl ich sagen kann, dass Vater zu mir ab diesem Zeitpunkt wirklich netter geworden ist. Wenn ich ihn einmal in der Woche besucht habe, konnten wir auf einmal wieder miteinander reden. Wir haben uns sogar ab und zu in den Arm genommen, so wie in ganz frühen Zeiten. Aber trotzdem hatte ich irgendwie immer Angst vor ihm. Es war so ein Gefühl zwischen Sich-hingezogen-Fühlen und Sich-kümmern-Müssen, seinen Zorn nicht zu erzeugen, indem ich wegblieb, und der inneren Ahnung, Distanz wahren zu müssen, um nicht seiner Unberechenbarkeit zum Opfer zu fallen. Immer, wenn er mich in den Arm nehmen wollte, war das ein so eigenartiges Gefühl. Ich konnte mir nicht erklären, warum ich immer wieder so erleichtert gewesen bin, wenn ich wieder weg war. Er tat mir irgendwie leid in diesem großen Haus, obwohl er sich das alles selbst eingebrockt hatte und auch Mutti einfach nicht in Ruhe ließ. Immer wieder sprach er Morddrohungen gegen sie aus und ich wusste, ihm war alles zuzutrauen. Vielleicht bin ich auch deshalb immer wieder zu ihm hingegangen, weil ich Angst um Mutti und um unser Leben hatte. Wenn wir Kinder auch noch Streit mit ihm gehabt hätten, wäre er vielleicht völlig ausgerastet.

Ein Jahr haben wir in diesem alten Bauernhaus gewohnt, als du mir eröffnetest, dass du ausziehen würdest. Da war ich völlig fertig. Ich fühlte mich allein gelassen, als würde ich auf einer einsamen Insel ausharren müssen, während du dich still und leise aus dem Staub machtest. So habe ich deinen Entschluss als Verrat empfunden. Und ich konnte auch nicht begreifen, warum du mich nicht mitnehmen wolltest. Aber ich glaube, ich hätte das auch nicht gekonnt. Diese Menschen, diese WG, diese Wilden haben nicht in mein Weltbild gepasst. Ohne Heizung wohnen in einer Bruchbaracke, alle in einem Schlafraum in der Nacht. Du müsstest weg von dieser Familie, hast du mir damals geantwortet, und ich hab es nicht verstanden. Ab diesem Zeitpunkt bist du ständig umgezogen, nirgends hat es dich lange gehalten. Ebenso war es mit deinen Beziehungen. Ich hab das einfach nicht kapiert, da ich über Jahre ein und denselben Freund hatte. Als du wieder einmal vor den Trümmern einer kurzen Beziehung gestanden bist und ich, die ich das Mädchen kannte, dir ihre Vorzüge aufzählen wollte, hast du so gelacht und gesagt: *Es ist eben keine so wie du, Samara!* Ich lachte schallend und hab dich in den Arm genommen, doch ich habe deine Liebeserklärung nicht wahrgenommen. Ich habe wirklich nicht begriffen, wie viel Wahrheit in deiner Äußerung gelegen hat und was das mit unser beider Leben zu tun hatte. Ich habe so viele Jahre gebraucht, um das alles zu entschlüsseln. Aber hätte es etwas geändert, wenn wir es zugelassen hätten, Jona? Immer wieder hast du mich gebeten, dich doch öfter zu besuchen. Doch irgendetwas bremste mich. Ich vermisste dich als Ratgeber und als Freund, denn du hattest immer ein offenes Ohr für all meine Lebensumstände. Selbst als ich mit der Psychotherapie begonnen hatte, war mir deine Meinung wichtig. Eine uns unerklärliche Spannung schwebte manchmal über uns, ja, sie war fast unangenehm. Und als ich dich wieder einmal besuchte, redeten wir bis spät in die Nacht hinein und sind dann in deinem großen Doppelbett erschöpft eingeschlafen. Laute Geräusche weckten mich aus dem Schlaf und ich schaute mich erstaunt im Zimmer um. Als ich sah, dass du mit aller Kraft einen Schrank verrücken wolltest, hab ich dich erstaunt gefragt: *Sag mal, was machst du denn da mitten in der Nacht?*

Ich stelle meine Möbel um, konntest du mir nur wirsch entgegenbringen.

Aber doch nicht um diese Zeit!

Ich habe eine solche Unruhe in mir, ja, sie plagt mich richtig, ich kann einfach nicht neben dir schlafen, hast du geantwortet.

Ich erinnere mich, dass mich deine Worte erschreckten und ich mir in dem Augenblick, als du das ausgesprochen hast, ein Gefühl des Unbehagens eingestehen musste. Als du dich dann in den Nebenraum zurückgezogen hast, beschloss ich am nächsten Tag, früher als eigentlich geplant nach Hause zu fahren. Erleichtert, wieder von dir weg zu sein, atmete ich auf, und Stunden später konnte ich dich schon wieder so vermissen. Dann heulte ich, weil du so weit weg von mir warst. Doch die Tage sind dahingegangen und ich bin wieder in meinen Alltag zurückgekehrt. Im Grunde haben wir uns beide nie eingestanden, welche Gefühle wir wirklich füreinander hatten. Dass es Liebe war!

Eine andere Liebe als die zwischen Bruder und Schwester aber habe ich mir erst nach deinem Tod eingestanden. Die ganze Tragweite unserer Geschichte und ihrer Folgen wurde mir erst so viel später bewusst. Die große Not, in der wir uns ständig befanden, die vielen tragischen Ereignisse und dieses große Glück, das ich immer wieder erleben durfte mit dir. Dass es ein Geschenk war, so einen Menschen um sich herum gehabt zu haben. Dass da in dieser ganzen Tragödie so vieles an Gefühl, an Kraft und an Freude gewesen ist. Dass ich fähig geworden bin, zuzulassen, zu fühlen, das Leben in all seinen Facetten zu erleben. Die Vergangenheit, die Gegenwart und die Zukunft zu erspüren habe ich auch deiner Gegenwart in meinen Leben zu verdanken.‹

»Ich brauche wieder eine Tages- und eine Nachtcreme«, hörte Samara auf einmal wie von ganz weit her eine Stimme sagen, die sie als die ihrer Mutter erfasste. Sie verabschiedete sich von Jona in ihren Gedanken. Sie war so weit fort gewesen, dass sie sich schütteln musste, um wieder in der Gegenwart zu landen. Sie wandte sich von nun an ganz ihrer Mutter zu und führte ihre Behandlung zu Ende. Es war ein guter Tag, sie hatte schöne Gespräche mit ihren Kundinnen geführt und gut verkauft.

Als Samara an diesem Abend von ihrem Studio nach Hause gefahren war, hatte sie einen kleinen Umweg gemacht und bei Frau Dr. Hailer noch etwas in den Briefkasten geworfen. Eine schöne Karte wählte sie aus, die einen Sonnenaufgang über einem weiten Tal zeigte. *Danke für alles, Ihre Samara!*

Als Samara nach so vielen Jahren der gemeinsamen Arbeit an ihrer Psyche die wirklichen Ursachen mit Hilfe ihrer Therapeutin entschlüsseln konnte, erlebte sie das Aufbrechen dieser uralten, in ihr schlummernden Wunden als einen Nullpunkt in ihrem Leben. Als wäre sie auf einmal aus einem tiefen Wald ins Freie gekommen, erlebte sie sich neu. Sie erinnerte sich, wie sie vor Jahren bei ihr angerufen hatte, um noch einmal einen Termin mit ihr auszumachen.

Wohl hatte sie schon geahnt, dass es sich um etwas Bedeutendes handeln würde. Frau Dr. Hailer hatte sie freudig und doch gespannt empfangen. Als Samara ihrer Ärztin dann von der Bewusstlosigkeit in Daniels Armen berichtete und dass sie in dem Augenblick, als sie wieder das Bewusstsein erlangte, auf einmal von einer Vergewaltigung in ihrem Leben wusste, war sie nicht erstaunt. Samara hatte zu diesem Zeitpunkt noch nicht ausmachen können, wie, wo und wer es gewesen war. Sie wusste nur ganz plötzlich ganz sicher, dass es geschehen war. Als Samara ihr von diesem Erlebnis erzählte, war ihre Ärztin so wach und präsent, wie Sami sie immer dann erlebte, wenn etwas unglaublich Wichtiges zutage gefördert wurde. Als sei sie an einem Ziel angekommen, bestärkte ihre Ärztin sie darin, weiter zu gehen. In diesen zehn gemeinsamen Jahren hatte sie so viel Not an Samara mit ansehen müssen. So viele Verstrickungen in ihrer Familie freigelegt und doch den Glauben an ihre Kraft, daran, dass sie es schaffen konnte, sich aus ihrem Schicksal zu befreien, nicht aufgegeben. Immer wieder, wenn es besonders schwer für Samara war und sie glaubte, nicht weiter gehen zu können, bestärkte sie diese Frau. Wie wichtig es sei, sich Traumata ins Bewusstsein zu holen, erklärte sie immer wieder. Dann könnten sie aufgeräumt und neu bewertet werden, eine neue Ordnung die alte ablösen und Schuldgefühle korrigiert werden. Sie erklärte ihr, dass es für den Schmerz eine Belohnung gab, die sich in neuen Energien äußerte. In Kraft, die immer vorhanden war, doch zuvor dazu benötigt worden war, Ballast zu unterdrücken – war dieser freigelegt, konnte er endlich verarbeitet werden und die gewonnene Essenz des Neuen reifen und etwas entstehen, das kraftvoll war aus dem Kern heraus. *Ich-Bewusstsein* nannte sie es. Sich selbst wahrzunehmen, sich seiner eigenen Persönlichkeit und Unschuld bewusst zu werden oder sich Schuld einzugestehen. Zu vergeben und daran zu wachsen setzte Spurensuche voraus. Samara spürte, dass es ihre Ärztin mit einer großen Freude erfüllte mitzuerleben, wie Samara endlich das nötige Selbstbewusstsein entwickelte, so weit vorzudringen, dass sie diese erschütternden Erlebnisse freilegen konnte. Sie spürte, dass es nun so weit gereift war, dass Samara ihre Augen nach innen richten konnte in die tiefen Schluchten, und sie wusste, dass sie nun Samara alleine dort hinuntersteigen lassen konnte und sie es diesmal überleben würde. Frau Dr. Hailer hatte immer einen Missbrauch in ihrer Vergangenheit vermutet und große Erleichterung darüber empfunden, dass sich Samara sicher war, diesen Weg nun zu Ende gehen zu wollen. Ein ganzes Jahrzehnt war sie mit ihrer Ärztin auf dieses Ziel zugesteuert, ohne die Antworten auf so viele Fragen zu erahnen. Frau Dr. Hailer erzählte ihr in dieser Stunde von Mädchen, die in ihren Träumen männliche Geschlechtsteile auf dem Meeresboden vergruben. Mit aller Entschiedenheit diese Erlebnisse leugneten, weil sie so schmerzhaft waren, dass sie diese nicht in ihre Realität integrieren konnten. Samara hätte selbst noch kurz zuvor bestritten, dass sie etwas Derartiges erlebt hatte. Ihr ganzes Leben lang hatte sie sich ein Bild zurechtgelegt – dass ihr Jungfernhäutchen bei einem Sturz von der Schaukel verloren gegangen war. Sie hätte sich niemals eingestanden, dass auch sie dazugehörte. Doch dann wollte sie es wissen. Sie fühlte sich stark genug und hatte schon so vieles geschafft.

Instinktiv wusste Samara, wo sie suchen musste. Erst Tage zuvor hatte sich ein Bild in ihre Erinnerung geschlichen. Es war in den frühen Morgenstunden. Als kleiner Säugling lag sie auf der Wickelkommode, fröhlich und ganz zufrieden lag sie dort und betrachtete ihr Gegenüber. Diese große Nase mit den kleinen schwarzen Haaren, die ein wenig aus ihr herausragten, erregten ihre Aufmerksamkeit. Die dunklen Augen, die sie anschauten, und das Lächeln ihres Vaters entzückten sie. Sie sah seine Hand, die zu ihrem Bauch krabbelte, wie kleine Bienen, so emsig und flink rollte er seine Finger über ihren Babybauch. Spielerisch packte er ihre winzigen Füßchen. Es gefiel ihr sehr und sie quietschte und freute sich über das Lachen ihres Vaters. Er war dabei, ihr eine Windel anzuziehen …

Samara hielt inne.

Sie sah das Bild vor sich. Und erst jetzt begriff sie, was es ihr sagen sollte. Nun konnte sie das Bild deuten und überlegte erneut:

»Dass man mit Babys alles machen könne. Dass sie nichts wissen, nichts begreifen von dem, was man mit ihnen redet und mit ihnen anstellt«, sagte sie wütend. »Wenn ein Mensch es wirklich wissen will, wenn es sein Herzenswunsch ist, sich zu erinnern an das, was ihn quält und unbewusst negativ beeinflusst, wird es ihm gelingen.

Es wird nicht im Verborgenen bleiben! Alles, was wir anderen antun, bewusst oder unbewusst, wird auf uns zurückfallen und wir haben für unser Tun Verantwortung zu tragen. Wenn wir uns nicht verzeihen können, werden wir uns vielleicht mit Krankheit oder mit Unfällen selbst bestrafen. Vielleicht werden wir uns nicht wert fühlen, geliebt zu werden oder uns selbst zu lieben. Es geht nicht um Schuld. Alle sind wir mehr oder weniger schuldig an dem, was geschieht, in uns, mit uns und um uns. Es geht um das Zulassen der eigenen Ängste, der Not und um unser Versagen an uns und an anderen. Dann kann ein Prozess der wirklichen Reue folgen und ein Bitten um Vergebung. Wenn ein Verzeihen möglich wird, nachdem wir uns unsere Unfähigkeit eingestanden haben, wird das Geschenk, das wir erhalten, ein Mitfühlen. Ein Begreifen des Gegenübers, wer immer uns auch begegnet. Ein Weichsein möglich werden. Eine Liebe zu uns selbst wird wachsen, die wir dann nach außen abgeben können. Dann wird es möglich, trotz unseres Fehlverhaltens zu erfahren, dass wir immer geliebt und beschützt sind. Dass wir immer göttlich waren. Nur dass wir uns trennten von unserem Ursprung.

Manche Menschen quälen sich ein Leben lang und reagieren immer wieder aus dem Erlebten heraus. Alles, was wir unbewusst in uns tragen, bestimmt unser Handeln. Unsere alten Strukturen schaffen das Außen. Ich glaube, dass Geschehenes abgespeichert ist und fein säuberlich aneinandergereiht in uns verweilt. Wir können es nicht ausradieren oder unsichtbar machen. Es wird uns einholen und uns, immer wieder als ein eigener Spiegel vorgeführt, in unserem Leben erscheinen. So lange, bis wir den Schmerz, die Angst und die Wut darüber genügend angeschaut, betrachtet und verarbeitet haben. Das Unterbewusstsein drängt zur Auflösung und findet Erlösung im Bewusstsein. Dann erst sind wir fähig, eine Entscheidung zu treffen, die uns das Weitergehen ermöglicht. Mit den Füßen zu landen, den Blick nach oben nicht zu verleugnen. Das Jetzt zu erleben in der Realität, die sich mit der Vergangenheit ausgesöhnt hat, bietet neue Perspektiven.«

*

Samaras Fingerkuppen sind schon ganz wund. Sie legt ihr Manuskript zur Seite und kaut nachdenklich an ihrem Füller. Überlegt erneut, ob sie weiterschreiben soll oder sich doch lieber etwas an der Flughafentheke zu trinken holen soll. Sie legt ihren Kopf in den Nacken, schließt erneut ihre Augen und spult noch einmal den Film vor ihrem Geiste ab.

*

In dieser Nacht hatte sie stundenlang wach gelegen, hatte krampfhaft versucht sich zu erinnern, doch es gelang ihr nicht. Keine Bilder, nur ein Gefühl der Schwere, als laste Blei auf ihren Gliedern. Doch sie gab nicht auf. Sie spürte diesen Widerstand und doch trieb sie eine Kraft, nicht nachzulassen. Samara betete inbrünstig um Erinnerung, um Mut und um Hilfe. Zwei Tage und zwei Nächte bemühte sie sich ganz intensiv. Immer wieder kramte sie Jahr für Jahr zurück in ihrer Kindheit. Blätterte wie in einem alten, verstaubten, lang vergessenen Buch jede Seite um. Holte Ereignisse nach oben, die mehr oder wenig bedeutend waren. Doch sie fand nichts, was mit ihrem Erlebnis in Verbindung stand. Schließlich gab sie auf und schlief ein.

In den frühen Morgenstunden sah sie es dann! Plötzlich, wie von einer Schattenhand aneinandergereiht, kamen sie auf einmal, diese vielen Bilder. Eines nach dem anderen, erst verschwommen, doch dann immer deutlicher, kamen sie herausgepurzelt wie aus einem viel zu engen Raum. Zusammengepfercht nach Befreiung dürstend, stapelten sie sich aufeinander. Manche purzelten auf die Seite und sie musste sie genauer betrachten. Und auf einmal hatte sie dieses Foto vor Augen, leicht vergilbt, doch noch deutlich genug, um zu erahnen, was da passierte.

Samara lag auf ihrem Vater, wie sie es als Kleinkind öfter getan hatte. Abends, vor dem Zubettgehen, war er immer zu ihr gekommen, um noch zu schmusen, zu kuscheln und ihr gute Nacht zu sagen. Ihre Mutter hatte nichts Außergewöhnliches darin gesehen, auch nicht, dass Samara mit ihren vier oder fünf Jahren immer nur ein langes Nachthemd oder manchmal auch ein kurzes getragen hatte, selten mit einer Unterhose darunter. Dass ihr Vater immer ganz vernarrt in ihren süßen runden Popo war, hatte auch niemand in der Familie als etwas Besonderes betrachtet. Oft hatten sie so zusammen gelegen, sie bei ihm oder er bei ihr. Noch einen Gutenachtkuss geben, noch etwas schmusen, streicheln. Das war ihre Innigkeit, die sie seit jeher gehabt hatten. Ihre Mutter war ausgegangen, Samara wusste nicht mehr, wohin, sie war einfach weg. Samara sah dieses kleine Mädchen mit ihren blonden langen Schillerlocken, der Stupsnase und den ungewöhnlich großen Augen, so wie Stina sie in diesem Alter auch hatte. Ähnlich zierlich, feine Haut, zarter Körper und diese Unschuld im Blick. Ihre Arme, die sich um seinen Hals geschlungen hatten, sah sie vor sich, so, wie es alle kleine Mädchen machen. Herzhaft, inniglich, nichts wissend, nichts ahnend, frei von Argwohn und Angst vor Gefahren. Sie war so arglos gewesen. So voller Vertrauen hatte sie sich schnurrend an ihn geschmiegt, an ihren Papa, den sie so liebte. Sie sah, wie er ihr über den Po streichelte, und sie erinnerte sich, dass sie das immer gemocht hatte. Es war ein schönes Gefühl und auch nichts Außergewöhnliches. Manchmal tätschelte er auch auf ihm herum und das knallte dann so schön. »Einen hübschen Popo hast du«, konnte ihr Vater sagen und auch das war normal. Denn das sagte er ihr immer, wenn sie bei ihm lag und sie noch vor dem Zubettgehen einander nah waren. Selbst ihre Brüder lachten, wenn er das vor ihnen sagte.

Der Film lief weiter und sie betrachtete die beiden. Wie ihr Vater die Decke hoch über ihre Schultern zog, sodass nur sein nackter Oberkörper und ihr Lockenkopf herausschauten. Der Vater und sein Kind. Die kleine Samara lachte ihn an und er küsste sie auf den Mund. Irgendwie war es schon komisch, denn das kannte sie so nicht. Er hatte sie immer auf die Wange geküsst oder auch manchmal auf den Mund, aber anders. Sie lachte wieder ihr feines, helles, fröhliches Kinderlachen. Doch es gefiel ihr, dass sie ihr Papa küsste, es fühlte sich komisch an und war besonders lustig. Sie nahm nicht wahr, dass er ernster wurde und sie wieder und wieder auf die Lippen küsste. Dass sich plötzlich seine Arme fest um ihren Rücken verschränkten, fester als sonst, irgendwie unangenehm, entging ihr dann doch nicht …

Wie ein Vogel, der abstürzt, weil seine Flügel brechen und es kein

Entrinnen gibt.

Als würde ihre kleine Seele taumeln, umknicken, um zu sterben. So starb sie. Sah seine Hand auf ihrem Mund ihrer Nase. Sah sich und ihm zu.

Sah das noch einmal vor sich. Voller Entsetzen! Und plötzlich, als der Schermz so tief, so unendlich groß gewesen war, war sie auf einmal weg! Einfach nicht mehr da, ausgelöscht, regungslos, tot!

Das, was geschehen war, das so schrecklich war, nicht auszusprechen, nicht zu benennen.

Alle Sorglosigkeit ihres jungen Lebens, alle Fröhlichkeit, mit einem Mal vergangen.

Nun, wo alles hochkam, wusste Samara, dass sie in namenloser Not gewesen war und völlig verängstigt Schutz bei ihrer Mutter gesucht hatte. So vieles entschlüsselte sich, was sie damals nicht verstanden hatte. Nachdem es zwischen ihr und ihrem Vater zum Bruch gekommen war, weil sie ihrer Mutter etwas davon erzählte, hatten sie alle das Geschehene verdrängt, als hätte es nie existiert. Jahre nach dem Missbrauch, als ihre Mutter sie schon beschützt hatte, war ihr Vater besoffen immer wieder durch die Glastür in ihr Kinderzimmer gerannt. Obwohl er nur den Türgriff nach unten hätte drücken müssen, lief er einfach durch die Glasscheibe. Dreimal über Monate verteilt hatte er dann in den Scherben auf dem Fußboden gelegen und Samara hatte aufrecht im Bett gesessen. Aus dem Schlaf geschreckt, kreidebleich vor Angst, konnte sie stundenlang nicht wieder einschlafen. Doch wusste sie nicht mehr, wovor sie eigentlich Angst hatte. Wenn etwas so traumatisch erlebt wird, bleibt für ein Kind in Not nur die Zuflucht, das Geschehene zu verbannen, wegzuschließen in massive Schränke in der hintersten Ecke des Seins.

Als er da in seinem eigenen Blut besoffen vor ihr auf dem Teppich lag und ihre Mutter aus dem Schlafzimmer gerannt kam, vom lauten Geräusch des Schlags erwacht, und zu schreien und zu schimpfen begann, mischte sich in Samaras Angst die Sorge, es könnte ihm etwas zugestoßen sein. Einmal hatte ihre Mutter ihn sogar ins Krankenhaus fahren müssen; eine zehn Zentimeter dicke Narbe erinnerte daran.

Als sie ihrer Mutter nur etwas angedeutet hatte, nicht einmal davon erzählte, ahnte ihre Mutter etwas.

Dieser erste Augenblick! Ihre Augen zwischen Angst und Entsetzen, dieser Gesichtsausdruck danach, nachdem es in ihrem Kopf gearbeitet hatte. Zorn, Ohnmacht und Not spiegelten sich gleichermaßen in ihrer Körperhaltung wider. Ihre Mutter fuchtelte mit den Armen herum, sichtlich bemüht, sich vor ihr nichts anmerken zu lassen, bremste abrupt ihre Bewegung und ging in eine sanftere Gestikulation über. Doch Samara war nicht dumm. Sie konnte ordnen, wenn auch nur unbewusst. Durch die Art, wie ihre Mutter auf diese Frage reagierte, obwohl sie ihr ja nur gesagt hatte, dass ihr Vater sie berührt habe, konnte Samara kombinieren, dass alles andere ebenso nicht in Ordnung sein konnte. Sie war verstört und entsetzt über die Reaktion ihrer Mutter. Es bestärkte das Gefühl, das sie immer gehabt hatte, es bestätigte es jäh und hart: dass alles aus seinem Mund eine Lüge war. Diese Erkenntnis schlug sie so hart, als wäre ihr eine Baggerschaufel über den Mund gefahren, sodass ihr Verdrängungsmechanismus wieder einsetzte und sie im gleichen Augenblick am liebsten ungeschehen gemacht hätte, dass sie gefragt hatte.

Doch ihre Mutter ließ nicht locker. Sie wollte nun mehr wissen, drängte Samara, ihr in allen Einzelheiten zu erzählen, was geschehen war. Samara spürte die Aufregung ihrer Mutter, auch wenn diese alles versuchte, sie zu verbergen, um ihr Kind nicht zu beunruhigen. Doch das machte alles noch schlimmer für Samara. Sie wich zurück und reagierte verstockt. Auch als sie es dann behutsamer versuchte, machte sie total dicht. Das Entsetzen in Mutters Augen war für Samara ein größerer Schock als alles andere. Zu begreifen, dass sie etwas erduldet hatte, was nicht auf Liebe gegründet war, schmerzte. Es schmerzte so sehr! Brannte ein Loch in ihr Herz, das sie selbst verschlang.

Um überhaupt weiterleben zu können, musste Samara es abdichten, zudecken, tief verstecken, vergraben, verbergen, wegschließen. Es unsichtbar machen. Samara fragte sich, nachdem sie nun alles entschlüsselt hatte, warum sie nicht früher zu ihrer Mutter gegangen war. Als Kind von viereinhalb konnte sie das Geschehene nicht einordnen. Andere Mädchen saßen bei ihren Vätern auf dem Schoß und schmusten mit ihnen, wie sie es getan hatte. Sie wusste nicht, was Sexualität bedeutete, konnte nicht ermessen, als ihr Vater seine Verantwortung missbrauchte, was das für ein Ausmaß haben würde. Sie liebte beide Eltern und sie wollte nicht schuldig sein daran, dass es danach die größte Auseinandersetzung zwischen ihnen gab, die diese Ehe je erlebte. Obwohl Samara fest beteuerte, dass nichts geschehen war, außer dass ihr Vater sie zwischen den Beinen gestreichelt hatte, tobte ihre Mutter. Sie war außer sich vor Schmerz, Zorn, Enttäuschung und Verletzung über sein Verhalten gegenüber ihrer Tochter. Sie beschimpfte ihren Mann auf übelste Weise. Dadurch fing Samara an zu hinterfragen, ob ihr Vater sie vielleicht doch nicht so geliebt hatte, wie sie das immer glauben wollte. Tiefe Enttäuschung machte sich in ihr breit und wirkte wie ein Schlafmittel. Sie saß am Tage apathisch in der Ecke und nachts lag sie wach. Sie war wie zu, schloss alles weg in meterhohe Panzerschränke, bis sie selber nicht mehr wusste, dass sie das alles erlebt hatte. Doch mit diesem Wegschließen schloss sie auch die Wärme, die Liebe zu ihm weg. Ihr Mund blieb stumm und ihre Arme umarmten ihn nicht mehr. Kein fröhliches Lachen ertönte mehr, wenn er den Raum betrat. Sie verschanzte sich hinter Kissen in der Nacht und er wagte es nicht mehr, zu ihr zu kommen.

Ihr Vater versuchte zu retten, was noch zu retten war. Er redete sich heraus, er wüsste nichts von dem, wovon sie erzählte, er hätte getrunken, und bat sie in hündischer Reue, nichts zu erzählen. Es war wie ein Flehen. Seine Macht war auf einmal wie weggefegt, er kam ihr vor wie ein Wurm. Sein ganzes Erscheinungsbild sprach von Scham. Sie empfand Verachtung und hatte doch gleichzeitig eine Ahnung, dass seine Schwäche sofort wieder in Stärke umschlagen könnte. Und sie schwieg, keiner hätte ihr geglaubt. Und wenn doch? Er hätte alles abgestritten, das wusste sie. Zu tief war dieses frühe schmerzhafte Erlebnis in ihr, so sehr besetzt mit Todesangst. Die Hand auf ihrer Nase, ihr Mund, der schrie. Das war diese unausgesprochene Drohung: »Wehe, du sagst was!« Sie hatte einfach Angst, ihn zu verraten. Angst vor einem großen Unglück und davor, dass man ihr vielleicht keinen Glauben schenken würde. Wer weiß, was geschehen wäre, hätte sie damals die ganze Wahrheit gesagt. Womöglich hätten sie sich getrennt oder ihre Mutter hätte ihn umgebracht, oder er sie alle. Es wäre alles möglich gewesen.

Samara fühlte sich schuldig! Dafür, dass sie in der Lage gewesen war, ihren Vater zu so etwas zu bringen. Dafür, dass das so lange zwischen ihnen gegangen und weil es verboten war. Obwohl sie doch immer ein braves und gehorsames Mädchen sein wollte, war es ihr in Wirklichkeit nicht möglich gewesen, alles recht zu machen. Sie war die Böse! Samara fühlte sich schmutzig.

Hätte sie nicht mitgemacht, wäre es nie so weit gekommen. Sie fühlte sich schuldig, überhaupt etwas darüber gesagt zu haben, denn hätte sie geschwiegen, hätte es dieses Spießrutenlaufen nicht gegeben. Diese peinliche Ausfragerei. Diese bösen, wüsten Worte. Immer wieder hörte sie ihre Mutter. Tagelang stritten sie. »Du Schwein, du Drecksau! Was hast du mit ihr gemacht? Ich bringe dich ins Gefängnis!« Samara konnte es nicht verstehen. Ihre Mutter wollte ihn hinter Schloss und Riegel bringen dafür, dass er seine Tochter berührt habe. Samara hielt sich die Ohren zu und schrie, schrie die Wände in ihrem Zimmer an, sie sollten doch endlich aufhören! Sie konnte diese Streiterei einfach nicht mehr ertragen. Immerzu mussten sie sich streiten und nun war sie der Grund.

Eigentlich hatte sie nichts von alledem gedacht, denn sie konnte nicht mehr denken. Alles schmerzte, so sehr, dass sie nichts mehr wollte, nicht einmal das Existieren an sich. Sie wollte nur raus. Alles vergessen, als wäre niemals irgendetwas überhaupt geschehen. Sie fegte es in ihren Gedanken weg und verdrängte es so sehr, dass sie nicht einmal mehr verstehen konnte, weshalb ihre Mutter ihren Vater beschimpfte. Denn dieser schien von nichts zu wissen und so entstand in ihr ebenfalls das Gefühl, es habe alles gar nicht stattgefunden. Immer wieder hörte sie in diesen Tagen Türen knallen. »Du mieses Stück, an deiner eigenen Tochter!« Samara hatte sich mit aller Gewalt die Ohren zugehalten, als wollte sie sich dabei den Kopf herausreißen. Sie schämte sich so sehr und sie ekelte sich vor sich selbst. Vor ihrem Vater und vor ihrer Mutter, die versuchte, die Wahrheit ans Tageslicht zu bringen, die niemand hören wollte. Sie nicht und ihr Vater erst recht nicht. In dieser Zeit wollte Samara das erste Mal in ihrem Leben ganz bewusst sterben. Sie wollte einfach heraus aus ihrem Körper. Ihn zurücklassen, nichts mehr wissen, nichts mehr hören, alles ungeschehen machen. Sie heulte in ihr Kissen, doch es half nichts. Sie betete inbrünstig zu Gott, dass er sie doch holen sollte, doch er holte sie nicht und so begann sie sich auch von ihm abzuwenden. Man hatte ihr doch versprochen, dass. wenn man inbrünstig darum betete, der liebe Gott einen erlöste. Sie konnte nicht begreifen, dass er sie nicht holte.

Dann bekam sie hohes Fieber. Sie erinnerte sich, dass ihre Eltern besorgt an ihrem Bett standen und ihre Mutter vorsichtig fragte, ob es *deshalb* sei, dass sie jetzt so krank wäre. Samara fühlte ihre Not, spürte, wie sehr ihre Mutter sich um sie sorgte und wie ihr Herz brannte, hatte sie Samara doch immer vor allem beschützen wollen! Samara konnte sie nichts mehr sehen und hören. Sie schrie: »Lasst mich doch endlich in Ruhe!« Dann gingen sie hilflos davon und sie weinte noch mehr.

Irgendwann war es ruhig geworden. Doch immer wieder, noch Jahre danach, wenn sich ihre Eltern stritten, warf ihre Mutter ihrem Vater vor, dass er Samara berührt habe. Dann wurde ihr Vater leise. Konnte er auch zuvor noch so geschrien haben, damit bekam ihn ihre Mutter immer klein, und sie gingen dann zu ihrem Alltag über.

Ab diesem Morgen hatte er Samara in Ruhe gelassen. Vielleicht auch nur deshalb, weil seit diesem Vorfall ihre Mutter sie nicht mehr aus den Augen gelassen hatte.

Eigenartig, an diese Geschichte, dass sie morgens zu ihrer Mutter gegangen war, um ihr zu beichten, dass er sie berührt hatte, konnte sie sich in all den Jahren erinnern. Auch an das Fieber, das sie bekam, und dass sich ihre Eltern fürchterlich gestritten hatten. Aber den Grund, warum es zu diesem Zerwürfnis gekommen war, hatte sie vollständig verdrängt. Bis sie nun über dreißig Jahre danach sich wieder an das meiste erinnern konnte. Nun begriff sie auch ihren Hass, die ungeheure Wut und Verachtung, die sie oft in ihrer Teenagerzeit auf ihren Vater gehabt hatte. Ihre Mordgedanken, wenn er sie wieder einmal grundlos strafte, einfach weil es ihm Spaß machte und er sich so an ihr rächen konnte, dass sie ihn nicht mehr berührte, entschlüsselte sie nun Stück für Stück.

Dass die Gewalt an ihrem Körper und an ihrer Seele so lange

möglich gewesen war, schockierte selbst ihre Ärztin. Samara war in diesen Nächten des Grabens noch einmal hart an den Boden ihres eigenen Daseins gestoßen, wäre fast ein zweites Mal daran zerbrochen, so sehr hatte das erneute Durchleben sie mitgenommen. Ihr Körper reagierte mit Unterleibsschmerzen, sie erfuhr alles noch einmal, als wäre es gestern gewesen. Immer wieder musste sie sich tagsüber zur Ruhe zwingen, zum Standhaftbleiben und zum Aushalten ihrer eigenen Anspannung. Am liebsten hätte sie den ganzen Tag im Bett gelegen und geheult. Doch das musste sie sich ihren Kindern zuliebe für den Abend aufheben. Wenn sie dann endlich in ihren Betten lagen, konnte ihre Anspannung weichen und sie durfte sich einlassen auf ihren Schmerz, ihre Enttäuschung und ihre Wut.

Nachdem sich Samara wieder gefangen hatte, war sie gemeinsam mit ihrer Ärztin an die Aufarbeitung ihrer Traumata gegangen. Um sich befreien zu können, wollte sie begreifen, was ihn zu solch einer krankhaften Handlung getrieben hatte, und sie waren dabei in seine Kindheit eingestiegen.

Er war der Älteste von drei Söhnen und als der Krieg anfing, trennte dieser seine Eltern. Er rückte an die Stelle seines Vaters, und wenn sie so ihre Oma beschrieb, konnte man sich vorstellen, dass eventuell auch in dieser Beziehung schon etwas nicht gestimmt hatte. Leider war ihre Oma relativ früh gestorben, doch das, was Samara von ihr zu erzählen wusste, war eher eigenartig. Sie verließ nie das Haus, war dick, schlampig und überaus träge, um nicht zu sagen depressiv. Sie schimpfte andauernd über andere Leute, obwohl sie sich fromm gab. Sie steckte Samara immer eine Tafel Schokolade zu, ermahnte sie aber, ihren Brüdern nichts zu sagen. Vielleicht hatte sie in dieser schwierigen Zeit des Krieges in ihrem Vater den fehlenden Mann gesucht. Da sie immer sehr in ihren Sohn hineinschaute und ihn den anderen Söhnen vorzog, konnte sich Samara das vorstellen. Als ihr Mann aus der Gefangenschaft in Russland wieder nach Hause kam, forderte er seinen Platz. Er prügelte die Kinder und es muss ein großes Zerwürfnis stattgefunden haben, welches ihren Vater veranlasst hatte, mit vierzehn abzuhauen. Auffällig war noch, dass alle drei Brüder zu Alkoholikern wurden und ebenso Ambitionen hatten, ihre Töchter zu missbrauchen. Da waren diese Schuldgefühle, die sie nicht verstand, dass sie sich verantwortlich machte für das, was in seine Verantwortung fiel. Sie heulte viel in diesen Wochen, doch mit jeder Träne konnte sie sich ein Stückchen mehr von der Vergangenheit lösen. Und sie durfte begreifen, dass sie einfach ein unschuldiges Mädchen gewesen war, das vertraute, das einfach liebte und seinen Eltern glaubte.

»Es ist doch verrückt, da passiert etwas Ungeheuerliches in einem Leben. Da vergreift sich der Vater an seinem eigenen Kind und es fühlt sich auch noch schuldig dafür. Es ist doch grotesk, wie Dinge verschoben werden«, sagte sie zu Frau Dr. Hailer, die ihr noch einige solcher Geschichten erzählen konnte. Tagtäglich würden diese Dramen vorkommen und in mehr Familien verbreitet sein, als man glaubte.

Eine Flut der Wut, der Ohnmacht und des unbändigen Zorns folgte darauf. Wochenlang schrie sie ihren Vater in Gedanken an. Hieß ihn alles Mögliche, stauchte ihn zusammen, trat ihn in ihrer Fantasie, bis er am Boden lag und nur noch wimmerte. Dann begannen die Bilder, in dem er auftauchte, sich zu verändern. Sie saß in der ersten Reihe und blickte auf die Bühne, auf der dieses Theaterstück inszeniert wurde. Die eine Hälfte ihres Ichs zwang ihren Vater in die Knie, stauchte ihn zusammen, kratzte, bezwang ihn, bis er wie ein Häufchen Elend heulte. Er sich vor ihr demütigte, wie sie gedemütigt worden war. Er sie anflehte und sie zuerst kein Erbarmen hatte. Und auf einmal betrachtete sie diesen armseligen Wurm vor ihren Füßen und empfand Mitleid mit ihm. Sie fühlte seine Not, als wollte er zu ihr sagen:»Verzeih mir, verzeih mir, Samara, ich wollte das alles nicht, ich habe dich auch geliebt auf meine Weise, so wie es mir eben möglich gewesen ist in meinem kranken Geist.« So empfand sie auf einmal Schmerz und Liebe zu gleichen Teilen. Sie beugte sich zu ihm herunter und hielt ihn wie eine Mutter in ihren Armen und weinte mit ihm. Sie, die Zuschauerin ihrer selbst entworfenen Bühneninszenierung, hatte sich erhoben und war das Podest emporgestiegen und war mit der Hauptdarstellerin verschmolzen. Hatte ihren Vater unter Tränen geküsst, der immer noch so dagelegen hatte, verwundet, geschändet, gefoltert von ihrer eigenen Macht, und ihm gesagt, dass sie ihn trotz alledem geliebt habe. »Ja, ich bezeuge, trotz alledem habe ich dich geliebt, Papa. So zwiespältig auch meine Liebe gewesen sein mag, ich hab's getan. Ich hab dich inniglich geliebt. Ich bestand nur aus dieser Liebe zu dir. Aus meiner Hingabe und meinem Wehren. Doch ich habe dir verziehen! Meine kleinen Arme, die dich nicht mehr festhielten, mein Mund, der nicht mehr den deinen küsste. Mich nicht mehr in deinen Armen halten zu dürfen war an dir eine viel größere Strafe als alles andere in deinem Leben!«

Während sie das in ihr Buch schrieb, flossen erneut ihre Tränen. Sie schrieb, als würde sie es zu ihm sagen: *Ich weine, Papa, darüber, dass wir das nicht zu deinen Lebzeiten haben klären können. Ich wäre so gerne auf dich losgegangen und hätte dich beschuldigt. Ich hätte dich so gerne getreten und dich angespuckt. Ich hätte dich von der Bühne heruntergezogen und so geschlagen! Und die Not darüber empfunden, dass du am Anfang alles vehement geleugnet hättest. Meine Fäuste wären auf dich niedergeprasselt und die Ereignisse, die ich berichtet hätte, die nur du und ich kennen, hätten dich in die Knie gezwungen. Ich hätte nicht aufgegeben, bis du irgendwann in dich zusammengesackt wärst. Dein eigenes Leid, das dir in deinem Leben widerfahren ist, kann ich dir nachempfinden, doch ist deine Tat nicht entschuldbar! Es ist mit nichts auf der Welt wiedergutzumachen an mir und es hat mich geprägt. Es ist deine Schuld! Es schmerzt noch, vielleicht noch lange, dass ich da etwas verwechselt habe. Liebe mit Trieb. Dies ist das, was am meisten weh tut: dass ich mich in dir getäuscht habe.*

Samara weinte erneut, weil sie sich so sehr wünschte, dass er sie so geliebt hätte, wie sie es sich damals gewünscht hatte. Als Ganzes, ohne Sexualität. So wie sie sich Vaterliebe vorstellte. Doch brauchte sie seine Liebe denn wirklich noch? Gab es da nicht etwas, das höher, glückseliger als alle irdische Liebe in ihr war? Oder suchte sie ihn noch immer? Sie ging ihren Weg, die lange Straße entlang, auf dem Weg zu sich selbst, in der Rückverbindung zu dem, was sie immer geliebt hatte, was immer da war und immer sein würde. Licht! Liebe Gottes!

*

Samara beendet ihre letzten Zeilen und klappt ihr Manuskript zu. Sie schaut sich um, fast beschämt bei dem Gedanken, dass sie vielleicht jemand von den Wartenden beobachtet hat. Doch niemand sieht zu ihr hin. Erleichtert lehnt sie sich zurück und wischt sich eine Träne von der Wange. Sie blickt in die Augen eines älteren Herrn neben ihr und lächelt etwas beschämt, als hätte er sie in einem tiefen Gefühl ertappt. Er lächelt zurück und seine Augen bleiben an ihr haften. Samara erhebt sich, nimmt ihr Handgepäck und sucht die Toilette auf. Toiletten sind etwas Positives. Früher stellten sie den einzigen Rückzugsort für Samara dar, wo sie einige Minuten ungestört mit sich verweilen durfte. Sie sitzt auf dem Klo und denkt wieder an diese Geschichte, die die ihre ist.

*

Seit sie die Eisentore ihrer Erinnerung geöffnet hatte, die Tore ihrer Geheimnisse, waren diese herausgepurzelt, als hätten sie sich alle eine Ewigkeit in einem viel zu engen Raum zusammengedrängt und begäben sich nun ganz erleichtert hinaus in die Freiheit, um sichtbar zu werden und sich dann endlich auflösen zu können. Schon kurze Zeit nach dem Entschlüsseln ihres Familiendramas hatte Samara gespürt, dass da noch mehr Wichtiges zu ihrer Befreiung unter der Oberfläche schlummerte. Da sie aus ihrer Therapieerfahrung wusste, wie lange so eine Erkenntnis nachschwelen konnte, entschloss sie sich, das, was noch in den Tiefen war, ruhen zu lassen. Sie entschied, nicht bewusst danach zu graben, um sich selbst die Zeit zu geben, die sie brauchte, um ihre innere Stabilität nicht zu gefährden. Sie würde einfach abwarten, bis es ganz von selbst an die Oberfläche dringen wollte. Doch da ihre Erinnerungen mit ihrem Buch wieder so stark wachgerufen worden waren, hatte sich ihr Unterbewusstsein wohl entschieden, nun vollständig aufzuräumen.

Nachdem einige Monate vergangen waren und Samara nur noch selten intensiv an das Erlebte mit ihrem Vater dachte, schoben sich die Erinnerungen an die Zeit vor dem Freitod ihres Bruders immer heftiger in ihre Gedankenwelt. Damals konnte sie das, was mit Jonathan passierte, in den Jahren, bevor er gesprungen war, nicht nachvollziehen. Seine Rastlosigkeit, die immer neuen Orte, neue Jobs, noch dazu seine ständig wechselnden Partnerinnen. Er fing vieles an und brachte nichts zu Ende. Er wirkte zunehmend aggressiv in seinem Wissensdurst, alles ergründen zu wollen, und bedrängte sie manchmal, die Welt mit seinen Augen zu betrachten.

Dann hatte er begonnen nach Indien zu reisen, kehrte zurück und war immer mehr ein anderer geworden als der, den sie zu kennen glaubte. Es hatte ihn förmlich in diese andere Welt gezogen, und als er zurückkam, hielt er es hier nicht lange aus und er musste wieder fort. Mehrmals verbrachte er Monate in diesem fremden Land und sie betrachtete das alles mit Argwohn. Samara hatte sich das Gefühl aufgedrängt, er laufe vor sich selbst davon und verliere sich umso mehr, je weiter er sich entfernte. Sie wusste nicht mehr, zu welchem Zeitpunkt seine Depressionen begannen. Samara sorgte sich um ihn, aber in dieser Zeit schlummerte ihre Vergangenheit noch so fest unter der Bettdecke, dass sie ihn einfach nicht begreifen konnte. Mit fünfundzwanzig meinte man das Leben zu kennen und so glaubte sie ihm helfen zu können. Manchmal beklagte er sich und trauerte um die alten Zeiten, wo sie noch unzertrennlich gewesen waren. Es erfüllte Samara ebenfalls mit Trauer, doch sie konnte es nicht ändern. Etwas an ihm belastete Sami immer wieder so sehr, dass sie fast erleichtert war, wenn er wieder abreiste. Sie konnte sich ihre eigenen Gedanken lange nicht erklären. Manchmal hatte sie das Gefühl, als wolle er sie aufsaugen, sich an ihr festkrallen, um sie nie wieder loslassen zu müssen. Ja, sie fühlte sich wie aufgefressen, wenn sie allzu lange in seiner Nähe verweilte. Doch ihr natürlicher Instinkt und die Distanz, die sie dann immer wieder unbewusst aufbaute, wenn er ihr zu nahe gekommen war, verhinderte das.

Dann begann eine wirkliche Odyssee, zwei Jahre vor seinem Tod. Jonathan ging wieder nach Indien und kehrte nicht zurück wie vereinbart. Ihre Familie machte sich große Sorgen und sie setzten alle Hebel in Bewegung, Jonathan zu finden. Eines Tages erzählte eine Freundin von Jona, dass er schon längst wieder nach Deutschland zurückgekehrt sei. Und so suchten sie ihn hier überall. Einige Wochen vergingen. Ihre Mutter, nervlich schon längst am Ende, hatte keine Kraft mehr. Eines Tages läutete das Telefon. Ein Krankenhaus im fernen Norden rief an und fragte, ob sie seine Schwester sei. Überglücklich, endlich ein Lebenszeichen von ihm zu erhalten, erkundigte sich Samara nach ihm. Der Arzt berichtete, dass ihr Bruder nun schon elf Tage bei ihnen auf der Station liege und bis heute nicht geredet habe. Nun würde er nach ihr verlangen und habe endlich seinen Namen genannt. Gefunden hatten sie ihn auf der Lade eines LKW, halb erfroren musste er schon tagelang umhergeirrt sein. Völlig ausgehungert und auf achtunddreißig Kilo abgemagert hatten sie ihn im Krankenhaus körperlich wieder aufgebaut. Doch sein psychischer Zustand sei fatal. Der Arzt bat Samara zu kommen, warnte sie jedoch gleichzeitig: Sie solle sich auf einiges gefasst machen, ihr Bruder sei völlig verwirrt und nicht einzuschätzen.

Mit einem guten Freund namens Gunther, der Samara angeboten hatte, sie zu begleiten, war sie dorthin gefahren. Schon bevor sie sein Krankenzimmer betrat, erklärte ihr eine Schwester, wie schwierig es für sie mit diesem Patienten sei. Wie apathisch und dann wieder ganz aufgedreht und nervös er sei und dass er nicht gerade schmeichelhaft aussehe. Sie dachte: ›Er ist doch mein Bruder, ich kann alles ertragen.‹

Sie öffnete vorsichtig die Tür, darauf gefasst, dass sie etwas erwarten würde, auch mutig genug, einfach darüber hinweggehen zu können. Doch sein Anblick schockierte sie zutiefst. Er ließ sie taumeln, weil sie so etwas noch nie zuvor in ihrem Leben gesehen hatte, vielleicht ab und zu auf irgendwelchen Spendenbitten. Dass dieses Rippengestell ihr Bruder sein sollte, wollte sie zuerst nicht glauben. Dunkle, fast schwarze Augen, umrandet von dicken, dunkelblauen Schatten, starrten aus einem hohlwangigen Gesicht. Ausgemergelt, ohnmächtig, hilflos und so getreten sah er aus. Er schaute ihr verängstigt entgegen, als hätte man ihn gejagt und gefoltert. Seine Augen blickten sie so verloren an, dass ihr das Herz blutete.

›Oh mein Gott, Jonathan! Was ist nur geschehen? Wer hat deine Seele so geprügelt?‹, schrie es in ihr auf.

Als Jonathan Samara erblickte, streckte er ihr flehend seine Arme entgegen, die fast nur noch aus Knochen bestanden. Sie wollte schreien vor Verzweiflung über diesen Anblick, den man kaum noch menschlich nennen konnte. Ihr Bruder, den sie liebte! Sie nahm ihn in die Arme und ließ sich nichts anmerken. Er war so schwach, er konnte sich nicht einmal aufstellen. Tränen, die sie zu verbergen gesucht hatte, liefen ihr über die Wangen. Eine Ahnung hatte sich wie ein Pfeil in ihr Unterbewusstsein gespießt, als er sich mit erstaunlicher Kraft, die ihm die Verzweiflung zu geben schien, wie ein Klammeräffchen um ihren Hals hängte.

»Ich will heim, hol mich hier raus!«, flehte er sie an.

»Was ist passiert?«, fragte sie ihn besorgt und versuchte ihn zu beruhigen.

»Sie wollen mich alle umbringen, ich muss hier weg! Schau! Da, da ist schon wieder einer!« Samara hatte sich umgedreht und sah einen Pfleger den Korridor entlangschreiten. »Sie verfolgen mich, sie sind überall!«

»Wer verfolgt dich, wen meinst du, Jonathan?«

»Alle wollen mich umbringen, alle! Sie sind überall, hol mich hier weg, bitte!« Er hängte sich wieder an ihren Hals und Samara fragte nicht weiter. Gunther, der still in der Ecke stand, gab ihr ein Zeichen. Sie beruhigte Jonathan und gab ihm etwas von den Tropfen, die ihr die Schwester gegeben hatte, und versprach mit dem Arzt zu reden und morgen früh wiederzukommen. Sie war völlig überfordert. War das ihr Bruder, der immer die Ruhe weg gehabt hatte, wenn ihr Vater brüllte, der loyal und mitfühlend gewesen war und ihr aus der Patsche geholfen hatte? Welche schweren Wunden hatten seine Seele zerbrochen? Es war das erste Mal, dass Samara mit so etwas konfrontiert wurde. Heute hätte sie anders damit umgehen können, doch damals wusste sie so wenig von der Psyche des Menschen und den Abgründen, in die man fallen konnte. Damals wusste sie noch so wenig von ihren eigenen Ängsten und Depressionen, die sie tief in ihrem Inneren verborgen hielt.

Gunther redete mit dem Arzt. Dieser war ziemlich sauer auf Jona, da er der Meinung war, er habe Drogen genommen. Als Samara ihren Bruder darauf ansprach, wehrte er sich entschieden gegen diese Behauptung und bat Samara wieder, ihn unbedingt hier rauszuholen. Er hatte solche Angst und sie sprach noch einmal mit der ganzen Ärzteschaft.

Auf ihre eigene Verantwortung durfte sie ihn dann nach ein paar

Tagen mit nach Hause nehmen. Wie ein Häufchen Elend kauerte er unter der Decke auf dem Rücksitz ihres Pkw und hatte immer wieder schreckliche Panikattacken. Dann war er unendlich verzweifelt und sprach von Verfolgung und Angst. Seine Pupillen wirkten wie große schwarze Monde. Er sprach von Dämonen und Geistern, die ihn holen wollten, und fuchtelte dabei wie wild mit den Armen. Gunther beruhigte ihn immer wieder. Er streichelte ihm über die Wangen und Jona ließ es zu. Er sagte ihm, dass er in Sicherheit sei und dass sie ihn nach Hause zu seiner Mama bringen würden. Manchmal glaubte Samara nicht mehr weiterfahren zu können, weil die Anspannung auch in ihr unerträglich war. Sie hatte Angst vor ihrem Bruder. Immer wieder dachte sie: ›Jetzt fällt er mich gleich von hinten an.‹ Sie war unendlich froh, Gunther an ihrer Seite zu haben, er war eine so große Stütze für sie in dieser Zeit. Dass er schon lange in sie verliebt war, wusste sie damals nicht, doch er gab ihr Kraft und Ruhe, ohne etwas von ihr zu fordern, und die konnte sie wirklich brauchen.

Immer hatte Samara solche guten Menschen um sich herum, die da waren und sie stützten. Samara hatte schon früh erfahren dürfen, dass Freundschaft ein kostbares Gut war und Liebe von allen Seiten gegeben wurde, wenn man sie anzunehmen bereit war und sie selbst nach außen gab. So war auch diese Freundschaft mit Gunther eine innige. Sie konnte nicht an sich selber denken. Da war diese Not in Jonathan, die sie spürte, und die Verzweiflung in ihr, es nicht ändern zu können.

Als sie ihn bei ihrer Mutter abgeliefert hatte, war sie total erschöpft. Die ganze Fahrt vom Krankenhaus nach Hause hatte sie sich so sehr zusammengerissen, um sich ihre Angst nicht anmerken zu lassen, dass sie nun eine unendliche Müdigkeit verspürte, gleichzeitig jedoch total aufgedreht war. Das Einzige, was ihr jetzt helfen konnte, wieder auf die Beine zu kommen, war Tanzen. So zog sie los und gab sich der Musik hin. Sie musste einfach unter ganz normale Leute und spürte, wie sich ihre Speicher wieder füllten.

Wenn ihre Mutter Jona nicht liebevoll aufgepäppelt hätte, hätte Samara nicht gewusst, was sie tun sollte, denn sie wäre zu diesem Zeitpunkt nicht in der Lage gewesen, das zu leisten. Jonathan erholte sich zunehmend. Er verhielt sich wie ein Baby, nahm anfangs sogar wieder den Schnuller und die Mutter musste ihn anziehen, füttern, waschen und alles andere für ihn tun. Keinen Schritt traute er sich ohne sie aus dem Haus. Er duckte sich wie hinter dem Schutz eines Starken, seine eigene Kraft verleugnend, seines Selbsts enthoben, in Schmerz und Elend zurückgelassen. Er erniedrigte sich so sehr, dass Samara ihn fast nicht anschauen konnte. Samaras Herz blutete bei diesem Anblick und sie konnte ihn nur immer wieder in die Arme nehmen. Wie er dann weinte und schluchzte und sie einfach nur mit ihm weinen konnte und ihm Mut zusprach, dass er es schaffen würde! Ihre Mutter suchte Ärzte und Therapeuten auf und Jonathan wurde unter Tabletten und regelmäßige Betreuung gestellt.

Als er sich allmählich stabilisierte und selbstbewusster wurde, konnte die Tablettendosis reduziert werden. Mit den Wochen wuchs sein Lebenswille wieder. Jona wurde kräftiger und auch sein Geist erholte sich. Zunehmend bestimmte er wieder selbst und sie waren alle erleichtert. Die dauernde Anspannung, die Angst um ihn hatte die ganze Familie mürbe gemacht. Ihre Mutter litt unter starken Hustenattacken und Schlaflosigkeit. Doch nach vier Monaten war Jonathan wieder so weit hergestellt, dass er den Wunsch äußerte, in seine Wohnung im Allgäu zurückzukehren. Es war einen Versuch wert. Wenn sie auch skeptisch blieben, die Therapeutin befürwortete diesen Schritt. Es verging einige Zeit, und Jonathan bestätigte, dass es ihm gut gehe.

Doch dann erlitt Jona einen Rückschlag und musste wieder in eine Klinik, stabilisierte sich jedoch schon wieder nach wenigen Tagen. Samara versuchte ihn zu einer Therapie zu überreden, da sie gerade bei Frau Dr. Hailer eine begonnen hatte. Doch er wollte nicht. Jonathan besuchte Selbsterfahrungsgruppen und versuchte seine Probleme in Kursen zu lösen. Lag das Wochenende hinter ihm, rief er euphorisch aus: »Sami, es geht mir gut, wirklich gut!« Doch hinterher fiel er in ein umso tieferes Loch. Samara hatte damals nicht die Erfahrung, wie man mit einer starken Depression umgehen musste und dass es schwierig war, aus einer so lebensbedrohlichen Krankheit selbst herauszukommen. Doch jegliche Hilfe war ohnehin nutzlos, wenn der andere, vielleicht aus seiner Todessehnsucht heraus, gar keine Hilfe wollte oder sich sowieso verloren glaubte. Möglich, dass seine Bereitschaft zum Leben nicht stark genug war. War Selbstmord nicht ebenso eine freie Entscheidung und eine mutige allemal?, fragte sich Samara. Sie wollte ihn immer retten, doch niemand konnte eines anderen Leben tragen.

Trauer blieb, doch wenn sie daran dachte, wie das Fenster zur Glückseligkeit sich geöffnet hatte, als sie oben war im Licht, verlor die weltliche Tragik ihre Gewalt. Dann rückten neben die Trauer Freude und innige Verbundenheit mit allem Sein. Sie wusste, was hinter allem lag und dass auch er dort aufgefangen wurde. Sie war sich sicher, dass er die Kraft, die er hier nicht finden konnte, dort auftankte und in eine Liebe gebettet war, die er am Ende seines Lebens nicht mehr auf Erden finden konnte, vielleicht sogar niemals gefunden hatte. Wenn sie gewusst hätte, was sie heute wusste, hätte sie sich vielleicht nicht mehr so sehr mit Schuldgefühlen geplagt.

Samara erinnerte sich an Natascha, die eines Abends bei ihr angerufen hatte und ihnen mitteilte, dass die Polizei Jonathan mitgenommen habe. Erst vor Kurzem war er bei ihr eingezogen. Natascha, noch verheiratet, aber gerade getrennt von ihrem Ehemann, lebte mit Jona und ihren Kindern in einer neuen Wohnung. Doch es gab immer wieder Schwierigkeiten mit ihrem Ehemann. Nach dem letzten Streit, den Jona mitbekommen hatte zwischen ihr und ihrem Mann, geschah dann etwas Eigenartiges. Er aß nicht mehr, er trank nichts, sprach nicht mehr mit ihr, nicht einmal mit den Kindern, die ihn versuchten aufzuheitern. Er stierte nur noch apathisch in die Ecke. Sie habe schon einen Arzt holen wollen, erzählte Natascha. Doch dann sei ihr Mann zu Besuch gekommen. Er habe ihn nur begrüßt, wenn auch wahrscheinlich nicht besonders freundlich, doch Jonathan sprang plötzlich auf und rannte schreiend auf ihn zu. Wie ein wild gewordenes Tier schlug er auf einmal auf ihn ein, immer und immer wieder. Seine Fäuste seien auf seinen Rücken geprasselt und dann habe ihr Mann sich auch nicht mehr zurückhalten können und sie hätten miteinander gekämpft. Natascha erzählte, dass sie geschockt war und versuchte, sich zwischen die beiden zu drängen, doch es half nichts. Die Kinder heulten wie verrückt und die beiden schlugen immer wieder aufeinander ein. »Ich musste die Polizei rufen«, entschuldigte sich Natascha bei ihr und erzählte weiter, dass die Polizisten die beiden trennen, Jona aber nicht beruhigen konnten, und so wurde Verstärkung angefordert. In einer Zwangsjacke hatten sie ihn dann abgeführt und in die psychiatrische Klinik im Nachbarort gebracht. »Es ist so schrecklich«, weinte Natascha ins Telefon. Samara versuchte sie zu trösten und sagte ihr, dass sie das schon richtig gemacht habe und dass Jona schön öfters solche Ausraster hatte, jedoch noch nie jemanden angegriffen habe.

Simon und ihre Mutter fuhren sofort in die Klinik. Samara hatte am nächsten Tag eine wichtige Fotoserie für ein bekanntes Magazin und wollte diesen Termin nicht platzen lassen. Doch was die beiden berichteten, als sie wieder zu Hause waren, war schlimmer als alles zuvor. Ihre Mutter war völlig verzweifelt.

»Da sind lauter Verrückte, ja gefährliche Irre um ihn herum und er mittendrin, völlig verstört und hilflos«, jammerte sie.

»Was ist mit ihm, sag schon, Simon, wie geht es ihm?«, fragte Samara ihren Bruder. Doch der drehte sich um, senkte den Kopf und gab keine Antwort.

»Mutti, sag doch schon, was ist passiert? Was ist mit ihm?«, versuchte Samara etwas herauszukriegen. Beide schauten sie betreten an. Ihre Mutter fing an zu schluchzen.

Endlich drehte sich Simon wieder zu ihr um und sagte: »Er hat uns gebissen.«

»*Was* hat er?«, schrie sie fast.

»Er hat uns gebissen, Sami!«

»Wie ein wildes Tier hat er um sich geschlagen«, erzählte ihre Mutter. »Mein eigener Sohn! Wie ein Verrückter!«, heulte sie.

Samara war fassungslos. Sie konnte das nicht glauben. Immer wieder beschwor sie Simon, zu sagen, dass es nicht wahr sei. Doch er berichtete noch mehr. Zuerst habe Jonathan geheult wie ein kleines Kind, als er sie sah. Er habe gewinselt, fast unterwürfig, so wie damals. Andauernd habe er »Mutti!« gerufen, seine Arme nach ihr ausgestreckt und sich an sie geworfen. Seinen Kopf habe er in ihrem Schoß vergraben und geheult. Doch auf einmal sei seine Haltung jäh umgeschlagen. Seine Augen seien finster geworden und etwas Animalisches sei in seinen Ausdruck getreten. Er habe unverständliche Laute von sich geben und auf einmal geschrien: »Blut will ich sehen, Blut!« Dann habe er Mutter in die Hand gebissen, und als Simon dazwischengegangen sei, habe ihn Jonathan ebenfalls erwischt. Alle hätten auf einmal wild durcheinander geschrien und die Wärter seien angerannt gekommen, einer von ihnen mit einer weißen Zwangsjacke in der Hand, und hätten Jona gebändigt.

»Oh mein Gott, Mutti, Simon, was haben wir falsch gemacht? Warum hat er sich so verändert, was plagt ihn so sehr, dass er so außer sich gerät?« Doch keiner wusste eine Antwort. Wie mochte das für ihre Mutter sein, wenn es schon ihr fast das Herz zerriss? Das eigene Kind, das man geboren hatte, das man wickelte, hegte und pflegte, großzog und immer beschützen wollte: Was waren das für Qualen? Wer befreite einen davon?, hatte Samara damals gedacht und mit Gott gehadert: ›Warum lässt du so was zu, warum nur plagst du uns so? Was haben wir verbrochen, dass du uns so strafen musst? Was hat Jona getan, dass du ihm nicht hilfst aus seiner großen Not?‹ Ihr Zorn auf Gott war so groß, und im nächsten Augenblick konnte sie nur wieder niederknien und ihn anflehen: ›Bitte hilf! Befreie uns von dieser Pein! Gott, mach mich stark, das zu ertragen!‹

Und dann war es ihr manchmal, als würde sich in ihrer größten Not eine Hand auf ihren Kopf legen und sie trösten. Sie hatte unentwegt überlegt, ob sie zu Jona gehen solle, doch ihre Mutter und ihr Bruder hatten ihr entschieden abgeraten. Doch am nächsten Morgen hatte seine Freundin bei Samara angerufen und ihr gesagt, dass er sich so nach ihr sehne. Er weine so und rufe immer wieder ihren Namen. Also war Samara hingefahren. Mit einer großen Ladung Angst im Nacken und mit einer riesengroßen Sehnsucht nach ihm. Die zwei Stunden Autofahrt kamen ihr wie eine Ewigkeit vor. Immerzu sagte sie alle Gebete auf, die sie kannte.

Als sie ausstieg und vor der Klinik stand, atmete sie noch einmal tief durch. Sie fragte an der Rezeption nach der geschlossenen Abteilung, und eine freundliche Dame erklärte ihr den Weg. Endlos lang waren diese Korridore und sie musste noch zweimal fragen, bis sie schließlich vor dem Eingang stand. Sie zögerte einen Moment, machte das Kreuz vor ihrem Brustkorb.

Es dauerte eine ganze Weile, bis der Summer ertönte und sich die

Tür öffnete. Sie trat ein, und noch ehe sie sich umgedreht hatte, flog die große Stahltür ins Schloss. Samara erschrak, sie fühlte sich gefangen. Nicht mehr zurück zu können aus der Höhle des Löwen. Nicht wissend, was einen erwartete, und doch ahnend, dass es schrecklich sein würde. Leise betete sie. Um Kraft, um Hilfe und Schutz, darum, dass sie die Ruhe bewahren und nicht ausflippen würde. Doch als die Tür hinter ihr zufiel, fühlte sie einfach nur nackte Angst, die ihr wie große Käfer den Rücken hinaufkrabbelte. Stocksteif, auf leisen Sohlen, als könnte sie verhindern, dass sie irgendjemand hörte, schlich sie den langen weißen Gang entlang. Von ihm aus mündeten viele Türen in verschiedene Zimmer. Am Ende des Korridors stand ein Schild: ARZT. Dorthin musste sie es schaffen. Überall liefen merkwürdige Gestalten herum, manche gebückt, sich mühsam von einem Zimmer ins andere schleppend, als hätten sie eine schwere Last auf ihren Schultern. Andere wirkten aggressiv, brüllten und schlugen um sich, bis Wärter angerannt kamen und sie in den Schwitzkasten nahmen. Dann wurde das Geschrei nur noch lauter und bohrte sich wie Messerstiche in ihre Ohren. Samara war froh, dass ihr in diesem Augenblick ein Mann mit einem weißen Kittel den Gang entgegenkam. Auf einmal rannte ein Irrer auf sie zu und versuchte sie wie wild zu umarmen. Samara konnte ihn abwehren, doch schon wieder kam er angerannt und umklammerte ihren Hals. Er stieß dabei unverständliche Laute aus wie ein Affe im Urwald. Er hängte sich richtig an sie und zwang sie in die Knie. Er hatte eine solche Kraft, dass sie, überwältigt von diesem Angriff, nicht viel gegen ihn ausrichten konnte. Es waren bestimmt nur Bruchteile von Sekunden, bis die Wärter angerannt kamen, um sie zu befreien. Sie zerrten ihn weg und er schrie noch mehr. Auf einmal tat er ihr fast leid, aber sie war froh, dass er weg war.

Doch was würde als Nächstes folgen? Es reichte ihr jetzt schon, am liebsten hätte sie umgedreht. Die Schultern taten ihr weh und ihr Hals schmerzte. Sie brauchte ein paar Minuten, schließlich passierte es einem nicht jeden Tag, dass man so stürmisch umarmt wurde. Doch sie ging weiter. Auf einmal stand sie diesem Arzt gegenüber, der sie nun freundlich begrüßte und ihr den Weg in sein Büro wies. Sie beruhigte sich wieder und war froh, ihn an ihrer Seite zu haben.

Es seien wohl ihre schönen blonden Haare, die ihn inspiriert hätten, sie zu umarmen, entschuldigte er ihn. Samara lächelte versöhnlich und winkte ab:»Ich bin ja noch mal heil davongekommen.«

Ihre Blicke trafen sich und sie konnte eine gewisse Sympathie in den Augen des Arztes feststellen. Schweigend gingen sie nebeneinander her. Samara war nie zuvor in einer geschlossenen Anstalt gewesen. Überall gab es Panzerglas und Stahltüren und aus allen Zimmern drang unterschiedliche Musik. Sie betraten einen Raum und der Arzt bat sie zu warten, um noch einen Kollegen dazuzuholen. Er versicherte ihr, dass zu diesem Raum von außen kein Zugang möglich sei, und forderte sie auf, sich zu entspannen. Unheimlich war es ihr trotzdem und sie überlegte, ob es die richtige Entscheidung gewesen war, herzukommen.

Nach einer Weile betraten der Arzt und ein etwas älterer Kollege das Zimmer. Sie setzten sich ihr gegenüber und der Jüngere stellte die Fragen, während der andere still beobachtete. Wie sie ihren Bruder beschreiben würde und welche Beziehung sie zueinander hätten, wollten die Herren von ihr wissen. Er habe eine ungewöhnlich enge Bindung an sie und rufe immerzu nach ihr und stammele eigenartige Dinge. Sie wollten von ihr wissen, wie sie ihre Beziehung empfinde, und Samara berichtete in kurzen Episoden aus ihrer Kindheit. Davon, dass es tatsächlich eine Zeit gegeben hatte, in der sie sich sehr nah waren. Dass sie alles zusammen gemacht hätten und er sie sogar ins Bett getragen hatte, wenn sie müde war. Auch heute würde sie ihr Verhältnis als sehr eng beschreiben. Sie liebe ihren Bruder sehr und wisse, dass dies von seiner Seite aus genauso sei. Sie sei seine engste Vertraute und er habe keine Geheimnisse vor ihr.

Die beiden Ärzte schauten sich an, als hätte sie ein entscheidendes Codewort geliefert. Sie hatte keine Ahnung, was der Blick, den sie austauschten, zu bedeuten hatte, entschied sich aber, nicht weiter darüber nachzudenken, weil sie viel zu angespannt und unruhig war. Man werde ihn jetzt holen, ob sie bereit sei, ihm gegenüberzutreten, fragten die beiden. Sie solle sich auf ein etwas unschönes Äußeres ihres Bruders einstellen, er sei heute morgen gegen die Panzerscheibe gelaufen, weil er sich aus dem Fenster stürzen wollte, und die Scheibe habe ihn übel zugerichtet.

Samaras Augen weiteten sich. Sie sagten das so emotionslos, als wäre er gerade mal Brötchen holen gegangen. Als würde das stündlich passieren, dass sich einer das Leben nehmen wollte. Er war ihr Bruder, das vergaßen diese Herren, und sie empfand sie als reichlich unsensibel. Am liebsten hätte sie mit ihnen darüber gestritten. Doch es blieb keine Zeit. Sie sah, wie Jona auf sie zugelaufen kam, und hätte schreien können, weil er so entstellt aussah. Hinkend schleppte er sich zu ihr, einen Fuß zog er nach. Die eine Körperhälfte lahmte. Er sah so erbärmlich aus! Ein Würstchen, armselig, vom Selbstmitleid zerfressen. Nichts mehr an ihm war würdevoll, nichts, das ihren Bruder von früher hätte erkennen lassen. So, wie sie ihn damals im Krankenhaus vorgefunden hatte, zwei Jahre zuvor, nur noch viel schlimmer sah er aus. Ein Selbstmord, eine Verstümmelung auf Raten, als wollte er an seinem Körper demonstrieren, wie groß seine innere Not war. Sein Gefühl des Versagens stand ihm so deutlich in den Augen, dass Samara es fast nicht aushalten konnte, ihn anzuschauen. Wut, Zorn und Verzweiflung auf ihn, auf sich selbst, auf die ganze Welt krochen in ihr hoch. Der, den sie am meisten liebte, trieb sich in den Tod und sie musste hilflos zuschauen.

›Das darf doch nicht wahr sein! Jonathan!‹, schrie sie in sich hinein. ›Warum zerstörst du dich so? Warum kannst du nicht leben? Warum willst du unbedingt sterben? Wieso willst du mich alleinlassen! Warum nur tust du dir das an! Warum nur tust du mir das an? Warum lebe ich und du stirbst vor meinen Augen?‹ Doch sie wahrte die Beherrschung, so wie sie es zuvor dem Doktor versprochen hatte.

»Samara, ich bin so froh, dass du gekommen bist. Ich bin so froh, dass du gekommen bist«, wiederholte Jonathan. So klar so ruhig, so erschöpft, als hätte er nur auf sie gewartet, war seine Stimme.

Erstaunt sah sie ihm in die Augen. Sie waren tief, und eine große Trauer lag in ihnen, auch Müdigkeit, doch sie waren klar. Samara war froh und erleichtert. Zum einen, dass er nicht auf sie losging und er nicht winselte, sondern normal mit ihr sprechen konnte. Das nahm ihr einiges an Druck. Zum anderen war sie erleichtert, dass er nicht zu bemerken schien, wie schockiert sie war.

»Natürlich bin ich gekommen, das hättest du doch wissen müssen«, entgegnete sie. Seine Lippe war geschwollen, und unter seinem linken Auge war eine große, blutverkrustete Wunde, das andere war zugeschwollen und bläulich umrandet von starken Blutergüssen. Vom Aufprall gezeichnet, war seine linke Kopfseite an der Stirn eingedellt und auf der anderen quoll sie blutrot hervor. Er schlurfte gebückt heran und musste sein linkes Bein mit der Hand nachziehen, richtete sich jedoch ein wenig auf, als er neben ihr stand.

Samara lächelte ihm zu, weil sie spürte, wie sehr er sie brauchte. Er schlang seinen Arm um ihre Schulter und lehnte sich auf sie, sodass sie unter seiner Last fast zu Boden ging. Obwohl er noch viel zu schwer für sie war, merkte sie, dass er abermals an Kraft eingebüßt hatte.

Jonathan scherzte über seine Wunden am Kopf und erklärte ihr, dass er aus dem Fenster springen wollte. Doch zu seinem Bedauern sei er abgeprallt, denn dass die Scheiben aus Panzerglas seien, habe er nicht einkalkuliert. Dabei lächelte er sie liebevoll an, als wollte er sich dafür entschuldigen, dass es nicht geklappt hatte.

»Warum willst du dir denn das Leben nehmen, Jona? Ich brauche dich, wir alle brauchen dich doch! Was glaubst du denn, wie das für mich ist, wenn du nicht mehr da bist?« Sie konnte ihre Tränen nicht mehr unterdrücken.

Er hob die Schultern, als hätte er auch keinen Rat.

»Es ist halt so schwer, Sami! Ich fühle mich so alleine. Manchmal denke ich, ich schaffe es. Aber dann spüre ich wieder einen so starken Druck in mir, dass ich mich selbst nicht aushalten kann. Ich würde dann am liebsten aus mir raus. Einfach weg sein«, erklärte er, während sie den Gang entlang gingen. Seine Augen waren so traurig, so leer, und er wirkte unendlich einsam. Jonathan führte sie in sein Zimmer. Samara gab dem Betreuer hinter sich ein Zeichen, dass er sie um Gottes willen doch jetzt nicht alleine lassen solle. Die Erzählungen ihrer Mutter sah sie bildhaft vor Augen, und doch wirkte Jona so friedlich in ihrer Gegenwart, so entspannt und gelöst. Er wirkte, weich, hilflos und doch so unberechenbar in seinem leidenden Zustand.

Jonathan wies auf sein Bett. »Stell dir vor, hier muss ich schlafen. Mein Nachbar macht die ganze Zeit ins Bett und schreit die halbe Nacht. Ich habe solche Angst vor diesen Leuten hier, Samara.« Völlig normal und ruhig sagte er das und sie konnte es ihm nachfühlen bei diesen Gestalten, die hier herumschwirrten. Er unterschied sich von ihnen deutlich, er war nicht irr, er demütigte sich, er war psychisch völlig ausgelaugt, aber klar im Kopf. Im Radio wurde das Lied gespielt: »*Close your eyes, give me your hand, darling. Do you feel my heart beating, do you understand, do you feel the same, in my only dreaming*« von den *Bengels*. Sie fielen sich im Stehen in die Arme und heulten los und konnten sich gar nicht mehr beruhigen. Wie Ertrinkende klammerten sie sich aneinander, wissend, dass es ein Abschied für immer war. Sie heulten ihre ganze Not heraus, als würde es helfen, zu überstehen, was da kam.

*

›Mein Gott wie kann die Erinnerung immer wieder so weh tun?‹

Samara nimmt ihren Füller und schreibt in ihr Manuskript: *Ich halte meine Arme in Gedanken gen Himmel, Jona, und beteuere dir: Ich liebe dich, ich liebe dich, ich werde dich mein ganzes Leben lang lieben! Es tut so weh, immer und immer wieder tut es ab und zu so unendlich weh. Wir haben uns die Seele aus dem Leib geheult, so sehr hat es uns geschmerzt, dass wir ihn nicht ändern konnten, diesen Umstand, unter dem wir uns erneut trafen. Du hast dich so an mir festgekrallt, als könnte ich die Welt für dich zum Stillstand bringen. Wie zwei verlorene Kinder sind wir dagestanden und haben unseren Schmerz hinausgeschrien. Mein Gott, ich möchte so etwas nie wieder erleben, und doch, ich war so stark, ich hätte dir so gerne etwas von meiner Kraft gegeben. Mein Herz schreit, es blutet erneut, weil ich damals schon spürte in diesem Augenblick voller Liebe, voller Schmerz und Zuneigung, dass ich dich nicht retten konnte!*

Sie senkt den Kopf. ›Gott sei Dank habe ich dich nicht retten müssen, du *bist* gerettet.‹

Sie erinnert sich, wie sie in ihrer Umarmung immer abwechselnd mitgesungen hatten, um das Schluchzen des anderen zu übertönen. Als wollten sie sich damit gegenseitig Kraft und Mut zusingen, um zu überstehen, was unabänderlich geschehen würde. Wie damals, als sie noch so eng beisammen waren, hat sie diese Umarmung empfunden. Wie ein miteinander Verschmelzen, um sich nie mehr zu trennen. Und wie sie es doch nicht aushalten konnten und weg mussten, weil diese Energie so unerträglich stark war. Sie hätte ihn so gerne gerettet. Sie wusste in seinen Armen, dass es kein nächstes Mal geben könnte. Dass sie ihn vielleicht nie wieder lebend sehen würde, und sie hielt ihn in den Armen, als wäre er ihr Junge. Als wäre er ihr Geliebter. Als wäre er ihr Vater und Mutter zu gleichen Teilen. Wie grausam und unbarmherzig das Leben sein kann, hat sie in diesen Augenblicken der Hilflosigkeit wieder so stark empfunden.

Jonathan musste noch einige Tage in der Psychiatrie bleiben, bis sie ihn auf starkes Drängen und mit der Zusicherung, ihn nicht alleine zu lassen, abholen durften. Schwach war er. Verloren in dieser kalten Welt, ein Kind ohne Schutzhülle.

›Warum bist du gestorben und ich lebe?‹, fragt sie sich in neu aufwallendem Schmerz.

»Es ist alles in Ordnung«, vernimmt sie eine Stimme. Eine Stimme, die sie so gut kennt und die sie jetzt gerade so gut gebrauchen kann. Jetzt, wo sie wieder so aufgelöst ist, kommt er in ihr Herz.

»Ich weiß, ich weiß es ja. Aber es tut jetzt wieder so weh, so weh!«, sagt Samara zu Umaniel. »Das ganze Leid dieser Erde. Diese vielen Menschen in Not, diese vielen Grausamkeiten, die diese Welt in sich birgt, sind manchmal schwer zu ertragen«, sagt sie zu ihm in ihren Gedanken.

»Doch du weißt, worum es geht, nicht wahr? Trotz alledem um das Ziel, das Leben nicht aus den Augen zu verlieren. Hindurchzugehen durch alle Seinszustände und zu begreifen, dass ihr selbst es seid, was euch zerstören will, weil eure Widerstände stärker sind als euer Vertrauen!«, erklärt Umaniel.

Sie schaut sich um und schon ist er wieder verschwunden. So wie er manchmal gekommen ist, so unverhofft verschwindet er wieder aus ihrem Geist, wenn er gesagt hat, was zu sagen war.

*

Jonathan hatte sich wie durch ein Wunder wieder zügig erholt. Es verging einige Zeit, doch waren die Schwere und die Sorge um ihn geblieben. Er besuchte sie noch einmal. Richtig gut würde es ihm gehen, hatte er ihr noch gesagt. Eine tolle Stelle habe er gefunden und er würde als Masseur gut ankommen. Sie wusste ja um seine Fähigkeiten. Um seine wunderbaren Hände, die sie so vieles in dieser Kunst gelehrt hatten. Um seine Einfühlsamkeit und Spiritualität, um seine heilenden Kräfte für seine Patienten. So vielen hatte er schon geholfen, bevor es begonnen hatte. Doch wo war seine Kraft für sich selbst?

Ihre Mutter hatte angerufen, sie solle schnell kommen, sie wollte nicht reden am Telefon.

»Ist etwas mit Jonathan?«, war Samaras erste Frage und sie wusste es schon.

»Komm bitte schnell«, schluchzte die Mutter. Und Sami war sofort in ihr Auto gestiegen und zu ihr gerast. Jede Ampel hatte sie bei Gelb überquert und war mit neunzig durch die Ortschaft gebraust.

Heulend kam ihre Mutter Samara entgegen: »Jonathan ist angefahren worden. Er ist so schwer verletzt, dass er die Nacht wahrscheinlich nicht überleben wird! Der Fahrer gilt als flüchtig, nach ihm wird gefahndet.«

»Oh, mein Gott, nein, jetzt, wo es aufwärts ging. Das darf doch nicht wahr sein!«

Sie fuhren sofort ins Allgäu. Sie durften nicht zu ihm, da er gerade wieder operiert wurde. Zu viele innere Verletzungen, zu viel Blut, das er verloren hatte. Sie fuhren wieder nach Hause und warteten, unruhig und in großer Verzweiflung, während die Stunden zäh wie Blei dahinflossen.

Immer wieder rollten sie jede einzelne Geschichte auf. Simon und sie hatten abwechselnd ihre Mutter getröstet, als das Telefon erneut klingelte. Sie dachten, dass nun das Krankenhaus Bescheid geben würde, doch es war die Kriminalpolizei.

»Es war kein Autounfall und auch keine Fahrerflucht. Wir haben Spuren an seinen Schuhen gefunden. Spuren von Ziegelsteinen. Die Nachbarn haben ausgesagt, dass sie einen lang anhaltenden Schrei gehört haben«, erzählte der Kommissar. Am nächsten Morgen bestätigte der Diensthabende: »Er ist vom Dach gesprungen!«

Samara konnte nicht antworten. Sie legte den Hörer wieder auf und schaute ihre Mutter und Simon, die flehend an ihren Lippen hingen, nur stumm an. ›Wenn ein Herz schreit, es zum Himmel fleht und auf all die Fragen keine Antwort bekomm, wenn du kreischen möchtest, weil es nicht zu ertragen ist, was unabwendbar geschieht, möchte man selbst nicht mehr leben.‹ Samara betete: ›Herr Jesus, lass ihn leben, lass ihn doch leben wie einen normalen Menschen. Und wenn er das nicht kann, so lass ihn doch sterben und nimm ihn auf in deine Arme.‹ Sie heulte und doch war in ihr so etwas wie Demut. Sie nahm an, was geschah. Sie kämpfte nicht mehr. Sie war es leid, immer zu hoffen. Und doch hoffte man so lange, wie man hoffen konnte.

›Nein. Ich möchte dich festhalten. Ich möchte nicht vernünftig sein. Ich will dir nicht dienen, Gott.‹ Und doch kam eine Ruhe, wenn das Ungewisse ausgesprochen war. Es war seine Entscheidung und er hatte sich so lange danach gesehnt, endlich zu sterben! Doch das Ringen blieb, die ganze Fahrt hoffte sie, ihn noch lebend zu sehen, und wusste doch nicht, was wieder auf sie zukommen würde. Er hatte die Nacht überlebt zum Erstaunen des Personals. Die Ärzte und Schwestern sagten, dass sie sie unmöglich zu ihm lassen könnten. Er biete einen furchtbaren Anblick, er sei völlig entstellt und nicht mehr bei Bewusstsein. Samara musste zu ihm, es war ihr egal, wie er aussah, sie hatte ihn schon zweimal schrecklich zugerichtet gesehen. Die Ärzte versuchten es ihr auszureden, doch sie hatte darauf bestanden. Ihre Mutter und ihr Bruder waren draußen geblieben. Simon stützte ihre Mutter, da sie so schwach war und sich nur noch mit einer hohen Dosis Beruhigungstabletten bewegen konnte.

Komischerweise war ihr sein Anblick nicht nachgegangen. ›Ach Jonathan, wie menschenunwürdig ist das gewesen. Ich hatte mich wirklich auf einiges gefasst gemacht. Aber auf so ein Monster war ich nicht vorbereitet.‹ Kein Bild aus einem Horrorfilm hätte scheußlicher sein können.

Sein Kopf war doppelt so dick wie ein normaler, aufgequollen mit Wasser wie ein Schwamm, bläulich-rot. Dort, wo einmal seine Augen gewesen waren, klafften zwei große schwarze Löcher. Eine Nase konnte sie ebenfalls nicht mehr erkennen. Das war nicht mehr ihr Bruder! Unwillkürlich entwich ihr ein Laut des Schreckens, sie presste sich die Hand vor den Mund und biss so heftig hinein, dass der Abdruck ihrer Zähne darin zurückblieb.

Mit voller Wucht war er aus zehn Metern Höhe auf das Gesicht geprallt, zerschellt auf dem Asphalt. Sie nahm seine Hand. Ja, das war die seine.

An seinem Bett betete sie – darum, dass er endlich sterben durfte. Sie sagte: »Oh Jonathan, wenn du mich hören kannst, wo immer du bist, ob noch in deinem Körper, der schon längst nicht mehr der deine ist, oder schon woanders: Spürst du meine Hand, fühlst du, dass ich da bin?« Kein Funken von Leben, nur das laute Rauschen der Maschinen füllte den Raum mit Geräuschen und ihr leises Wimmern.

Heulend verließ sie das Zimmer.

»Nein, geh nicht hinein, es ist nichts für dich, Mutti«, hatte sie ihrer Mutter zugerufen und war an den beiden vorbeigerannt. Weil sie einfach rennen musste, hin zum Ausgang, bis sie daran dachte, dass ihre Mutter und ihr Bruder sie doch auch brauchten. Sie war umgedreht und fand zwei Menschen vor, die in Tränen aufgelöst dasaßen. Sie war auf sie zugelaufen und hatte sie umarmt und in diesem Moment hatten sie alle die Kraft des anderen wahrgenommen und wie gut es tat, weinen zu können. Gemeinsam hatten Simon und sie ihre Mutter gestützt und waren nach Hause gefahren.

In dieser Nacht starb Jona. Sie hatten es nicht ausgehalten, im Krankenhaus auf seinen Tod zu warten.

Samara war Tage danach noch einmal zurückgefahren. Es musste sich jemand um die Auflösung seiner Wohnung kümmern. Ganz fröhlich habe er noch mit ihnen zusammen gesessen und sie hätten Karten gespielt, erzählte ihr sein Freund. Er war ein netter Kerl und lebte mit seiner Mutter und Jona in einer WG zusammen.

Schon bevor er bei Natascha eingezogen war, hatte er mit den beiden dort gewohnt und war zu ihnen zurückgekehrt. Dann sei er auf einmal aufgestanden und habe gemeint, er müsse los. Er schien ein wenig nervös und unruhig, doch ansonsten sei ihm nichts aufgefallen. Er musste umgehend aufs Dach gegangen sein. Gleich darauf hatten sie die Schreie gehört und waren sofort hinausgerannt. Da lag er auf dem Zebrastreifen. Er habe ihm gleich die Reflexpunkte an den Füßen gedrückt und so lange gehalten, bis der Notarzt eintraf, erzählte sein Freund.

Sie war spät abends auf den Dachboden gegangen, von wo aus er gesprungen war. Es war ein altes Haus und es hatte noch diese Läden direkt an der Vorderseite. Langsam ging sie auf sie zu und öffnete die kleine Holztür, denn es ließ ihr keine Ruhe. Es war unglaublich hoch. Und als sie in die Tiefe blickte, wurde ihr auf einmal speiübel. Sie kotzte in die Ecke und stand eine Weile einfach da ohne irgendeinen Gedanken. Dann lehnte sie sich wieder hinaus. Sie wollte fühlen, wie er sich gefühlt hatte. Denken, was er gedacht hatte. Eigenartig, über dem Zebrastreifen hing eine große, orangefarbene Lampe. In diesem Augenblick wirkte es fast friedlich.

»Immer wolltest du springen, Jona. Schon früher hast du mir erzählt: ›Von einem Berg springen und fliegen.‹

»Oh Jonathan, was hast du getan!«, schrie sie in die Stille der Nacht.

Ein Fensterladen am Nachbarhaus ging auf und sie wich einen Schritt zurück. Stand wieder wie benommen da und dann brach sie in Tränen aus.

Sie ging wieder hinunter und lief zum Zebrastreifen. Da waren noch mit Kreide die Konturen seines Körpers umrandet. Sie ging den Zebrastreifen auf und ab und auf einmal lagen dort zwei Zähne. Sie sammelte sie auf, schaute sie an und erneut rannen ihr die Tränen aus den Augen. Sie ballte die Hand zusammen und seine Zähne stachen in ihre Haut, als sollte sie wenigstens einen Bruchteil seines Leids am eigenen Leibe spüren.

Die Zeit danach war hart. Samara wollte nicht mehr leben. Sie fühlte sich, als habe man ihr bei lebendigem Leibe das Herz herausgerissen. Nur noch in Trance verrichtete sie in dieser Zeit ihre Arbeit. Oft hatte sich Samara, während sie ihre Kunden massierte, hinweggewünscht, heraus aus ihrem Leben und zu ihm hinauf. Ein Jahr lang wurde es ihr, wenn sie irgendwo oben stand und in die Tiefe blickte, so schlecht, dass sie glaubte, sich übergeben zu müssen. Weil sie ihm am liebsten nachgesprungen wäre und sich das nicht eingestehen konnte. Damals kannte sie schon Marcel und sie war froh, dass er sie zu trösten versuchte. Doch wenn sie dann auf einmal mitten in der Nacht mit einem Heulkrampf erwacht war, war auch er überfordert gewesen. Doch er war da gewesen und das hatte ihr sehr geholfen. Auch mit Hilfe ihrer Ärztin und ihrer Freunde überwand sie mit der Zeit ihren Schmerz.

Monate, nachdem sie alles über ihren Vater und sich entschlüsselt hatte, den Missbrauch in all seinen Einzelheiten an die Oberfläche gekramt hatte, spürte Samara: Da war noch etwas. Da gab es noch ein tiefes dunkles Geheimnis, das sie versteckt im Labyrinth ihrer Seele gefangen hielt. Plötzlich sah sie diesen Arzt von damals in der Psychiatrie vor sich, diesen älteren, weißhaarigen Herrn mit den hochgezogenen grauen Schläfen. Sie erinnerte sich daran, dass er zuerst kein Wort gesprochen hatte, während der andere seine Fragen stellte, und als sie erzählt, dass Jona sie manchmal zu Bett trüge, seine Augenbrauen fragend nach oben gezogen und mit dem anderen Arzt diesen langen, bedeutungsvollen Blick getauscht hatte. Samara hatte das damals nicht verstanden, doch nun begriff sie auf einmal, dass in diesem Blickwechsel etwas Unausgesprochenes gelegen hatte.

Jonathan hatte sie seinen Engel genannt. Er hatte sie auch so genannt, als sie sich in der geschlossenen Anstalt so innig umarmt und sich schluchzend aneinandergekrallt hatten. Und er hatte sie als Einzige nicht gebissen. Sie blickte in die Zeit zurück, als sie keine Kinder mehr waren, aber auch noch nicht als Teenager durchgingen, diese Tage, als er sie immer so liebevoll ins Bett getragen hatte. Es war die liebevollste Zeit gewesen. Sie hatten aufgehört, wie die kleinen Kinder gegeneinander zu kämpfen, und hatten das Einzigartige im anderen entdeckt. Sie konnten sich alles sagen. Sich all ihre Geheimnisse erzählen und einander vertrauen. Darüber hinaus hatte sich eine gegenseitige Fürsorge für den anderen entwickelt, die sie von ihren Eltern nicht kannten. Wenn Sami müde auf dem Sofa im Wohnzimmer gelegen hatte und die Augen schier nicht mehr offenhalten konnte, hatte sie zu Jonathan hinübergeblinzelt, der meist neben ihr saß, und ihn gefragt: »Jona, ich bin so müde, trägst du mich ins Bett?« Er war dann aufgestanden, hatte sie angelächelt und sie wie ein Kind auf seine Arme genommen und in den oberen Stock getragen. In diesen Momenten hatte sie Glück gefühlt. Hatte gespürt, dass sie ihm wirklich wichtig war und dass er sie genauso liebte wie sie ihn. Aber ihre Liebe war einfach zu stark gewesen. Zu innig für Bruder und Schwester. Die Bilder, noch niemals zugelassen, so tief verschüttet, so lange verschlüsselt und verdrängt, weil sie es eh nicht leben hätten können, kamen in ihre Erinnerung zurück.

Es war schon spät gewesen an diesem Abend und sie erinnerte sich an Gelächter, an lautes fröhliches Lachen. Ihre Eltern hatten den Zuschneiderraum im unteren Stockwerk dekoriert, das große Arbeitszimmer ihres Vaters war festlich geschmückt worden. Tage zuvor hatten sie ihrer Mutter geholfen, zu dekorieren und alles lebendig zu gestalten. Girlanden hingen von der Decke herunter und große Tische mit weißen Tischdecken darauf füllten den Raum. In Reih und Glied hatten sie Bierbänke zusammengeschoben, denn es waren viele Freunde geladen. Es gab Würstchen und Schweinehals vom Grill. Bier aus dem Fass wurde ausgeschenkt und viele Leute waren gekommen, um mit ihren Eltern zu feiern, darunter auch viele Kinder. Zwischen den Erwachsenen sprangen diese umher und spielten ausgelassen Fangen.

Es war ein fröhliches Fest und einige, darunter auch ihr Vater, waren nicht mehr ganz nüchtern. Sami erinnerte sich, dass sie so zwischen dreizehn und vierzehn Jahre alt gewesen sein musste. Sie und Jonathan, der ein Jahr älter war, hatten sich dem Spiel der anderen angeschlossen. Sie genossen es und hatten großen Spaß. An seiner Hand zog Jona sie hinter sich her und lachte Sami immerzu an. Sie sah den Finger auf ihren Lippen, mit dem er ihr zu verstehen gab, leise zu sein. Zwei Pappbecher mit Bier hatte er ganz heimlich eingeschenkt und in der Garage versteckt, wo er sie hinzog. Immer wieder blickte Samara sich um und fürchtete, dass die Großen sie ertappen könnten, doch niemand bemerkte sie. Dann setzten sie sich in eine Ecke, versteckt hinter alten Autoreifen, und tranken triumphierend ihre Becher aus. Jonathan stand auf und verschwand, um kurz darauf erneut wieder mit zwei Pappbechern Bier zu erscheinen. Scheußlich schmeckte das Zeug, aber es hinterließ ein so angenehmes warmes Gefühl in ihrem Magen. Auf einmal drehte sich alles. Die Autoreifen, die sie noch zuvor ganz scharf in ihrem Blickfeld hatte, verschwammen vor ihren Augen und fingen an, sich kreisend zu bewegen. Auf einmal war ihr komisch zumute. Samara erzählte von dem, was sie sah, und fragte, ob er das Gleiche sah. Er verneinte und sagte, dass es ihm nur ein wenig schummrig sei. Jona war aufgestanden und hatte ihr die Hand gereicht und sie hochgezogen. Doch als sie aufstand, verstärkte sich ihr Gefühl der Verwirrung noch mehr. Jonathan hakte sich bei ihr ein und zog sie mit sich fort. Ständig musste Samara kichern, denn sie empfand das alles als sehr lustig. Die Erwachsenen schauten im Vorbeigehen merkwürdig verschoben aus. Ihre Stimmen erschienen ihr lauter als zuvor. Auch die Kinder, die immer wieder an ihnen vorbeirasten, waren sonderbar verzerrt und bewegten sich wie in Flimmerlicht. Auf einmal wurde ihr übel und sie sagte zu Jonathan: »Ich will ins Bett, kannst du mich tragen, Jona?« Die Treppe zu ihren Kinderzimmern im Dachgeschoss trug er sie dann hoch und sie war ganz glücklich darüber, weil sie das so sehr mochte. Sie wusste noch, dass sie irgendwie ihren Schlafanzug anzog. Es war eine kurze, weite helle Hose und ein kurzer Hänger darüber mit bunten Blumen drauf. Ebenso zog sich Jona um, und sie lachten in einer Tour, weil alles so witzig war. Sie krochen unter seine Bettdecke und spielten Verstecken, wie sie das schon so oft getan hatten. Eine Weile lagen sie nebeneinander und erzählten sich erfundene Geschichten. Sie war nicht mehr ganz so betrunken wie noch unten, doch ein schummriges Gefühl im Kopf und im Magen spürte sie immer noch, nur war es nicht mehr unangenehm. Im Gegenteil, es war ein schönes Gefühl, ein glückliches, und sie mochte es. Sie mussten beide darüber lachen, als sie sich das Gefühl in ihrem Bauch gegenseitig beschrieben. Jonathan begann Samara zu kitzeln und zu kneifen, was sie nicht auf sich sitzen lassen konnte, und so begann eine wilde Rauferei, bei der keiner nachgab. Irgendwann sagte sie: »Stopp.« Und als er keine Ruhe geben wollte, noch einmal, diesmal ganz energisch. »Stopp, es ist gut, Jona, ich kann nicht mehr.« Dann musste sie schon wieder lachen und sie lagen ganz außer Atem da.

Jona lag hinter Sami und war ganz eng an ihren Rücken gerutscht. Für ein paar Sekunden war es auf einmal ganz still. Es war ein eigenartiges Gefühl, das sie nicht kannte, doch es war aufregend und schön, ihn so nah neben sich liegen zu haben. Sein Mund berührte ihren Nacken und sie spürte auf einmal seine Lippen auf ihrem Hals. Ein Schaudern durchfuhr ihren Körper. Seine Hände hatten sie ganz fest umschlungen. Doch gar nicht gewaltvoll, eher von einer unsagbaren Innigkeit. Er streichelte sie und Samara genoss es und fühlte sich wohl und drückte ihren Rücken ganz eng an seinen Brustkorb. Ohne dass sie wusste, wie ihr geschah, geschah es, was nie hätte geschehen dürfen. Doch es war schön, für einen kurzen Augenblick berührte er ihre Seele so tief. Es hatte sie so hinweggerissen, in einer Ekstase, in einem Nichtbegreifen, was da passierte. In einen Rausch der Gefühle war sie eingetaucht und wurde hinweggetragen in eine unbekannte, wundervolle Welt. Wie in Trance schwebte sie, dem Boden enthoben, einem Glücksgefühl entgegen, einer Explosion in ihrem Innern. Nicht mit ihrem Kinderverstand zu begreifen und einzuordnen und doch unendlich schön. Wahrscheinlich war es ihm genauso wie ihr ergangen. Und es war ihr erstes glückliches sexuelles Beisammensein mit einem andersgeschlechtlichen Partner.

Als diese ungeheure Woge nachließ und sie wieder auf den Strand zugetrieben war in die Wirklichkeit und ihr Verstand sich einschaltete, war sie auf einmal stocknüchtern. Völlig schockiert von dem Erlebten, das sie nicht einordnen konnte. Das Alte, das vor so langer Zeit mit ihrem Vater geschehen war und das sie nicht zulassen durfte, das Neue, das sie nicht verarbeiten konnte … Ruckartig riss sie sich von ihm los und rannte in ihr Zimmer. Von heiß auf kalt, von Feuer auf Eis in einer einzigen Sekunde. Blitzschnell verschloss sie die Tür, schob sogar von innen ihren Sessel dagegen. In panischer Angst, dass er sie überfallen und ihr etwas antun könnte, verbarrikadierte sie sich vor ihm. Sie hörte, wie Jonathan von außen mehrmals gegen die Tür schlug, verzweifelt und hilflos wegen ihrer abrupten Reaktion, und sie fast weinend anflehte, doch die Tür aufzumachen. »Jetzt mach doch keinen Scheiß, Sami!«, rief er immer wieder.

»Hau ab!«, schrie sie hinaus, »ich lass dich nicht rein, und wenn du noch so oft gegen die Tür hämmerst!« Sie verkroch sich in die hinterste Ecke ihres Bettes unter ihre Decke. Wollte nicht mehr denken, konnte nicht mehr denken. Wenn sie versuchte, einen klaren Gedanken zu fassen, wurde es ihr so schlecht, dass sie glaubte erbrechen zu müssen. Sie wollte einfach schlafen! Vergessen, es ungeschehen machen.

Lange noch hatte er gegen die Tür gehämmert. Sie bekam noch mit, wie er mit seinem Körper an der Tür hinunterrutschte und weinte. Doch es war ihr egal. Sie hatte keine Gefühle mehr für ihn, nur noch Angst. Sie konnte nicht reagieren.

Die Tage darauf waren komisch zwischen ihnen. Jonathan wollte mit ihr reden, wollte sie in den Arm nehmen, aber sie ging ihm aus dem Weg, wich ihm aus. Sie hatte keine Kraft, darüber nachzudenken, wie es ihm wohl ging. Sie konnte nicht. Sie brauchte Abstand. Irgendetwas in ihr drückte ihn auf einmal weg, ganz brutal, ließ ihn die Wut spüren, die sie an ihrem Vater nicht auslassen konnte.

Irgendwann gab Jonathan auf, bis sich dann mit der Zeit alles wieder normalisierte. Samara war es gelungen, das Geschehene in die hinterste Kammer ihrer Seele einzuschließen, unerreichbar für ihren Verstand.

Sie hatte es bis heute nicht mehr gewusst. Nun wurde ihr klar: ›Wir haben es getan! Und es war so schön!‹ Dieser kurze Moment, den sie beide nicht hatten zulassen können. Dies war der Bruch zwischen ihnen gewesen. Samara hatte sich von da an von ihm distanziert.

Nun wurde ihr klar, dass Jona ihr damals geholfen hatte, ein normales Verhältnis zu Männern aufzubauen nach dem, was mit ihrem Vater geschehen war. ›Es tut mir so leid, Jonathan, so leid, um dein Leben, um uns und um unsere Liebe. Aber es hat nicht sein dürfen. Ich habe nicht darüber sprechen können und was hätte es uns genützt? Du bist mein Bruder gewesen, das war nicht zu ändern. Erst heute habe ich begriffen, dass du meine große Liebe warst, meine zweite, nach Papa! Und ich begreife nun auch deinen Tod anders als zuvor. Deine Schwierigkeiten später mit anderen Frauen. Ich verstehe auf einmal deine Worte, als ich dich tadelte: *Müssen es denn so viele sein?*, und du gescherzt hast: *Es ist halt keine so wie du!*

Mein Gott, Jonathan, hast du es damals gewusst? Konntest du dich erinnern an diese eine Nacht? Ich würde gerne aus meinem heutigen Verständnis anders gehandelt haben. In welche Schuldgefühle habe ich dich durch mein Verhalten gestürzt? Wäre alles anders gekommen, hätten wir miteinander reden können? Doch es war mir nicht möglich damals, anders zu reagieren. Es tut mir leid, bitte verzeih mir. Hätte ich realisiert, was mir als Kind unmöglich war, aus welchen Beweggründen ich dich so verstoßen habe, vielleicht wäre manches anders gekommen. Vielleicht wäre ich auch gestorben, hätte ich die ganze Tragik mit Papa kapiert. Es ist die Not des Lebens, dass wir gleichzeitig schuldig wie unschuldig sind.‹

Wie sehr ein Mensch verdrängt, wenn er etwas nicht verarbeiten kann. Welche Schutzmechanismen er aufstellt, um das Innerste nicht in den Fluten ertrinken zu lassen. Das ist wichtig und tragisch zugleich, schreibt sie. *Du warst mein größtes Glück und mein größter Schmerz. Wo du auch sein magst, Jona, ich liebe dich von ganzem Herzen. Aber ich musste dich loslassen, in Liebe, um weitergehen zu können. Und ich verzeihe mir selbst für das, was geschehen ist in meinem Leben. So viel Leid, so viel Schmerz, Liebe und Glück, so dicht ineinander verwoben. Verzweiflung, Wut, Hass und Not zum einen und doch ein Abgrenzenkönnen von dem allen und eine Ahnung von der Fülle in der Herrlichkeit des Lichts.*

*

Samara hebt den Kopf und muss sich erst einmal strecken. Vom vielen Schreiben ist sie ganz steif geworden. Endlos kommt ihr das Warten vor. Es hätte gereicht, eine Stunde später am Flughafen anzukommen, überlegt sie. Eine Frau geht vorbei. Dreht sich um, als würde sie etwas suchen, und unweigerlich erinnert sie Samara an ihre Mutter.

*

Sie hatten über ihr Buch geredet. Immer, wenn sie davon erzählte, schien ihre Mutter das zu ignorieren und Samara glaubte den Grund dafür zu kennen: Sie wollte nicht erinnert werden. Auch wenn sie sich in vielem so ähnlich waren, sich gut verstanden und manches gemeinsam unternahmen, so gingen sie doch völlig unterschiedlich Wege im Leben. Samara wollte aufarbeiten, wollte ihr Leben und das Leben an sich ergründen. Ihre Mutter hingegen wollte nicht nachdenken. Alles empfand sie als Anklage, versuchte Samara auch nur über ihre Kindheit mit ihr zu sprechen. Über Jonas Tod mit ihr zu reden. Oder darüber, dass sich Simon von ihnen entfernt hatte.

Samara schrieb schon ein ganzes Jahr an ihrem Buch, als ihre Mutter sie zum ersten Mal fragte: »Worüber schreibst du denn, Samara?«

»Es ist ein Roman über eine Frau. Eigentlich ist es ein Liebesroman. Diese Frau liebt einen Mann und es ist ungewiss, wie die Geschichte ausgeht. Im Laufe des Buches wird auch so einiges über ihre Kindheit erzählt. Da geht es um Missbrauch, Suizid und so weiter. Sie erlebt ziemlich schlimme Sachen, erfährt jedoch auch über den Schmerz, dass es da noch etwas anderes gibt. Eine geistige Welt. In dieser macht sie die Bekanntschaft mit Lichtwesen. Sie stirbt und kommt in den Himmel, erwacht wieder und lebt. Auf der einen Seite geht es da viel um Traumata. Auch dass wir fähig sind zu verdrängen, dass das wichtig, aber zugleich auch tragisch ist. Sie steigt hinab in ihre Abgründe und überwindet sie und findet sich selbst und darüber hinaus den Kontakt zu Gott, der so innig ist, dass sie ihr ganzes Leben mit ihm geht. Da geht es um viel Trauriges, doch ebenso um ganz viel Glück, das sie fühlt, denn sie ist fähig zu lieben und das macht sie weich. Weil sie das Licht erfährt und sie erfüllt ist davon, überwindet sie all ihre Schwierigkeiten. Viele Teile davon erinnern aber auch unweigerlich an meine eigene Geschichte.«

»Ja, schreibst du dein Leben nieder?«, fragte sie Samara bestürzt.

»In einem Buch muss man doch ganz viel erfinden, sonst kann man es doch gar nicht schreiben«, entgegnete ihre Mutter.

Samara verspürte plötzlich Angst bei dem Gedanken, dass die Mutter ihr Buch lesen würde. Wie würde sie das Alte verkraften? Konnte Samara ihr das überhaupt zumuten? Oder übernahm sie in ihrer Sorge schon wieder zu viel Verantwortung für einen anderen erwachsenen Menschen? Lange hatte sie vorgehabt, niemandem etwas zu sagen, nachdem sie all das mit ihrem Vater entschlüsselt hatte, denn sie schämte sich insgeheim. Doch weswegen überhaupt? Für etwas, das ihr zugefügt wurde, als sie noch zu klein war, um sich zur Wehr zu setzen? Gab es nicht so viele Frauen, Mädchen und Buben, denen Ähnliches geschehen war und die aus Scham darüber schwiegen? Wie würde sich je etwas ändern, hätten nicht einige den

Mut, die Dinge beim Namen zu nennen? Sie wollte immer schonen, jeden und alle. Vor allem ihre Mutter. Nun würde Samara sie erneut mit Schmerz konfrontieren, mehr noch, es würde sie hinabreißen. Wie hatte es sie mitgenommen, als alles aufbrach, was sie unbewusst so unsagbar quälte!

Sie war noch einmal hinabgestiegen in das Tal des Todes, noch einmal erlitt sie diese Höllenqualen. Was würde geschehen wenn ihre Mutter es nicht verkraftete? Wenn sie Samara gar verstoßen würde? Wut kam wieder in ihr hoch. ›Sie trägt ihren Teil der Verantwortung. So wie Papa den seinen. So wie ich für meine Kinder die Verantwortung trage. Wenn wir nicht aussprechen, was zwischen uns steht, wie ist dann je eine wirkliche Versöhnung möglich? Wie kann ich ihr verzeihen, wenn sie mich nicht lässt? Doch wie wäre es, nicht zu wissen und immer heimlich verfolgt zu werden von seinen Ängsten und Schuldgefühlen, die sich doch in Nichts auflösen können? Diese Stille, dieses Sich-selbst-aushalten-Können ist doch wunderbar. Es ist wie ein neu geschenktes Leben in Reichtum, in Frieden. Endlich mit sich im Reinen zu sein ist ein so herrliches Gefühl.‹

Auf einmal durchströmte sie Glück. Sie hatte es überlebt. Es hatte weh getan, teilweise so sehr, dass sie sterben wollte, doch sie war nicht gestorben. Sie war reich, ein Mensch aus Fleisch und Blut, sie lebte ein glückliches Leben. Konnte da noch so viel kommen, was machte es schon? Sie hatte schon so viel geschafft. Sie hatte Gott. Sie fühlte Licht. Und sie liebte. Wer in der Liebe blieb, der blieb in Gott. Das war das größte Geschenk des Lebens. Sie liebte trotz alledem. Sie wollte Mut machen, dass es sich lohnte, nicht aufzugeben, weiterzuforschen, hindurchzugehen und zu ergründen, was schmerzte und blockierte. Schicksal als Chance zu begreifen. Die Wut, den Zorn und die Not, die es in sich trug, anzunehmen und nach und nach in das eigene Ich zu wachsen.

›Hinter den dunklen Flecken ist doch das Licht und die eigene Kraft verborgen, die so gerne leben möchte. Die nach Befreiung schreit. Wenn diese erfahren wird, wenn wir uns immer wieder stellen und aufräumen, wird unser Haus hell und sauber werden. Liebe Mutti, mein Weg ist ein anderer als der deine, ich möchte es spüren mit allem, was zu ihm gehört. Ich möchte es nicht begrenzen und einordnen in gut oder schlecht. Ich bin aus dem Alter, wo das Verdrängen für mich lebensnotwendig war, herausgewachsen. Das Leben hat sich unterirdisch seinen Weg zu mir gesucht. Ich möchte ein Fels sein, der stark und sicher steht und den Stürmen des Lebens trotzen kann. Der fest bleibt, auch wenn viele Wasser an ihm rütteln. Ich bin ein Licht Gottes, so wie jeder Einzelne von uns. Ich scheine und bin mir dessen bewusst, und immer mehr fühle ich die Liebe zu mir und zu allen anderen Menschen und Lebewesen.

Jonathan kommt mir in diesen Tagen wieder so nahe, Mutti, und nun fließen meine Tränen und eine Trauer steigt in mir hoch über das Verlassenwordensein. Ich habe geglaubt, ich hätte mich von ihm wirklich verabschiedet, doch nun habe ich das Gefühl, als begegnete er mir erneut und wir könnten uns wirklich in Liebe, in dem Wissen um unsere Liebesbeziehung, endgültig verabschieden. Es ist, als würde er mich ein letztes Mal in den Arm nehmen und unsere Schultern würden feucht werden von den Tränen des anderen über die Liebe, die wir füreinander empfanden. Nun bin ich mir sicher, Mutti, dass auch dir die Tränen über die Wangen laufen, weil du dich noch lange nicht mit ihm versöhnt hast‹, sagte sie in Gedanken zu ihrer Mutter.

Die tatsächlichen Worte ihrer Mutter kamen wie ein Stoppschild gegen Samaras Gedanken:

»Ich fühle mich keiner Schuld bewusst, ich habe alles getan, was mir möglich war!«

»Mutti, es geht nicht um Schuld, ganz und gar nicht, ich weiß, dass du dein Allerbestes gegeben hast«, antwortete Samara. »Ich weiß auch, dass es für dich und Papa unglaublich schwer gewesen ist mit den drei kleinen Kindern, dem frisch gekauften Haus und dem Umbau. Seine gerade begonnene Selbstständigkeit, nichts als Schulden und so viel Arbeit. Und das alles als Fundament für eine noch junge Liebe. Es war einfach zu viel für euch. Ihr habt euch zu viel zugemutet«, wandte Samara ein.

»Es wäre einfach nicht anders gegangen«, hörte sie ihre Mutter sagen. ›Dieser Satz!‹, dachte Samara wütend. Er hatte sie mit achtzehn schon so oft fast zur Verzweiflung gebracht. Doch sie wusste ja, es war ihr Problem. Da war immer noch ein Stück von dieser Sehnsucht in Samara, von ihrer Mutter verstanden zu werden. ›Es ist gewesen, wie es gewesen ist, sie haben gehandelt, wie sie handeln konnten‹, dachte sie.

Sie erinnerte sich, wie ihre Mutter einen Monat später wieder zu ihr zur Behandlung kam und erneut nach ihrem Buch gefragt hatte.

»Geht es um Papa? Schreibst du in deinem Buch über Papa?«, hatte sie nachgehakt, als Samara ihr nicht antwortete und sie stumm weitermassierte. Sie zögerte, doch dann sagte sie:

»Ja, Mutti, es gibt da Dinge, die du vielleicht unbewusst ahnst, aber ganz weit von dir wegschiebst. Ich habe sie niedergeschrieben, um sie endlich loslassen zu können, weil sie mein Leben sehr beeinflusst haben und mich immer noch beschäftigen. Es ist ein Weg zu meiner eigenen Befreiung und Ablösung von altem Geschehen. Deshalb habe ich unter anderem dieses Buch begonnen.«

»Hast du das Gefühl, dass du es dadurch loswerden kannst?«, fragte ihre Mutter.

»Ja, Mutti, ich glaube, wenn ich dieses Buch geschrieben habe, kann ich meine Vergangenheit endlich hinter mir lassen. Ich habe das Gefühl, wenn ich fertig bin, *dann bin ich frei*, frei von allem Alten.«

In diesen Tagen war Samara mit ihrer Mutter viel im Geiste umgegangen und fragte sich immer wieder, ob sie nicht mehr wusste, als Samara vermutete. Sie sah sich wieder als Siebenjährige. Sie erinnerte sich wieder an diese Nacht, als sie völlig verstört in ihr Bett gegangen war und sie am nächsten Morgen zu ihrer Mutter ging und es endlich vorbei war. Sosehr sie versuchte sich zu erinnern, es blieb eine Lücke. Sie wusste nicht mehr im Einzelnen, was sie zu ihrer Mutter gesagt hatte. Als ihre Mutter wieder und wieder nachgefragt hatte, glaubte Samara ausgewichen zu sein. Denn sie hatte auf einmal solch eine Angst bekommen und immer wieder eine unsichtbare Hand in ihrem Nacken gespürt, die ihr sagte, dass es falsch gewesen war, irgendetwas zu sagen. Diese erschrockenen Augen ihrer Mutter und ihr betroffener Gesichtsausdruck hatten sie mit einem Ruck aus ihrer Scheinwelt gerissen, in der sie sich vorzumachen versuchte, es sei alles in Ordnung mit Papa und ihr. Hatte ihre

Mutter tatsächlich von all dem in all den Jahren, in all den Nächten nichts mitbekommen? Oder war sie selbst in einer noch größeren Not als sie? Samara versuchte sich nicht vorzustellen, was gewesen wäre, hätte sie damals die ganze Wahrheit gesagt. Über diese letzte Nacht und die vielen vorausgegangenen. Über die ganzen drei oder vier Jahre, die ihr Leben prägten. Vielleicht hätte ihre Mutter ihn umgebracht, was auch nicht einfacher für sie gewesen wäre. Denn sie hatte ihn geliebt, trotz allem. Vielleicht hätte er aber auch alles so eingefädelt und sie niedergeschrien, dass sie verschüchtert gewesen wäre und dann alles geleugnet hätte. Wäre es für ihre Mutter überhaupt fassbar gewesen, dass ihr Mann so etwas tat? Traute man das dem eigenen Ehemann zu, mit dem man schöne Nächte erlebte? Hätte sie gegen die Erwachsenen bestehen können? Doch so, wie die Verhältnisse damals waren, so unruhig, so voller Spannungen, von so viel Streit und gegenseitigem Unverständnis: Wenn sie das alles Revue passieren ließ, dann wurde ihr klar, dass sie richtig gehandelt hatte. Zum Schutz ihrer selbst, ihrer kleinen Seele, die schon genug Schaden genommen hatte.

›Er ist mein Vater gewesen‹, hörte sie sich wieder zu ihrer Mutter sagen. ›Kleine Kinder können nicht anders, sie sind einfach liebende Wesen, noch ganz nah dran an dem, woher sie kommen. Sie sind offen und hegen keinen Argwohn. Sie vertrauen den Menschen, denen sie anvertraut wurden, blind, nicht wissend, was sie erwarten könnte. Ich habe einfach geglaubt, mein Papa wird es schon wissen und richtig machen. Ich habe nicht begriffen, warum er mir Schmerzen zufügte, so große, dass ich fast daran gestorben bin. Ich habe nicht begriffen, was geschah, es hat nur so sehr weh getan, wie ich zuvor noch nie etwas erlebt hatte an Schmerz. Aber durch seine liebevollen Worte danach dachte ich immer wieder, er hat mich ja lieb. Denn das hat er mir ja immer hundertfach ins Ohr geflüstert: *Ich hab dich so lieb, du bist mein größter Schatz, ich hab dich so lieb, mein kleiner Engel.*

Ist es möglich, dass man liebt und den anderen nicht spürt und fähig ist zu töten? Hätte es mir genützt, Mutti, du hättest ihn umgebracht und wärst dann auch noch weg gewesen? Wenn wir Kinder bei irgendwelchen Pflegeeltern aufgewachsen wären? Oder du ihn vor Gericht gebracht hättest? Wäre es mir besser ergangen mit meinem schwachen Ich, als Kind solch eine Schmach über mich ergehen zu lassen? Wildfremden Leuten von unserer Intimität erzählen zu müssen und ihn dann hinter Gittern zu sehen? Vielleicht noch von dir ein Verbot, ihn nie mehr wiederzusehen? Nein, das wäre furchtbar gewesen, grausam, noch schlimmer.

Hättest du dir danach einen besseren Partner ausgesucht, der für uns den Vater spielt? Es ist immer schwierig, Dinge, die geschehen sind, im Nachhinein umbiegen zu wollen‹, überlegte Samara. Sie wusste, es gab so viel Verrücktes und Krankes auf dieser Welt. Aus der eigenen Not der anderen geboren, schuf es eine neue. ›So zieht es sich das Band der Vernichtung durch Generationen hindurch, wenn nicht einer aufsteht und anfängt und Stopp sagt und nicht mehr verdrängen will, nicht mehr dieses Gut weitertragen will, diesen schlechten Samen. Es ist möglich, sich zu befreien, wenn es auch viel Geduld und eine mühsame Wegstrecke erfordert, hinauf auf die Ebene. Doch ich weiß, dass wir uns jeden Augenblick entscheiden dürfen, diesen erst steinigen Weg in den *hellen Sand* zu gehen.‹

»Was willst du denn über deine Vergangenheit schreiben, so schlimm war es doch auch nicht. Es hat Gutes und weniger Gutes gegeben«, hatte ihre Mutter wieder eingeworfen.

›Immer diese Verharmlosung‹, dachte Samara wütend. Immer, wenn sie mit ihrer Mutter tiefer gehen wollte, hatte sie das mit so einer Art und Weise abgewehrt. Wenn sie sich beklagt hatte, dass sie das Antreten, das bei ihnen Zuhause abgelaufen war, oder andere Brutalitäten verletzt hatten, so konnte ihre Mutter antworten, sie hätten das gebraucht. Samara wusste aus Erfahrungen mit ihren eigenen Kindern, dass diese fähig waren, einen zur Weißglut zu bringen, doch das war es nicht. Das Reflektieren der eigenen Schwierigkeiten im Umgang mit ihren Kindern hatte sie bei ihren Eltern immer wieder vermisst. Einfach mal sagen zu können: ›Es tut mir leid‹ oder ›Ich habe etwas falsch gemacht‹.

Auf einmal war eine solche Wut in Samara hochgestiegen. Langsam, Stufe für Stufe, wie aus einem dunklen Keller, etwas Animalisches, das sich aufbäumte, unerträglich wurde und anfing zu brodeln wie viel zu heiße Suppe. Und auf einmal war es aus ihr herausgeplatzt:

»Verdammt noch mal, Mutti! Papa hat mich jahrelang sexuell missbraucht und das nennst du harmlos?!«

Plötzlich stand eine unsichtbare Wand zwischen ihnen und Samara begriff in diesem Augenblick, was sie ausgesprochen hatte. Sie konnte es nicht mehr ungeschehen machen, wollte auch in diesem Moment nicht mehr schweigen. Alle Vernunft war aus ihr gewichen und sie spürte nur noch unbändigen Zorn.

»Jawohl, Mutti, du hast richtig gehört! Er hat mich fast dabei umgebracht!«

Ihre Mutter war aus dem Behandlungsstuhl hochgefahren und hatte sich ruckartig zu ihr umgedreht. Ihre Augen wirkten drohend und zugleich ungläubig.

»Ja spinnst denn du? Bist du jetzt völlig verrückt geworden? Wie kannst du so etwas behaupten? Was erzählst du da für Lügengeschichten? Bist du jetzt völlig übergeschnappt?!«, beschimpfte sie Samara.

Hitze stieg in Samara hoch und ihre Wirbelsäule fühlte sich auf einmal an, als wäre sie voll mit brodelnd heißem Wasser, und gleichzeitig spürte sie Angst. Doch jetzt war es draußen. Sie zwang sich zur Ruhe und sagte mit fester Stimme:

»Ich lüge nicht, Mutti! Ich lüge dich nicht an, es ist wahr, was ich gesagt habe.«

»Wann soll das gewesen sein?«, fragte ihre Mutter erneut mit aggressiver Stimme. »Da war doch noch alles in Ordnung zwischen mir und Papa!«

»Ich weiß, es muss unglaublich hart für dich sein, aber es ist so!«, blieb Samara standhaft.

»Warum kommst du jetzt damit, nach so langer Zeit? Meinst du nicht, dass man alte Geschichten ruhen lassen sollte? Ich glaube es einfach nicht, ich glaube es einfach nicht, ich kann es nicht glauben!«, wiederholte ihre Mutter immer wieder.

»Mutti! Ich sage dir, ich habe nicht gelogen und ich habe mir das auch nicht eingebildet. So lange haben wir in der Therapie gegraben und meine Ärztin hatte es immer vermutet. Nur, ich konnte es einfach nicht zulassen. Meine Angstzustände, der Verfolgungswahn mit siebzehn, als ich immer mit einer Knarre rumgelaufen bin. Angst vor jedem fremden Mann, sobald es dämmerte, dass der mich vergewaltigen will. Vor meiner Therapiezeit. Das war die Angst vor Papa. Selbst meine gescheiterte Ehe ist zum Teil die Folge meiner Traumata. So vieles in meinem Leben hängt mit diesen entscheidenden Jahren zusammen. Mutti, Papa ist dreimal durch die Glastür hindurchgelaufen, als er betrunken war, und hätte nur die Türklinke nach unten drücken müssen.« Und nun hatte ihre Stimme gebebt. »Mutti, er ist in den Scherben gelegen und er hatte eine große Narbe am Po, das weißt du doch noch, das hast du nicht vergessen!« Etwas leiser fügte sie hinzu: »Er wollte zu mir!«

Es war wie ein Zusammensacken, das sie an ihrer Mutter erlebte. Leise sagte sie noch einmal: »Ich kann es nicht glauben, das ist ja furchtbar!«

Samara fühlte eine große Erleichterung in sich.

Dann schlug das Entsetzen ihrer Mutter schlagartig um und unbändige Wut auf ihn drang wie ein Peitschenhieb nach außen.

»Und ich renne seit Jahren an sein Grab nach dem, was er mir alles angetan hat? Sich noch an seinem eigenen Kind …« Sie konnte den Satz nicht zu Ende bringen. Samara fühlte diese große Not, diese ohnmächtige Wut in ihr und sie konnte sie gut verstehen.

»Bitte sei mir nicht böse, wenn ich jetzt gehe, aber das ist ein Schlag, den ich erst verdauen muss«, sagte ihre Mutter und stand auf.

Sie hatten sich wortlos angeschaut und Samara wusste, es war geschafft. Sie würde es verdauen, aber sie durfte für diesen Schock auch ihre Zeit brauchen. Samara hatte sich auf den Behandlungsstuhl gesetzt, auf dem zuvor ihre Mutter gesessen hatte, ihr Gesicht in den Händen vergraben und erst einmal hemmungslos geheult. Sie fühlte sich ausgelaugt und doch unendlich erleichtert. Sie wusste, es würde keinen Bruch zwischen ihnen geben.

Die Tage darauf hatte sie ihre Mutter aufgesucht und sie sprachen noch einmal darüber. Es war nicht leicht. Eigentlich wollte ihre Mutter auch gar nichts davon wissen. Es interessierte sie nicht, wie sie sich fühlte und wie sehr sie ihren Beistand vermisste und dass doch eigentlich sie die Mutter war. Doch Samara verstand auch, dass sie aus ihrer Art heraus verdrängen musste. Denn sonst wäre vielleicht noch einiges an anderen unschönen Dingen an die Oberfläche getreten. Für ihre Mutter war das ein Schlag, von dem sie sich erbeten hatte erholen zu dürfen, und sie hatten vereinbart, in der nächsten Zeit nicht mehr darüber zu reden.

Es wurde von da an nie mehr darüber gesprochen. Eben verdrängt und totgeschwiegen, wie schon damals.

Von da an wusste Samara, dass sie damals, als Kind, gut daran getan hatte, nicht alles zu erzählen. Sie wäre nicht gehört worden.

*

Endlich kommt die Anzeigetafel in Bewegung, Flug Nr. 10 wird aufgerufen, Samaras Flug. Sie erhebt sich, schaut sich nach ihren Gepäckstücken um und kontrolliert noch einmal, ob sie auch alles beisammen hat. Das Personal stellt sich an den Schaltern auf, um ein letztes Mal die Tickets zu überprüfen. In Sekundenschnelle entwickelt sich ein Geräuschpegel wie in einer Markthalle kurz vor Heiligabend, wenn jeder noch unbedingt die letzten Besorgungen erledigen will, um dann nach Hause zu eilen. Samara genießt diese Unruhe, dieses wilde Treiben. Zumal sie ohne ihre Kinder verreist und sie gelassen dem Trubel um sich herum zusehen kann.

Sie denkt an die vielen stürmischen Kleinigkeiten mit ihren dreien. An das nervende am Rockzipfel Hängen, wenn sie meinen, alles müsse jetzt sofort nach ihrem Willen geschehen. Sie sieht in Gedanken diese kleinen Arme, die einen so begeistert und liebevoll umgreifen und drücken können, dass man Mühe hat, noch Luft zu kriegen. Das bringt Samara immer wieder zum Dahinschmelzen. Zu wissen, sie im Hintergrund zu haben, erleichtert ihr diesen Sprung in das Ungewisse dieser Reise. Zu wissen, da ist das wichtigste Zuhause, eine Burg, die allem trotzt. Das, was man sich am meisten ersehnt, schon zu haben, den Genuss, Mutter zu sein, ist für Samara mit nichts zu vergleichen und es gibt ihr den Boden in ihrem Leben. Die größte Freude sind ihre Kinder.

»Bitte, Ihre Bordkarte«, lächelt sie eine junge Dame an. Samara streckt sie ihr entgegen und erwidert ihr Lächeln.

Schon kommen die Busse angefahren und die Menschen um sie herum suchen nervös ihre Gepäckstücke zusammen, krallen sie noch fester an sich, als könnten sie ihnen entrissen werden. Samara erhascht Gesprächsbrocken von gereizten und unruhigen Menschen. Nimmt andere wahr, die gelassen dreinschauen, und einige, die Sorge in ihrem Blick tragen. Überforderte Mütter und quengelige Kinder, denen das Warten doch nun viel zu lange geworden ist. Samara findet es immer wieder beruhigend, wenn sie mitbekommt, dass es anderen Müttern und Vätern genauso geht wie ihr. Allein wenn sie daran denkt, in welcher Anspannung sie sich manchmal befunden hatte, als sie mit ihren Kindern alleine flog und sie sich dann ganz besonders zur Ruhe zwingen musste in ihrer Sorge, ob auch alles klappte. Nicht selten war es dann vorgekommen, dass sie die Kinder angefahren und ungerecht behandelt hatte, nur weil sie nicht stillhalten konnten.

Ein freundlicher älterer Herr bietet ihr einen Sitzplatz an. Und sie lächelt und denkt: ›Wie nett und höflich von ihm.‹ Sie mustert ihn unauffällig und stellt fest, dass er sie an Gorden erinnert. Er ist ebenso charmant wie gut gekleidet und hat eine gewisse Ähnlichkeit mit ihm. Sie mag es, wenn sich Männer in schönen Anzügen galant bewegen können und etwas Weltmännisches ausstrahlen. Mit einem maßgeschneiderten Anzug verbindet Samara eine gewisse Souveränität und Großzügigkeit, es hat auch einen Touch von Macht und Erfolg, wenn das auch gewiss nicht auf jeden zutrifft. Vielleicht gefällt ihr das auch nur deshalb so gut, weil Peter und Gorden sich so kleiden und sie die beiden zu ihren Freunden zählt.

*

Erst vor Kurzem erschien Gorden bei ihr im Studio. »Ich will dich gar nicht lange stören, Samara«, kam er ihr schon beim Öffnen der Tür entgegen. »Ich weiß, dass du das nicht magst, wenn du arbeitest. Ich muss dir aber unbedingt ein neues Produkt zeigen, das dich interessieren wird.« Samara wusste, dass er ebenfalls sein Arbeitspensum unterbringen musste und viele ihrer Kolleginnen zu besuchen hatte.

»Nein, nein, ich freue mich sehr, dich zu sehen, es passt außerdem ganz prima, da ich gerade in meinen Mittag gehen will. Komm doch herein«, hatte sie ihn in ihr Behandlungszimmer gebeten.

Aus einer langjährigen beruflichen Zusammenarbeit war mit den Jahren ein persönliches Verhältnis zwischen ihnen entstanden. Immer wenn Gorden geschäftlich in der Nähe war oder es um neue Produkte seiner Firma ging, für die er den Außendienst leitete und Nahrungsergänzung anbot, verbanden sie Arbeit und Privates bei einem gemeinsamen Abendessen. Oder er kam zu ihr nach Hause und sie tranken ein Glas Wein und besprachen dort alles Wichtige. In Samaras Augen war Gorden ein toller Mann, er verstand seine Arbeit, war sachlich und kompetent. Er hatte darüber hinaus ein unheimliches Fingerspitzengefühl für weibliche Belange und die Begabung, einem Geheimnisse zu entlocken. In dieser langen Zeit hatten sie sich angefreundet und so manch private Elemente in ihre Geschäftsgespräche einfließen lassen. Er hatte ihre Trennung von Marcel mitbekommen, die Zeit mit Daniel und er wusste um ihre Gefühle zu Rainer. Er war ihr stets ein guter Berater, wenn es darum ging, die Dinge von der männlichen Seite zu betrachten.

Konnte sich Samara auch in der Geschäftswelt bewegen, schaffte den Tanz zwischen Hausfrau, Mutter und Berufstätigkeit, pflegte innige Freundschaften, führte ein selbstständiges Leben und kam gut an in der Männerwelt, so hatte sie doch feststellen müssen, dass ihr Selbstbewusstsein in dieser Hinsicht noch nicht so ausgeprägt war, wie sie es sich gewünscht hätte. Schon bei Marcel hatten ihre Freundinnen immer behauptet, sie sei zu gutmütig. Und auch bei Rainer fehle es ihr an Stolz. Sie war sich dessen bewusst, dass sie ihm den Rücken zukehren sollte, doch irgendetwas an ihm hielt sie wie gefangen.

Gorden war nicht mehr der Jüngste und konnte auf einen reichen Erfahrungsschatz, was Frauen anging, zurückblicken. Ohne Zweifel konnte man behaupten, dass zwischen Rainer und Gorden gewisse Wesensparallelen vorhanden waren. Seine aufrechte Haltung gefiel ihr wie bei Rainer, einen gewissen Stolz strahlte er aus und ließ nicht jeden an sich heran. Er hatte eine spritzige Art und konnte einer Frau auf liebenswürdige Weise schmeicheln. Er war ein Mann, der sich nie wirklich an eine Frau verlor. Ohne viel Gefühl brachte er so manche Affäre hinter sich. Mit dem Älterwerden war es etwas ruhiger um ihn geworden, doch noch immer hätte er gerne angebandelt, hauptsächlich des Jagdinstinkts wegen. Doch die Verhältnisse zwischen ihnen waren klar. Und wahrscheinlich war das auch der Grund, warum sie so frei und unbeschwert miteinander umgingen. Gorden und Peter waren ihre besten männlichen Freunde. Obwohl ihr Verhältnis zu beiden ganz unterschiedlich war. Gorden sah sie nur ab und zu, während sie mit Peter genauso regelmäßig ihre Zeit verbrachte wie mit ihren Freundinnen. Wenn es nach ihnen gegangen wäre, so müsste ihr Herz für Peter und nicht für Rainer schlagen. Er sah gut aus, war klug und charmant, witzig und sportlich. Er war erfolgreich und vermögend. Er mochte ihre Kinder und hätte ihr ein Leben in Luxus bieten können. Sie mochte Peter sehr, doch für eine Liebesbeziehung reichte es einfach nicht. Und eine gewachsene, wertvolle Freundschaft dem Risiko einer Liebschaft aussetzen wollte sie nicht. Würde es nicht gutgehen, hätte sie ihn für immer verloren. Freundschaft, das war etwas, das konnte für ewig halten. Davor hatte sie keine Angst. Und wie man sie pflegte und am Leben erhielt, das hatte sie gelernt. Sandra kannte sie fast zwanzig Jahre und Petra fast genauso lange. Mit Manuela würde sie immer auf eine Art verbunden bleiben, alleine schon der Kinder wegen, und zu Edda hatte sie sowieso eine bombastische Beziehung. Mit Regine verband sie eine tiefe Seelenverwandtschaft, und mit Peter, das war einfach schön. Sie wollte das nicht aufs Spiel setzen.

Ein Herzklopfen konnte man nicht erzwingen, es war da oder nicht. Sie hatte Gorden von ihrem letzten Treffen vor Monaten mit Rainer erzählt. Davon, dass sie sich vorgenommen hatte, nicht mehr mit ihm nach Hause zu gehen, und es dann doch wieder geschehen war. Sie zwischen ihrem Verstand, der ihr riet, sich von ihm zu lösen, und ihrem Wunsch nach einem Mann, der alles an ihr wollte, hin und her pendelte. Es war ein richtiger Kampf in ihrem Inneren, sich zu enthalten. Doch kaum in seiner Nähe, war sie wieder ihrem Gefühl, ihrer Hoffnung, dass sie ihm doch mehr bedeuten könnte, erlegen. Dann glaubte sie, dass sie nur ihr Bestes geben müsste, um ihn von ihrer Liebe zu überzeugen und seine zu entfachen. So sehr sehnte sie sich in seiner Nähe danach, dass er begreifen könnte, wie wichtig er wirklich für sie war. Immer wieder spürte sie in seinen Äußerungen, dass er weder ihr noch anderen Frauen Glauben schenkte, dass ihre Gefühle zu ihm ehrlich waren. Sie erzählte Gorden von dieser Zärtlichkeit, von den vielen schönen Gesten, seinem erneuten Werben und von der Freude, die sie in seiner Gegenwart empfand. Doch genauso schilderte sie auch ihren Zorn. Darüber, dass er sie nicht zum Bleiben gebeten hatte, dass keine Veränderung auf ihren Wunsch nach Beziehung in Sicht war. Nicht einmal gesprochen hatten sie darüber, keine Geste hatte es gegeben, wie es weitergehen würde. Sie fragte sich dann immer wieder, warum sie sich das noch weiter antat. Sie erzählte Gorden, dass sie sich dann nach diesem Treffen endgültig entschlossen hatte, sich zu distanzieren. Zu oft hatte sie versucht, seine Liebe zu gewinnen, indem sie mit ihm nach Hause gegangen war. Doch nichts änderte sich. Wenn sie ihn so nicht bekommen konnte, blieb nur ihr Rückzug und die Hoffnung darauf, dass er sie vermissen würde und endlich begriff, dass auch er nicht mehr ohne sie leben wollte.

Sie hatte es dann wirklich geschafft, nicht mehr tanzen zu gehen. Sie konnte sich endlich eingestehen, dass sie Probleme hatte, die sie daran hinderten, eine glückliche Beziehung zu einem Mann einzugehen. Obwohl sie begriff, dass sie vielleicht nie mit Rainer das erleben dürfte, was sie sich unter Beziehung vorstellte, hatte es nichts an ihrer Liebe zu ihm geändert. Doch sie hörte auf, sich ihre Gefühle aus dem Herzen reißen zu wollen. Sie lernte damit zu leben. Sie still in sich zu tragen und anzunehmen als einen Teil von ihr, der einfach liebte, ungeachtet dessen, ob der andere dieser Liebe würdig war.

Sie hatte einen Seufzer von sich gegeben und Gorden hatte geduldig zugehört. Auf einmal wurde er richtig wütend:

»Warum hängst du dich an so einen Mann?! Obwohl du im Grunde weißt, dass er die Gefühle, die du brauchst, wahrscheinlich gar nicht in der Lage ist zu geben? Warum kannst du ihn nicht endlich loslassen? Als wäre er der einzige Mann auf der Welt!«

»Du hast ja recht, aber ich kann einfach nicht, ich weiß auch nicht, warum ich so an ihm hänge«, verteidigte sich Samara.

»Du hast so viel zu bieten, bist hübsch, hast eine unglaublich erotische Figur. Verstand hast du auch und man kann sich mit dir gut unterhalten. Du hast ein Gefühl dafür, was Männer brauchen. Kannst ihnen die nötige Freiheit einräumen und ihnen doch den nötigen Konsens bieten. Es kann doch nicht angehen, dass du dein Herz an einen Abenteurer verschwendest. Das ist ja richtig krank! Wie ein kleines Mädchen, das einmal Treue geschworen hat und nun hält es diese ein auf Tod und Verderb. Du solltest dir ein anderes Umfeld suchen, anstatt immer in dieses Tanzcafé zu gehen. Wie wäre es mit Bildungsreisen oder irgendwelchen Kursen? Du bist doch interessiert an so vielem. Verlagere deine Aufmerksamkeit und du wirst sehen, es gibt Männer, die würden sich glücklich schätzen, so einen Schatz an ihrer Seite zu haben«, beendete er seine Moralpredigt.

»Ach Gorden, du bist so lieb. Ich danke dir für deinen Zuspruch.« Samara spürte eine tiefe Trauer in ihrem Herzen, und eine Ahnung holte sie ein, dass er recht haben könnte. Lange nachdem er gegangen war, spürte sie eine unsagbare Unruhe in sich. Doch in der Nacht war sie aufgewacht und spürte einen starken Druck im Bauch. Sie rannte zur Toilette und hatte heftigen Durchfall. Sie saß auf dem Klo und überlegte: ›Wieso hab ich jetzt auf einmal Durchfall aus heiterem Himmel? Wo ist der Zusammenhang?‹ Immer wieder musste sie zur Toilette laufen. Sie setzte sich in die Badewanne, weil sie wusste, wenn sie irgendetwas beunruhigte, half das immer und sie konnte nachdenken. Sie nahm eine tiefe Enttäuschung in sich wahr, ein Gefühl der Aufgabe und der Sinnlosigkeit in Verbindung mit Rainer. Woher kannte sie dieses Gefühl, wo kam es her? Sie erinnerte sich, wie geschockt sie damals war, dass er nicht das Gleiche wie sie wollte. Dass er ihre Gefühle nicht erwiderte, obwohl er doch ein halbes Jahr, bevor sie das erste Mal intim wurden, um sie geworben hatte. Sie empfand es so, als habe er sie bewusst getäuscht. Doch wenn sie überlegte, war sie es, die die frühen Signale dafür nicht wahrhaben wollte.

Und dann dieser Satz: »Du willst eine Beziehung?« Dieses Erstaunen in seinem Blick, das sie so tief in ihrem Inneren getroffen hatte.

Auf einmal begriff sie, dass er sie nie geliebt hatte. Dass sie nur immer hoffte, er würde es tun, dass sie es aus jeder positiven Geste abgeleitet hatte. Glich es nicht demselben Nicht-wahrhaben-Wollen, das auch Marcels Gefühle betroffen hatte, am Anfang ihrer Trennung? Wie lange sie brauchte, zu kapieren, dass auch er diese tiefe Liebe, die sie ersehnte, nicht geben konnte?

Glich es nicht dem Erlebnis mit ihrem Vater? War das der Knackpunkt, das fehlende Stück in ihrem Puzzle, das sie suchte? Sie zwang sich, sich zu konzentrieren, und entdeckte eine Parallele zu dem damaligen Morgen, als sie zu ihrer Mutter gegangen war …

Und nun musste sie auf einmal blitzartig aus der Badewanne heraus und wieder auf die Toilette rennen. Kotzübel war ihr auf einmal. Sie überlegte krampfhaft, was ihr Körper versuchte zu signalisieren. Was wollte er ihr sagen, das sie nicht zulassen konnte? Sie wusste, dass Durchfall für Entgleisung stand. ›Was entgleist in mir? Wo möchte ich nicht wirklich hinschauen, welchen Schlüssel nicht in die Hand nehmen?‹, versuchte sie zu ermitteln. Durch die Reaktion ihrer Mutter hatte Samara damals begriffen, was sie unbewusst schon lange geahnt hatte. Dass ihr Vater mit ihr etwas getan hatte, was er nicht hätte tun dürfen. Das führte zu diesem tiefen Bruch zwischen ihm und ihr. Dieses Begreifen, dass es nicht Liebe sein konnte, war schlimmer als der Missbrauch selbst. Ihre liebe Kundin Evi hatte recht: Das war die Verbindung zwischen ihrem Vater und Rainer. Sie erlebte bei beiden das Prinzip aus Zuckerbrot und Peitsche. Einmal war ihr Vater lieb und sanft und dann wieder abstoßend und brutal. Auch Rainer hatte solche Züge an sich und auch Marcel in geminderter Form. Suchte sie sich immer wieder solche Männer, um Ähnliches mit ihnen zu erfahren wie mit ihrem Vater? War sie tatsächlich gefangen in diesen alten Verhaftungen, weil sie nichts anderes kannte, suchte sie sich genau deshalb immer wieder solche Männer aus? Einen normalen, liebevollen Mann wie Peter stieß sie zurück. Und an so einem arroganten Abenteurer wie Rainer hing ihr Herz.

Sie erhob sich von der Toilette und legte sich ins Bett. Auf einmal spürte sie so hautnah ihren Vater neben ihrem Bett stehen. Er schaute sie an mit flehenden Augen, als wollte er sagen: »Bitte verzeih mir.« Sie setzte sich auf und sprach in die Stille: »Wie oft, Papa, wollte ich dich umbringen, in der Zeit danach, in den Jahren meiner

Teenagerzeit. Als wir beide schon längst alles verdrängt hatten und du mich für meinen Liebesentzug bitter gehasst hast. Dafür, dass ich dich nach diesem Gespräch mit Mutti nicht mehr in den Arm nehmen konnte und ich dir immer ausgewichen bin. Hast du mir deine Macht und deine Härte als Vater so unbarmherzig zeigen müssen? Mich bei jeder Gelegenheit spüren lassen müssen, wie mächtig du bist? Hat das sein müssen? Deine Ausdrücke, *du Hure, du Nutte*, als ich mit zwölf angefangen hab, nach Jungen zu schauen? Alles noch ganz harmlos war und ich noch nicht einmal geküsst hatte? *An dir ist doch nichts dran*, hast du mich beschimpft, wenn ich vor dem Spiegel im Bad gestanden bin und vorsichtig nach meinen wachsenden Rundungen geschaut hab. Als alles in meiner Entwicklung vom Mädchen zur Frau so zart zu wachsen begann. Du hast immer draufgehauen. Wie weh mir das getan hat, ist dir nicht entgangen, und ich wollte wirklich keine Frau werden. Als ich mit sechzehn meinen ersten Freund mit nach Hause brachte, ist dir nichts gut genug an ihm gewesen. Jeder, der folgte, war Abschaum in deinen Augen. Wie oft habe ich mich dir an den Hals gehen sehen. Ich würgte dich in Gedanken tausendfach. Ebenso habe ich dich so viele Male zurückgeholt, als du gestorben warst. Weil ich mir wünschte, wir hätten doch noch eine Chance gehabt, alles zu bereinigen, was zwischen uns stand, obwohl ich noch nicht ahnte, was es wirklich war. Als meine Erinnerung an das, was wirklich geschehen ist, aufbrach und ich endlich so vieles von deinen Reaktionen und den meinen begreifen konnte, habe ich dich ein zweites Mal am Kragen gepackt und so kräftig geschüttelt, dass dir schier das Gehirn herausgefallen ist. Nachdem ich meine ganze Wut auf dich zum Ausdruck gebracht und dabei nach allen Ausdrücken gesucht hatte, die ich doch nie gesagt hätte, und ich dann, nachdem ich dich so geschlagen hatte, zur Ruhe kam, weil ich am Ende meiner Kräfte war, hab ich dich in einem letzten Aufbäumen heulend angeschrien: ›Papa, ich habe dich trotz allem, was du mir angetan hast, geliebt. So inbrünstig, mit all meinen Sinnen, in meiner ganzen Verzweiflung und mit allem, was ich zu geben hatte.‹ Und ich tu es auch jetzt, du Mensch in Not! Wie lange noch wirst du mein Leben beeinflussen? Wie lange suche ich mir im Außen Situationen, die mich quälen, um das mit dir so lange anzuschauen, bis ich dich endgültig gehen lassen kann?«

»Ich liebe dich, Sami, ich liebe dich, Samara, ich bin es selbst. Es ist vorbei«, hörte sie eine Stimme von ganz unten. »Ich gehe mit dir. Ich gehe weiter in den hellen Sand, mit dir an der Hand, du kleines Mädchen. Ich führe dich und werde da sein! Von nun an immer!«

Es war ein so gutes Gefühl gewesen, endlich nach Hause zu kommen. Zu sich selbst, in sich hinein. Samara hatte sich so lange danach gesehnt, endlich Frieden zu finden. Nun, auf einmal, war er da. Die Entscheidung, sich zu enthalten, nicht mehr nach seiner Liebe zu suchen, hatte ihr gut getan. Wie ein Mönch in der Einöde war sie sich vorgekommen und hatte es am Anfang als einen ungeheuren Verzicht empfunden. Tage zuvor hatte sie das Gefühl gehabt, als schneide sie sich selbst einen großen Teil an Lebensgefühl ab. Doch je länger sie sich treu geblieben war, umso mehr hatte es Samara als eine große Erleichterung empfunden. Sie spürte sich endlich wieder selbst als Ganzes, fühlte ihr Spektrum. Wer sie war, was sie war und was sie ausmachte. Und dass sie viel zu geben hatte. Es wurde ruhiger um ihre aufgewühlte Seele und sie dachte an ihren Vater und an Jonathan und begriff, wie viel Schmerz sie noch immer in sich hatte. Und dass sie endlich ihren Tränen freien Lauf lassen konnte. Sie wusste, sie durfte Wochen und Monate heulen und niemand würde sie daran hindern. Ihr wurde klar, dass sie sich ihr ganzes Leben lang über einen anderen Menschen definiert hatte. Zuerst war es ihr Vater und ihre Mutter gewesen. Dann Marcel und nun Rainer. Die Zärtlichkeit ihres Vaters war wie eine Insel gewesen in einer Welt voller Hektik, Streit und Anspannung. In diesen Momenten hatte sie sich vollwertig gefühlt. Doch der Preis war ihr Körper und ihre Persönlichkeit. Durch den frühen Missbrauch war eine tiefe Verletzung in ihr entstanden. Endlich durfte sie darüber trauern. Nun, wo sie eine Frau geworden war, spürte sie, dreißig Jahre danach, auf einmal dieses junge Mädchen mit der kleinen Zahnlücke, das da weinte, weil es allein im Regen stand und niemand da war. Sie schaute es an und sagte: »Von nun an bin ich da, ich werde dich nie mehr verlassen. Du kleiner verlorener Schatz mit deinen blonden Schillerlocken, deinem etwas zerrupften schmutzigen Kleid, deinen offenen Knien und der Wunde in deinem Herzen. Sie wird heilen, sei gewiss. Du wirst stärker denn je dadurch werden.«

›Verstört und noch etwas verloren bist du dagestanden, mit tränenverwischten Augen. Als ich dich in den Arm genommen habe und dir meine Zustimmung bekundete und dir noch einmal sagte: Von nun an wirst du nie mehr alleine sein. Denn von hier an sind wir zu zweit. Ich, Samara, hab dich endlich wiedergefunden, *dich, mein kleines Mädchen*. Und ich sehe dir zu, wie du erwachsen wirst. Es ist schön. Denn ich liebe dich über alles.‹

Und nun lachte sie auf einmal herzzerreißend über die große Liebe, die sie beide verband, und spürte eine innige Verschmelzung. Und sie hörte die Engel jubilieren und sie begegnete ihnen in ihrer vollen Kraft. Sie trug ein Gefühl in sich, als würde sie ihre Lichtwesen umarmen.

Heute nun habe ich die Reife, nein zu sagen. Heute habe ich die Kraft, obwohl ich liebe, mich abzuwenden. Dir, Rainer, nun dieses Nein entgegenzubringen. Ich wünsche mir einen Mann, der meinen Wert erkennt und mich nicht als seinen Konkurrenten sieht. Ich möchte einen gleichwertigen Partner, der mich respektiert und mich achtet als Frau und als Mensch, der ebenso meine Weiblichkeit wahrnimmt und mich begehrt, bei dem ich Mädchen wie Frau sein darf, der mich auffängt, wenn ich falle, und der hinter mir steht, auch wenn es einmal schwierig ist. Nicht einen, der sich rächt, weil er sich noch rächen muss für etwas, das mich gar nicht betrifft. Der mich nicht erniedrigen muss, nur damit er sich kurz erhöhen kann. Ich will keine Machtspiele mehr spielen. Ich will Glück, ich will Annahme und Respekt und tiefe Zugehörigkeit. Dass man zusammenbleibt, auch wenn es mal schwierig wird. Dass man durchhält und dass die Liebe als Fundament fest steht wie ein Fels, der alles trägt. Das schrieb Samara wieder auf einen Zettel, um ihn später in ihr Manuskript zu übertragen.

*

Komisch, da sitzt sie nun schon wieder auf diesem Flughafen. Es ist noch gar nicht allzu lange her, dass sie mit Peter auf einen Kurztrip nach Marokko gereist ist und hier auf denselben Stühlen saß.

Mein Gott, war das eine Reise, erinnert sie sich. Im Flugzeug hat sie diesen Artikel gelesen, von dem Star, der voll im Rampenlicht gestanden hat und der so tief gefallen ist. Der den Schlüssel zu seiner Entlarvung noch selbst liefere. Mitleid empfindet sie, wo sich andere empören.

*

Es waren wirklich schöne Tage. Peters Firma hatte in Marrakesch nahe dem Atlasgebirge ein Haus. Seine Firma besaß mehrere Wohnsitze, verteilt auf der ganzen Welt. Seine Arbeit als Prokurist und die Notwendigkeit, schnell präsent zu sein, ermöglichten ihm diese Aufenthalte. Peter musste öfters geschäftlich verreisen, meistens zu Zweigniederlassungen, um neue Projekte zu besprechen, Abrechnungen zu kontrollieren und vor Ort nach dem Rechten zu schauen. Er sprach fließend fünf Sprachen und so war er ein vorzüglicher Reiseführer. Wenn es auch manche Situationen gab, die nicht immer einfach zu bewältigen waren, so schätzte er doch die angenehmen Nebensächlichkeiten in seinem Beruf. Wenn er zu viel unterwegs war, fehlte ihm zuweilen die heimische Ansprache und so hatte er bei Samara ab und zu um Begleitung nachgefragt. Meistens ließ es ihre eigene Arbeit nicht zu oder die Kinder hatten keine Ferien. Doch einmal waren sie, Stina, Tim und Leoni mit Peter zusammen in Barcelona und einmal in Italien gewesen. Sie musste dann lediglich für den Flug aufkommen und so war es auch für sie eine interessante Geschichte. Die Kinder konnten herrlich im Pool planschen, während sie sich in Ruhe einem Buch widmete. Peter ging seinen Geschäften nach und war abends meistens so gegen acht zu ihnen gestoßen. Dann hatte er ihr die Stadt gezeigt. Sie gingen essen oder bummeln. Ihre drei waren begeistert, da es immer ein Eis oder Sonstiges gab, und Peter genoss es, wenn sie um ihn waren. Er mochte ihre Kinder und empfand sie keinesfalls als Belastung. Im Gegenteil, seine Ehe wurde kinderlos geschieden und er hätte gerne welche gehabt. Seither war er allein, ab und zu einem kurzen Flirt nicht abgeneigt, aber ohne feste Beziehung. Nicht dass er einsam war oder nichts mit sich anzufangen wusste. Er war belesen und interessiert an allem Multikulturellen, und so gab es viele Ebenen, die sie teilten. Manchmal hatte Samara ihm ein wenig bei der Korrespondenz geholfen, aber die meiste Zeit verbrachte sie mit Faulenzen. Ihre Mutter hatte ihre Kinder für ein paar Tage mit in die Ferien genommen. So passte es, sich Peter nach Marokko anzuschließen. Sie erinnerte sich mit Unbehagen an diese erste Nacht in diesem Haus. Einsam, ein wenig isoliert lag das Anwesen auf einem Hügel, durch eine gut zwei Meter hohe weiße Mauer von der Straße abgeschirmt, umgeben von Kakteen, exotischen Pflanzen und einer traumhaften Terrasse. Das Haus hatte genug Zimmer, um sich nicht zu sehr auf der Pelle zu hocken, und ein Hausmeisterehepaar, das nach dem Rechten schaute und ihnen jeden Wunsch erfüllte. Sie bewohnten eine geräumige Zweizimmer-Wohnung im unteren Stockwerk, und wenn man sie nicht brauchte, war es, als wären sie gar nicht da.

Das Piepsen der Klimaanlage weckte sie. Diese fremde Umgebung. Diese fremde Stadt. So viele Geräusche und Düfte, die sie nicht kannte, und diese dunkle Nacht. Sie wusste, sie durfte kein Fenster öffnen, und auf einmal überfiel sie eine solche Panik. Hitze stieg schlagartig in ihr auf. Wieder diese Bilder, die sie ab und zu in den letzten Jahren einholten. Wieder diese Gedanken. *Schuldig! Schuldig in allen Punkten der Anklage!* Als würde sie die Geschworenen auf der Bank vor sich sitzen sehen. Die vorwurfsvollen Blicke, die sie mitten ins Herz trafen. Sie sah sich in dem Anklagestuhl, den sie schon so oft in irgendwelchen Krimis gesehen hatte. Der Richter, der seinen Hammer schwang. Alle Anwesenden erhoben sich, um dem Urteilsspruch zu lauschen. »Schuldig in allen Punkten der Anklage!«, wiederholte der Richter. Und sie sah sich ihr Haupt senken und mit zitternder leiser Stimme sprechen: »Ja, ich bekenne mich schuldig! Ich bekenne mich schuldig des Hochverrats an meinem Herrn! Ich habe gesündigt! Ich wollte besser sein als andere Menschen. Ich wollte immer ein gutes Kind sein. Ich wollte frei von Sünde sein!« Sie sah sich innehalten. Ihre Stimme versagte und sie glaubte einen Augenblick lang, kein einziges Wort mehr über die Lippen bringen zu können. Sie machte eine verzweifelte Bewegung mit ihrer Hand, als würde sie einen Schnitt beschreiben, der durch einen Vorhang führte und ihn entzweite. Als würde sie versuchen, ihrem Publikum begreifbar zu machen, wie hoffnungslos sie sich fühlte, und um Erbarmen flehen. »Ich wollte Gott dienen. Doch habe ich mir besonders gefallen in der Rolle des Opfers und der Selbstlosen. Niemals wollte ich jemanden verletzen.« Sie senkte den Kopf, glaubte, ihre Beine würden einknicken und ihre Füße sie nicht weitertragen können im Angesicht der eigenen Erkenntnis. Doch sie stand immer noch wie angewurzelt in diesem Zeugenstuhl. »Ich habe all meine Gelübde gebrochen. Ich habe gelogen und betrogen. Ich bin schuldig des Ehebruchs. Zu allem Übel habe ich mich erhoben und angeklagt, wo der andere fehlerhaft handelte, ohne meine eigene Schuld zu begreifen. Ich habe mich gesonnt in meiner Großmütigkeit und darin, dass mich Menschen verehren. Ja, mich in den Himmel heben, der mir nicht gebührt. Das Allerschlimmste, ich habe vor Gott versagt. Ich habe nicht erfüllt!« Sie sah sich zu, wie die Tränen ihre Wangen hinunterliefen und ihr Make-up verschmierten. Wie ein Häufchen Elend stand sie da. Schutzlos, hilflos, gefallen. Kein Erbarmen war in ihren Gesichtern erkennbar, nur Hass und Verachtung. Kein Mitleid, kein Verständnis, nur blankes Entsetzen. Und sie dachte: ›Ihr habt ja recht.‹

Sie sah sich wieder in diesem Zimmer. Das leise Surren der Klimaanlage brachte sie schier zur Weißglut. Sie hatte überlegt, Peter zu wecken. Aber was hätte sie ihm sagen sollen? »Wie tief bist du gefallen!«, hörte sich Samara sagen. »Da hast du jahrelang darum gebetet, der Herr möge deinen Hochmut brechen. Und nun bist du so weit und stirbst schier!«

Sie öffnete die Tür ihres Zimmers. Alles war dunkel. Sie schlich sich hinauf auf die Plattform des Hauses. Auf seinem Dach befanden sich ein Swimmingpool und ein paar Liegen. Von dort oben konnte man über die ganze Stadt blicken. Zu der Moschee Ben Youssef, deren Dach im Morgenschein goldfarben glänzte. Der große Marktplatz, *Djemaa el-Fna*, lag friedlich und still. Sie stand am Beckenrand des Pools und dachte: ›Da musst du jetzt durch‹, und sprang hinein.

Das Wasser war eiskalt und das Chlor brannte in ihren Augen. »Das geschieht dir ganz recht, schimpfte sie und war mit einem Satz wieder auf dem Beckenrand zum Sitzen gekommen. Sie schluchzte:

»Oh mein Gott, hilf mir. Hilf mir doch!« Alles war still. »Umaniel, wo bist du? Hilf du mir doch!« Nichts regte sich. Keine Stimme, die sie tröstete. Sie fühlte sich elend.

Die Dachterrasse war umsäumt von einer meterhohen Umrandung. An ihnen empor ragten Kakteen und der Hibiskus blühte in einem sanften Violett. Sie überlegte, wie spät es wohl war, vielleicht so gegen vier Uhr morgens. Diese schlafende Stadt bot sich in ihrer reinsten Form dar. Wenn es tagsüber hier turbulent zuging, so war um diese Zeit nur vereinzelt das Bellen eines Hundes zu vernehmen. Sie fühlte eine Leere in ihrem Kopf. Ein Gefühl wie ausgebrannt.

Sie legte sich wieder auf das Bett und dachte nach. Sie hatte sich ein wenig gefangen. Sie sah sich klarer als je zuvor. Ungeschminkt. Sie richtete sich auf und betrachtete das abstrakte Bild in ihrem Zimmer, das ihr nichts zu sagen hatte, und sagte: »So bist du also. Ein Sünder!« Plötzlich erkannte sie Umaniel, der auf einmal neben ihr stand. Er antwortete:

»Was hast du denn gedacht? Dass du keiner bist? Was hast du dir vorgemacht? Genau dort will er dich haben!«

Sie empfand Demut. Sie sagte: »Wenn er mich noch will? Wenn er mich so will, wie ich bin? Dann bin ich da! So will ich dir, Licht, dienen, wenn du das möchtest!«

Umaniel lachte und sagte: »Was glaubst du denn? Das ist doch nicht erst seit heute so. Er hat dich doch immer gesehen, wie du bist.« Gütig legte er seine Hand auf ihren Kopf.

Sie erhob sich in Gedanken, wendete ihm ihr Gesicht entgegen und sprach in den Himmel:

»Ich hab darum gebeten, dass du mich erniedrigst. Doch dass es so schmerzt und ich so tief stürzen würde, hätte ich nicht gedacht.«

Sie sah ihn gütig lächeln und hörte ihn sagen: »Das musste sein.«

Sie dachte an Marcel. Sie sah ihn nach dem ersten Trennungsjahr. Als er vor ihr stand und ihren neuen BMW begutachtete. Missbilligend hatte er gelästert. »Du musst ja Geld haben.« Obwohl sie sich vor ihrer gemeinsamen Zeit von ihrem Vermögen drei hätte kaufen können und er das doch wusste, konnte er keine Ruhe geben. Sie erklärte ihm darauf, dass der Wagen der Bank gehöre. Er schaute sie an und antwortete: »Du wirst noch einmal tief fallen!« Sein Blick, der so viel Verachtung, so viel Wut spiegelte, traf sie mitten ins Herz. »Mein größter Fall warst du«, setzte sie ihm leise entgegen.

Dass sie sich immer irgendwie mit ihrer Art über andere gestellt hatte, wurde ihr auf einmal klar. Weil sie gütige Hände hatte, weil sie fähig war, in Momenten, in denen sie gebraucht wurde, für andere da zu sein. Weil sie Liebe fühlte zu ihren Kunden und ihre Sorgen mit ihnen teilte. Weil sie Hilfe anbot, wenn sie vonnöten war, war sie nicht umhin gekommen, sich in ihrer Großmütigkeit zu sonnen. Er hatte ihren Hochmut gemeint! Und sie hatte es nie gespürt. Doch jetzt nahm sie es auf einmal wahr, so viele Jahre danach.

Am nächsten Morgen waren ihre Augenlider immer noch aufgequollen. Als sie Peter beim Frühstück begegnete, schaute er sie nur an: »Was ist dir denn heute Nacht über die Leber gelaufen?«

Sie überlegte, ob sie es ihm sagen sollte, und dachte: ›Nein.‹ Doch dann sann sie noch einmal darüber nach. Er war auch einer der Menschen, die so gut von ihr dachten. Er mochte sie, wegen der vielen Gespräche, die sie führten, und weil sie immer für eine Überraschung gut war. Ihm gefielen ihre Spontaneität und ihr fröhliches, unterhaltsames Wesen. Sie lag ihm aber auch deshalb am Herzen, weil sie so ein ehrlicher, aufrichtiger Mensch war.

›Von wegen‹, dachte sie, ›wenn du wüsstest.‹

Während Peter in sein Brötchen biss und die Marmelade an diesem heruntertropfte, schaute er ihr in die Augen.

»Jetzt sag schon, was hast du denn?«

Sie lief an ihm vorbei in die Küche, wandte sich um und sagte: »Wenn ich dir das erzähle, willst du vielleicht nicht mehr mein Freund sein.«

Schlagartig war Stille. Peter sagte kein Wort mehr. Sie spürte, dass er sich aufrecht hingesetzt hatte und abwartete. Sie erhob ihre Stimme und rief aus der Küche: »Ich schäme mich.« Sie hoffte auf eine Frage, auf eine Antwort, auf irgendeinen Satz. Doch Peter blieb stumm. Sie setzte sich zu ihm an den Tisch.

»Ich bin nicht so, wie du immer gedacht hast. Ich bin nicht die nette Sami, die immer gut und freundlich ist!«

»Na und?«, warf Peter ein und kaute weiter an seinem Marmeladenbrötchen.

Sie schaute ihn herausfordernd an und sagte: »Ich habe gelogen und ich habe betrogen. Ich habe mich erhöht und hab noch zu allem Übel angeklagt, wo es mir nicht zustand.«

Er schaute ihr aufmerksam in die Augen, als wollte er fragen: Und was kommt jetzt?

»Ich habe Marcel in unserer Ehe betrogen, einmal und dann fast noch mal. Stell dir vor, und am Ende habe ich ihn an den Pranger gestellt, dass er mich verlassen hat.«

»Und?«, fragte Peter erneut. »Dafür hat es doch sicher einen Grund gegeben. Ich habe meine Frau auch betrogen. Aber wenn du ein ganzes Jahr keinen Sex hast, wer will es dir verübeln? Ich hab mich auch schuldig gemacht.«

Sie sprang wütend auf, grell erhob sie ihre Stimme und fügte fast panisch hinzu: »Aber bei mir war es ganz anders. Ich habe mich mit Händen und Füßen gewehrt. Ich wollte das nicht tun und hab es doch müssen. Ich gebe zu, da war einiges, das entwürdigend war, mit Marcel. Wie oft er mich schlecht behandelt hat. Mich immer wieder von sich wegstieß und mich als Frau demütigte. Einmal hatten wir so darüber gestritten und ich sagte zu ihm: ›Wenn du mich nicht anrührst, ich betrüge dich, Marcel.‹ Da waren Stina und Tim gerade eineinhalb. Doch das war damals nur eine Drohung, ich wollte ihn nie wirklich betrügen. Ich wollte einfach nur Beachtung. Ich habe versucht, dem, was folgte, zu entrinnen, und wenn ich an mein Buch denke, dann wird mir ganz schlecht.«

»Was machst du jetzt für ein Szenario?«, fragte Peter erstaunt.

»Na gut, wir sind alle keine Engel, keiner von uns!«

Sie ging um ihn herum und wollte ihm erklären. Fuchtelte wie wild mit ihren Händen, als wollte sie etwas beschreiben, und schrie fast: »Aber ich, ich habe gelobt, Gott zu dienen!«

Peter erhob sich von seinem Sessel und packte sie, nur für einen kurzen Augenblick, an den Schultern und drückte sie wütend in ihren Stuhl.

»Verdammt noch mal, wie hört sich das denn an? Ich habe Gott gelobt zu dienen«, äffte er sie abfällig nach. »Jetzt sei doch endlich mal du selbst und hör auf mit diesem Scheiß! Sei so, wie du bist! Geh deiner inneren Stimme nach! Das machst du doch sowieso. Alles hat seinen Sinn und wenn das noch in dein Buch mit rein soll, dann wird das schon seinen Grund haben. Ist doch toll, wenn sie sich am Ende selbst stützt. Das ist doch überaus menschlich.« Er machte eine kleine Pause und fuhr dann fort: »Wer glaubst du denn, wer du bist? Wir sind doch alle voll von Fehlern. *Das* ist doch dein Irrtum!«

Sie wurde ganz klein und erhob sich wieder, weil sie sich selbst nicht aushalten konnte und glaubte, davonrennen zu müssen. Sie ging in die Küche und heulte erneut los und dachte: ›Du verstehst nicht. Du verstehst mich einfach nicht, keiner versteht mich.‹ Sie setzte noch einmal an, um ihm zu erklären.

»Aber jetzt überleg doch mal. Meine ganzen Freunde, meine Kunden, Marcel.«

»Marcel, Marcel, Marcel«, äffte Peter sie nach. »Du liebst ihn immer noch, nicht wahr?«

»Nein«, sagte sie, »das ist es nicht. Das war nie das Thema, ich hab ihn immer geliebt und vielleicht werd ich das mein ganzes Leben lang tun. Aber ich habe so lange um seine Liebe gekämpft. Ich habe aufgeben müssen! Er ist nicht so reif wie du, Peter. Und wenn man dann selbst begreift, dass es zwei Welten sind, in denen wir beide gelebt haben, zwei Welten, die nicht zusammenkommen konnten, dann muss man wohl oder übel kapitulieren. Man kann die Zeit, die man braucht, um zu wachsen, nicht einfach überspringen. Wir sind nicht in die gleiche Richtung gegangen. Marcel hat mich nie erkannt und das tut weh.«

Peter nickte zustimmend, denn auch er kannte dieses Gefühl.

»Aber ich habe ihm Unrecht getan. Das ist es!«

»Unrecht hin oder her. Was hat er denn mit dir gemacht? Weggestoßen hat er dich. Als Frau nicht beachtet. Sich geschämt für dich. Deine Figur bemäkelt. Deinen Busen konnte er nicht streicheln, als ihr euch kennengelernt habt. Deine Beine waren ihm zu dick, jedes Gramm hat er gezählt. Jetzt hör mal! Dabei bist du eine wunderschöne Frau! Erinnere dich, was du mir alles erzählt hast, wie oft er dich nicht haben wollte. An dir herumkritisiert hat, dich andauernd verbessern wollte. Das ist doch unreif. Ein kleiner Junge ist er. Und wer weiß, was er in eurer Ehe gemacht hat?«

»Das glaub ich nicht«, warf sie ein.

»Jetzt hör doch mal auf«, sagte Peter sauer. »Du bist vielleicht naiv. Und was war während deiner Schwangerschaft? Einen Dreck hat er sich um sich um dich geschert, eine hochschwangere Frau sitzen lassen. War da auch nichts mit dieser Susanne? Während du im Krankenhaus gelegen bist? Es geht dir doch nur darum, dass du schon wieder das brave Mädchen sein willst. Es allen recht machen, das kannst du nicht. Hör doch endlich mal auf damit. Sei doch du!« Er hatte den Nerv getroffen. Es brannte in ihr wie Feuer. Sie dachte an ihren Vater. Und sie sagte heulend: »Ich wollte immer ein gutes Mädchen sein. Aber ich hab's einfach nicht geschafft!«

»Aber wenn du diesen Selbstschutz nicht gehabt hättest, wärst du dann seinen Fängen entkommen?«, erwiderte Peter ruhig. Er legte seine Hand in ihren Nacken und zog sie väterlich zu sich her. Sie ließ es geschehen und heulte an seiner Schulter. »Jetzt hör halt auf«, versuchte er sie zu trösten. »Du bist schon okay.«

»Du bist mein allerbester Freund, Peter«, sagte sie dankbar und heulte noch mehr. Er reichte ihr ein Tempo und sie wischte sich ihre Tränen ab und gab sich Mühe, sich zu beherrschen.

Peter ermutigte sie, egoistischer zu sein und das, was aufgebrochen war, in die Waagschale zu werfen.

»Nun seid ihr quitt«, sagte er. »Er hat dich mies behandelt und du ihn! Punkt, aus! Und nun hak's ab«, riet er ihr.

»Oh, ihr Männer«, antwortete Samara. »Darum beneide ich euch. Einfach einen Punkt machen zu können. Wir Frauen müssen alles zigmal durchkauen und können es manchmal doch nicht loslassen. Wenn du wüsstest, wie das wirklich gewesen ist«, versuchte sie das Geschehene wieder zu entschuldigen.

»Wie war es denn?«, antwortete Peter und grinste über das ganze Gesicht. Er legte zärtlich seine Stirn auf ihre Schulter und schnurrte laut.

»Ganz anders, als du jetzt wieder denkst.« Sie versuchte seinen Kopf auf die Seite zu drücken und er lachte noch mehr. »Wenn ich dir das erzählen würde, wäre ich vollends verrückt in deinen Augen.« Sie schaute ihn lächelnd an und sagte herausfordernd: »Ich kannte diesen Mann aus einem anderen Leben und ich konnte nicht umhin, mich mit ihm noch einmal zu verbinden.«

Peters Lachen war mit einem Mal verschwunden. »Erzähl doch einfach, vielleicht glaub ich dir ja.«

Sie schaute ihn an und sie wusste, er meinte es ernst. Sie überlegte kurz und schüttelte den Kopf.

»Wieso denn nicht, mich interessiert es wirklich. Vielleicht erleichtert es dein Gewissen und es geht dir besser hinterher.«

Das war ein Argument. Doch wo sollte sie beginnen?

»Weißt du, Peter, es war nicht so, dass ich keine Chancen gehabt hätte, auch in der Zeit meiner Ehe.«

»Das kann ich mir denken«, warf Peter ein und schaute sie schon wieder so zärtlich an.

»Jetzt lass doch«, ärgerte sich Samara darüber. »Nein, Peter, wirklich nicht. Ich war Marcel treu. Ich wollte treu sein, von meiner ganzen Einstellung her. Da hätte es nie etwas gegeben, einfach so aus Lust.«

»Ach wie schade«, frotzelte er schon wieder.

»Jetzt mal im Ernst«, ermahnte sie ihn erneut. »Willst du es jetzt wissen oder nicht?«

»Also gut, ich hör zu.«

Und sie begann zu erzählen:

»Ich war mit Petra im Fitnessstudio. Damals gingen wir regelmäßig zweimal die Woche. Wir hatten immer großen Spaß. Nun ja, wir tratschten manchmal mehr, als wir trainierten. Doch das war eben auch wichtig. Ich sah diesen dunklen, gut aussehenden Typen zuerst. Doch dann sah er mich auch, wir hatten einen kurzen Blickkontakt und es funkte sofort. Er sah wirklich verdammt gut aus. Eigentlich waren sie zu zweit, doch der andere fiel mir erst viel später auf. Wir verließen das Studio und wollten gerade zum Italiener essen gehen. Da kamen uns zwei Motorradfahrer entgegen und stoppten direkt vor uns. Als sie ihr Visier nach oben klappten, erkannten wir die beiden als die aus dem Fitnessstudio.

›He, seid ihr neu da?‹, fragte der eine freundlich und wir nickten. Er schaute seinen Kumpel an und dann wieder uns. ›Habt ihr nicht noch Lust, mit uns beiden etwas trinken zu gehen?‹, fragte er höflich. Ich schaute Petra an. Ihr Blick war voll Entsetzen und Verachtung, als wollte sie zu mir sagen: Was will denn der hier? Und so verstand ich schnell. Ich wusste, dass er vor allem mich gemeint hatte, aber das tat ja nichts zur Sache, wir waren gemeinsam hier. Und allein wäre ich sowieso nicht mitgegangen. Ich ergriff das Wort und sagte: ›Nein danke, wir gehen alleine, das ist uns lieber.‹ Er versuchte uns noch einmal umzustimmen, doch wir liefen einfach weiter.

Als sie abgedüst waren, bekam ich doch ein schlechtes Gewissen. Eigentlich wäre ich ja gerne mitgegangen. Zumindest hätte ich es mit anderen Worten sagen können. Nun gut, es war gelaufen. Als wir das nächste Mal im Studio waren, sah ich den einen von beiden, den blonden. Ich lief auf ihn zu und sprach ihn an: ›Es tut mir leid, dass ich euch das letzte Mal so hab abfahren lassen. Die Art und Weise war nicht okay.‹

›Ist doch in Ordnung, jeder kann nein sagen.‹ Er lächelte so lieb dabei, ich wusste, es war bereinigt, und ging wieder und trainierte weiter.

Wie will ich das erklären? Es war seine Stimme. Sie war mir so vertraut. Sie war so sanft, so leise. Als hätte mich einer mit seinem Lasso umringt, bin ich auf einmal gefangen gewesen.

Weißt du, wie ich es empfunden habe, ihm zu begegnen? Wie wenn du jemanden, nach dem du lange gesucht hast, verloren geglaubt hast und aufgeben musstest, weil dein Flehen endlos gewesen war und doch zu nichts geführt hatte. Und du dann alt und grau geworden bist und auf einmal ein Gesicht in deinen Händen hältst, das dich erlöst von deiner Suche. Ein Gesicht, das sich verändert hat, weil die Zeit auch Spuren in seines gegraben hat. Den du fast nicht mehr erkannt hättest und der es doch war. Ja, so empfand ich die Begegnung mit ihm.

Ich bin an diesem Abend nach Hause gegangen. Alles in mir war so friedlich. Ich konnte mir das am Anfang nicht erklären. Dieses Gefühl von Frieden, wenn ich nur an ihn dachte. Von da an haben wir uns immer unterhalten, wenn wir uns im Studio begegnet sind. Er kam immer wieder auf mich zu und warb sichtlich um mich. Es war eine schöne Zeit, eine aufregende. Ich freute mich schon immer auf die Tage und es war wirklich nett. Er war höflich, witzig, einfach toll. Mit Marcel hatte ich es in dieser Zeit nicht einfach, eigentlich war es das nie. Im Bett lief fast gar nichts mehr und auch sonst waren wir eher wie Hund und Katz. Sie waren ein Lichtblick, diese kurzweiligen Stunden im Studio. Doch mein Gefühl wurde immer stärker, es wuchs und wurde tiefer zu diesem Mann, wenn er mir tief in die Augen schaute, von einer Hantel zur anderen griff und mir von der Ferne zulächelte. Nachts wälzte ich mich in meinem Bett und versuchte die Gedanken an ihn immer wieder zu verdrängen. Tags fiel es mir schwer, mich auf meine Arbeit zu konzentrieren. Ich wehrte mich gegen dieses Gefühl. Denn Treue ist etwas Wichtiges und die Grundlage überhaupt in einer Ehe, für mich jedenfalls.

Mit der Zeit hatte ich mich richtig in Helmut verliebt und meine Schuldgefühle gegenüber Marcel wurden von Tag zu Tag größer. Wir fuhren in den Urlaub und ich hoffte, ich könnte ihn vergessen. Doch es war eine einzige Streiterei zwischen Marcel und mir. Ich sehnte mich nach meinem Studio und nach ihm. Ich betete zu Gott, mir Stärke zu verleihen und mich von meinen Gedanken zu erlösen. Doch es half nichts. Je schwieriger es mit Marcel wurde, umso mehr sehnte ich mich nach Helmut.

Irgendwann hab ich es nicht mehr ausgehalten. Bin einfach tagsüber zu ihm hingefahren. Da Helmut bei der Post arbeitete, schichtete er und so war er zu Hause. Ich bin fast geradewegs in seine Arme gelaufen und hab ihm erzählt, dass ich es einfach nicht mehr ausgehalten habe. Er hat mich in seine Arme genommen und fest an sich gedrückt. Es war ein Gefühl, wie soll ich dir das beschreiben, Peter? Unendlich schön. Von da an begann eine schwierige Zeit. Ich liebte ihn. Er war so weich, er war so männlich, so zärtlich und sinnlich. Doch ich liebte auch Marcel. Es war furchtbar! Es war nicht oft, dass wir uns getroffen haben, aber doch immer wieder. Ich wusste nicht, was ich tun sollte. Seltsamerweise verstand ich mich auf einmal auch mit Marcel besser. Trotzdem stellte ich mir immer vor, wie es ohne ihn wäre. Da war ein Wunsch in mir, mich zu lösen, aber schon wenn ich daran dachte, war es ein furchtbares Gefühl und ich spürte mehr denn je, dass auch er seine Qualitäten hatte und ich ihn wirklich liebte.

Ich ging zu Alma, meiner Weißmagierin, und erzählte ihr alles. Sie zeigte Verständnis und es tat gut, endlich darüber sprechen zu können. Nicht einmal meinen Freundinnen hab ich von ihm erzählt, solche Angst hatte ich. Schon früher hatte Alma mir von Reinkarnationen erzählt und wie sehr das ihr Leben veränderte. Ich wollte es tun. Ich wollte in frühere Leben gehen. Ich wollte entschlüsseln, ob es da eine Verbindung zu Helmut gegeben hatte. Es brannte in mir, mehr zu erfahren, und so bat ich sie um Hilfe. Wir gingen in ihren Meditationsraum und es war alles wunderschön vorbereitet. Überall standen brennende weiße Kerzen. Leise erklang die Musik, und Räucherstäbchen umhüllten den Raum mit exotischen Düften. Es war sehr angenehm bei ihr und sie klärte mich zuerst einmal lange auf. Über die Gefahren, die solch eine Sitzung in sich bergen konnte, und dass es wichtig war, alles zu befolgen, was sie mir anriet. Sie sagte das so eindringlich und sie überzeugte mich, dass ich nicht alleine in diese Ebenen eindringen und damit herumexperimentieren dürfte. Wir saßen lange an ihrem Schreibtisch und sie stellte mir Fragen über mein Leben. Es war wie in einer Therapie, in der man auf etwas hinarbeitet. Es schien mir, als würde sie meine Spannung bündeln und sie auf einen Fixpunkt lenken.

Als sie mich bat, mich auf das Bett zu legen in dem kleinen Raum, den ich zuvor noch nicht gesehen hatte, wurde ich doch nervös. Der Raum war winzig klein, aber er bot Schutz und er war wohlig warm. Eine Kerze flackerte auf einem kleinen Tisch und sie setzte sich neben mich. Sie fragte, ob ich frieren würde, und ich bat zur Sicherheit um eine Decke. Mit einem Schreibblock auf ihren Knien saß sie neben mir und begann leise zu reden.

›Deine Arme und Beine sind ganz schwer. Arme und Beine sind schwer wie Blei. Wärme strömt ein in deinen Körper. Alles Alte fließt ab und macht Platz für Neues.‹ Immer wieder wiederholte sie das. ›Die goldene Flüssigkeit strömt ein in deine Zehen‹, begann sie von Neuem. ›Sie fließt von unten nach oben in deine Beine. Sie strömt hinein in dein Becken und füllt alles auf mit dieser goldenen, kraftvollen Energie. Sie fließt in deine Wirbelsäule, in deinen Bauch in deinen ganzen Rumpf. Sie strömt in den Nacken und in deinen Hinterkopf. Sie erfüllt deinen ganzen Körper mit warmer göttlicher Energie.‹ Sie wiederholte auch das immer wieder und ich konnte die Wärme und diesen Schutz spüren. Sie fragte mich, wie ich mich fühlen würde, und ich beschrieb ihr meinen Zustand. Ich war wie schwerelos, doch wie in einem Panzer, in dem ich mich nur schwer bewegen konnte.

Sie stieg mit mir die zwölf Stufen hinunter in mein unteres Stockwerk und gelangte mit mir in eine Höhle. Es war dieselbe Höhle, die ich dir schon oft als Heiligen Gral beschrieben habe. Alma forderte mich auf, mich umzusehen, und fragte, ob ich Türen erkennen könnte, und ich erzählte ihr von einigen. Sie ermunterte mich, mich umzuschauen und diese Tore ganz genau zu betrachten, und fragte, ob mich eine besonders anziehe. Ich blickte mich um und blieb an einer hängen. Sie war aus dunklem Holz mit eisernen Beschlägen. Sie wirkte alt, doch sehr massiv. Alma schlug mir vor, wenn ich bereit dazu sei, die Tür zu öffnen. Angst spürte ich einen kurzen Augenblick und sie fühlte meine Schwingung. Sie beschwichtigte mich: ›Wir können jeden Augenblick wieder zurückkehren. Sei unbesorgt, ich bin da.‹ Also öffnete ich dieses Tor und ging hinaus.

Es war, als würde ich von hoch oben herabspringen. Doch ich fiel nicht schnell. Wie in einen Nebel sprang ich hinein und es ängstigte mich. Es war, als würde ich langsam durch den Nebel hindurchschweben. Als hinge ich an Schnüren, glitt ich langsam und gleichmäßig nach unten und Alma fragte: ›Was siehst du?‹ Ich sagte: ›Nichts, dunkler Nebel, alles um mich herum, dunkler Nebel.‹ Ich hörte meine eigene Stimme wie aus der Ferne, langsam und schleppend, als hätte ich ein Betäubungsmittel in mir. Alma bat mich, weiter zu gehen, weiter in meiner Erinnerung. ›Was siehst du jetzt?‹, fragte sie erneut. ›Ich sehe Berge, viele Berge.‹

›Stehst du unten oder oben?‹

›Ich stehe unten, es sind eher Hügel, viele Berge.‹

›Was hast du an, wie ist die Zeit? In welchem Jahrhundert bist du?‹

›Es ist so achtzehntes Jahrhundert‹, sagte ich.

›Geh weiter, zu einer prägnanten Stelle.‹

Und ich ging weiter und sah eine Frau am Fluss. Sie war mir vertraut und auf Almas Frage bestätigte ich, dass sie die meine ist und ich ein Mann bin. Wir hatten ein kleines Kind und sie spielten am Fluss, meine Frau und unser Kind. Sie passte nicht auf und das

Kind stürzte in den Fluss. Laute Stimmen, viel Geschrei, doch als sie es wieder fassen konnten, war es schon zu spät. Ich spürte einen Schmerz in mir und große Verzweiflung über diesen Verlust. Alma bat mich, weiter zu gehen, und ich sah mich auf einem Marktplatz. Überall Gebrüll. Die Frauen trugen breite Kopfbedeckungen, so wie Quäkerfrauen. Weite, lange, ausladende Röcke, doch einfach, mit Schürzen darüber. Ich drückte mich durchs Gewühl und sah mich inmitten der Menschenmassen, die auf einen Platz starrten und wie wild schrien. Ich erkannte meine Frau darauf, sie sollte hingerichtet werden. Alles in mir tobte. Ich liebte sie, doch ich hasste sie auch. Sie hätte auf unser Kind aufpassen müssen. Sie war schuldig! Ich rang mit mir, ob ich sie befreien sollte. Doch meine Moral war stärker. Tausend Schwerter richteten sich in meinen Gedanken gegen mich und ich überlegte kurz, wo wir hinsollten. Vielleicht hätte ich sie befreien sollen? Ich fühlte Schuld und doch war da etwas, das anklagte und es für eine Ordnung befand, den damaligen Gesetzen Folge zu leisten.

Alma fragte mich, wie es weiterging. Ermutigte mich, Jahre zu überspringen, zu einem wichtigen Punkt zu gehen. Ich sah mich auf einem Pferd. Ich ritt mit anderen, als wäre ich ein Partisan.

›Wie fühlst du dich?‹, fragte Alma wieder. ›Wie empfindest du dich auf diesem Pferd?‹

Ich sagte ihr, dass ich verbittert sei. Dass ich hart sei wie aus Stein, ohne jegliches Gefühl.

Sie fragte mich: ›Ist es wegen deiner Frau? Weil du sie nicht gerettet hast?‹

Ich antwortete: ›Ja.‹

›Was geschieht dann, wo bist du?‹, fragte Alma.

›Ich bin im Krieg, wir überfallen ein Dorf. Ich sehe Feuer, überall Geschrei. Der Schutzwall brennt. Hütten brennen. Während ich reite, schieße ich. Ich habe einen Gurt um meinen Brustkorb und schieße mit Pfeil und Bogen und ich treffe und ich töte. Ich empfinde nichts. Kein Mitleid. Kein Gefühl. Ich höre Kinder schreien, sehe Frauen rennen. Doch es berührt mich nicht. Ich fühle nur Genugtuung. Ich sehe mich, wie ich ansetze und mit meinem Pferd den Wall überqueren will, mit der Linken den Zügel haltend, und gleichzeitig will ich mit der Rechten meinen Pfeil abschießen, noch während ich springe. Ich bin im Anflug, als ich auf einmal mitten im Flug stürze. Ich falle wie in Zeitlupe von meinem Pferd und knalle auf den Boden. Es ist, als realisiere ich gar nicht, was geschehen ist. Es geht alles so schnell, ich bin einfach erstaunt. Ich greife zu meiner Brust und fühle den Pfeil und schon im nächsten Augenblick wird es hell. So hell um mich, dass es meine Augen gar nicht fassen können. Ich nehme das wilde Geschehen um mich herum gar nicht mehr wahr. Nein, doch noch, aber wie aus ganz weiter Ferne. Es ist, als höre ich Musik, die wundersam in meinen Ohren klingt. Alles hell! Wunderschön, und dieses Licht! Ich kann es nicht fassen, diese Herrlichkeit. Ich bin völlig überrascht und staune!

Ein unbeschreiblich schönes Gefühl erfasst mich. Auf einmal sind sie da! Hunderte von Lichtwesen. Engel. Wie Fabelwesen. Hell glänzend, friedlich, freundlich und so vertraut. Ich werde nach oben gezogen und auf einmal begreife ich. Ich begreife, dass ich sterbe! Es ist unfassbar: Ich schwebe davon und da unten liege ich! Ich kann es nicht fassen und doch fasse ich es allmählich. Ich habe getötet und gemordet und ich erreiche trotzdem ein Licht, eine Ebene. Liebe in ihrer reinsten Form. Unsagbar schön. Unsagbar friedlich. Helle Freude in mir, wie Ankommen in einem lang vermissten Zustand. Unsagbare Zufriedenheit.‹

Auf einmal hörte ich Alma.

›Du musst zurück. Du musst zurück!‹, hörte ich sie weit aus der Ferne und sage:

›Nein, es ist so schön. Ich sehe Licht, ich bin eins! So viele um mich herum. Mein Frau! Ich weine vor Glück. Meine Frau! Sie kommt und empfängt mich und sie hat mir längst verziehen. Wir umarmen uns. Ach, ist das ein Glück. Mein Kind, ich sehe mein Kind! Ich fass es nicht! Sie umarmen mich und ich bin glücklich, wie ich es nie, nie zuvor gewesen bin.‹

›Du musst zurück, Sami‹, hörte ich Alma aus der Ferne. Ihre Stimme war fordernd und ich spürte, wie sie mich am Arm rüttelte.

Ich sagte: ›Gleich, lass mich noch einen Augenblick. Oh Gott, es ist so schön. Ich fühle Schmerz, doch auch Vernunft, und ich weiß, dass ich zurück muss. Eine Lichtgestalt berührt mich und fordert mich noch einmal auf umzukehren. Ich weiß es ja, es ist Zeit! Ein kurzer Moment vergeht und ich vergieße Tränen des Abschieds, doch frei von Trauer. Es ist ein Wissen und tiefe Vernunft zu gehorchen.‹

Ich sagte zu Alma: ›Ich komme.‹ Und sie antwortet genervt: ›Jetzt wird es aber auch Zeit!‹ Ich zog meine Arme an meinen Körper und war wieder da!

Ich fühlte mich, als hätte ich tausend Jahre geschlafen. Ich setzte mich auf, reckte und streckte mich. Noch immer hatte ich das Gefühl, meine Knochen seien schwer wie Blei. Ich verlangte einen Spiegel. Ich war beeindruckt, meine Augen, sie waren so wach, so klar. Alma war ebenso tief berührt von dem, was sie spürte.

Ich stand auf und wollte meine Augen in einem großen Spiegel betrachten.

›Ich kann dieses Wunder immer noch nicht fassen. Es ist, als würde ich aus einem Märchen steigen. Doch es ist keines. Es ist Realität. Meine Augen sind so klar, wie ich sie selten an mir gesehen habe‹, sagte ich zu Alma, die aus dem Lächeln vor Entzücken über meine Erfahrung nicht mehr herauskam.

Ich fühlte eine Kraft in mir, es war unbeschreiblich. Wir sprachen lange darüber. Was mich am meisten faszinierte, war, dass ich getötet hatte und trotzdem so empfangen worden war. Es brachte meine ganze Einstellung zum Leben durcheinander.

Den ganzen Tag war ich bei Alma, wir aßen etwas, um uns zu stärken. Sie erzählte mir, dass manche gar nicht mehr zurückkommen und dass man verrückt werden kann und es nicht zum Spaßen ist. Dass ich ihr auf jeden Fall gehorchen müsste, wenn wir das nächste Mal hinuntergingen. Sie sagte das so streng und eindringlich, dass ich mir wirklich fest vornahm, ihr zu gehorchen.

Einige Stunden später sind wir noch einmal in den Raum gegangen. Ich habe mich wieder auf dieses Bett gelegt und wir haben den gleichen Schutz vollzogen. Diesmal ging ich durch eine schwere, gusseiserne Tür, die mich magisch anzog. Ich war in einem Verlies. Ich sah viele Gefängnisse. Überall armselige Kreaturen, die mich um Hilfe anflehten. Sie streckten ihre dürren Arme durch die Gitter und flehten mich um etwas zu trinken an. Doch ich hatte kein Mitleid.

Ich war kalt. Ich sah eine Frau so um die vierzig und begriff: Das bin ich. Ich war erstaunt, dass ich so bösef, so kalt, so hart war. Ich sah viel älter aus, als es wirklich der Fall war, weil ich mein Leben schon gar nicht mehr lebte. Das Gesicht mager und eingefallen, verhärmt, die Hände knochig, nicht schön, dünn hingen sie an dem schwarzen Kleid, das ich trug, herunter. Es war in der Taille gerafft und von der Mitte bis unten mit Knöpfen besetzt. Es war kein schönes Gewand, es war meine Arbeitskleidung. Aber eigentlich trug ich fast ausschließlich diese. Ich hatte eine Laterne in der Hand und versorgte die Gefangenen mit Essen. Doch ich war nicht gut. Ich empfand Verachtung für diese Kreaturen. Ich war die Wärterin dieser Gemäuer und ich diente dem König. Doch dieser war auch kein guter Geselle, er war genauso schlecht und unbarmherzig wie ich. Ich hasste mein Dasein. Ich hasste diese Menschen in ihren Kerkern, doch was hätte ich tun sollen? Ich fand mich ab mit meinem Dasein. Wenn mein Dienst zu Ende war, ging ich nach Hause. Es war ein einfaches Heim, das ich mit meiner alten Mutter bewohnte. Sie war streng und böse. Eigentlich konnte ich sie nicht leiden, doch ich hielt es für meine Pflicht, für sie zu sorgen.

Alma fragte mich, warum ich so verbittert sei. Ob es da etwas gegeben hatte in meinem Leben. Ich wusste es erst gar nicht, musste lange überlegen, doch dann spürte ich doch, dass es da einmal etwas gegeben hatte, das mein Herz berührte. Lange Zeit zuvor, fast zwanzig Jahre lag es zurück, und ich hatte es fast vergessen. Doch jetzt, als sie mich fragte, spürte ich einen unbändigen Schmerz in meiner Brust. Sie forderte mich auf, ihr davon zu erzählen, und ich erinnerte mich: ›Dieser junge Mann.‹

Ich hielt inne. Auf einmal fühlte ich einen so großen Schmerz und weinte.

›Ich war jung und er kam in unsere Stadt. Es war sofort etwas zwischen uns. Und ich fühlte dieses Kribbeln in meinem Bauch, und mein Herz, das flatterte bei seinem Anblick. Er war jung und groß und ein schneidiger Bursch in seiner Tracht, die mir gänzlich unbekannt war.

Ich erinnere mich nicht mehr genau. Aber ich sehe dieses Bild vor der Schenke. Sanft flackerte das Licht aus den Scheiben und hüllte den kleinen Platz unter der Treppe mit einem weichen Schimmer ein. Ich war hübsch anzusehen mit meinem Kleid und der Schürze darüber, die Haare hatte ich zu einem langen Zopf gebunden, wirkte weich und weiblich. Wir haben gescherzt und auf einmal zog er mich zu sich her und küsste mich, nur kurz auf den Mund, und hielt mich in seinem Arm. Nur leicht berührten seine Lippen die meinen, doch es war wunderschön. Er bat mich, mit ihm zu kommen. Das erschreckte mich fürchterlich. Doch er bat mich so eindringlich und drängte so sehr, dass ich einwilligte. Und wir verabredeten uns am Brunnen, wenn die Uhr zwölf geschlagen hatte.

Ich rannte an diesem Abend nach Hause. Ich war aufgeregt. Ich war glücklich. Ich war verliebt. Ich wollte wirklich mit ihm gehen. Doch als ich wieder in diesem dunklen Zuhause war und meine Mutter sah in ihrem schwarzen Gewand, die so böse blickte, bekam ich Angst. Ich erledigte wie immer meine Arbeit und half ihr, wo ich nur konnte. Doch sie war nie zufrieden mit mir. Die Stunden verstrichen und je später es wurde, umso mehr sank mein Mut. Ich hörte die Uhr zwölfmal schlagen, doch ich konnte nicht. Wie angewurzelt saß ich auf meinem Bett, unter dem das verschnürte Bündel lag. Doch ich war wie gelähmt. Die Zeit verstrich, und auf einmal rannte ich los.

Ich sah ihn wie von oben. Ich sah ihn warten. Wie er sich sehnte nach mir. Und je länger ich ihn warten ließ, umso mehr schlich eine große, übergroße Enttäuschung in sein Herz. Er ritt davon und kehrte noch einmal um. Doch niemand stand am Brunnen. Tief enttäuscht suchte er das Weite. Als ich ankam, war ich völlig außer Atem. Ich schrie nach ihm. Ich rannte ein Stück des Weges, doch ich fand ihn nicht mehr.

Dass er nicht gewartet hatte, brachte mich schier um. Ich ging nach Hause und es war mir, als hätte ich von diesem Moment an nicht mehr gelebt. Etwas ist mit ihm gegangen und ich fristete mein Dasein wie in Trance.‹

Alma sagte: ›Du hast dir diesen Dienst in den Verliesen als Buße ausgesucht. Du hättest entrinnen können.‹

Doch ich konnte nicht. Irgendwann ist meine Mutter gestorben. Ich trauerte nicht. Ich wurde älter und älter. Ich wurde aus den

Diensten des Königs entlassen. Mein Leben war in einem ständigen Gleichstrom.

Eines Tages brach ich auf und ging in den Wald. Ich setzte mich an einen Baum. Es war kalt und der Schnee bedeckte den Boden. Ich fror, doch es war mir egal. Ich sehnte mich nur danach, endlich gehen zu dürfen. Ich hörte die Wölfe in der Ferne. Ich sah mich in diesem Leben. Auf einmal packte mich solch ein Entsetzen. Es wurde dunkel um mich herum. Dämonisch und unheimlich.

Alma fühlte meine Angst und bat mich abzubrechen.

›Geh nicht weiter. Geh zurück‹, bat sie eindringlich und ich gehorchte.

Es war ein seltsames Gefühl, wieder da zu sein. Ein beklemmendes, unheimliches. Ich musste mich schütteln, als wollte ich mich von etwas befreien, etwas abstreifen. Alma empfahl mir, mich erst einmal zu duschen. Ich erinnere mich, wie ich unter der Dusche stand und mich langsam wieder erholte. Es erschreckte mich zugegebenermaßen. Diese Ahnung, diese schwarzen, animalischen Gestalten. War es so, wenn man sich umbrachte? War das die Hölle oder das Fegefeuer, vor dem man zurückwich? Ich wollte nicht weitergehen in meinen Gedanken, denn ich spürte Unheil.

Wenn ich verglich, wie sie meine erste Reinkarnation empfunden hatte, diesen Aufstieg, diese Herrlichkeit und dieses Glück im Sterben, dann jagte mir das Erlebnis dieser Reinkarnation immer noch einen Schauer über den Rücken. Alma und ich vollzogen ein Ritual zur Reinigung, um die Energien wieder auf die richtige Richtung einzuschwingen, und stiegen so gegen fünf noch einmal in eine dritte Sitzung ein.

Ich sah eine Kirche. Eine, in der ich schon oft gebetet hatte. Ich kannte diese Kirche und war erstaunt. Es war die Stadtkirche meiner Stadt. Ich sah eine Hochzeit und merkte, als ich näher kam, dass es meine eigene war. Als wäre ich eine Fremde, die an der großen Tür zum Stehen kommt, auf das Brautpaar blickt und langsam nach vorne geht, sich in die hinterste Reihe setzt und ihr eigenes Spiegelbild betrachtet.

Schön sah diese Frau aus. Glücklich fühlte sie sich, und als der Bräutigam sie hinausführte, erkannte ich ihn. Es wurde gefeiert, getanzt und gelacht. Sie waren verliebt und froh, sich gefunden zu haben.

Jahre später gebar sie ihrem Mann einen Sohn. Doch mit der Zeit hatte es in ihrem Eheleben so einiges gegeben, wo sie sich nicht verstanden fühlte. Ihr Mann war stur und sie stritten zuweilen heftig miteinander.

Ich ging in dieser Zeit wieder einige Jahre nach vorne. Weit voraus bis in die Zeit, als die ersten VW-Käfer gebaut wurden.

Ich wusste sogar, wo sie wohnte, es war gar nicht so weit von ihrem Haus entfernt ein paar Orte weiter. Ihr Sohn war gerade neunzehn geworden und sie liebte ihn abgöttisch. Als das Unglück geschah, war sie nicht zu Hause. Doch ihr Mann war dabei. Ihr geliebter Junge verunglückte tödlich. Er wurde von einem Auto erfasst und starb im Krankenhaus. Es war ein Schock, eine große Not, und sie fühlte ein Nicht-Begreifen in sich. Sie klagte Gott an und sie klagte ihren Mann an. Er fühlte sich schuldig, doch es war einfach geschehen. Er hatte es nicht verhindern können. Sie verbitterte mehr und mehr und konnte diesen Verlust nicht überwinden. Sie trieb ihren Mann aus dem Haus und war froh, dass er weg war. Es vergingen mehrere Jahre und ihr Groll verrauchte allmählich. Jahre danach trafen sie sich eines abends bei einem Fest ganz zufällig im Dorf. Er schien ruhiger geworden zu sein, nachdenklicher. Viele seiner Fehler konnte er sich eingestehen und auch sie bemerkte vieles, was sie falsch gemacht hatte. Es war ein schönes Fest und sie nahm auf einmal wahr, als wie angenehm sie seine Nähe empfand. Sie fühlte seine Liebe und seine Wertschätzung wieder. Sie konnte auf einmal Dinge an ihm sehen, Eigenschaften, Wesenszüge, die sie doch geliebt hatte. Sie spürte eine tiefe Verbundenheit und sie näherten sich wieder an. Er war mit ihr nach Haus gegangen und sie hatten eine Nacht miteinander verbracht. Als hätten sie sich beide geöffnet, sich endlich erkannt. Sodass eine Fülle, eine Liebe zwischen ihnen möglich war, die sie beide vermisst hatten. So erlebten sie diese Nacht als berauschend schön. Sie lag in seinen Armen und war glücklich wie selten zuvor und es fiel ihr auf, dass sie dieses Gefühl nicht gekannt hatte. Es war so friedlich zwischen ihnen.

Ihr Mann stand auf und zog sich ein Hemd über den nackten

Oberkörper, schlüpfte in seine Hose und steckte es nur grob hinein. Sie lag im Nachthemd noch in ihrem Bett und schaute ihm zufrieden zu. Er lächelte sie an und sagte: ›Ich gehe nur geschwind Zigaretten holen. Ich bin gleich zurück.‹ Sie lächelte zurück und rekelte sich im Bett, als die Tür ins Schloss fiel.

Auf einmal wurde ihr kalt und heiß. Als würde sich ein schwarzer Schauer des Schreckens über sie legen, fühlte sie diese Wand auf sich zukommen. Panisch sprang sie auf. Als ginge es um Sekunden, riss sie ihren Mantel von der Stange, er verhakte sich ein wenig und sie stieß noch den Kleiderständer um dabei. Sie hörte beim Hinausrennen, wie er zu Boden knallte, doch sie dachte nur an ihn. Mein Gott, welch ein Unheil naht? Sie rannte wie verfolgt und wollte ihn einholen, bremsen, stoppen. Sie fühlte Todesangst. Sie hörte Reifen quietschen. Sie rannte und schrie. Sie sah ihn liegen, dort am Straßenrand. Sie flog über die Straße, als hätte man sie getragen. Sie stürzte zu ihm und zog ihn auf ihre Knie. Ein paar Tropfen Blut rannen aus seinem Mundwinkel.

›Halte durch!‹, schrie sie flehend. ›Verlass mich nicht! Bitte verlass mich nicht. Nicht du auch noch. Bitte, bitte!‹ Andere Passanten kamen hinzu. ›Holen Sie einen Arzt! Machen Sie schon‹, schrie sie ganz wild. ›Schnell, schnell, einen Krankenwagen!‹

Sie blickte wieder in sein Gesicht, das in ihrem Schoß lag. Er lächelte ihr zu, schloss seine Augen und seine Hand rutschte von ihrem Schoß. Sie sah ihn an, Entsetzen packte sie. Sie schrie, sie konnte gar nicht aufhören. Sie schrie wie eine Irre immer wieder: ›Nein, nein, nein! Bleib hier, geh nicht! Verlass mich nicht! Bitte, bitte.‹ Ihr Flehen wurde leiser, wurde zu einem Winseln, als sie allmählich begriff, dass er nicht zurückkommen würde. Bis man ihn abgeholt hatte, war es längst zu spät.

In diesem Leben heiratete sie noch einmal, zwei Jahre danach, und sie gebar sogar noch einmal eine Tochter. Es war ein einfacheres Leben mit ihrem Mann. Aber sie liebte auch nicht mehr so tief. Relativ jung ist sie dann gestorben.

Ich glaube, ich hatte Krebs«, erzählte Samara. »Ich sah meinen Mann und mein Kind an meinem Bett stehen. Meine Tochter weinte. Ich versuchte sie zu trösten, denn sie tat mir leid. Doch in dem

Augenblick, als ich nach oben geleitet wurde, konnte ich sie in Ruhe zurücklassen. Ich wusste, dass sie mir eines Tages folgen würde. Es war wieder diese Fülle, diese Kraft, die mich nach oben zog, ins Licht. Ein Sehnen und ein Endlich-erlöst-Werden. Als ich nach oben trieb, war es die größte Freude, empfangen zu werden. Begleitet zu sein von all meinen Lichtwesen, die mich jubelnd umringten. Auch ich war unendlich glücklich, nach Hause zu kommen. Als ich oben angelangte, in diesem Nicht-Stoff aus Helle und purer Energie, stand er auf einmal vor mir. Er hat einfach dagestanden und mich empfangen, mein erster Mann. Diese Liebe, diese Freude! Welch ein Glück! Er umarmte mich und unser Licht verschmolz miteinander. Wovor fürchten wir uns? Die Krone des Lebens ist das Sterben.

In allen drei Leben bin ich Helmut, der in diesem Leben nicht Helmut hieß, begegnet. Einmal war er meine Frau, die ich verlor. Einmal der Geliebte, den ich vermisste, und einmal mein Mann, den ich sterben sah in meinen Armen, und ich spürte den Schmerz darüber noch einmal. Als wir lange schon wieder am Tisch saßen und Kaffee tranken, sagte ich zu Alma: ›Es ist derselbe Schmerz, ihn hier in diesem Leben, als Helmut, loslassen zu müssen. Die Seele in diesen verschiedenen Körpern war ein und dieselbe. Du verlierst und gewinnst. Das höchste Glück und das tiefste Leid. Alles eins!‹

›Die Liebe leben. Du sollst in diesem Leben die Liebe leben‹, sagte Alma zum Abschluss mit Nachdruck. ›Du sollst sie nicht wieder wegdrücken, um ein ganzes Dasein darunter zu leiden. Du sollst sie leben. Das ist deine Aufgabe!‹

Es war so schwer, Peter, diese Worte zu hören, und doch wusste ich, dass es einzig und allein darum ging, meine Begrenzung zu sprengen. Ganz zu werden in dieser Einheit. Ich habe so viel Moral in mir, so viel Schuldzuweisung, vor allem mir selbst gegenüber. Dürfen wir denn nicht einen geliebten Menschen lieben? Wenn es so ist, wie ich es erlebte, dann war er doch auch mein Mann. Sogar der Mann vor meinem Mann. Dann hatte ich zwei Männer? Es war nicht einfach, das alles zu verdauen. Aber mit der Zeit konnte ich mich entscheiden. Meine Entscheidung wurde fest und ich trennte mich von Helmut. Er hat mich viel später einmal angerufen, da war ich gerade mit Leoni schwanger, und hat mir alles Gute gewünscht. Es hat schon noch einmal weh getan. Doch ich war froh. Ich habe ihn dann einmal getroffen, da war ich schon geschieden. Helmut erzählte mir, dass er heiraten wolle. Ich habe mich so für ihn gefreut. Wir haben uns umarmt und uns das Allerbeste gewünscht. Als er in die eine und ich in die andere Richtung ging, hab ich noch einmal herzhaft heulen müssen. Über diese großen Gefühle, die ich empfunden hatte, damals, und darüber, wie vergänglich das Leben ist und wie es auch einfach vorbei war.«

Samara schaute zu Peter und hob die Augenbrauen. Er kratzte sich an der Stirn und sagte: »Hm das ist schon ein Ding, was du da erzählst. Und ich weiß, dafür kenn ich dich zu gut, dass du weder fanatisierst noch etwas erfindest. Aber nehmen wir an, es ist wahr, was du da erlebt hast. Das wäre unglaublich. Das würde die Theorie, die viele glauben, mehrmals zu leben, kräftig unterstützen.«

»Du kannst dir nicht vorstellen, wie oft ich versuche, Zusammenhänge zu finden. Wie oft ich über mich selbst grüble. Mich als Spinnerin abstemple und mich dann wieder als ganz wahrhaftig empfinde«, erklärte Samara.

Peter konnte sich das gut vorstellen und schon wieder hatten sie neuen Gesprächsstoff, der nicht nur ihren Urlaub füllte.

Als sie auf dem Rückflug waren, hakte Peter noch einmal nach: »Sag mal, du hast doch erzählt, dass es da zwei Männer gegeben hat. Was ist denn mit dem anderen? Ist das auch so eine verrückte Geschichte?«

Samara schaute ihn an. »Eigentlich eine noch unglaublichere, Peter. Denn diese Geschichte habe ich lange weggeschoben, weil sie mich so sehr an meinen Vater erinnert und weil ich mir schon so oft überlegt habe, ob das wirklich sein kann. Tatsächlich ging es gar nicht um diesen anderen Mann. Und doch …« Sie hob ihren Kopf, starrte an die Decke und fragte sich, wie wohl die Luft durch die Düsen kam, um den Innenraum des Flugzeugs zu belüften. »Weißt du, Peter, wie soll ich dir das erklären? Das war übrigens vor Helmut.« Sie kratzte sich am Kinn und überlegte erneut.

»Jetzt mach's nicht so spannend, wer A sagt, muss auch B sagen.«

»Du bist gut«, lachte Samara. »Okay, nun sind wir halt schon dabei.« Sie schlug ein Bein über das andere, zupfte noch einmal an ihrem Rock, der sich leicht verschoben hatte, und begann zu erzählen:

»Eigentlich waren Marcel und ich noch gar nicht so lange verheiratet, und tatsächlich ist mit diesem anderen Mann nicht mehr gewesen als ein einziger Kuss und eine Nacht, in der wir schrecklich viel geredet haben. Und doch war es eine entscheidende Begegnung, die mich immer wieder fragen lässt, ob ich meinen Vater schon aus einem früheren Leben kannte. Denn in diesem vergewaltigte er mich ebenso und wurde sogar mein Mann.«

Peter zog die Augenbraue hoch und lauschte noch gespannter.

»Ich war mit meinen Freundinnen damals im *Soundtrack* tanzen, als mich ein junger Mann aufforderte. Er war mir gleich sympathisch, doch als wir dann tanzten ...« Sie stockte wieder, fuhr mit ihrer Hand in der Luft herum und beschrieb Kreise. Peter hörte aufmerksam zu und sie spürte, es drängte ihn, noch mehr zu erfahren. »Es war ... es war wie ... Wie soll ich das beschreiben? In seinem Arm über die Tanzfläche zu schweben war mehr als schön. Es schien mir so vertraut und ich fühlte mich auf einmal zurückversetzt in eine ganz andere Zeit. In diesen Sekunden, während wir uns drehten, sah ich, wie wir auf einem großen Marktplatz miteinander tanzten. Wir mussten uns immerzu anschauen und es war Liebe auf den ersten Blick in diesem Leben. Dann kam ein Mann auf uns zu mit einem überaus bösen Gesichtsausdruck und ich fühlte Angst, große Angst, ja Panik. Wie wenn man weiß, man hat etwas getan, das man nicht tun darf, und er riss mich jäh von ihm weg und schleifte mich davon. Es war nur kurz dieses eine Bild. Doch als ich Jahre später zu Alma ging, um mit ihr diese Reinkarnationen zu machen, und ich diese Leben mit Helmut sah, sind wir eine Woche später noch einmal in diesen Trancezustand gegangen.

Diesmal war ich viel schneller unten als die letzten Male. Erst sah ich gar nichts. Nur ein Gefühl der tiefen Beklemmung. Wie Panik, maßlose Angst. Alma musste mich mehrmals fragen: ›Was siehst du? Siehst du was?‹ Ich stockte zuerst, hatte ein Gefühl, als würde mir jemand den Hals zudrücken, und dann kamen sie, diese Bilder. Ich rannte. Ich rannte in einem Wald. Ich konnte zuerst nicht ausmachen, wieso ich wie getrieben rannte. Ich lief um mein Leben.

Stolperte, stand wieder auf. Immer wieder blickte ich, während ich rannte, nach hinten, als ob mich jemand verfolgte.

Und tatsächlich, auf einmal sah ich ihn hinter mir. Ich war vielleicht vierzehn oder fünfzehn. Ich hatte lange braune Haare, große dunkle Augen und meine Haut war gebräunt von der Arbeit auf den Feldern. Ich hatte ein Kleid an oder so etwas Ähnliches, Einfaches, doch es war nicht lang, vielleicht bis zu den Knien, und ich rannte in diesem Wald, um ihm zu entkommen. Ich spürte Gefahr und ich wusste, er will mich packen. Schon zuvor hatte er ein paarmal um mich geworben, doch ich wollte ihn nicht. Er kam immer näher, ich hatte keine Kraft mehr. Ich fiel erneut und wollte mich wieder aufrichten, da packte er mich am Fuß. Ich konnte mich losreißen, und schreiend rannte ich weiter. Doch er bekam mich zu fassen und zog mich zu Boden. Ich lag mit dem Gesicht unten und er hielt mich fest um die Taille. Ich versuchte mich wieder aufzurichten, doch er drückte mich erneut nach unten und ich knallte mit der Stirn auf eine Wurzel. Er warf sich mit seinem ganzen Körpergewicht auf mich und lag über mir und drückte mich so unsanft in die Erde hinein, dass ich glaubte keine Luft mehr zu bekommen. Er machte sich an meinem Rock zu schaffen. Ich schrie noch mehr, wehrte mich wie wild, doch er war einfach stärker. Er drückte mich zu Boden und schändete mich. Ich schrie und wehrte mich. Auf einmal hatte er ein Messer, ich sah es in seiner Hand vor mir über meinen Augen. Ich schrie noch lauter. Da stach er zu. Mir wurde schlecht und dann wusste ich nichts mehr.

Stunden später muss ich aufgewacht sein und es dämmerte schon. Ich schleppte mich mit letzter Kraft in die Richtung, in der es noch heller war, und brach schließlich ganz in der Nähe unseres Dorfes erneut zusammen. Sie haben mich dann gefunden, erzählte meine Mutter. Und ich erwachte erst wieder, als ich, am ganzen Brustkorb mit Binden eingewickelt, in meinem Bett lag. Meine Mutter war eine gerechte Frau, doch sie hatte nicht viel Gefühl für mich. Sie fragte immer wieder, wer es gewesen sei, der mich schändete. Doch ich blieb still. Auch zu dieser Zeit war es ein Verbrechen, eine Jungfrau gefügig zu machen. Doch war es geschehen, war dies eine große Schmach und niemand wollte sie mehr zur Frau haben.

Eines Tages kam er zu Besuch bei uns und erkundigte sich nach meinem Befinden. Als er an mein Bett kam, stockte mir der Atem. Schweißperlen der Angst und der tiefen Verachtung liefen von meiner Stirn. Er war fürsorglich und freundlich, tat so, als wäre nichts geschehen, und sprach mit meiner Mutter. Er war mindestens zwanzig Jahre älter als ich, ein angesehener Bürger in unserem Dorf, mächtig und einflussreich, denn er hatte mehr Besitz als die anderen. Er wollte mich unbedingt haben und machte mit meiner Mutter die Hochzeit fest. Sie war froh, dass sich überhaupt noch ein Mann meiner annahm, und war damit ebenfalls versorgt.

Ich konnte einfach nicht anders. Obwohl ich ihn hasste, glaubte ich gehorchen zu müssen und wurde seine Frau. Ich gebar ihm drei Kinder. Doch er war nicht gut zu uns. Immer wieder schlug er mich und sie. War etwas nicht in Ordnung, hatte ich das zu büßen.

Dann kam dieses große Fest auf dem Marktplatz und es wurde getanzt und gelacht. Ich war wirklich eine hübsche Erscheinung damals und ich sah mich auf einmal tanzen, während mein Mann mit anderen Männern in der Ecke stand und trank und redete. Da blickte er mich plötzlich an, dieser fremde, gutaussehende Jüngling. Mit seinen dunklen Augen und seinem treuen Blick schaute er mir mitten ins Herz. Er kam auf mich zu, verbeugte sich höflich lächelnd vor mir und bat um einen Tanz.

Noch nie in diesem Leben hatte ich derart Schönes erlebt. Es war ein Gefühl der tiefen Achtung, der Wertschätzung und des sanften Begehrens. Ja, ich war verliebt, und ich fühlte, dass es ihm ebenso ging. Wir wussten es im gleichen Augenblick, dass wir füreinander geschaffen waren. Irgendwann drehte sich mein Mann zufällig um und sah uns beide tanzen. Er sah meine Augen und kurz blickte ich in die seinen und erschrak. Dieser Hass in seinem Gesicht, dieser Zorn, diese abgrundtiefe Wut. Er kam auf uns zu und zog mich jäh an den Haaren von ihm weg. Er stand nur da, dieser Jüngling, entsetzt über so viel Gewalt. Kurz war es ruhig und die Leute tuschelten.

Endlich spielte die Musik weiter und mein Mann zerrte mich nach Hause. Schlug mich, prügelte mich windelweich vor unseren Kindern, die sich winselnd in die Ecke verkrochen. Doch am nächsten Tag auf dem Feld traf ich den Jüngling wieder. Es war so schön, in sein Gesicht zu schauen. Seine Augen, seine dunklen Locken, sein wunderbarer Körper, der so jung war und so leidenschaftlich. Wir liebten uns mitten im Wald und es war wunderschön. Wir beschlossen zu fliehen und verabredeten uns. Ich rannte nach Hause, um meine Kinder zu holen, doch als ich die Tür zu unserer Hütte aufstieß, wartete mein Mann schon. Welch eine Not bohrte sich in mein Herz, welche Angst! Doch ich ging an ihm vorbei, als wäre nichts gewesen. Brutal zog er mich am Arm zurück, schleuderte mich gegen die Holztür und schlug mir mehrmals hart ins Gesicht. Er schrie mich an und beschimpfte mich aufs Übelste. Er wusste alles! Ich weiß nicht, woher, doch er ahnte es. Er schmiss mich auf den Boden und trat mich mehrmals in die Seiten. Ich stöhnte vor Schmerz und meine Kinder schrien vor Angst um mich. Die größte meiner Töchter ging auf ihn los und schubste ihn ein wenig beiseite. Doch da drosch er auch auf sie wie wild ein.

Er hatte mir den Rücken zugedreht und ich erhob mich mühsam. Ich hörte meine Kinder grell schreien und stützte mich an dem schweren Holztisch ab. Da lag auf einmal dieses Messer. Es lag vor mir, als wollte es mir sagen: ›Nimm mich!‹ So nahm ich es. Ich sehe noch, was für einen starren Blick ich hatte, und ich konnte ihn nicht von dem Messer wenden, das ich nun in der rechten Hand hielt, die sich langsam erhob, bis sie auf der Höhe seines Nackens war. Und plötzlich stach ich zu. Mit meiner ganzen Kraft, in meiner ganzen Not, voller Angst, ich könnte ihn nicht richtig erwischen. Er drehte sich noch nach mir um, blickte mir erstaunt und fragend in die Augen, als wollte er sagen: Was ist das jetzt? Doch da stach ich schon von vorne zu. Immer und immer wieder, bis er zusammenbrach.

Meine große Tochter wendete sich entsetzt von mir ab und weinte. Ich packte sie am Arm und nahm die zwei Kleinen und zog sie verzweifelt hoch. In meinem Wahn packte ich noch das Nötigste zusammen und wir stürmten aus dem Haus. Er lag am Boden mit offenen starren Augen, die immer noch voller Erstaunen waren. Ich erschrak zutiefst und ich ekelte mich vor mir selbst. Überall war Blut, an meinen Händen, auf meiner Schürze. Ich rannte zurück, wusch mich und zog mir schnell etwas anderes an. Ich sah mich kurze Zeit später vor dem Jüngling stehen, dem Mann, den ich liebte. Ich erzählte ihm alles und wir flohen in die nahegelegene Stadt. Abends fanden wir Zuflucht in einer Herberge. Es war ein kleines Zimmer und die Kinder sind sofort eingeschlafen, erschöpft von dem mühsamen und langen Weg. In dieser Nacht haben wir uns noch einmal geliebt und es war, als würde sich der Himmel öffnen. Danach schlief ich ebenfalls erschöpft in seinem starken Arm ein. Er hielt mich fest und ich wusste, er gehört zu mir, egal was geschieht.

Auf einmal klopfte es laut an der Tür und riss mich unbarmherzig aus tiefem Schlaf.

›Aufmachen! Aufmachen, oder wir treten die Tür ein!‹ Dunkle Männerstimmen drangen durch die Holztür zu uns. Sofort wusste ich, sie holen mich. Ich habe ihn nur angeschaut, meinen Liebsten, und es war ein Blick, der sagte: ›Kümmere dich um meine Kinder.‹ Geschwind zog ich mir ein Hemd über und öffnete die Tür. Eine ganze Horde Wachmänner stürmte herein und packte mich. Meine Kinder erwachten und schrien: ›Mami, Mami!‹ Doch mein Liebster hielt sie zurück, fest presste er alle drei an seine Schulter und ich sah ihnen noch einmal entgegen, während sie mich unsanft wegzerrten.

Ich sah ihn noch einmal, meinen Liebsten. Kurz vor meiner Hinrichtung haben sie ihn zu mir gelassen. Ich saß in meiner Zelle und ich war unglaublich ruhig. So gefasst.«

Samara schluckte schwer und sah zu Peter auf, der betreten in ihre Augen blickte. Er berührte ihre Wange und Samara weinte einen Moment lang leise in seine Hand. Doch dann fing sie sich wieder.

»Weißt du, Peter, ich sehe das gerade wieder so deutlich vor mir, welchen unsagbaren Schmerz ich ihm zugemutet habe. Für mich war die Angst in dieser Zelle der tiefen Einsicht gewichen, dass dies die gerechte Strafe für mich ist. Und als er sich verabschiedete, weinte ich um ihn und um meine Kinder. Dass diese Hinrichtung durch Köpfen öffentlich war, war damals üblich. Ich sah, wie mich der Henker zum Hinknien aufforderte, und während ich niedersank, suchte ich mit meinen Augen einen kurzen Augenblick meine Kinder und ihn in der Menge, die auf mich starrte und erwartungsvoll meine Hinrichtung in sich aufsog. Doch ich konnte sie nicht erblicken und dachte noch: ›Es ist besser so.‹«

Wieder stockte Samara und musste geschwind innehalten über

diesen tiefen Schmerz, den sie empfand. Doch sie wischte sich die Tränen ab und schaute Peter wieder ins Gesicht. Sie stockte erneut, schüttelte den Kopf, als wollte sie etwas herausschütteln, und sagte: »Ich sehe mich wie von außen. Dieses Beil, das schwingt. Diese dunkle schwarze Maske, diesen großen Mann, der ohne Gefühl nur seine Arbeit tut, weil es die seine ist. Und ich sehe ihn weit ausholen, und mein Kopf rollt zur Seite und ein Raunen geht durch die Menge. Und ich sehe mich wie von oben. Wie mein Kopf da liegt und mein Körper leblos zur Seite fällt in dieser dunklen Kutte und noch einmal zuckt. Ich sehe es hell werden um mich herum und Hände, die mich ziehen und mich umzudrehen versuchen, liebevoll, unsagbar sanft. Die mir eine andere Richtung weisen. Und ich drehe mich tatsächlich um. Meine Seele wendet ihren Blick ab von dem Geschehen weit unten, als wäre ich in der Luft und würde immer weiter treiben, und meine Aufmerksamkeit ist schon auf das Licht gerichtet. Auf das helle, unsagbar glückselige Licht.«

Ein Leuchten trat in ihre Augen, das Peter so sehr liebte an ihr, wenn sie davon erzählte. Sie sah nur Peters Augen, die an ihrem Gesicht klebten, als wollte er voller Erstaunen sagen: »Ja, wie ist das? Ist das wirklich so schön? So schön, wie du jetzt gerade aussiehst?« Obwohl er diese Frage nicht laut gestellt hatte, lächelte sie ihn plötzlich an, mit großer Freude und einem innigen Lachen in ihrem Herzen.

»Ja, Peter. Es ist unbeschreiblich. Es ist unsagbar schön, dieses Sterben und Neugeborenwerden im Reich Gottes. Tausend Engel, tausende von Lichtjahren in einem Augenblick übersprungen. Ein Quantensprung vom Gefühl der Ohnmacht, der Angst kurz vor dem Sterben bis zu dem Empfinden, eingebettet zu werden von einem endlosen Glück in unseren Herzen. Und zu wissen: Alles ist eins!«

In dieser ganzen Aufarbeitung hatte Samara im letzten Jahr noch einmal eine Therapeutin aufgesucht, um mit ihrer Hilfe noch mehr hinter ihre Fassade zu blicken und ihren neuen Weg bestärkter zu gehen. Nach der letzten Sitzung war es noch einmal ganz schön abgegangen. Als sie nach Hause kam, fühlte sie sich leer und ausgelaugt. Immer wieder kam als tatsächliche Ursache ihrer Probleme die Beziehung zu ihrem Vater zum Vorschein. Hätte man eine Linie ziehen können, so standen ihr Vater, Marcel, Daniel und Rainer in einer Reihe. Sie hatte sich vor den Fernseher gesetzt, um einfach abzuschalten und nicht mehr nachdenken zu müssen. Doch sie wollte doch da durch, deshalb waren diese Gespräche auch so wichtig. Man sah den eigenen Schatten nicht, der in der Auseinandersetzung für das Gegenüber sichtbar wurde. Sie saß auf ihrem Sofa und wollte sich auf den Film konzentrieren, doch auf einmal wurde ihr schwindelig und sie merkte, wie ihr Puls in die Höhe stieg.

Plötzlich diese Ohnmacht. Wieder entwurzelt. Zum wievielten Male noch? Warum immer wieder das Gefühl abzustürzen? Aus dem eigenen Leben herauszufallen? Ohnmächtig zu sein und weder vor noch zurück zu können? Stehend, doch nicht standhaft? Und immer wieder diese innere Not. Warum nur? Ist so vieles in meinen frühen Jahren begründet? Oh Vater, ich suche dich! Da steht dieses kleine Mädchen, mit ihren schönen Locken. Es hat so ein unglaublich umwerfendes Lächeln. Eine Seele so rein und weiß wie Schnee. Ein Herz voller Liebe und man meint, das ganze Kind besteht einzig und allein nur aus dieser allumfassenden Essenz. So groß, so voll ist ihr Herz und ihre Augen strahlen, wie nur ein Kind strahlen kann. Sie hat so große Augen und so einen kleinen süßen Mund, der immerzu aussieht, als würde er küssen. Die Nase ist so klein und ihre Haut ist hell und zart. Die blonden Locken kringeln sich am Nacken hinunter und über der Stirn wellen sie sich wie ein Dächlein.

Es klingelt an der Tür und alle Kinder springen zur Treppe hin, doch sie ist schneller als ihre Brüder. Sie hat es immer geschafft, die Erste zu sein, die wartet. Und dann kommt er endlich. Endlich kommt er! Ihr Papa. Ihr Gott! Und kaum sieht sie ihn unten an den Stufen, da strahlt sie. Und da lacht er, als er sie erblickt. Sein Engelchen. Für diesen einen, für diesen einen Augenblick war sie bereit zu sterben. Doch das wusste sie ja noch gar nicht zu diesem Zeitpunkt, was sie für diese Augen alles tun würde! Es war eine Zeit der Fülle und sie hat nur ihn gesehen, ihren Papa. Der sie in die Arme nahm, Schritt für Schritt die Stufen hinaufstieg und doch nur Augen für sie hatte.

Diese Lebendigkeit haut einen um. Wenn der Tag so hart war.

So viele Sorgen, so viele Probleme. Das Geschäft, das Haus, die Frau, das Geld. Drei Kinder und Arbeit, Arbeit, Arbeit, über die man nicht hinaussieht, die sich auftürmt wie ein Berg, so wie die Schulden. Und dann dieses Lachen. Dieses sorglose Kinderlachen. Dieses ausnahmslose *Ja! Du, du bist es!* Von der Frau, die man einmal geheiratet hat, kommt diese Bewunderung schon lange nicht mehr. Viel zu groß ist die gemeinsame Last. Und dann dieses Wesen an der Treppe. Mein Eigen. Mein Fleisch und Blut. Die Sinnlichkeit in Kindgestalt. Diese Lippen, diese Augen, diese Haare, so golden wie die Sonne.

Sie erinnerte sich an diese vielen Momente der Zweisamkeit, die für sie das Wichtigste in ihrem Leben waren. An diese Augenblicke, für die sie bereit gewesen war, alles andere wegzuschieben. Doch dann geschah, was nicht mehr auszulöschen war. Wie musste sich diese kleine Seele gefühlt haben? Dieses Kind mit vier? Von dem Menschen, den sie vergötterte, den sie in den Olymp gehoben hatte, zerstört zu werden? So lange war es her. Und nun fühlte sie keinen Boden. Wusste auf einmal nicht mehr, wer sie war. War sie überhaupt je irgendjemand gewesen? Oder hatte sie einzig und allein aus dieser Liebe zu ihm bestanden? Was sagte ihre Therapeutin: »Die erste Liebesbeziehung prägt ein Leben lang. Du willst ihn einfach nicht verabschieden. Du kannst nicht zulassen, was da passierte. Du lebst weiter in deinem Traum, ihn zu finden.«

Wo bin ich! Wo bin ich?, hörte sie das kleine Mädchen rufen. Alles ist dunkel. Sie ist allein und Nebel, unheimliches Getöse. Alle Geister sind heute draußen und sie steht verlassen. Die Hände vor dem Gesicht, sich schützen und doch nicht schützen können. Der Wind, der ihr die Blätter von den Bäumen ins Gesicht peitscht, und sie schreit. *Papa! Papa! Wo bist du?* Sie hört das Heulen der Wölfe. Und sie schreit noch lauter, dieses kleine Mädchen zwischen vier und fünf. *Papaaaaaaaaa!!!!! Wo bist du?* Und sie kann ihn nicht finden und irrt verzweifelt umher. Sie weiß, sie werden sie holen. Weil er nicht da ist. Sie stirbt lieber vorher. Und sie stirbt doch nicht.

›Wie viele Male verfolgst du mich? Wann lässt du mich endlich gehen? Legst ab dein Band um meinen Hals?‹ Sie sieht eine Erwachsene, ein junges Mädchen so um die zwanzig, das anklagt. Ihr Gesicht ist verzerrt. Vor Zorn, vor Hass. ›Wo warst du? Wo warst du, als meine Seele starb? Warum bist du nicht da gewesen? Was hast du getan? Was hast du uns angetan, Papa? Was hast du nur gemacht aus unserer Liebe? Und nun, dreißig Jahre später, weiß ich nicht, wer ich bin. Wenn nicht du, wenn nicht ich – wer dann?‹

»Du suchst dir dasselbe Muster! Immer und immer wieder, in jedem Mann. Und hat er nicht diese Struktur, glaubst du, es könnte keine Liebe sein«, hörte sie wieder ihre Ärztin.

›Ich will doch raus! Ich arbeite doch schon so lange. So unsagbar lang. Es gibt wenige Menschen, die ihr Leben so entschlüsselt haben, und doch ich komme nicht aus dem Sog. Ich will, ich will! Bitte erlöse mich, Gott, erlöse mich von meiner Pein. Von dieser Qual. Was macht mein Herz frei? Ich. Ich, Samara‹, hörte sie sich sagen.
›Wer bist du? Ich kenne dich nicht!‹

»Das kleine Mädchen sucht ihn noch immer«, sagte die Therapeutin. »Sie ist so laut, so aufgeregt und überschäumend in ihrer Art. Sie baut sich Träume auf, um nicht zu erwachen. Die alte Realität ist so grausam, die du als Leben kennen lerntest, zu verwirrt, um Ordnung zu finden, deshalb fehlt der Schutzwall. Du schaffst dir einen Puffer aus Träumen, in denen du dich auskennst. In denen genau das kommt, was dir vertraut ist. Damit kannst du umgehen, das hast du gelernt. Harmonie ist etwas, das sich dein erwachsener Geist gesucht hat. Doch kann er ihn leben?«, hörte sie Frau Dr. Spach sagen.

Das Suchen in ihrem Hirn nimmt kein Ende. Sie muss begreifen, sie will verstehen, um sich selbst zu entschlüsseln.

»Wieso ist es möglich, dass einer so eine Scheiße baut und sich dann das Kind dafür schuldig, schlecht und wertlos fühlt?«, hatte Samara Frau Dr. Spach gefragt.

»Weil es seine Persönlichkeit über den Erwachsenen definiert.«

Sie konnte sich nicht finden. Es war wie nicht schwimmen zu können und sich verzweifelt an einem allzu dünnen Ast festhalten zu wollen. Wer war sie nur? Sie war doch davor, bevor sie alles entschlüsselt hatte, auch jemand gewesen. Sie hatte doch den Boden. Sie war erfolgreich. Sie hatte gesunde, fröhliche Kinder, sie war beliebt. Sie hatte Freunde. Wie war das alles möglich? Und dann dieser Zustand von tiefster Depression?

Sie versuchte sich zu erinnern und schaute sich alle Bilder noch einmal an. Das Gefühl, das sie in sich trug. Diese Not, diese Enttäuschung. Diesen Hass. Sie versuchte zu rekonstruieren. Sie stellte noch einmal zusammen. Was hatte ihre Ärztin gesagt: »Vor deiner Mutter muss es noch eine andere Frau gegeben haben, die er sehr geliebt hat. Und das warst dann du.«

»Was heißt das?«

»Unerfülltes wird verdrängt, nicht gelebt und in der Sucht neu definiert und ausgelebt«, hörte sie ihre Ärztin sagen.

»Das heißt, er hat nachts über mich seine Sucht ausgelebt und am Morgen war er wieder der Vater, der Mann, der er war? Und da hat er das so verdrängt, dass er es selbst nicht mehr wusste, dass ich es war?«

»Nein. Er wusste es schon und doch nicht. Du hast etwas in deiner kindlichen Erotik an dir gehabt, was diese frühere Geliebte auch hatte. Es warst schon auch du, nach der er sich sehnte. Doch sein eigenes Kind konnte und durfte er ja nicht begehren.«

»Aber er tat es doch! Er hat's getan! Mein Gott, was hast du mir angetan? Ich klage dich an!«, weinte sie vor Wut.

»Ja, schau ihn an. Wo steht er?«

»Dort«, antwortete Samara und zeigte auf die Ecke, in der sie sich ihren Vater vorstellte.

»Gut. Nun sprich mir nach«, bat Frau Dr. Spach: ›Du bist verantwortlich! Voll verantwortlich! Du bist der Vater, ich das Kind.‹«

»Ja, genau«, antwortete Samara und sprach es nach.

»Noch einmal«, bat ihre Therapeutin und fügte hinzu: »›Und ich nehme das, was ich bekommen habe, und mache was daraus. Und ich gebe dir einen guten Platz in meinem Herzen‹«, fügte sie hinzu und forderte sie auf, das noch einmal zu wiederholen, während Samaras Tränen rollten.

Sie sprach mit zitternder Stimme: »Und ich gebe dir einen guten Platz in meinem Herzen.« Sie konnte ihre Tränen nicht unterdrücken und sie wusste ja auch, es war gut, zu weinen. Über diese große Enttäuschung, über die größte in ihrem Leben. Doch war die Liebe zu ihm genauso spürbar. Sie wiederholte noch einmal unter Tränen: »Du hast die volle Verantwortung, du trägst sie ganz alleine, ich gebe sie an dich zurück. Du, Papa, und du, Mami, ihr tragt die Verantwortung für mein Leben. Ich habe keine Schuld. Doch ich nehme das an, was ich bekommen habe, denn es war das Beste, was ich bekommen konnte, denn es hat mich zu dem gemacht, was ich bin. Und ich gebe euch einen guten Platz in meinem Herzen und mache was draus.«

Sie sah das kleine Mädchen, bevor alles begonnen hatte. Sie sah es an der Treppe stehen, mit ihren blonden Haaren, diesem umwerfenden Lachen, diesen Armen, die sich ausbreiteten, um zu empfangen. Und sie spürte diese Freude und Liebe, die sie damals hatte. Und sie sah diese Augen, ihre Augen, so voller Neugierde, so voll von Vertrauen und frei von Argwohn. Und sie hörte dieses helle zarte Lachen und sie spürte: Das war sie, das ist sie! Das ist sie geblieben!

»Es ist gut, wie es ist«, hörte sie sich friedlich sagen, und sie umarmte Frau Dr. Spach und verabschiedete sich.

*

Jemand boxt sie am Arm und sie fährt erschrocken hoch. Die große Rolltreppe wird herangefahren. Die Türen der Busse öffnen sich und Samara lässt sich mit dem Strom der vielen Reisenden auf die Rolltreppe zutreiben, hinauf zu der Eingangstür des großen weißen Fliegers. Zu wissen, dass man gleich abheben wird, empfindet sie als aufregend und unheimlich zugleich.

»Guten Tag, die Dame«, begrüßt sie die Stewardess. Während sie ihre Bordkarte studiert, kann Samara sie in Ruhe mustern. Schöne Augen hat sie, und ihre blonden, glatten Haare sind adrett zu einem Knoten geformt, der ihr wirklich vorzüglich steht. Die Stewardess schaut auf und ihre Blicke treffen sich. Freundlich lächeln sie sich an. »Dritte Reihe hinten links, da ist Ihr Platz.«

Samara bedankt sich und geht nach hinten. Manche Reihen sind schon besetzt und sie mustert im Vorbeigehen die Leute. Als sie an ihrem Platz ankommt, verstaut sie ihr Laptop und die Kamera unter dem Sitz, schiebt ihre Jacke und das restliche Handgepäck in die dafür vorgesehenen Schränke über sich und kriecht nach hinten zu ihrem Platz am Fenster. Es ist ein schöner Morgen geworden und die

Sonne strahlt ganz sanft durch das Guckloch herein.

›Geschafft‹, denkt Samara und lässt sich erleichtert in ihren Sitz fallen. Ist das ein Gefühl, endlich hier zu sitzen! Um sie herum wird noch kräftig verstaut und gekramt. Bis die Passagiere so nach und nach ihre Plätze eingenommen haben, vergeht einige Zeit. Boulevardzeitungen werden verteilt und die Stewardess fragt sie erneut, ob sie sich wohlfühlt und alles in Ordnung ist. Samara bestätigt und denkt: ›Wie aufmerksam.‹

Eine Mutter mit einem kleinen Mädchen nimmt neben ihr die Plätze ein. Sie dürfte in ihrem Alter sein, schätzt Samara. Doch sie hat auffällig tiefe, dunkle Augenringe. So etwas entgeht Samara nicht. Sie wirkt gestresst und sehr nervös. ›Das kleine Mädchen kann nicht älter sein als vier oder fünf‹, denkt sie. Aufgeweckt und fröhlich mustert die Kleine Samara ganz genau. Sie muss lachen, da das Mädchen sie so ganz ohne Scheu ins Visier nimmt. Ihre Ohrringe mit den hellblauen Glassteinen in der Mitte haben es der Kleinen besonders angetan und ihre langen lockigen Haare muss das Kind einfach kurz berühren.

»Lass das!«, zischt ihre Mutter.

Samara beschwichtigt: »Es hat mir nichts ausgemacht, im Gegenteil, ich freue mich.«

Das kleine Mädchen lacht sie an und sie fühlt, dass es sich mit ihr verbündet hat und froh ist, dass sie nicht schimpft. ›Die kann aber giftig sein‹, denkt Samara erschrocken über ihre Nachbarin. Das kleine Mädchen huscht blitzschnell zu ihrer Mutter und flüstert ihr etwas ins Ohr.

»Würde es Ihnen etwas ausmachen, mit uns den Fensterplatz zu tauschen?«, bittet sie die Mutter, wieder ganz normal.

»Aber nein, ich sitze sowieso lieber zum Gang hin.«

Erleichtert lächelt das Mädchen und die Mutter nickt freundlich. Samara widmet sich wieder ihrer Zeitung zu und denkt an Rainer. Sie stellt sich sein erstauntes Gesicht vor, wenn sie vor ihm steht und zu ihm sagt: »Wie geht es dir? Nett, dich hier zu treffen.« Er würde vielleicht antworten: »Das gibt es doch gar nicht.« Sie muss ein wenig grinsen und denkt an ihre letzte Begegnung.

*

Sie war der Ansicht, zwischen ihr und Rainer sei es nun endgültig zu Ende. So lange war sie zu Hause geblieben, hatte sich abgelöst und es war ihr von Tag zu Tag besser gegangen. Von Woche zu Woche hatte sie sich erlöster gefühlt. Zwei Monate nur an ihrem Buch geschrieben, sich eingeigelt und sogar ihre Freundinnen vertröstet. Nur Peter hatte sie ab und zu getroffen.

Als sie eines Nachts zufrieden ihr Manuskript zur Seite legte, verspürte sie einen starken Wunsch, wieder einmal tanzen zu gehen. Sie fühlte sich gut und war stolz auf sich, so viel gearbeitet zu haben. So hatte sie sich diese spontane Belohnung, tanzen zu gehen, gegönnt. Sie sorgte sich nicht, Rainer zu treffen, im Gegenteil, sie hatte es eingerechnet. Sie war sich sicher, es aushalten zu können. Als sie die *Zauberfee* betrat, atmete sie tief durch. ›Endlich einmal wieder hier‹, dachte sie erleichtert. Dieser Laden war ihr so vertraut. Lange kam sie nun schon her, fast zwanzig Jahre, und sie fühlte etwas von Heimat. Diese roten Lampen, die immer etwas kitschig wirkten, noch immer das gleiche Personal, seit Jahren schon, und die riesige Tanzfläche. Ivonne hatte sie zuerst gesehen und herzhaft begrüßt. »Wo warst du denn so lange? Ich hab dich ja eine Ewigkeit nicht gesehen.« Selbst Jasmin war da, die Supertanzmaus. Sie begrüßten sich herzlich, und auch sie fragte nach dem Grund ihres Fernbleibens. »Ich habe geschrieben«, war ihr einziger Kommentar, und dann musste sie einfach gleich auf die Tanzfläche. Früher bevorzugte sie immer die Bar gleich am Eingang auf der rechten Seite. Doch diesmal ging Samara quer über die Tanzfläche in das hintere linke Eck und setzte sich auf einen der Hocker. Hier hatte sie noch nie gesessen und das Lokal wirkte aus diesem Blickwinkel so ganz anders.

Vielleicht war das der Grund, warum sie zum ersten Mal nicht mitbekommen hatte, wie Rainer das Lokal betrat und seine Runde drehte und mit den Augen jeden Winkel der *Zauberfee* absuchte. Sie wusste nur plötzlich, er war da.

Sie schaute sich um und sah Rainer auf der anderen Seite der Tanzfläche auf und ab gehen, konnte allerdings nicht ausmachen, ob er sie wirklich nicht gesehen hatte. War es Einbildung oder war in seiner Körpersprache tatsächlich Enttäuschung wahrzunehmen? Ja, ein Gefühl des Gekränktseins? *Wenn du nicht zu mir herkommst und dich in die hinterste Ecke verkriechst, dann kann ich ja gehen und mir das hier mit dir nicht länger antun!*, schien der jähe Ruck zu bedeuten, den Samara an ihm registrierte. Er machte kehrt, und ohne zu überlegen, eilte Samara auf die Toilette, die neben dem Ausgang lag. Fast wären sie zusammengeprallt und standen plötzlich wie erstarrt voreinander. Auf einmal mussten sie beide lachen und Rainer fragte: »Sag mal, wo kommst du denn jetzt her? So lange habe ich dich nicht gesehen, wo hast du denn gesteckt?« Er strahlte sie an und seine Augen leuchteten und sie schwieg, verwirrt und verlegen.

»Sollen wir zusammen einen Kaffee trinken gehen?«, fragte er sie freundlich. Samara öffnete den Mund und schloss ihn gleich wieder. Sie wusste nun wieder nicht, welches Spiel hier spielte. So oft hatte sie sich früher gewünscht, solche Worte von ihm zu hören.

Rainer hatte Samaras Verunsicherung wahrgenommen und hakte sich freundschaftlich bei ihr ein. In den frühen Morgenstunden verließen sie die Schenke. Als er sie zu ihrem Auto begleitete und sich mit einem freundschaftlichen Kuss auf ihre Stirn verabschiedete, war die Stimmung sehr fröhlich. Rainer hatte ihr zugezwinkert und sie ihm gewunken, bevor sie mit ihrem Auto davonfuhr. Sie hatten solchen Spaß gehabt, gelacht und erzählt. Rainer von seiner Arbeit und von komischen Dingen. Davon, dass er sich von seiner Freundin getrennt hätte und alleine sei. Er schaute ihr dabei tief in die Augen und sie ignorierte das einfach, als habe er das gar nicht gesagt. Immer wieder zwischen den Zeilen entschuldigte er sich für manches rüpelhafte Verhalten. Doch auch das hörte sie gar nicht und wehrte es ab als Kleinigkeit. Sie glucksten und lachten den ganzen Abend vergnügt wie Teenager. Rainer erzählte nette Anekdoten von seinen Urlauben in Venezuela. »In einem Monat fliege ich wieder für vier Wochen da hin«, erzählte er strahlend. Gescherzt hatte sie und gesagt: »Vielleicht komm ich dich mal besuchen und schreib ein bisschen an meinem Buch am Strand?«

»Das würdest du machen?«, hatte er erstaunt ausgerufen und seine Augen blitzten vor Freude. Natürlich glaubte er ihr kein Wort, aber schob Samara doch ganz unauffällig seine Adresse dort unten zu und versprach den Reiseführer für sie zu machen. Begeistert, euphorisch hatte er von diesem Land erzählt, und als sie zu Hause angekommen war, wusste sie, dass etwas Neues entstand.

*

Nun sitzt sie in diesem Flieger und hat es tatsächlich wahr gemacht, was sie selbst nie wagte zu hoffen.

Das kleine Mädchen boxt ihr in die Seite und sie begreift, dass sie wieder ganz woanders war. Die Tür des Flugzeugs wird geschlossen und alle Passagiere haben ihre Plätze eingenommen. Aus dem Lautsprecher ertönen die übliche Anweisungen zur Flugsicherheit. Das kleine Mädchen wirft einen Becher mit Limonade um und die Mutter fegt sie entrüstet an:»Kannst du nicht besser aufpassen, du ungeschicktes Ding!« Sie sagt es so wüst, mit so viel Gift in der Stimme, dass sogar Samara zusammenzuckt. Als Samara sieht, wie groß und wie traurig diese kleinen Augen zu ihr aufblicken, fällt ihr schlagartig ihre eigene Kindheit ein. Wie oft hat sie sich so gefühlt damals! Wie oft geglaubt, nicht gut genug zu sein, selbst wenn es um solche Kleinigkeiten wie einen umgestoßenen Becher Limonade gegangen war. Das Mädchen schaut sie aus ihren großen Kulleraugen an und Samara muss sie einfach ganz kurz streicheln. Geschwind fährt sie ihr über die Haare, um der Kleinen zu signalisieren, dass sie versteht, was sie bedrückt, und mit ihr fühlt. Der Schatten im Gesicht des Kindes ist schlagartig verschwunden und es wird wieder hell und fröhlich und die Kleine strahlt wieder.

Auf einmal begreift Samara, dass sie noch immer glaubt, es sei von ihrem Verhalten abhängig, ob Rainer sie liebt oder nicht, dass sie aufhören darf, immer alles in die Hand nehmen zu müssen.

Sie begreift auf einmal, dass sie nichts dafür tun muss, um geliebt zu werden. Dass Liebe aus sich selbst existiert. Dass sie keine Forderungen stellt, sondern bedingungslos ist. Befreiend, erlösend – einfach aus der Gnade Gottes!

Sie sieht sich aufstehen, ihre Kamera und ihr Laptop unter ihren Füßen herauskramen. Sie öffnet den Kasten über sich und holt ihre Jacke heraus.

»Entschuldigen Sie bitte. Sie dürfen jetzt nicht mehr aufstehen! Wir starten gleich! Sie müssen sich wieder anschnallen!«, fordert die Stewardess Samara auf.

»Ich werde nicht mitfliegen, ich möchte aussteigen!«, hört sich Samara sagen.

»Aber das geht nicht mehr. Sie können jetzt nicht mehr aussteigen!«, entgegnet die Stewardess völlig fassungslos.

Eine zweite kommt hinzu. »Wenn wir jetzt erneut öffnen, müssen wir mit der Nichteinhaltung unserer Flugzeit rechnen!«, beschwört sie eindringlich Samara.

Totenstill ist es auf einmal im Raum und Samara sieht alle Augen auf sich gerichtet.

»Ich bin mir über die Konsequenz meines Verhaltens bewusst und werde die Kosten dafür übernehmen, ich möchte das Flugzeug verlassen. Ich habe meine Gründe!«, fügt sie hinzu.

Die Stewardess will erneut ansetzten. Samara blickt ihr in die Augen. »Bitte!«, fügt sie ganz ruhig und mit kräftiger Stimme hinzu.

Die beiden scheinen ihre Entschlossenheit zu spüren. Wortlos dreht sich die eine um und verschwindet im Cockpit. Die andere steht starr wie eine Wand neben ihr, die Wut und das Unverständnis quellen fast aus ihren Augen. Doch Samara hat nicht das Gefühl, sich verteidigen zu müssen. Sie dreht sich zu den Passagieren um. Welche Verurteilung in den Gesichtern der einen, Erstaunen und Unverständnis bei den anderen. Doch sie hält diesen Blicken stand. Sie sieht dem einen wie dem anderen direkt in die Augen.

Die Stewardess kommt zurück, das Handy in der Hand. Die Tür wird geöffnet. ›Sie wusste es!‹, denkt Samara erleichtert. »Danke!«, hört sie sich sagen. Noch immer starrt die eine Stewardess sie fassungslos an. Als Samara hinausgeht, spürt sie noch die nachdenklichen Blicke, die ihr folgen und allmählich hinter ihr verschwinden, mit jeder Stufe, die sie hinuntersteigt.

Der Wind bringt eine frische Brise und weht ihr einige Strähnen ins Gesicht und sie wischt sie zur Seite. Der Tag erwacht gerade und am Horizont meldet sich die Sonne zu Wort.

Festen Schrittes, sich ihrer eigenen Füße bewusst, geht sie die Treppe hinunter.

Sie sieht dem Flugzeug noch lange nach, wie es sich behäbig in die Lüfte erhebt und immer mehr hinter den Wolken verschwindet. Bis sie ihr kleines Mädchen, das sie damals war, mit den blonden lockigen Haaren, den Sommersprossen auf der Nase und der kleinen Zahnlücke zwischen den vorderen Zähnen, vor ihrem geistigen Auge wiedersieht, es nun an die Hand nimmt und ihm zuflüstert: »Von nun an wirst du nie mehr alleine sein, das verspreche ich.«

Still geht Samara mit einem Lächeln dem Airport entgegen.

PS: Oh, was piepst da?

Samara kramt das Handy aus ihrer Laptoptasche. ›Wer schickt mir denn jetzt eine SMS?‹

Sie drückt die Taste BLÄTTERN und dann KURZMITTEILUNG LESEN.

Nein, nicht so!

So auch nicht.

Sie muss umblättern!

So arg mag ich dich! Peter.

Samara muss lachen und wählt spontan seine Autotelefonnummer.

»Ja bitte?«

»Hallo Peter! Ich habe gerade deine Nachricht erhalten.«

Sie macht eine Pause.

»Schön. Wie geht es dir?«, fragt Peter.

»Gut geht es mir.« Sie überlegt erneut und setzt nach: »Sehr gut geht es mir.«

Sie atmet tief durch.

»Ich komm jetzt heim.«